ТОЧКА

ПОВЕСТЬ

Нинку-Мойдодыр в отличие от меня и Зебры в детстве никто не насиловал: не то что бы отчим, например, или же дядя, там, а вообще — никто и никогда. Так ей в жизни по-особенному повезло, если учесть, что родом Нинка происходит из сильно промышленного и всегда пьяного города Магнитогорска, где так или иначе, рано или поздно под тамошний мужицкий прибор подпадали все почти девчонки, которые из наших. Из наших — это я уже много лет безошибочно определяю — из каких. И дело вовсе не в том, что работаем, а просто я научилась по другим корешкам организма угадывать, по особым таким отличительным кусочкам: ходит как, к примеру, и по глазам — как зыркает, а найдя, чего хотела, в секунду оценивает остальное всё тоже и всегда близко к делу прикидывает: что будет с кем и как, и даст ли на такси после всего. А ещё из наших — те, что проверку прошли временем, не малолетки которые и не отмороженные, а нормальные, как мы и другие с нашей точки, с ленинской, те, что из середины на показе, не слева и не справа — российская провинция в основном, русский юг чуть отдельно, и СНГ с белой жопой: Украина там, Молдавия, Белоруссия. Вообще, мы делимся между собой на классы, или, если хотите, нас делят на такое: супер, средние и никакие.

Супер — это за сотку баксов кто отъезжает без вопросов и за меньше не отъедет.

Средние — полтишок, и таких большинство.

Ну, а никакие — они и есть никакие, и что получится у них в финале пьесы, сами не знают с точной стоимостью: может и штука быть в деревянных, и чуть больше, и поменьше: от клиентской неразборчивости зависит и от мамкиной наглости.

Так вот, мы — это средние, за полтинник зелени, и мы же самая обильная фракция в нижней палате парламента, про верхнюю не скажу — не знаю там, как у них. Зебра — та вообще ничего в этом не смыслит, ее в ящике только погода интересует, как на точке будет: на воздухе стоять, в машине курить или же там и там получится по совокупности конкретного климата. Но возила у нас принципиальный — Руль кликуха. Не курит совершенно, крепкого себе, кроме пива, не позволяет, так же и ненавидит скверные слова. Когда девки сзади него начнут, как водится, про что-нибудь свое блякать и ржать между показами, его просто мутит от этого и наизнанку выворачивает всего. Я-то знаю об этом и курить всегда на улицу выскакиваю, даже если мороз или дождь, но не сильный, терпимый, чтобы пару раз дернуть успеть. А другие девчонки говорят ему: мол, затыкай, Руль, зажми нюхальник и тяни через тормозной шланг или же кислородную подушку дома заряжай, а то Лариске снова нажалуемся. И тогда Руль умолкает, но карежить его продолжает и ломать не меньше, чем до этих грозных пугательств: не окончательно умеет он через образование перешагнуть, через имеющуюся моральную ценность, все-таки кандидат наук по сейсмологии — это про подземные извержения земли наука. А Лариску, вообще-то, правильно боится. Лариска женщина строгая, потому что она наша мамка и защитница. Мамки бывают очень разные, бывают совершенно не защитницы, а похуистки — бабки только считать, а дальше — как само выйдет. Она мне как-то честно пояснила, Лариса: понимаешь, говорит, другим мамкам бывает продать тебя выгодней кодле или отморозку и надежно бабки разом снять, и будь что будет: одной, если что, — больше, одной — меньше; вас на сегодня 120 штук на ленинской точке стоит и душ двадцать еще место ждут, а бабки — вот они, сразу, а я — нет, сама знаешь, я вижу кого отдать, чтоб отъехала, а кого сама не пущу, так-то. Так вот она Рулю сказала в строгой форме, вернее, начальник точки наш, Джексон, с ее слов распорядился, что, мол, кончай, Руль, персональный здоровый образ жизни гнать, а то мне проще тебя от заработков отлучить, чем девчонок на погоде морозить в убыток делу и рабочему настроению. И пойдешь, добавил, с нашего Ленинского проспекта на Красные Ворота по новой, если примут еще там с твоей копейкой 78-го года выпуска.

Джексоном Аркадий стал в течение одной всего секунды с легкой руки злюки и суки Светки-Москвы. Как только он сменил на точке прежнего владельца, точнее говоря, выкупил точку и сел на хозяйство, то собрал быстренько что-то типа производственного совещания с сообщением ленинскому персоналу о своих новых властных полномочиях. Сообщение было нехитрым и состояло из весьма лаконичной фразы типа: Ну, в общем, я тут теперь, так что смотрите, девчонки, чтоб все нормально было по возможности, ясно? Сказал и машинально почесал яйца.

— Ну Джексон просто, — тут же заявила преданность новому хозяину Светка-Москва, — Майкл Джексон, натурально, та же пластика и краткость таланта.

Девки грохнули, вся точка грохнула и опрокинулась насмерть. Что думать про это, Аркадий так и не понял, так как не знал — это про него хорошо или наоборот. Но Светке-Москве на всякий случай тогда запомнил. Так или не так, не было на точке после того случая живого человека, включая охрану, крышу и возил, чтоб не звал Аркашу Джексоном. Впрочем, вскоре тот и сам к прозвищу своему привык и даже стал немного таким фирменным погонялом гордиться, хотя зуб на сучару-Москву тоже при себе оставил.

Так вот, к чему это я этот разнобой затеяла? Плавно иду назад, обратно к жилью, что снимаем на троих с Зеброй и Мойдодыром. Про палаты и парламент я знаю из воскресных «Парламентских часов», когда после субботы отсыпаюсь, как вернусь — это как раз около трех дня, когда он идет, а до работы ещё рано, до точки. Нинулька-Мойдодыр тоже, как и Зебра, телевизор не очень, просит только обычно потише, потому что голова. А я отвечаю, что, Нинуль, мол, в голову кроме порошка и минета нужно еще чего-нибудь класть, так ведь? Беззлобно говорю это и даже не в шутку, вполне серьезно говорю, и она, кстати, это знает и не обижается на меня.

Вообще, мы живем дружно и не только потому, что примерно равный профессиональный стаж имеем при разном возрасте и статус: отъезжаем, как правило, за полтинник баксов, не тысяча двести в рублях, как девчонки, которых мамка с левого края держит, дальше от центра фар — те могут и за тыщу отъехать, а мы строго — полтинник. Сразу скажу — не стольник. Это не значит, конечно, что за стольник я не отъезжала — отъезжала сколько угодно, и девчонки отъезжали. Просто дело в том, что каждая из нас внутри себя знает точно — цена мне правильная вот эта. И это не понты, несмотря на всякий любой случай, что подворачивается и нередко. Эту определенность вырабатываешь в себе сама, преодолевая со временем внутренние противоречия из-за недооценки своей женской личности. А критерий один — доволен внутри тебя остался маленький совестливый человечек или не доволен.

Одним словом, все мы трое живем на Павлике и дружим. Павлик — это Павелецкий вокзал по-московски, хотя из Москвы нас родом никого. Мойдодырка, как я сказала, родом с Магнитки; Зебра — с Бишкека, и вообще звать ее Диляра, Диля, отец узбек, мать татарка; а меня зовут Кирой, и родилась я с самого западного края бывшей географии — в двух часах на автобусе от города Бельцы. Всё это, как вы понимаете, теперь заграничная Молдованская республика, но от этого мне не легче, а, наоборот, в сто раз хуже. Во-первых, потому что появилась я там на свет не вчера, а двадцать девять лет тому назад, когда не думала, что дом, где родилась, будет по сегодняшней жизни стоить полуторамесячный размер арендной платы за тесную двушку на Павлике с окном на перекресток. Во-вторых, потому что в доме том у меня двое деток, Соня — старшая и маленький Артемка, на попечении мамы, учительницы начальных классов. В третьих, потому что я проститутка со стажем и нескладной для такой жизни фамилией Берман. Ну а в четвертых и самых главных, потому что мне это нравится и я уже никогда не захочу обратно. Да! Вообще-то мы не говорим так про себя — проститутка, мы говорим — «работаем». И про других, кстати, таким же порядком — они тоже «работают». Но это к слову.

Так вот, Нинку никто в детстве не насиловал, у неё история по другому завернулась пути, через обычное алкоголическое родительское наследие, но в любом случае нервы у нее были в большем, чем у нас с Зеброй порядке, но именно тихая Мойдодырка первой узнала и заорала, как не в себе, когда передали по ящику в новостях. А сообщение было, что всего лишь три дня остается до открытия очередного чемпионата мира по футболу, который состоится одновременно в Корее и Японии. Я тогда как раз от парламентского часа до уборной отошла, а Нинка вслушалась и на себя вынужденно новость приняла первой.

— Бляди! — заорала она, как умалишенная. — Суки, мать вашу!

— Что??? — заорали мы с Зеброй, когда принеслись на Мойдодыркин крик. — Что такое???

Но Нинка уже стояла потерянная, вновь по обыкновению неслышная, тем более, что была больная, с температурой и простывшая после бассейна, и потому казалась смирившейся с ужасными обстоятельствами предстоящего куска жизни.

— Футбол у них начинается, — в тихом ужасе сообщила Мойдодыр. — Пиздец нам на целый месяц, без бабок останемся теперь. Клиент на ящик присядет, жди на точке обвала, а мне без допинга кранты, девки.

Мы с Зеброй тихо присели. Действительно, не прошло и четырех лет, как вновь нагрянули объективные финансовые неприятности, совершенно не связанные ни с бандитами, ни с ментами, ни с трехдневными женскими недомоганиями. И это серьезно, это не короткое вам усиление по ментовской линии типа Буш приехал, или 8-е марта, или же Новый год с Пасхой. Там быстро все — пара дней, разогнали и обратно становись, работай. А если крепко заряжена точка по бабкам, отстегивает регулярно властям и не имеет практических перебоев, как наша, например, то и власть ей тоже полнейшим либерализмом соответствует и при полуважных городских мероприятиях не гоняет, разрешает продолжать привычный труд. Кстати, Пасха святая — тоже немалая неприятность для девчонок: с одной стороны, посту конец и клиент навалится сразу после крестного хода, кто веровал весь пост. Но с другой — особенно последняя неделя — то ли чистая, то ли вербная, то ли ещё какая — она

9

очень строгая, чтоб в неё трахаться, и многие бизнесмены
держат простой, кто в жизни сильно нагадить успел, — думают, отсидятся за неё, потом сходят, «смертью смерть по-
прав» споют и пиздец, снова гадить своему же народу можно, по налогам и вообще, по оффшорам по их. А мы в прога-
ре по такой их прихоти, без бабок сидим, на чистяке голом.

— А, может, они в этот раз раньше гонять закончат? —
неуверенно предположила Зебра, — если явный фаворит
окажется и остальных всех уделает до срока, а? Бразилия, я
знаю, всех маму уделывает обычно.

Я представила себе бразильскую маму по типу женской
пиратки и прыснула. Смешно так слышать от черноокой
красавицы восточного образца про такую бандитскую маму — никак к этому не привыкну за столько лет, именно
к этим словесным соединениям, вовсе не матерным, а при-
чудливым совсем по другому закону устных русских слов.
Нинка, однако, не согласилась, прокашлялась с сухими
хрипами ниже бронхов и все еще огорченно уточнила:

— Бразилия главная по карнавалу, а не по футболу.
По футболу Англия лучше, мне клиент рассказывал, а потом за анал не заплатил, пьяным притворился и захрапел
под утро. Я так и ушла, не растолкала гадину. Но это до точки ещё, когда я на апартаменте работала.

Зебра задумалась, было видно, что вопрос для нее на самом деле нешуточный:

— Как бы он мамке не сказал зверям нас продавать и от-
морозкам, а то он сам ведь в жопе весь июнь теперь, Джек-
сон-то.

На этот раз не согласилась я:

— Нет, — твёрдо обозначила я свою позицию, — Лариса
на это не пойдет, не верю. Она себе до сих пор того со скальпелями простить не может, — я сама забыла почти, год прошел, а она всё помнит, точно знает, что промахнулась.

Тот со скальпелями и кучей других блестящих матовой
нержавейкой инструментов, был милым с виду пацаном лет
девятнадцати, весь в коже и на сияющей черным лаком бэ-
эмвухе пятой серии, тоже черной. Девки на показе сразу решили, что «сынок», и подбоченились под будущее благопо-

лучие. Однако Светка-Москва как-то странно посмотрела в сторону кожаного пацана и брезгливо поморщилась. Мне почему-то тогда это тоже не понравилось, поэтому пацан, наверное, и выбрал меня. Бабки выдал без разговора: так выдал, что понятно было совершенно — впереди еще выдача и, возможно, не одна. Девки дополнительно облизнулись и сглотнули. Я подошла к мамке, взяла ее за рукав и сказала:

— С этим не отъеду.

— Щас решим, — равнодушно ответила Лариса и наклонилась к окну иномарки. Затем она поднялась обратно и твердо сообщила: — Отъедешь, он другую не хочет.

— Нет, — сказала я.

— Да, — сказала мамка. — Он две сотки дал за тебя, конкретно хочет, значит нормальный, я отвечаю.

Тогда я посмотрела на мамку и поняла, что дискуссия беспредметна. Предмет оставался один — куда завтра выходить работать, на какую другую точку. Снова на Красные Ворота к тамошней мамке на поклон? И я сломалась...

...Пацан вез меня не знаю куда — говорил, по дачному варианту работаем, но дачей не пахло, а пахло хвоей сначала, а затем болотом, потому что съехали с дороги не на твердый грунт даже, а на какую-то узкую тропку и пробирались дальше, чуть не задевая автомобилем стволы деревьев: и оттого было особенно страшно, так как стало совершенно очевидно, что пацан с кожаным верхом ориентируется хорошо в такой непривычной для BMW глуши. А еще стало жутко, так как до меня вдруг дошло, что пацану этому ничуть не жалко сияющих бочин своей тачки и ему на нее в высшей степени наплевать, на всю сразу, потому что нечто гораздо более важное и волнительное у него на уме, другое совсем вожделение, другой кайф и другая его занимает в этом болотистом запахе трясучка.

Он остановил, когда дальше ехать было некуда. Бампер его уперся в ствол крайнего дерева перед начинающейся топью, обозначив место будущего досуга за 200 твердых баксов, и я поняла, что хорошим дело не кончится. Если не убьет, подумала, завяжу это дело, и почувствовала, как внутри ухнуло болотной выпью. Между тем пацан заглушил движок, но не стал выключать дальнего света фар. Он вышел из машины и сладко потянулся.

Пронесет, — вдруг подумала я, — просто мудель-романтик при бабках.

В том году как-то, помню, Подхорунжая рассказывала: приехал на точку джип, стекло черное открыл, кто там — так и не понял никто, даже Джексон расшифровать не сумел потом — так оттуда рука интеллигентская высунулась с пакетом, а интеллигентская, потому что тонкая, белокожая и с отведенным слегка мизинцем — именно так она руку эту осознала, их всегда видно, интеллигентов, даже по отдельным частям тела и гардероба. Потом рука та самая пакет наземь опрокинула, а оттуда бабки посыпались, ровно десять банковских пачек по десять штук было баксов. Девки поначалу пасти пораскрывали, думали всех скупают до конца дней, а Подхорунжия, не будь дурой, хоть и задней к событию стояла, где столичная фракция тусовалась, те, что при Светке-Москве отирались, первой к сброшенным котлетам кинулась, всем телом разом об них, чтоб перекрыть как можно больше собственной плотью. Но тут мамка в себя пришла от изумления такого как по книге Гиннеса и заорала во всю силу власти второго человека на точке:

— Всем блядям стоя-я-я-ть!!! — и сама подбирать кинулась сброс тот.

А Светка-Москва губу презрительно поджала, плюнула в сторону и спокойно так сообщила:

— Фуфло — бабки.

А джип уже отъехал к тому времени так же незаметно, как и появился, с одними подфарниками, несмотря на темное время суток. Лариса пакст обратно соорудила, как изначально был, и побрела за угол в машину Джексона с отчетом. Чем дело закончилось, долго никто не знал. А после все равно узнали через возилу Джексона. Бабки оказались — натуральней не бывает, самые подлинные, чисто американского производства, каждая пачка — целка. А Джексон придумал, что ему долг так отдали для передачи дальше, но все равно поставил всей точке фуфлового шампуня с Дорогомиловской просрочки. Подхорунжая потом простить себе не могла целый год, что лоханулась так дешево, на мамкину угрозу повелась. Сейчас, говорила потом уже, когда история подтихла и неясность улеглась, сама бы мамковала где-нибудь уже не хуже вашей точки ленинской. Нашей, в смысле.

И то правда, — подумала я тогда о ней, — ведь не от хорошей жизни кликуху такую носит, а оттого, что отказа своего против своей же услуги не признает принципиально, считает, нет клиента, под которого есть причина не лечь. Нет такого и все тут. Вот тебе и Москва — столица. Но об этом отдельно...

...Так этот тоже, может, романтик, только не в джипе, а в BMW. Он багажник открыл, оттуда бутылку с чем-то — у меня сил все равно не было рассмотреть, даже если отрава там была для меня, — дальше фужеры два красивых, одеяло какое-то и дипломатник черный, кожаный, как и сам весь. Иди, говорит, сюда, Кира, размещайся со мной на одеяле. А сам все время улыбается. Я иду и присаживаюсь, дрожу все еще, но уже не так, вспомнив про романтика из новеллы Подхорунжей. Раздевайся, говорит, Кира, пожалуйста, а сам откупоривать начинает. Ну тут меня окончательно почти отпустило, я юбку сняла, маечку и смотрю на него — трусики потом можно, спрашиваю, или сразу? А он разливает, подает мне и весело так говорит, что зачем, мол, потом, когда я сейчас предполагаю начать тебе аборт делать, как мы с тобой только выпьем. И пригубляет. А другой рукой меня резко за запястье прихватывает, и я обнаруживаю, что хватка у него мертвая. Шутишь, говорю, а уже все понимаю, что это на самом деле со мной происходит, и всё предыдущее был для него зловещий разгон лишь. И начинаю дрожать страшно, всем телом, меня просто бить изнутри начинает и мотать всю целиком. А он, как будто, дрожь мою почувствовал и сам затрясся, но не от страха, как я, а от своего его какого-то внутреннего изнеможения, от того, как всё со мной у него получается. Он фужер свой на одеяло вернул и той же рукой стал из дипломатника все, что было там, вываливать, чтобы я хорошенько это видела. А были это всякие хирургические инструменты: скальпели с разными резаками на концах, зажимы, лопаточка небольшая, щипцы — их он отдельно положил, не вместе с другими предметами. Медленно раскладывал, подправлял по ходу предстоящей операции: мы, говорил, аборт тебе делать не спеша будем, жидовочка, аккуратненько чтоб получился наш абортик, по всем правилам медицины. Но только, добавил, незадача у нас одна — нет никакой нужной анестезии у меня для этого, ничего?

А мне уже все равно было тогда почти. Но спасли меня дети мои в конце концов плюс его ошибка. Слишком понадеялся, наверно, на мой паралич. А у меня он и вправду был сильный, но тут же вспомнился Артемка младший и тут же Соня, оба разом, и мне хватило этого. В этот самый миг я свободной рукой перехватила бутылку и резко, со всего размаха ударила пацана кожаного по голове, в самый затылок удар пришелся. Пацан, как сидел и раскладывал, так на инструментах своих и обмяк. Я так и не знаю до сегодня: убила — не убила, но только подхватила юбку и маечку и понеслась бешеным галопом во тьму, в сторону от болота и джипа, и бежала так, сколько могла, пока не завалилась на что-то мягкое типа моха, но все равно раскровянила ногу и лоб об осину. А когда отрыдалась, то пошла искать дорогу, то есть шоссе в город обратно, там поймала частника, и он до Павлика меня дотряс по тройному тарифу с учетом внешнего вида, темного времени и предположительного отсутствия столичной регистрации. Так я в живых осталась, а пацана того больше не видала...

Лариса наша, мамка, как узнала, заохала, но проохала, правда, недолго, самая работа была тогда на точке, как будто с ума мужичье посходило в те дни: брали всё подряд, бригадами, без отсмотра почти, живым весом, не торгуясь, как будто фракция какая аграрная гуляла, подвалившая к очередному съезду на полноприводных тачках со всех концов республик, где сняли небывалый урожай. Но потом Ларка призналась, что ошиблась с пацаном, повелась на две сотни его: я, говорит, думала, ему жгучая нужна девочка, почерней чтобы и южней по виду, он евреечку спросил — нет ли у меня, а я чего скрывать-то буду тебя, да за бабки еще, у меня ж нет других из ваших, ты у меня одна с такой уникальностью по происхождению, хоть и наполовину, а все ж. Сам-то он сладенький из себя мальчик, молодой, чисто пиздатый, из сынков. Прости, Кирк, а?

Сама Ларка была натуральной москвичкой, родилась здесь, но я заметила, что при этом она любила голосом дур́кануть и неправильное слово вовремя вставить для сближения с контингентом, чтоб некоторые девчонки излишне не заводились, когда вопрос спорный по бабкам. Психолог тот ещё. Со мной она почему-то мягкое «гэ» не применяла и до тупого упрощения в разговоре не скатывалась, чувствовала, наверно, что меня изнутри брать легче, а не снаружи. Так оно и было на самом деле. А что до евреечки оправдание её и до моей уникальности, так это я по отчиму Берман, а по жизни мы Масютины были до маминой с дядей Валерой женитьбы, ну а в черное окрашена до самых корней для дополнительной профессиональной молодости. Но мамке в это вникать не с руки было, даже такой, как Лариска, да и понять можно, с другой стороны, — сколько нас у неё на контроле.

Я тогда, помню, и простила и не завязала, как себе обещала сама, — снова про Артемку с Сонечкой вспомнила, тем более, что мамка мне в тот день, как повинилась, весь полтинник отдала, свой четвертак отделять не стала, когда я отъезжала — небывалый случай у нас на Ленинке. А я ещё подумала, что время пройдет потом, уляжется смертельная эта абортная история с кожаным уродом, и Лариска между делом повод найдет и оштрафует, но это не сразу будет, не впрямую и не сейчас. Никуда мне с подводной лодки моей не выплыть, подумала я тогда, некуда просто выплывать — вода кругом простая, соленая и больше ничего. Да и неохота мне.

Итак, три дня ещё и месяц впереди неоплаченного футбольного отпуска. Зебра закинула голову к потолку и принялась вычислять. О чем — мы и так с Мойдодыркой знали наверняка: прикидывала билет до Бишкека туда-сюда, подарки родне и частичную потерю квалификации. По-любому получалось неподходяще, но в основном по бабкам.

Но мы же с Нинкой и знали, как никто, что ни в какой Бишкек Зебра не соберется, не хватит у нее решимости, коль за все годы не хватило. Там ее не ждет никто давно, с жизни списали и искать уже, надо думать, перестали. Я, правда, злилась тайно на подружку лучшую, что нет маяка ясного у неё в жизни: детей не будет, домой не явится — теперь уже факт, сколько узкие щелочки свои к потолку не задирай, а бабки грамотно на что-нибудь другое направить не хватает таланта, желания и цели — сплошная долбежка у Дильки в перспективе при нестихающей обиде на человека, не конкретно, а вообще. Меня, когда у человека лишние средства без нужды имеются, ужасно огорчает, а если ещё прямее сказать, то даже злит. А Зебра мимо этого вопроса проезжает, не тормозя, как будто сваливаются бабки с неба, зависают без нужды и пусть себе. Она даже не говорит типа там — посмотрим, что делать буду, куда направлять их, словно другая совершенно метафизика ее занимает, а все остальное — между делом делается, работа наша. А остальное это всё — и есть дело, расстройство, радость и выбранная судьба.

Была еще одна тема — та самая из-за чего Дилька стала Зеброй. А Зеброй она стала уже в Москве, но еще до химкинской точки. Ту точку, в отличие от нашей, крышевали не мусора, а бандиты, потому что она из первых была, наравне с Тверской или около того. Тогда мусора ещё правильный разгон не взяли, только примеривались пока. Дилька прибыла в Москву еле живой, потому что за последние два месяца оказалась дважды изнасилованной и единожды ограбленной. Было это лет пять тому, если мотать обратно, сразу, как стукнуло ей двадцать один. И считалась она тогда не просто хорошенькой, а очень хорошенькой — сил нет: скуластая через отца, чернявая через мать и кареглазая через них обоих. А взломить красоту ее такую хотелось всем, включая отца, отцова брата, ее же родного племянника и всех остальных мужских соседей. Правда, отец вожделел этого с помощью мысленных лишь образов, а все остальные — в натуральном исполнении. Диляра же знать ничего про это не ведала, потому что училась на бухгалтера и честно хотела надежного мужа и сытых детей. Больше всех за

Дилькину невинность переживал дядя, отцов брат, законный муж одной своей жены и незаконный — двух ещё дополнительных. Таким образом, отцом он уже получался семерым разновозрастным отпрыскам, старший из которых годился Дильке в сильно старшие братья.

Бить дядя решил на жалость. Не к себе, имелось в виду, а к многочисленной семье, которая осталась бы без главного кормильца и оплодотворителя в случае уголовного развития события, отвечающего предстоящему плану. Дильку он заманил на базар и насиловал её там в вагончике охраны, с которой договорился заранее. Дилька ничего не понимала, ревела каспийской белугой и умоляла отпустить. Отпустить ее дядя уже не мог, потому что вынашивал насилие племянницы все последние лет десять, и в результате так и вышло — оргазм дядькин был слаще спелой чарджоузской дыни и на суму, тюрьму и родственную обиду ему было в тот мучительный по конвульсиям момент в высшей степени наплевать. Люблю, сказал он Дильке, когда все окончилось и он утер следы сделанного и натянул штаны. Люблю как родную тебя, Диля, добавил для убедительности, в полной уверенности, что победил собственную похоть единственно верным способом. Ты не позорь меня, дочка, предупредил он ее, пока ехали домой, а то себя больше опозоришь, ладно?

И Дилька стерпела и не открылась никому больше. Проблема, кроме имевшейся, началась, когда в сиськах стало тянуть и набухать, а в животе разлаживаться привычная картина женской регулярности. К доктору она не пошла, все сообразила сама. Все совершенно, как и то, что если её не убьет мать, то отец убьет наверняка. Но в этом случае жертв будет на одну больше с учетом пылкого отцова брата. Бухгалтерская наука на фоне имевшихся вполне жизненных обстоятельств разом потеряла для Дильки актуальность, несмотря на несомненные способности девчонки в области баланса и бухучета. Решения искать не понадобилось — другого просто не существовало, но и о нем она не известила даже единственного из возможных пособников — насильника-дядю.

Денег хватило на купейный билет в одну сторону — до Москвы; также оставалось ещё около пятисот рублей на обживание в столице. Кроме паспорта и аттестата зрелости в наличии имелось четыре пресных лепешки, немного конской колбасы, смена белья, учебник по бухучету на всякий случай, столбик туши для ресниц, зубная щетка, полтюбика пасты «Лесная», домашние тапочки из бордового плюша и фотография родителей. Все это помещалось в студенческом портфеле из натурального кожзаменителя фальшивого вьетнамского крокодила.

Ехали нормально, потому что соседом был веселый парень-аспирант по холодильным агрегатам. Весь путь он травил анекдоты и таскал из буфета прохладительную воду с газом. Последний раз, перед самой уже Москвой, когда оставалось ночь ехать всего лишь, а на утро уже сама мать городов-героев ожидалась, притащил снова, на этот раз зелёной какой-то, с травой, сказал, тархуном и мятой, и она попила, перед тем, как укладываться окончательно. А утром её еле добудилась проводница, еле глаза ей сумела разомкнуть и трусы обратно натащить на голые бедра. Крокодиловый портфель валялся в стороне от события, в тамбуре, но без 500 рублей под боковой молнией и без паспорта. Тапки, паста «Лесная», учебник, все такое было на месте, но осознать ни того, что утрачено, ни того, что осталось во владении, Диляра не могла еще в течение ближайших трёх-четырёх часов, пока внутренность головы восстанавливалась после воздействия порции клофелина, растворенного в тархуновом питье, а душа — после ночного «аспирантского» надругательства над обездвиженным и повторно обесчещенным телом. До зала ожидания на Курском вокзале Диляру доволокли две сердобольные студентки и курсант-пограничник. Испытывая легкую неловкость, они помялись для виду около невменяемой Дильки, но сумели-таки преодолеть внеплановый неудобняк и, наскоро кивнув друг другу, то ли на прощанье, то ли с целью обозначить намерения насчёт частично спасенной ими девушки, растворились в людской толпе, каждый в своем безвозвратном направлении.

Окончательно Диляра пришла в себя лишь к концу дня, снова оказавшись в нечистом купе одиноко стоящего в дальнем тупике вокзала брошенного вагона. Рядом был неопрятный мужик с хитрыми и сухими глазами и делового вида баба, похожая на ушлую билетную кассиршу. Портфель с остатками имущества тоже был здесь. Интересовалась в основном баба, а мужик сочувственно ей поддакивал. Чтобы разобраться в Дилькиной новелле, бабе хватило минуты четыре, причем с деталями, включая историю бишкековского невольного греха.

— Значит так, девка, — жестко объявила решение баба, — жить селю тебя сюда, аборт организую, но аборт, жилье и харчи отработаешь. А там посмотрим, что с тобой делать, ясно?

— Ясно, — согласилась Диляра, совершенно не понимая, чего хотят от нее эти люди, кроме как помочь в ее беде. — Спасибо вам.

— Тогда выпей, — обрадовался мужик и налил ей в стакан чего-то прозрачного. — Это для тебя укрепляющее.

Диля выпила и почувствовала, что ей действительно становится лучше.

— Работать начнем сегодня, — перешла к делу баба, — с вечера прям.

И снова Диля согласно кивнула, потому что ей стало ещё лучше, гораздо лучше, окончательно нормально и хорошо...

Клиентов в вагон приводил мужик и доставлял непосредственно в купе, куда заодно приносил воду и поесть и из которого водил Дильку по нужде в вагонный туалет, где вместо вырванного с корнем унитаза в полу зияла дырка в черноту, если дело было вечером или ночью, или же мутный, рваный световой цилиндр упирался в загаженную рельсовую шпалу, которую она с трудом разбирала почти невидящими при дневном свете глазами.

Сопротивляться появляющимся и исчезающим с механической регулярностью разновеликим мужским объектам сил не было. Да силы были, в общем-то, и не причем. Не было нужного соображения головы, не хватало ни времени, ни умения собрать все, что было вокруг нее, в одну понятную картину, загнать происходящее в середину страшного купейного вагона и охватить все это разом: умом, глазами и животом. Одежды не было никакой, так как баба унесла все, что на ней было, а ее просто прикрывали после быстрой случки суконным одеялом, говорили раздвинуть ноги, но в итоге делали все за нее сами, поворачивали, как надо, к себе или в обратном от себя направлении, дышали в нее кто чем, но всегда гадким и через одного присасывались ртами и отдельно зубами к молодым кускам бесчувственного Дилькиного тела. Один раз возникла баба, но другая, не билетная кассирша, она тоже лизала и сосала Дильку повсюду, как делали другие мужики, но, кажется, осталась недовольна получившейся Дилькиной безответностью и ушла, обругав ее грязными словами.

Так, будучи в Москве, но не имея о мировом культурном центре ни малейшего представления, Зебра провела на Курском вокзале, именуемым в народе Курком, четыре месяца. Все кому не лень, вернее, все, кто честно соответствовал невысокому по вокзальным меркам тарифу, установленному бабой с мужиком, исходя из принципа соответствия цена — качество, был пропущен через Дильку так же с их стороны честно, без малейшего обмана, подлога и подмены.

Вышвырнули Диляру на улицу, когда клиент перестал ее брать окончательно из-за шести с половиной-месячного беременного живота и наступивших в неотапливаемом вагоне октябрьских заморозков. На голое тело ей натянули промасляную фуфайку, дали сапоги и на погрузочной тележке откантовали ближе к дальним краям платформы; там же бросили вместе с тележкой, куда в виде окончательного расчета приложили полбутылки того же дурманного питья.

Жидкость она выпила сразу и сразу же заснула. А когда проснулась от холода, то удивилась, что никто не поворачивает ее так и сяк и не втыкает в ее тело никакие атрибуты любви. И тогда Дилька начала трезветь, потому что подпитки больше не было никакой. Трезветь и замерзать. Встать и пойти прямо или куда-нибудь вбок ей просто не пришло в сломанную голову. Но сознания хватило на другое дело, веселое и понятное. Она саданула опустошенной бутылью о край тележки, из образовавшихся осколков отобрала кусок позаостренней, задрала масляный фуфаечный рукав и с размаху вонзила стеклянный угол в открывшуюся слева руку, выше запястья. Оттуда брызнуло густо, сочно и черно, и Дильке это понравилось. Она била туда же и секла стеклом сверху вниз и обратно до тех пор, пока не поменяла руки. То же самое, но с опавшим уже от потери крови остервенением она проделала с правой рукой, откуда темной жидкости вылилось немного меньше, но тоже было очень красиво и по делу. Очень красиво. Очень...

Изрезанные Дилькины руки зашивали в институте Склифосовского, вырезая одновременно из ее живота нерожденный плод и тут же делая переливание крови. Если бы под утро тележку с Зеброй, пребывающей в бессознательном отходняке, не обнаружил бомж из местных и не сообщил дежурному по вокзалу, вернее, если бы это произошло на пятнадцать минут позже, то умер бы не только ребенок в Дилькином чреве, но не стало бы стопроцентно и самой Дильки.

А Зеброй Дилька заделалась уже в вендиспансере, после Склифа, куда ее отправили на излечение от многоцветного заразного букета, образовавшегося в ее девичьем организме за время купейного постоя на тупиковом пути. В то время как районные венерологи изжигали многочисленную заразу по своей линии, руки Дилькины прорастали поперечными твердыми шрамами, многочисленными, наклонными и прямыми, образовывая вдоль всей внутренней поверхности рук от запястья до предплечья затейливый узор, напоминающий одноцветные полоски африканской зебры. Такое выпуклое обстоятельство никак не могло укрыться от внимательного глаза соседних сифилитиков, и кликуха приросла намертво с того дня, как Дильке в диспансере задрали рукав больничного халата для первого оздоровительного укола в трудную вену.

Выписали больную Диляру Алибековну Хамраеву в никуда, но под дальнейший медицинский контроль, хотя — дело привычное для контингента — антивенерический персонал диспансера в полном составе надежно был в курсе, что единственный документ в виде справки об утере паспорта вероятность подобного контроля обращает в пустое и формальное фуфло.

Именно так ей Бертолетова Соль и объяснила, когда выписывалась с Дилькой в один день. Бертолетка стояла последний год на Химках, на Ленинградке, на химкинской точке, в смысле, работала, там же ее по клиентскому навету и прихватили после свежайшего у потребителя гнойного триппера.

— А я не виновата, что он в гондоне кончать не может, — возмущалась Бертолетка, когда менты прихватили ее на точке согласно идиотскому заявлению в прокуратуру пострадавшего любителя приключений вдоль дороги. — Никто его не просил без гондона меня шарить, а минет, между прочим, я с гондоном делала, точно этого козла помню.

Бертолетка считалась на точке язвой как в прямом, генитальном, так и переносном говнистом смысле, если отсчитывать от неуживчивого характера. Прозвище ей по этой объяснительной причине подходило как нельзя лучше и под сомнение не бралось даже ею самой.

— Для них жену ебать — только хуй тупить, — не могла каждый раз успокоиться Бертолетка при возникновении сколь угодно малого конфликта с клиентом, имея в виду прежде всего его моральный облик. — Он тебе сначала на уши нассыт, что чистый да женатый, а как доверишься, откинешься да глаза от него отведешь от урода, чтоб лишний раз не видеть, так он норовит гондон по тихой сдернуть, а обратно уже без резины воткнуть. А там, если даже засечёшь, так все одно уже поздно, да и сама тоже нс железная, живой человек, как-никак. А после я же виновата окажусь, а он не при чем, падло, он хороший, козлина. И ещё неизвестно, кто кому венерик подложил, по большому если счету. И вообще, — подводила она грустный итог переписи мужского населения по линии вдоль Химок, — они все как общественные туалеты, как сральники никудышные: или заняты уже, или полные дерьма, или ж вовсе не функционируют.

Дильку сразу после выписки Бертолетка повезла к себе на Речной вокзал, где снимала однушку на двоих с девчонкой из Могилева. Времени было почти шесть, пока они добрались, стараясь не попасться на глазам ментам, и девчонка к этому времени уже исправно стояла на Ленинградке, а, может, уже и отъехала, так что дома было никого. Для начала они поели макарон без всего, с чаем, а потом Бертолетка постаралась Дильку как надо напугать, в том смысле, что напугать так, как ей казалось верным в случае Дилькиного возвращения домой после почти полугодового отсутствия.

— Сама посуди, Зебра, — увещевательно начала просвещать новую подругу Бертолетка, — ну, приедешь обратно, ну шов свой кесаревый родне предъявишь, ну мешки синие на морде засветишь. Да и зебры обои — тоже не зашкуришь, ведь, так? Все одно предъяву делать надо рано или поздно. И чего? Обрадуются, думаешь? Дядька-узбек, обрюхатил который, и тот шарахнется. — Дилька молча ела макароны и слушала, а Бертолетка уже плавно переезжала из пугательного параграфа в животворящий. — А я предлагаю наоборот: откормишься, я тебя на точку отведу, мамке нашей представлю, отрекомендую как положено, на воздухе побудешь со мной вместе навроде Грин Писа, отъезжать тоже вместе по возможности станем, здоровье подтянешь и подработаешь на первую пору, а там сама решишь — дальше работать или ж в Бишбармак свой назад отправляться, пропадать там насовсем.

Зебра доела макароны, отодвинула тарелку и ответила, потому что пока доедала, все уже для себя твердокаменно решила, невозвратно закрепив решение незыблемостью ислама, оставленного ею теперь навечно в другой своей жизни: далекой, прошлой и совершенно чужой:

— Завтра пойдем, можно? Сегодня я так посплю, сама...

Как и обещала, на точку Зебра встала на другой день, а втянулась в работу быстрее, чем могла предположить сама. Дело было новым, но неожиданностей психического порядка почему-то не принесло: сработали прикрытые до поры механизмы, нужным образом приготовившие истощенный за период противостояния здоровья и получившейся жизни организм Зебры к дальнейшей эксплуатации ее женских частей.

Утром после первой рабочей ночи она вернулась в Бертолетову квартирку на Речном, постояла в душе, оттирая смуглую кожу и к удивлению своему не обнаружила в очистительном процессе сопровождающей его брезгливости. Затем она забралась под одеяло, покрывавшее матрац на полу, и снова удивилась тому, что ей не захотелось поплакать, как полагалось по всем дурным книжкам, которые она успела прочитать к своим годам. Бертолетка ещё не вернулась, потому что, хотя купили их на пару, потом ребята выпили и развезли их по дачам, по отдельности, где они и остались работать до утренней поры. Ребята, кстати, оказались очень нормальные, даже хорошие и приветливые, а один был в очках. Они постоянно хохмили между собой, но так, что ни Зебра, ни Бертолетка ничего почти понять не могли, то есть слова все улавливали, но сложить в причину смеха не получалось и приходилось просто заодно улыбаться их малопонятным приколам. Но когда Бертолетка напилась, до развоза ещё, то тоже стала ржать, как будто въехала в суть разговора. И тогда ребята ещё больше развеселились, но не зло, все равно, а опять прикольно, а потом уже поехали каждый со своей.

Зебра закрыла глаза и провалилась. А когда снова открыла, то перед ней стоял дядя и смеялся точно так, как смеялись ребята с дач. И ни странного в этом не было ничего, ни страшного. Он и одет был как они, в джинсах и пиджаке, как не должен был одеваться, потому что не имел ни того, ни другого такого фасона. Брат отца держал в руке разрезанную надвое дыню и оттуда, из сладкой середины на Дильку вытягивался и тягуче срывался густыми порциями сильно пахнущий дынный сироп, который стекал по ее щекам и проваливался ниже, на шею, а потом утекал ещё дальше, между смуглых Дилькиных грудей, скатываясь сначала на бедра, а потом и под бедра, просачиваясь в простыню и делая ее влажной и горячей. Дядя продолжал смеяться, но вдруг разом перестал и резким движением развернул дыню наружу. И тогда уже не только сироп, а и вся густая начинка из семян жидкой кашей нависла над Дилькой, повисела чуть-чуть, оторвалась от серединной вмятины и после короткого воздушного разгона влетела Зебре в лицо, залепив оба глаза и перепутав между собой ресницы.

— Самый сладкий оргазм, дочка, из дыни получается, — улыбался дядя.

Дилька от неожиданности зажмурилась, но тут же резко разлепила глаза обратно, машинально смахнув с лица приторную кашу. Но никакого дяди уже рядом не было, и вообще не было никого в однушке на Речном, девчонки еще не вернулись, но внизу под ней все равно оставалось мокро, и уже не горячо, а прохладно. И тогда Зебра откинула одеяло и с ужасом обнаружила под собой не до конца впитавшуюся еще вниз лужу, от которой исходил слабый кисловатый запах...

Матрац она перевернула, простыню замочила и отжала, девчонкам удалось ничего не сказать, когда они пришли, потому что внюхиваться они не стали, и одна и другая, а сразу завалились спать и потому ничего и не спрашивали.

А Зебра... А Зебра, несмотря на получившийся конфуз, вены вскрывать не стала. Она к очередному своему удивлению порадовалась за такое мудрое собственное решение насчет невозвращения домой, мысленно представив себе подобную обоссанную картину в родном доме в Бишкеке под маминым одеялом.

Через неделю она оделась уже не в долг, а ещё через полмесяца прочно вошла в терапию нового труда. Ещё через два месяца все, что удалось накопить, она вручила Бертолетке в виде короткого долга, но Бертолетка отдавать долг не спешила, а, подумав, сообщила, что эти долговые деньги — плата за устройство на интересную работу.

Спасти, чтобы кинуть, вытащить, чтобы утопить, так расшифровала я потом Зебрину ситуацию уже после того, как она съехала от Бертолетовой Соли, перебралась на точку у Красных Ворот, ближе к городской жизни и сошлась там со мной.

Тогда была зима, и не слабая надо сказать, и мы больше сидели по тачкам, вылезали только на показ и поссать. Это во дворе было, на Красных Воротах, напротив поэта Михаила Лермонтова. Девчонки, правда, почти никто не знал про поэта, да особо и не интересовался памятником, хотя на той точке тоже штук нас под сотню было, почти как на Ленинке. Мамка только говно была, сучливая и равнодушная до всех нас, кроме бабок. А про памятник лично мне известно было, потому что я все-таки дочка начальной учительницы поселковой школы и по литературе успевала нормально и читала кое-что с детства. Но подолгу в тачке тоже в мороз не высидишь. Во-первых, накурим жутко и надо время от времени дыхнуть. Клиент в мороз не очень обычно частый. Ну а если выбрался наружу, то заодно — поссать. А потом и девчонок понять надо: у кого цистит непроходящий, у кого чего похуже или побольше, а у кого натурально большая нужда. Мамка нам место указала, чтоб не очень округу волновать, хоть мы и прикрыты были мусорами со всех сторон, но все равно имелась проблема с этим делом в холод — была, была.

Вот тогда-то мы с Зеброй, в те самые холода и задружились — поняла я, что нормальная Зебра девчонка, хотя и азиатка. Она первой маньяка просекла и на общий учет поставила.

Маньяком мы, не сговариваясь, прозвали сами не знали кого, но то, что маньяк он был — точно. Никто из нас так его за холода и не увидал, за все время, пока сам он не пропал и больше не появлялся у нас, хотя сейчас про это я не знаю и Зебра тоже, потому что мы давно с тех пор на Ленинке уже работаем, у Ларисы. Так вот, ни лица его, ни одежды, ни про что думал, ничего никто из нас не понял и не узнал. Кроме одного — деньги у маньяка водились. Но когда Зебра на точку к нам встала и отлить пошла после кого-то, он именно с нее начал в общее дело включаться, с Дильки. До тех пор подъезжал просто черный джип, показа не требовал, а стоял без фар неподалеку, словно план неведомой операции прикидывал. Мамка поначалу напряглась и менту нашему стукнула крышевому. Тот к сведению принял, между делом козырнул, документ спросил, нормально отсмотрел, вернул и ничего больше. Ну стоит себе джип и стоит, никого не давит, никого не покупает — имеет право и то и другое делать. А когда Зебра мимо него в тень дворовую как-то просачивалась — сама жгучая, нерусская, и тень от нее тоже черная, загадочная — он стекло непрозрачное свое оттянул и сказал из-под него что-то. Она пожала плечами и кивнула. А потом к джипу вернулась, и снова маньяк стекло чуть приспустил. В тот раз она до нас ситуацию еще не довела окончательно, наверное, сама не въехала как надо: думала, случайность место имела или оказия чудаческая. А после повторилось и снова, и опять. Тогда Зебра пришла в нашу тачку, кроме своей, и честно историю вывалила, что, мол, просит ее каждый раз из-за стекла голос маньяческий поссать повидней и понатуральней, когда он специально фары в то направление подключит, и чтобы, как будто, это со вкусом всё у того, кто ссыт, происходило: как бы задиралось всё капитально и ссалось неспеша и со всей мочеиспускательной подробностью. А девки заржали в голос, но быстро угомонились, потому что Зебра дообъяснила еще, что за каждый пассаж из черной щели джиповой стольник в деревянных вылетает, каждый всякий ссаный раз.

Вот тогда-то все они и ополоумели. Я, кстати, тоже интерес проявила. И понеслись наперегонки девчонки в отхожее место, но так, чтобы черный джип обязательно пересечь, в смысле, линию обзора маньяка. И что вы думаете? Как заведенная обоссанная кукушка, маньяк со сторублевой регулярностью фары подключал и банкноту очередную выбрасывал. Лично я в тот день восемнадцать раз сгоняла, можете помножить — получается больше, чем отъехать. И это не один день длилось на точке. Сама мамка ссать не отрывалась, не хотела уподобляться, но и прощать тоже не желала.

— Пока-а-а-аз, девочки, на пока-а-а-з! — орала она при возникновении клиентской ситуации, то есть, когда не маньяк в джипе, а просто купить потрахаться нормальным путем человек желает. Но там, в дворовой глуши — от маньяка стольник верный, да не один, скорее всего, а тут не тебя возьмут, наверно, по закону невостребованности. А в итоге что? А скандал на точке, недобор бабок и штрафы провинившимся. Так-то!

После того случая, с открытием ссаной скважины, я сама Зебру жить к себе позвала, потому что знала, что она с Химок перебралась сюда и подходящего жилья еще не подобрала. А у меня как раз на Бакунинке место освободилось тогда, в моем съемном жилье из-за того, что Янка съехала к постоянному парню в гражданское сожительство. Тот ее на точке у нас купил до утра, сказал по пути, что банкир, а привез в коммуналку и оказался на самом деле детским массажистом, но без заработков. Он ее три дня из коммуналки не выпускал, массировал по всем нужным точкам, а потом влюбился насмерть и сказал: давай вместе жить будем теперь. Она прикинула и согласилась хозяйство его на себя принять с целью будущего брака, прописки и материнства. Жить у него стала, с точки ушла и перешла на заказы дневные, от него по тихой, через диспетчера, по разделу «Студентки». Но у Яночки с русским было неважно, в смысле, с выговором центрального нечерноземья, сама-то она из-под Харькова родом была, хохлушка чисто черноземная, через мягкое «гэ» и прочие неловкие звуки. Зато кохать умела как положено, выше, чем брала прейскурант, с неоплаченной душевностью к клиенту. И ее брали очень хорошо, западали через одного, но жить вместе только массажист отважился. А заказной клиентуре Яночка вещала, что студентка она не просто, а вечерняя, так ей казалось, сильнее оправдательный мотив за несовершенство русского произношения прозвучит.

До меня ещё, до жизни нашей на Бакунинской улице Янка года два подряд отиралась в Стамбуле, работала «Наташей» в районе главного рынка, там, где кожа, золото фуфловое, джинса и все прочес турецкое на свете, кроме русских туристов в виде клиентуры. А на них-то расчет ее первоначальный и был построен, на наших. Но вышло иначе — наши вообще про это ничего знать не думали, носились как очумелые, до крови любой товар выторговывали и через любую «Наташу» насквозь смотрели, не видя и не нуждаясь в коротком своем забеге на товарную чужбину в ласковом слове и податливом отношении. А брали турки. Это была и радость и доход. Дикие на вид, страшные, они оказывались нежнейшими и заботливейшими по отношению к белой женщине существами, по крайней мере, так было с Яночкой до тех пор, пока самый нежный и заботливый не сунул ей под дых твердейший кулак, закаленный покруче дамасской стали, который вышиб из Янки все дыхание разом и опрокинул ее на пол. Нежный турок грамотно произвел досмотр жилья и отъем денежных накоплений, а также части товаров — услуги он отобрал чуть раньше — и мягкими шагами утопал в свою Турцию, игриво погрозив Янке заскорузлым волосатым пальчиком. Но такое было, правда, один раз с ней, под самый конец двухлетней командировки, когда сумма, достаточная до конца безбедной жизни с двумя сестрами и матерью под Харьковом, сформировалась в окончательно радостную цифру с нужными нулями. Да и то — платили за ночь баксов по сто пятьдесят и кормили не ниже среднего ресторана, с кебаб-шмебаб всегда — с мясом, в общем, на сутки почти хватало потом больше не есть.

Но и в этом деле, как и в родной речи, чужое высшее образование зловещую роль сыграло, подвело нежданно-негаданно. Да и то понятно — время такое началось, вернее, безвременье, окончательно моральные ценности канули в небытие, в глубокое, прекрасное далёко, и потянулись в Стамбул девчонки косяками, не работать, как положено, не наши, а студентки херовы настоящие, натуральные, которые действительно учатся и посещают. Вот они-то и стали рынок услуг сбивать до полного падения ценных бумаг. Сами посудите — Янка рассказывала, и я верю, так как сама точно знаю: быстрый минет — 5 баксов, для чего и штаны снимать турку не требуется, приспустить всего лишь ненадолго и отойти за прилавок своего маленького бизнеса. Ну и чего, — спросите вы, и я спросила бы вместе с вами, если бы не была посвященной, — подумаешь, 5 баксов. А того, — ответит Яночка, — двадцать магазинчиков обгуляла тварь эта учебная — вот тебе стольник, существенная прибавка к скромной стипендии, на конспекты и помаду. Так бляди эти и сбили рынок, привели к окончательному краху продукта услуг, опрокинули в инфляцию и стагнационный застой.

Поэтому и вернулась Янка обратно ни с чем и на столичную точку встала — от Красных Ворот во двор поворот. Маме с сестрами написала, что ресторан в Стамбуле прогорел вместе с ее средствами, а сама она теперь в Москве на оптовом рынке «Университетский» работает. Не «работаю», а тружусь, мам, в торговом павильончике с азербайджанцами сотрудничаю за твердую зарплату и процент. Они гораздо надежней турков, хоть и такие же по небритости и единой языковой группе тюркского периода, и никогда в Москве не прогорят, Москва — не Стамбул, Москва против них — город-герой.

А Зебра жить ко мне пошла с удовольствием, намучилась Зебра без дружеской поддержки и без паспорта. Потому что, рассказывала, как время субботника подходит, там еще, на Химках, так ее первой назначают, поскольку ее прикрывать сложней других — у тех всего лишь регистрация отсутствует за нечувствительный штраф с последующим отпусканием восвояси, а главный документ — вот он, имеется, у кого с орлом-петухом, у кого с оттиснутой бульбой, у кого со шматом сала, а у Зебры ни с чем. А бандиты крышевые, какие брали, объясняли, что, мол, пойми и нас, сестренка, у нас точка двойного налогообложения, не впрямую мусорская, а через нас, через договоренный промежуток, что означает дополнительный расход на оперативную связь, защиту и текущий базар утрясать. А ты под двойным прицелом стоишь без социального лица и документа, так что можешь двойное нарекание получить, а нам, выходит, по двойному базару отбивать, так?

И Зебра покорно шла и парилась в бандитской бане, но потом уже честно призналась, что, хоть и без оплаты, но шашлык, винцо — всегда и ребята нормальные. Она позже сообразила, почему бандит лучше мента или клиента — за своих потому что девчонок держат, за таких же, как сами, за отдельно стоящих персоналий в контрапункте жизни. А что насчет затрахивают до смерти, так нет такого ничего — больше в карты режутся и друг перед дружкой похваляются по боевым делам, да я и по себе знаю. А один есть у них, но это уже не из тех крышевых химкинских, а из местных, сухаревских, на Красных Воротах нас брал и не по субботнику, потому что на Воротах мусора держат — за бабки покупал, нормально — так он выпил больше своего норматива и, необязательно раздобрившись, шепнул мне лично, что, если б не нужда бандитской солидарности, то ни девчонок ему не надо никаких, ни бань этих, ни виски с водкой — жену свою обожает больше всего, обмирает просто на нее, любит и в любви своей является консерватором, а из выпивки — компот из черешни, особенно из желтой, мелитопольской. И детей тоже любит невозможно. И даже к теще его — тоже, сказал, без малейшей уценки относится, вот как бывает. Я, помню, поверила ему без заминки тогда, чисто по рассказу. Потом, правда, опомнился и распальцовки немного предъявил вдогонку откровенности, но это так, для самоочистки совести. А, уходя, сунул мне ещё полтинник зелени и ничего не сказал, только посмотрел пронзительно, и я поняла, что сквозной его взгляд этот обозначал: смотри, мол, сестренка, чтоб случайно доверенная тебе слабость не стала достоянием общественности, примыкающей к точке, ясно? А мне и так было бы ясно, даже без страховочного полтинника, хоть и не лишний. Мне, не считая Зебры да впоследствии Мойдодырки, и в голову бы сроду не пришло дальше чувственную информацию разнести, в сторону от источника. На том стою, на такой точке зрения существую, на такой точке морального отсчета.

В общем, сменилась Янка на Зебру — Нинки-Мойдодыр ещё в то время не было с нами — и обе мы от этого не пожалели, от нашей новой дружбы. Я когда работала, к слову сказать, ну в нормальное время, в обычное, когда поезда вечерние отправляются, и подпадало это, допустим, на те же самые дни, в какие Зебра месячные женские расстройства пересиживала, а срок подходил денежки домой направлять, под Бельцы, Сонечке и Артемке с мамой на содержание, так Зебра — без вопросов, к вечернему молдаванскому составу как штык с пересылкой моей являлась и переправку обеспечивала через проводниц в лучшем виде. Я к Зебре очень быстро привыкла и привязалась даже, она стоила того, Дилька Хамраева, после всего, что перетерпела сама. Ну, а кроме того, и общее нас сильно сроднило, общая несправедливость, допущенная жизнью в нашем направлении, в отношении обеих нас. А через месяц нового быта Зебра раскололась и про недержание мочи свое мне рассказала, как наследие бывшего ужаса. А поведать решилась, потому что за все время нашего совместного проживания с ней такого ни разу больше не случилось, и она точно поняла, что на этом памяти той конец. Той страшной ее части. Точка.

У меня же в отличие от Зебры получилось бескровно, но сердечно, через самую сердечную жестокость, я хочу сказать. Это я о самом начале, о том, откуда все покатилось в сторону точки, которая сейчас для меня на Ленинском проспекте, не доезжая космонавта Юрия Гагарина, если от центра мегаполиса отмерять. Раньше я упоминала, что Сонечка моя — старшая из них с Артемкой, но не говорила, что с огромным отрывом по старшинству. Возраст моей Сонечке — полных тринадцать есть, далеко четырнадцатый, уже года два, как вызрела она в полноценную девушку, понимаете, я о чем? А Артемке только два будет от другого совершенно человека, которого считай, что вовсе нет.

Артемку я соорудить успела и выносить и родить — и все, не съезжая с Павлика, с последнего места съема жилья. Но по рождению зато мой младший — настоящий москвич, даже без регистрации. Зебра и Мойдодыр мне отдельно маленькую из двух комнат наших отдали для персонального вынашивания плода на последние месяцев пять до родов, когда уже работать перестала и перешла целиком на домашнее хозяйство. Мы так решили вместе: я по дому всё обеспечиваю, а они меня кормят и что надо будет из лекарств и за квартиру. Потом ребеночка — к маме в Бельцы вместе с долгом от девчонок и обратно — работать и долг тот отдавать до полного погашения.

Артемка у меня от ученого человека возник, хотя от клиента и по недоразумению. Он купил меня у Лариски ниже прейскуранта, но работы не было в тот день из-за дождливых погодных условий. Когда он подкатил на точку на «москвиче», девчонки даже вылезать на показ под дождик не захотели, даже штрафов Ларискиных не испугались, не поверили в этого человека, что серьезный на таком гнусном средстве передвижения может. А я вышла, потому что пожалела его за тачку и деньги были нужны домой. И он сразу согласился и предложил все, что было с собой. По баксам не добирался червонец, но я решила, что лучше с «москвичом» отъехать, чем без перспективы у Руля в тесноте задыхаться.

Мужчина оказался Эдуард, был со мной на «вы» и очень вежлив. По образованию, сказал, ученый, и видно его очень подмывало спросить меня про то же самое, чтобы избежать другой неловкости покупки. И спросил. А я всегда отвечаю на это, кто интересуется, что из школьной семьи, что чистая правда есть. Тогда Эдик как-то сник сразу, в том смысле, что сбросил напряжение из-за социального неравенства профессий и, наоборот, резко воодушевился. Но все равно продолжал немного дурковать в разговоре, пока ехали и вообще, и предлагал себя таким образом, чтобы дать мне понять, что он совершенно из другого теста, чем просто клиент, слеплен, что это у него по случайности происшествия оказия вышла, ну в силу, скажем, особого научного настроения получилось, а так он, вообще-то, человек серьезный и никогда ранее к подобным услугам не прибегал. Жаль, что он не по психологии ученый, а по математической геометрии оказался, потому что в этом случае не дал бы себе так просто самого же себя подставить всем своим поведением и внешним видом. Я-то сразу просекла, что хороший, но слегка ущербный и от зарплаты до зарплаты. И что ещё откладывает раз в месяц в обязательном порядке для этого самого, для захода на точку. И что точки меняет постоянно, чтобы не признали, что не в первый раз. Короче говоря, весь Эдуард этот из сплошных междометий состоял, из непрописанных китайских иероглифов.

Из еды был у него лимон, кусочек несвежего рокфора, хотя он весь несвежий — сколько пробовала, ни разу не отличила свежий от другого, но догадалась, что кусочек тот не для еды был всё равно, а для изящества обстановки. Намудрил ещё гренки, но передержал на жару, считай, сухари вышли. И всё. А из питья — фуфловый коньяк, наш же, молдаванского разлива типа «Белый аист» и запивочка мутная из варенья. Зато глобус был самый настоящий, каких по размеру я никогда не встречала: ни у мусоров таких в кабинетах не было, ни в банях бандитских, ни у любого обыденного клиента. Судя по всему, те, у кого такой глобус имеется, к нашей работающей сестре отношения по жизни в реальных преломлениях не имеют, только в мечтательности остаются судорожной, уж в этом-то меня никто не разубедит — поработала, знаю.

Так вот на глобус тот я и купилась, как последняя лохушка, повелась на научное обозрение. Эдик все переход искал верный, чтобы мною красиво овладеть, не обидеть и сохранить достоинство настоящего научного мачо. Пьянел он быстро, и это ему мешало себя обманывать, но зато помогало искренне восторгаться окружающим миром.

— Вы полагали, мы никогда не пересечемся с вами в этой жизни? — забросил он первый философский камень в моем направлении. — Да, Кирочка?

— Как параллельные прямые? — удачно отреагировала я ловким контрвопросом в ответ на его философию.

— Почему? — удивился Эдуард и поставил коньячный фужер на стол. — Почему, как параллельные прямые? — Я видела, что удивление его было самым настоящим и напряглась, что он по-серьезному не шутит в ответ такой тупой очевидности, — почему вы так решили?

— Да потому, что этого не будет никогда, — ответила я, — сколько бы вы об этом не мечтали.

С этого момента Эдик стал капитально забывать обо мне, как о женщине, потому что в сознании его сменилась доминанта. Он потер ладонь об ладонь и сосредоточенно спросил:

— Могу я задать вам всего один лишь вопрос, Кирочка? — Я лишь недоуменно пожала плечами, о чем, мол, речь? — Так вот, — продолжал он проталкивать против течения запущенный бумажный кораблик. — Вопрос такой — где? Где? В каком мире и пространстве координат прямые эти прекратят параллельное существование и вполне успешно пересекутся? — он с видом победившего разум архангела взглянул на меня, и в глазах его проблеснул маячок непризнанной свободы, — в каком?

Мне не то, чтобы стало занятно, но чувство сопротивления насилию, пускай научному даже, заставило перевести стрелку на взаимную трезвость. И я ответила совершенно спокойно:

— В любом. Прямые — они прямые и есть и никакие другие. А раз идут параллельно, то не сойдутся нигде, даже в самом конце пути, когда уже всё позади останется. Всё и все.

— Вот!!! — заорал он и подскочил на месте. — Вот где собака-то и зарыта! В том-то и дело, что не в любом пространстве, а в плоском только, то есть, в плоской системе, в Евклидовой геометрии, в его несовершенном пространстве. А в другом пересекутся!

— Так в каком, в конце-то концов? — не выдержала я этого научного напряжения в огромном желании поставить точку на всей этой трихомудии и перейти к понятной процедуре, чтобы успеть ещё и выспаться.

— В Римановом! — гордо ответил Эдуард и выкатил перед собой часть грудной клетки. — В многомерном пространстве Бернхарда Римана, который рассматривал геометрию, как учение о непрерывных совокуплениях, — он тут же поправился, — тьфу, о совокупностях любых однородных объектов.

— Это как у педиков, что ли? — не врубилась я, но заинтересовалась, — у однополых?

Эдик бросил на меня жалостливый взгляд и перевел на русский язык:

— Кирочка, это же многомерное обобщение геометрии на поверхности, имеется в виду двухмерное пространство. Риманова геометрия изучает свойства многомерных пространств, в малых областях которых и имеет место Евклидова геометрия, — он близоруко, но победоносно осмотрел мою грудь, хитро улыбнулся и поставил завершающий аккорд: — А всё пространство при этом может и не быть Евклидовым. Классно?

На сумасшедшего он все равно не был похож, хоть и орал с горящими глазами и пару раз пробежал туда-сюда вдоль линии дивана. Кроме того, он сказал такое, что заставило меня усомниться в справедливости собственного постулата, извлеченного из мира простых и понятных вещей. Я, конечно, не знаю, чего там Евклид и Риман и кто они для науки на сегодняшний день, но недостаток знаний не освобождает стороны от ответственности нести всякую хуйню, да еще на «вы», и тогда я предложила:

— Хотите, позвоним маме и спросим этот вопрос. Она у меня учительница и ответит вам вместо меня про прямые. И она не выпивает. — Сама я в то же время подумала, что под этот принципиальный спор можно сэкономить на звонке с номера на Павлике и узнать, как там моя Сонечка, а то замонали меня счета эти оплачивать их.

— Да за ради Бога! — обрадовался Эдик, не подозревая маленькой ловушки. — Давай сюда свою маму, набирай!

Так, мы уже на «ты», — подумала я, значит, есть надежда, что обойдется без припадка.

Когда я прорвалась сквозь сопротивляющийся межгород, в Бельцах было два часа ночи против трех по местному. Мама сначала перепугалась, но потом успокоилась, задумалась и думала по времени рублей на сорок. А потом ответила конкретно, так, что я гордилась своей матерью потом. Она сказала:

— Да, пересекутся, но очень, очень, очень далеко, исключительно далеко, доченька.

— Спасибо вам, мама! — крикнул в трубку Эдик и бросил ее на рычаг, — а теперь смотри. — Он взял меня под руку и подвел к огромному глобусу. — Провожу прямую вниз от северного полюса в южный, — он прочертил рукой воображаемую линию сверху вниз, упер в нижний полюс палец и подменил его тут же моим. — Держи крепче, — уже слегка успокоенный предстоящим моим поражением предложил он. Сам же провел от северного полюса такую же линию, завершив округлый, но прямой путь, упер тщедушную подушку своего указательного пальца в ту же нижнюю точку, что и я. Наши пальцы столкнулись и меня слегка дернуло током. — Вот, — чувственно и на этот раз тихо произнес Эдуард. — Вот и встретились. Точка! Линии параллельны и пересекаются. Вот оно, чудо неевклидово чудес! Я люблю вас, Кира!

И я поразилась, не знаю больше чему: что действительно в этот миг сошлось все, как он говорил, столкнулись линии подушка в подушку на своей непараллельности и не получилось моё «никогда», не сошлось против его мудрой философии, или что я ему поверила, этому шизику.

А он все про неевклида излагал, тут же на аксиому какую-то перешел недоказанную, а в это время, я и не заметила как, сам уже внутри меня трепыхался вовсю, бился часто-часто, но мелко, как будто спешил, чтобы отказа моего, наверное, не получить, дурачок. Мало того, что поверила ему — настолько поверила, что разрешила себе не вспомнить про презерватив и последствия: то ли в силу научной магии параллельного Евклида, то ли из-за многомерного Римана, то ли в результате действия фуфлового «Белого аиста», то ли потому, что и то, и другое, и третье сложилось в замутнённое четвертое, а, может, от бесплатной радости, что дома в Бельцах все в порядке и Сонечка здорова.

А ещё случилось невозможное, успело случиться даже за короткий тот Эдуардов заскок на меня, потому что я ощутила с такой же, как и он, скоростью, как подобралась к моему горлу сладкая конвульсия, пережала дыхание на миг и разлетелась по всем швам и закоулкам, сметая на пути дурную накипь от выданных мамкой баксов. И такое было второй раз за жизнь, хоть верьте, хоть не верьте, если не считать тех разов, что были во сне...

А первый оргазм, натуральный по-настоящему, если не вспоминать тот насильный и не до конца полноценный, в «Виноградаре», был тоже не по любви, а по недоразумению, но и не по работе. Тогда я только начала свою нынешнюю профессию, в девяносто первом, когда в Москву подалась после школы, поступать куда-нибудь. Мне уже восемнадцать было, на год больше, чем другим ребятам — год-то я потеряла, когда Сонька родилась у меня в девятом классе, и я в отпуск ушла со школы, в декретный перерыв. Пока поступала и не поступила, жила в общежитии Лесотехнической Академии им. Тимирязева, и деньги кончились, а стипендия так и не началась. И когда съезжать уже попросили с общаги, то я съехала в никуда и поехала в центр города, сама не знаю зачем, но уже с чемоданом. И попала точно в центр событий, в революцию. Я тогда просто обалдела, когда танки увидала, флаги, кучи разные мусора, как при войне настоящей, орут все, сопротивляются. Но тут же на гитарах поют и выпивают.

Меня парень один увидал, даже не парень, а молодой мужчина, лет двадцать пять, наверное, было ему, так он закричал, чтобы к нам шла грузовик со шпалами разгружать помогать. Я помогла, и мне они немного налили нашего молдаванского портвейна. И он дико обрадовался тоже такому совпадению, парень тот, Андрей звали, что я, как и напиток, молдаванская. А потом все курили и снова против коммунистов орали наружу живого кольца, а я думала, ослышалась, и не могла сообразить кто за кого и против. А к вечеру другая смена нас сменила, и мы отъехали отдохнуть на Андрееву квартиру.

Теперь это «отъехать отдохнуть» звучит, естественно, иначе, но тогда, в самый разгар, именно так и звучало, по другому понятию. Там все и было у нас. До середины ночи пели с ребятами Высоцкого, ещё выпили потом, и он меня в спальне уложил и ушел допевать. А проснулась я, когда уже почти с ума сошла от счастливого наслаждения с Андреем, как он всё со мной искренне делал и ласкал по-другому. Тогда я, помню, первый раз в жизни приплыла куда положено, про что знала, как должно быть. Меня всю передернуло и било ещё долго изнутри, и не верила, что вот оно – узнала суть вещей. Но причалила я раньше даже, чем успела в Андрея влюбиться. А рано утром мы снова на баррикады отправились, держась за руки: это 21-е было августа, чемодан свой я там у него оставила, он только рукой махнул, ему все равно было, потому что он говорил постоянно, что русский чегевара наоборот. И снова танки там были и возгласы, и мы растерялись, то есть, просто потерялись случайно. А потом нашлись когда, он с другого конца, где был митинг из окна, снова под гитару хрипел, немного в стороне и уже с другими, а между гитарой какую-то кралю целовал взасос, но мне это не понравилось почему-то.

В какой-то момент Андрей меня заметил, приветливо рукой вздёрнул и снова кралю обнял. А лицо красное, и сам возбуждённый и дёрганый. Я подождать решила, пока митинг пройдет. А когда кончился, то Андрея в том месте больше не было и нигде не было. А ужас охватил меня после того, как я не нашла его до ночи и не поняла, что понятия не имею где он проживает и где располагается мой чемодан с вещами. Ночевать я осталась там же: тепло было, в общем, нормально у горбатого мостика, и костры жгли, но все равно больше его не нашла, и кто с ним был рядом — того тоже не было. Слава Богу, паспорт с собой носила, не выпускала, а то бы не знаю, как окончилось бы всё, а так только вещей лишилась, да и какие там вещи-то особо...

...Потом Эдуард сразу уснул, не снимая очков, и тревожно зашевелил во сне воспаленными от нерв губами. Я смотрела на него со странным чувством, не понимая, чего делать дальше. По всем правилам уже было можно неслышно собраться, несильно растолкать и попросить денег на тачку, но что-то держало меня около этого странного геометра, заставляя смотреть и смотреть ему прямо в лицо. Наверное, уже тогда зародился во мне Артемка и пытался достучаться изнутри, дать знать про получившуюся неожиданность. И я решила подождать, что получится.

Ближе к рассвету Эдуард вздрогнул, открыл оба глаза сразу, извинительно улыбнулся и сказал:

— Вы бы уходили уже, а? А то утром мама придет убираться, а к вечеру Лиля должна вернуться, жена моя.

— Козел ты, а не арифмометр, — сама не зная за что, выдала я Эдику и, не спросив денег на такси, ушла, хлопнув дверью.

Честно говорю — этот маячок случайной симпатии к чужому мужику, да ещё по работе, был вторым в моей жизни. Знаю, что немного. Но для других симпатий места не оставила самая первая, которой был отчим. И было это четырнадцать лет назад, все в тех же Бельцах. Но об этом потом.

Так вот. От чудика этого пылкого, от научного Эдика попала я ровно в срок, залетела. Попала, но не огорчилась поначалу. Такая профессия. Часто случается, всплывет говно какое-нибудь, да утонет. А не вышло с этим, не стало тонуть. Врач сказал, этот аборт последний будет. Точка. И чего? Обратно на Павлик вернулась, девчонкам рассказала.

— Хер с ним, — сказала Зебра, имея в виду неродившееся дитя, и скуласто улыбнулась, — у тебя Сонечка твоя скоро своих заделывать начнет, успеешь нанянькаться.

— Не скажи, — раздумчиво протянула Мойдодыр, — я за то, чтобы по любви хоть один у матери зачался. Соня у тебя — насильная? — обратилась она ко мне и сама же утвердительно ответила: — Насильная. А с этим сама решить должна, — она неопределенно кивнула в сторону разгоревшегося за окном утра. — Если ты в момент тот самый, как заделывала, ученого своего любила — оставляй. Не любила — все равно оставляй, чтобы не перекрыть к другому зародышу дорожку, который явится и будет по любви. Вот и все, — в полной уверенности завершила исследование Нинуська и побрела в ванную стирать трусы. В дверях задержалась и на всякий случай добавила: — Но на бабки все одно попробуй выставить хека этого замороженного, вдруг кинет чего: на аборт, на роды, на что даст — всё дело, а?

Одним словом, родился Артемка на Павлике, так я сама решила. А маме сказала, что любовь была с ученым человеком, но закончилась, а сам он в Израиле теперь. И все. Версия, подумалось мне, вполне подходящая. Отчество у Артемки будет Эдуардович, а про остальное, мама, забудь, не было, считай, никакого остального, а есть просто Артемий Эдуардович Берман, мой сын, москвич по рождению, житель два часа автобусом от Бельцов. Схлестнулись параллельные. Прощай, Евклид и пошел ты на хер. Точка.

На точку я вернулась сразу, как Артемке три месяца стало. До тех пор в Бельцах с ним была: с ним, Сонечкой и мамой. Я бы ещё побыла и подкормила, но перед девчонками неловко было, долги хотелось поскорее отработать, какие с собой увезла. Была ещё одна причина для скорого возврата на Павлик, если уж откровенно. Но откровенность эту я порой от самой себя припрятывала, не выпускала из середины. Как только она наружу проситься начинала, я не то, чтобы удавить ее пробовала, но начинала отвлекать в сторону, петь, к примеру, или о другом думать, о плохом, о Бельцах наших. Потому что сил не было жить там, откуда я, больше, да ещё два часа на автобусе плюс. Забыла давно, выплавила из себя горячей жижей, сама выдавилась целиком оттуда окончательно и забыла прошлое до любого впереди возможного финала, пусть, до самого неясного, только не там, чтобы, не туда, не обратно.

Это и было той самой причиной и ненавистной для меня правдой, которую не выпускала из себя и прикасаться опасалась к которой. А долг мой Зебре и Мойдодыру даже устраивал меня фактом своего наличия, выручал в нужный жизненный промежуток, посильную помощь обеспечивал в противостоянии сторон снаружи меня и изнутри. И сахарилось всё тогда в самой моей сердцевине, когда мысленно к столице подъезжала и, пока поезд ещё в движении пребывал, уже воображала себе, как высовываюсь, если открыта вагонная фрамуга, а если нет, то тяну вниз со всех сил, уцепившись за рукоять плацкартного стекла, чтобы сорвать его с прикипевшего места, оттягиваю, насколько поддастся, и в получившийся проем чумовую свою от счастья голову просовываю, чтобы всмотреться в круглый циферблат на самом верху Киевского вокзала, сверяя разницу по времени, хоть и так ее знаю назубок. И всегда разница та не в молдаванскую мою пользу получалась, а в россиянскую, да ещё в самую столичную, в мат-т-ть-её-городов-русских-перемать, порт пяти морей, семи холмов, одиннадцати вокзалов, даже если и не на них прибывала я, а на Киевский только, как всегда.

Ну а после, как на перрон выходила, то не спешила уже, воздух местный до отказа в себя вбирала, все ещё угольный слегка, но уже с примесью местного шума и прочих городских испарений, и в метро по ступенькам опускалась, вглядывалась почти по-хозяйски в схему разноцветных подземных линий, а дальше уже к жилью своему съемному добиралась на Павлике, что родным стал, словно всегда был, как будто родил меня вместе с мамой когда-то, а после оставил маму на старом месте и продолжает держать меня возле себя одного только...

По возвращении меня ждали новости — Зебра шепнула, пока на точку ехали. Нинки-Мойдодыра дома не оказалось, её на три дня клиент увез на шашлык и дачу с друзьями. Но купил одну на всех, а всех — трое будет, честно предупредил, все близкие и серьезные. Сотка — день. На рыбалку, вроде: ей — четвертое место в тачке.

Нинка на подъем легкая: она задумчивая у нас, но не по работе, у неё доверия к людям гораздо больше моей к ним настороженности, не попадала по-серьезному, слава Богу, кроме одного раза, но там мусора были, а не люди. Но и подсчитала, конечно, что за три сотни отъезжает с небольшой переработкой, зато без гимора, без геморроя, в смысле — недельный план в кармане. Купец на Ровере забирал, пахло хорошо от него, друзья пугливые, женатики все — в общем, с легким сердцем отъезжала, а на прощанье тихой своей, славной улыбкой учительницы начальных классов подмигнула Зебре, что кто, мол, ещё кого на даче той рыбной выебет — неизвестно, может, с ихней помощью план-то недельный перекроем. Но новость была не эта, а другая — обалденная.

— Нинка наша на порошок присела, знаешь?

У меня разъехались глаза просто от удивления:

— Да ты чего, Диль, правда, что ли?

Дилька, судя по всему, к такой моей реакции была готова и стала раскладывать по полочкам:

— Точно, Кирк, её клиент подсадил, я даже кто, знаю, на «лексусе» она с ним отъезжала, молодой такой, наглый, но подсадил не сразу, а на другой раз, в смысле, не в «лексус», а на кокс. Он утром её к нам на Павлик скинул, с доставкой, так она еле на этаж поднялась, а саму от счастья крутит, дуру: мыться не пошла даже — вот тебе и Мойдодыр, бля, видно, перешиб порошок тот фобию Нинкину. Я подумала, пиздец будет ей, доза, подумала, верхняя. А она ничего — утром, как огурец, и смеётся. Я, говорит, так сроду не ржала и не двоилось у меня так по кайфу, представляешь? И рассказывает ни к селу, ни к городу: знаешь, говорит, почему Чапаев негр?

— Ну? — говорю. — Потому что с белыми воевал. — И снова ржет, как полоумная.

— И чего? — спросила я, чувствуя, как мне неспокойно становится от таких дел.

— И чего теперь?

— А все то же самое, — пожала плечами Зебра, — он ей подвозит, она берет, меня угостить хотела, говорит, не понимаешь, это такой легкий раздражитель жизни в сторону отрыва от проблем. И глаза заводит, как при зевке. И недорого, говорит, не очень стоит. Я ей в ответ — тебе чего, Нин, пизда приснилась, что ли, что ты себя утопить сама желаешь и меня туда же приглашаешь? Я своё уже отбыла с той стороны промежутка, вон, говорю, награды имею, смотри — и руки задираю с понтом, выше зебры. А она сразу на улыбку свою переходит тихушную, ну овца просто из младшего класса школы для придурков, и отвечает: Диль, у меня против твоих запас сил могучей и желаний больше по жизни имею, так что мне адреналин не помешает в разумных дозах. Мне, говорит, Аслан за полцены обещал, если что, и всегда пригонит, не вопрос. А ещё он полирует классно под это дело, у него язык, говорит, от базаров чеченских стёрт до самого эпидермиса. А кокс у него улётный просто, чумовой, сама попробуй, а мне проповедей от тебя не надо, я, говорит, девочка взрослая, хоть и без наград, как некоторые. И на зебры мои кивает. Ну, я плюнула и больше ничего не стала говорить. И спрашивать тоже. Ни про эпидермис тот, ни про чего. Решила тебя ждать, но знаю, что нюхает и берет постоянно.

Тогда, помню, я огорчилась по-настоящему, в полный рост, потому что ждала всего, но не наркоты только у нас на Павлике. Особенно от Нинки-чистюли, хоть и фобия. А случилось с Нинкой эта самая брахмапудра ещё до нас, до той поры, как к нам она прибилась, и вообще, до работы, до профессии — по той причине и стала Мойдодыр.

Кроме Нинки в семье её магнитогорской был младший брат, и ему повезло и меньше и больше, как посмотреть.

Когда родился, он уже был с дебильностью вследствие алкогольной зависимости отца и матери, потому что к тому времени оба окончательно спились в веселом городе домен и сталеваров и заделывали Нинкиного братишку в абсолютно нездоровом образе жизни, с искажением необходимой наследственной генетики. Но это было уже потом, после того, как мать лишили прав на саму Нинку, а ее забрали в детдом расти до совершеннолетия. Было Нинке в ту пору двенадцать лет, и она ревела, что не хочет никуда от родителей, ни в какой приют другой, кроме домашнего, хотя пьянка мамина и папы вечная была ей самой обременительна из-за постоянных недоеданий и ругани. Отец, когда был в себе, работал на подноске и подсобке, а мама только ругалась и, когда Нинка пошла в первый класс, от труда любого отказалась совсем, чтобы сосредоточиться на дочкином воспитании и домашних уроках, так объяснила сама себе.

Так вот, Нинке повезло больше, чем потом брату, так как она успела все же застать собственное рождение не через сломанную водкой хромосому, а более-менее родилась здоровой девочкой и учиться стала тоже вполне, соответствовала школьной программе первые годы. Потом стало хуже, когда началось, что нет покушать и нечем помыться. Учителя знали, конечно, про неблагополучную Нинкину семью, но Нинка держалась, как умела, чтобы по возможности утаить в школе свое несчастное детство, и это ей до поры до времени удавалось, потому что сама была тоненькая по конституции и небольшая, и, вроде, голод тут и недоразвитие были ни при чем. Ранние окуляры по недостатку зрения, кстати, тоже уводили в заблуждение, создавали некоторую иллюзию терпимого девочкиного благополучия.

И так шло лет ее до одиннадцати, пока отца не саданулю внутри головы и не опрокинуло навзничь, в лежачую болезнь и полную зависимость от мозгового инсульта. Учебу Нинке удалось подогнать, когда его забрали на скорой и поместили в больницу Заводского района на излечение. Мать тогда это событие сильно подкосило и полностью освободило от обязанностей и памяти про дочь. Она чаще не была дома, чем была, и Нинка в силу этого отсутствия начала выправлять отдельные отметки на тройки и даже ухитрилась однажды перехватить четверку по географии. Но через месяц отца привезли все в той же невменяйке, оставили на койке, а рядом положили выписку из истории болезни.

Первое, что сделал невразумительный Нинкин отец — это — под себя: и так и так, сразу. Горе настоящее пришло в семью именно с этого дня, потому что надо было убирать из-под папы и каждый день. Как ни странно, это обстоятельство частично мобилизовало мать на понятные ей действия — и это, действительно, было ей понятно: вот говно отцово из эмалированного судна, вот его же лужа из-под перевернутой стеклотарной утки — и все это нужно сгрести, вынести и перестелить на другое. Но запала матери на обиход хватило ненадолго: снова стало отвлекать питье и вынужденные отходы из семьи в направлении его поиска. Возвращалась мама всегда несвежей и не каждый день, а Нинке говорила:

— Ты, Нинк, в поильник ему поменьше вливай, он и поссыт не так много тогда.

А Нинка не слушала и все равно давала отцу пить сколько влезет, сколько сумеет вытянуть из носика. Папа пил и регулярно отливал выпитое, но так же регулярно отлитое между ног перекувыркивал, потому что был часто неспокойный, и вертелся, и руку всё тянул от кровати, и бормотал про кого-то чужого, и куда-то собирался в путь от подсобки до подноски. А с судном часто они с матерью промахивались, не успевали подложить ко времени, а все время держать холодную кастрюлю под задом папке было неудобно, голова не понимала, а телу, наверное, становилось неуютно в прикосновении с эмалью железа, и он все равно ухитрялся вывернуться от него ловким поворотом голых тазобедренных суставов, и тогда оно не оказывалась где надо в требуемый момент.

А доставалось выдергивать и выгребать в основном теперь Нинке. Когда выгребала, ее тошнило, она старалась закрывать глаза в самые нелицеприятные моменты и почти не дышать отцовым воздухом, но получалось это не всегда: волей-неволей приходилось и посмотреть и вдохнуть и внюхаться, и она после всего этого гадкого, но необходимого неслась в ванную и там ее уже рвало по-настоящему, чистой слизью, с желудочными конвульсиями и мокрой течью из носа. И тогда Нина сбрасывала одежонку, забиралась в ванное корыто и долго-долго оттирала от себя хозяйственным мылом запах отцовой болезни.

Был еще один факт девочкиного удивления и стыда наряду с нечистой болезнью. А именно, выполнению сестринских и санитарных дел зачастую мешал папкин инструмент, располагавшийся между голых ног, который нередко превращался в твердый штык, несмотря на беспамятство родителя, и не желал нацеливаться в утку, никак не совмещался по высоте с уходом за мочой. Штыка Нинка не касалась рукой, ждала, пока сам не приведет себя в порядок и не успокоится. Но мамке об этом говорить не решалась почему-то о таком неудобстве, предпочитала лишний раз отжать лучше мокрый результат и сменить, чем пытаться преодолеть сопротивление неизвестной ей силы. Позже, уже находясь в детдоме, ей не раз приходилось сталкиваться с подобным проявлением мальчуковых особенностей, и к тому времени, сразу после двенадцати лет, страхи ее и удивления на этот счет были уже порядком приготовлены домашними уроками ухода за эрегированным инсультом отцом и не вызывали особого трепета и подозрительного недоверия к детдомовским пацанам. И это сближало, несмотря на худосочную тщедушность.

Нинку пришли отбирать из органов опеки по постановлению суда о лишении Нинкиной матери родительских прав. На отца решение не распространилось, так как весь последний год он пребывал в инсультс по здоровью, хотя и обсир, и беспамятство, и неплановая эрекция пошли потихоньку на убыль, так что суд не счел возможным квалифицировать его родительское поведение как преступное по отношению к ребенку. Но из-за все ещё болезненной невозможности его воспитывать дочь, опеку и детдом все равно назначили и пришли. Мать открыла и напряглась, потому что до последнего момента не верила в судейские разговоры, а они взяли и явились.

— Уёбывайте обратно, откуда пришли, — грозно заявила мама исполнителям приговора. — Вам Нинку мою не видать, как покойнику — месячных, ясно?

— Вы не волнуйтесь, гражданка, — не захотели подчиниться материной угрозе исполнители злой воли суда, — вот постановление и будем давайте исполнять по-хорошему, чтобы не получилось по-плохому.

— Хуй вам по-хорошему и хер вам по-плохому, — настойчиво ответила мама, снова не согласившись с предложенным законниками постулатом, и схватила Нинку за руку. — Не отдам дочь!

Двое мужиков и инспекторша в погонах взяли мать под локти и оторвали от Нинки, а инспекторша сказала:

— Поищем что с собой собрать из вещей и не забыть учебники для школы и все такое.

— Учебники, говоришь? — уточнила вырвавшаяся из принудительных локтей мама. — Щас я вам устрою учебники, ебёна мать!

Она резко развернулась и зашла в комнатку, где болел отец. Там она громыхнула по пути стулом, произвела ещё пару каких-то энергических действий и так же резко вышла обратно. В одной руке у мамы была утка, наполовину заполненная отцовой мочой, в другой — его же эмалированное судно и тоже не пустое. Судейские опешили. Мама, воспользовавшись замешательством представителей лишних в ее доме органов, подскочила к Нинке и одним махом вывалила на дочь содержимое сразу двух посудин.

— Забирай! — крикнула она, довольная произведенным эффектом. — Ну забирай, хули стоишь-то? — Судейские растерянно посмотрели друг на друга, тут же зажали носовые дырки и понеслись вон из Нинкиной жизни, не успев напоследок прокричать даже что-нибудь по существу получившегося конфуза.

— И дорогу сюда забудь, слышь? — проорала мама вдогонку визитерам, — а то другой раз на тебя выверну, поняли? — она взяла Нинку за облитую руку и сказала: — Пойдем, дочка, заразу смывать папкину...

Нину забрали через два дня, надежно оттеснив падшую мать от дочери и надежно обеспечив её на этот раз ментовскими объятиями до самого финала экзекуции.

Отец, как назло, после лишения мамки прав быстро пошел на поправку и уже через полгода пил с ней, как и прежде, и без разрушительных для здоровья последствий. Результатом этому явилась материна беременность и легкие через положенный срок роды младшего Нинкиного брата, хотя и с дебильным уклоном от самого момента появления на свет.

Прозвище свое «Мойдодыр» Нинка получила в том же самом детдоме, через неделю пребывания, оттого что мылась и терла себя до изнеможения всякий раз, как оказывалась у воды любой температуры, будь то ванная, туалет, дождь, снег или речка. Со временем страсть такая к очищению прошлого ослабла, но фобия все же осталась в достаточном виде, чтобы продолжать считаться Мойдодыром и излишней без нужды против остальных девчонок — чистюлей. В отношения с пацанами Нинка вступила посредством половой связи через очень недолгое пребывание в новом месте жизни. Это оказалось против всего другого для нее и не неприятным, но даже привлекательным делом, учитывая родившийся в ходе ухода за папой интерес к теме. Впрочем, о причинах она не задумывалась, просто все решалось само собой, без постоянных привязанностей и соплей, больше для процесса перемещения в новое пространство ощущений, и там оказалось не хуже, чем могло быть.

К выходу на взрослую волю все, что могло у Нинки-Мойдодыра изжечься изнутри — изожглось. Очередной обман жизни застал ее в тот момент, когда сообщили, что положенное по закону житье на отдельных метрах ей не полагается — она по отцу не лишенная, а только по матери и потому может смело возвращаться туда, откуда пришла воспитываться и произрастать.

Она и пошла, но не жить, конечно, а больше из интереса: как-никак за шесть лет ни разу с родней не свиделась — саму не пускали, а те и думать забыли в угаре нового жизненного выздоровления. Увидела, что и думала, увидит. Но на родителей уже глядела насквозь почти, без особого зрительского внимания и умственной задержки. Другому ужаснулась — пятилетнему слабоумному братику. Мать с отцом спали тогда, дверь была настежь, а как зовут мальчика выяснить не удалось — то ли сам он не говорил, то ли имя не помнил, то ли знал, но не умел объяснить.

В общем, цель в жизни с того дня стала ясной и для себя самой не обсуждалась — спасти малого братанку от мамы с папой. Прямо оттуда отправилась свободолюбивая Нинка на вокзал, купила билет до Москвы, а, приехав, без потери ценных временных промежутков вызвонила нужное газетное объявление из раздела «Приглашаются девушки с проживанием» и к вечеру уже жила и работала в апартаментах на Шаболовке с вычетом 60 процентов от «рабочего» гонорара за еду, постель и защиту.

Первый посетитель, который появился в шаболовских апартаментах в тот стартовый день, не задумываясь, выбрал Нинку, купил с ней два часа, но потом передумал, доплатил еще и остался на ночь с ней же. Больше он особо не усердничал, а вскоре заснул и засопел, по-детски вытянув губы в трубочку. Под мирное дыхание чужого мужика заснула и Мойдодырка, предварительно оттерев себя в ванной с привычной маниакальной тщательностью от всего, что случилось с ней в самый первый день ее новой должности по новой жизни.

Когда она открыла глаза, никого с ней рядом не было, вчерашний мужик, что отдыхал, исчез. Через зашторенные окна пробивался яркий свет, оттуда же играла музыка, какую заводил их трудовик на детдомовских вечерах, а из столовки доносился запах жареной скумбрии. Она прислушалась, принюхалась и осмотрелась. Музыка внезапно оборвалась, и в этот момент Нинка сообразила, что это не запах рыбы, не жареная скумбрия так щекочет ей ноздри и раздражает слизистую носа, а совсем другой, не менее знакомый и привычный запах, но не из тех, тем не менее, что доставляют радость и вызывают желание идти на него, искать этот источник или запомнить его навсегда. Этот аромат исходил от неправильной причины — оттуда, где места для

Нинки не было и не могло больше быть, потому что там ее всегда тошнило и заставляло искать убежище, отмываться, соскребая с себя все лишнее и не принадлежащее ей: чужое, ненавистное и отвратительное.

Шторы на окне были все те же, несмотря на совсем по-другому пронизывающий их заоконный свет, но комната оказалась не той, что раньше, этого Нинка не могла бы перепутать. Она встала, надела очки, подошла к окну и резким движением раздернула шторы. Теперь она видела собственную кровать со стороны и сразу догадалась, что это папкина кровать и это папкина комната, та самая, в их магнитогорской квартирке, в которой он лежал почти недвижимый с инсультом мозга головы и торчащим вверх детородным штыком. Одеяло пошевелилось и Нинку охватил ужас. Она опасливо приблизилась обратно к постели и робко сдернула его. Там, под ним, в мокрой, кисловатой луже лежал на спине пятилетний мальчик, её родной маленький брат. Он так же, как и отец, почти не шевелился, а только часто-часто дышал и со страхом смотрел на Мойдодыра. Из-под маленькой с кулачок детской попки высовывался эмалированный край крохотного судна, каких и не бывает, просто судёнышка, прижатого невесомым телом брата. Ручки его были рахитично прижаты к груди, а маленькая мальчуковая пиписька торчала вертикально вверх твердым упругим прутиком. Нинка бросилась к брату, схватила его на руки и прижала к себе изо всех сил. Она пыталась что-то сказать или же спросить, но не могла вспомнить, что именно, а лишь выплевывала немые, бессильные слова вместе с рвущейся наружу тошнотой, потому что мучительный этот запах не оставлял ее в покое, все плотнее и гуще обволакивая все вокруг. Нинка еще крепче сжала руки вокруг мальчишки и тут почувствовала внезапно, что летит, падает с разгоном вниз с ускорением свободного падения земли во вселенную. Она зажмурила глаза и начала терять сознание, и в самый последний момент, когда исчезла уже кровать, и свет, и пути назад не осталось, она вспомнила, о чем хотела спросить его, она догадалась, какие ее мучили слова, что не вылетели из гортани вместе с тошнотой. А они были такими: Как тебя зовут, мальчик?..

А потом она снова открыла глаза, и клиента уже не было, но совершенно по другой, по некосмической причине: просто он проснулся раньше Нинки, посмотрел на часы, натянул штаны и отвалил восвояси, домой. И тогда Мойдодыр решила начать откладывать собственным трудом средства для спасения ни в чем не повинного маленького родственника от родного отца и законной пока еще мамы. После этого она заняла очередь в ванную, чтобы тщательно отмыть этот странный, непонятный сон...

Нинка вернулась с рыбной дачи, как и было по плану, в понедельник днем, чуть после нас, с двумя зелеными сотками сверху, на которые без особого труда развела клиентов. Кинулась на меня, как сумасшедшая, и я сразу поняла, соединив Зебрин рассказ с диаметром Нинкиных зрачков, что Мойдодыр не так в себе, как обычно, как было раньше, слишком веселая и чувственная.

— Кирка-а-а! — заорала она восторженно так, что очки слетели с ее худого носа, — Кирка вернулась, блядь такая!

Я тоже, если честно, рада была невозможно как, и несмотря на наркотическую новость, мы обнялись и поцеловались. До вечерней работы оставалось время, поэтому решили собрать стол и отметить моё возвращение на Павлик.

— Как там Артемка наш? — живо поинтересовалась Нинка, после того, как мы выпили первую и сразу подготовили вторую. — Крестник-то мой, младший научный сотрудник по параллельным линиям? В порядке? — Но, не дождавшись ответа, тут же перешла на собственный рассказ, на отчет дачного мероприятия. — Девки, они у меня повелись на очки, все трое, на окуляры. Я сказала, на учительницу в Магнитке поступила начальных классов учиться, но выжить не смогла на стипендию, а по рождению сирота. А это, говорю, что получилось так с нынешней работой, — то из-за невозможности жить больше, существовать вот так. Тогда, не поверите, третий расчувствовался и вообще отказался быть со мной, самый из них представительный, а двое других — нет, но дали еще по сотке и осторожно так действовали, как будто виноватые. А потом смотрю, друг с дружкой краснеют, вроде, тему мою стороной обходят — полный пиздец. Я им, имейте в виду, телефон наш дала всем, если звонить станут. Там один — Игорь, чей «ровер», один — Феликс, а последний, который меня трахать передумал — Зиновий Моисеич, но он обратно передумает, точняк, и первый позвонит от тех по тихой, они с одной конторы все, со страховой. Бабки, я поняла, там есть, но нормальные, честные, и ребята хорошие, сами всего ссут, все женатые, кроме Зиновий Моисеича. Ой! — воскликнула она перед второй, — не помылась, погодите! — и понеслась в ванную.

— Нюхнуть пошла, — откомментировала Зебра. — Я заметила, ей всегда заодно с ванными делами теперь всосать немного нужно: её, когда вода льётся, распаляет и к кафельной стенке притягивает, к белой — от фобии той, наверно, осталось. И с водкой мешает только так и с любой выпивкой другой: говорит, кокс и алкоголь ложатся друг на дружку, как в медовый месяц улитки, одна к другой прилипают и туда-сюда перетекают. Аслан этот сейчас полбабок выставляет за порошок, а она, как лохушка, верит, что он из личного пристрастия дисконт ей этот устраивает показательный и дальше так будет. Хуя там — будет! Ни хуя у него не будет, а только иглой все кончится и пиздец. Спасать надо Нинку, пока не поздно.

Не дожидаясь, пока Мойдодырка намоется и нюхнёт, мы выпили с Дилькой вторую, и я задумалась. С одной стороны, с внешней, Нинка была в полном, ловком порядке: и по тому, как выглядела, и по поведению, и по разговору. Но и Зебра, мне показалось, правильно угадывала картину, исходя из своего несостоявшегося материнского чутья, нерастраченного запаса честности и пронзительной азиатской интуиции. И с её доводами я также не могла не согласиться.

— Давай сейчас портить праздник не будем, — предложила я, — а будем ждать и понаблюдаем за Мойдодыром вместе, куда ее дальше потянет, в какие удовольствия. Если вразнос поведет, то примем меры резкого характера вплоть до ультиматума совместного проживания, а если это понт её такой просто, не затем, чтоб с головой туда унырнуть, а для куража, то поговорим с ней тогда по-людски, как с подругой, и разладить дела эти попробуем, но без давления на гордость. Нормально?

Зебра недоверчиво покачала головой, но согласилась. Я видела, что ей хотелось ещё про это побазарить, про Нинку посокрушаться и немного ещё позлобничать, но она решила не затеваться дальше, и мы снова выпили с ней очередную братскую в связи с моим приездом. Когда сияющая от чистоты и сбалансированного дурманным вмешательством настроения Мойдодыр вылезла из ванной, обе мы были уже нормально хороши, и от водки, и от компромиссного по поводу подруги решения.

— Работаем сегодня, девчонки или праздновать остаемся? — весело спросила прошлая наша тихушница и налила себе вдогонку.

И тут я почувствовала, как мне нестерпимо хочется поскорее наружу, на Ленинский проспект, в нашу милую сердцу подворотню справа по ходу к центру города после Юрия Алексеевича Гагарина, увидать поскорее всех тамошних наших: Ларису-мамку, угрюмого, но терпеливого Руля, прагматичного Джексона-падлу, Светку-Москву с её столичной белокостной фракцией в стороне от главной толпы, других девчонок и вообще. Я ощутила, как разом стало набухать во мне стремление добраться туда, по-свойски осмотреться, позыркать по сторонам и тачкам, покивать приветливо и старым девчонкам, и новым, и охране, и возилам. Это, как на подъезде к Москве, как круглые часы на Кивской башне вокзала, но ещё ближе к цели, ещё ближе к жизни, к тому, что было и что будет. По принципу негласного своего старшинства тогда я предложила девкам классный на сегодня вариант и выдала:

— Я вот чего предлагаю, девчонки. Сегодня работаем только если нас купят троих вместе, а там и отпразднуем заодно с клиентом. А если не купят или не вместе, то вернемся и продолжим собственный праздник. Нормально?

Это было нормально более чем, и все с этим согласились. Мы налили ещё по одной, вышли из дому, взяли тачку и убыли на точку.

Всё и получилось, как придумала, словно нагадала, правда, только первая половина придуманного сошлась, вторая была другой. Ребят тоже было трое, по виду серьезные и нормальные, и мы отъехали на двух джипах до утра в двухэтажную квартиру на Кривоарбатский переулок за две сотки на троих. Торговаться они не стали, отдали Лариске сразу, без базара. Я так хорошо название адреса того запомнила, потому что теперь до конца жизни праздник получившийся не забуду из-за того, что вышло все не так с нами, как в тот день хотелось, а по-другому абсолютно.

Сначала все выпили и пошутили, а сразу после этого решили тоже всем раздеться и продолжать дальше. В принципе, такой ход у нас нормальным считается, все со всеми — не вопрос, многие девчонки даже больше любят так, чем обычно. Я, кстати, тоже спокойно к этим вариантам отношусь, если не отморозки и без анала. Этого я не терплю и почти никогда не допускаю. И Зебра, я знаю, тоже никогда на это не идет, даже за отдельные бабки. Нинка же обычно про это дело отшучивается, плечами пожимает, как неродная, как будто секретом это при себе держит. Но я предполагаю, что для Мойдодырки анальные варианты дело вполне справедливое и в объеме того же самого иногда гонорара — вроде, как, даже, — само собой, разумеется, если клиенту надо. А отсюда делаю вывод, что Нинка к таким проявлениям отношений полов не равнодушна: или по расчету, или просто-напросто пристрастна и даже прицельна. (Потом она мне расскажет, когда совсем уже в зависимость войдет от кайфа, что это в детском доме было с самого начала у нее, сразу после двенадцати лет, когда она ТУДА мальчикам сопротивлялась, а с другой стороны, если зайти и попробовать, считалось, что ничего, — так разрешалось, вроде бы, и получилось в результате через это саморазрешение последующая легкость в допуске мужчин к себе и так, и так, и как угодно. Потом ещё улыбнулась задумчиво через большеглазые свои очки и добавила двусмысленно, что кишка обязана трудиться — где-то об этом сказано было, чуть ли не по ящику. Другое дело — всё это требует тщательнейшей оттирки и отмывки после и приготовительного омовения всего, что нужно — до того, так как впрямую задевает личную часть биогра-

фии, фобию на фекальную реакцию, но и волнует трогатель-
ную память о детдомовском периоде на Магнитке).

Но дело было не в этом в тот раз, до выяснения способов
и подробностей не успело просто дойти. А получилось, что
групповой вариант не учитывал Зебрины интересы, о чем
мы не подумали. Зебра — девчонка совершенно нормальная
и адекватная по работе, но она все же умеет качественно
расслабляться и мужчину расслаблять гораздо больше, когда одна на один. Когда нет ее стеснительного позора,
в смысле, хирургического абортного шва через полживота
после купейного происшествия, то есть, нет много общего
света кругом, интересующихся ею голых мужчин числом
более одного и сравнительного превосходства поверхнос-
тей животов других голых женщин в том же месте пространства. Поэтому Зебра закапризничала и предложила разойтись по комнатам для секса или же отделить себя от общей группы, чтобы у партнера было один с ней на один.
А если надо, то потом другой с ней — тоже на один. И третий — за ради Бога, но без общего обзора.

И я, и Нинка знали, что по закону Зебра не права, но тайно каждая из нас ее понимали и не хотели бы на Дилькином
месте оказаться. Я каждый раз, если окончательно откро-
венной быть, после того, как Дилькины страшные рубцы
мне на глаза попадались, случайно или по работе, смотрела
на себя в ванное зеркало намного более другими глазами,
на кожу свою, руки, на живот, и в такие просмотровые моменты они мне самой нравились гораздо больше, чем обычно, когда просто глазом окидываешь без причины, между
делом. Я не хочу сказать, что только такое имеющееся по
сравнению с Зеброй обстоятельство заставляло меня нра-
виться себе и только — нет, конечно же, не только оно. Я и,
вообще-то, — ничего и была раньше — ничего и сейчас так
же про себя думаю: вполне отлично сложена и возраст мне,
уверена, не дашь мой никогда, и происхождение не москов-
ское не угадаешь, если вопрос принципиально встанет, особенно, в последние годы, когда натаскала себя по всем ви-
дам столичного быта и современных в целом представлений о жизни вдали от родных мест. И всё бы получиться

могло по Дилькиному, если б не хозяин квартиры, который был самый на вид нормальный из всех. Он запротестовал ни с того, ни с сего и заартачился.

— Нет, девчонки, — сказал клиент, — так не пойдет, для меня это не то удовлетворение будет, если не сразу вместе, а с двумя мне мало, я хочу остальных видеть в известный момент, когда кончать буду. Я еще не решил, на ком остановить выбор, я это самое только в ходе общего праздника пойму, когда в клинч войду, — он объяснял спокойно вполне и даже, как мне показалось, рассудительно, с его, конечно, клиентской точки зрения. Но я же ловила себя и на том, что мысленно возразить мне ему нечем — прав, что ни скажи в ответ, прав и все тут. Но Зебра ещё больше напряглась и на слова хозяйские не повелась, а пошла на принцип, наоборот.

— Как хотите, — спокойно, хоть и была уже нормально выпивши, стойко ответила она хозяину. — Я могу покинуть или эту часть пропустить и свою подождать, а вы как хотите, если не согласны.

Мы с Мойдодыркой переглянулись и на всякий случай для разрядки назревающего конфликта интересов сторон стали синхронно раздеваться на общем виду, а не в ванной, как делаем всегда, чтобы потом выйти готовыми, в обмотанных полотенчиках. Обе подумали, что отвлечем собрание на себя и загасим нервы у мужика и у Дильки. Но гасить не пришлось. Хозяин и не думал особенно нервничать, он согласно кивнул и спокойно ответил:

— О'кей, клади сюда семьдесят баксов и можешь быть свободна, а твои подруги останутся, — он протянул ладошку по направлению к Зебре и пристально посмотрел ей в глаза. Сейчас мне уже взор его не понравился, несмотря на имеющуюся правоту, и нам стало неуютно.

— У меня нет денег, — отказала ему Дилька, — и во-первых, не моя в том вина, а в вашем желании, а во-вторых, я еще не получила ни копейки от мамки за вас, потому что получу завтра.

Это была правда — второе ее высказывание — именно такой порядок был на нашей точке, на Ленинке, да и на Красных Воротах тоже.

Тут слово солидарности вставила голая Нинка, так как мы успели с ней окончательно раздеться и ждали, чем закончится перепалка. И она сказало совершеннейшую нелепость, которую я могла объяснить себе только дурманным порошком, втянутым ею в ванной на Павлике незадолго до начала работы:

— Мы тоже не останемся тогда, мы сегодня или вместе отдыхать решили, или вообще не отдыхать, ясно? — она при этом и не думала начать одеваться обратно, но вызывающе добавила: — И у меня нет денег никаких, — Мойдодыр кивнула на меня, так же стоящую здесь же совершенно без ничего, и уточнила злорадно: — И у нее тоже.

Ребята переглянулись между собой, но не растерянно, а по-деловому.

— Понял, — согласился кривоарбатский хозяин и задумчиво посмотрел наверх, туда, где кончалась лестница на второй этаж. — Я понял вас, девчонки, — он медленно развернулся и не спеша стал подниматься на второй уровень квартиры, — вы еще подождите немного, не уходите пока, я вернусь сейчас, — бросил он через спину, не оборачиваясь.

Мы с Нинкой продолжали стоять голыми дурами, не зная в какую сторону развернется затеянная Зеброй неприятность. Двое других ребят присели и ничего не говорили нам, никаких слов: ни ободряющих, ни с обвинительным уклоном, им просто было интересно, и они не пытались этого скрыть. Казалось, это приключение с проститутками для них гораздо привлекательней самого процесса траханья с нами, включая минет и возможный анал, даже, если и частично, не с каждой, а только с Нинкой-Мойдодыр.

— Закурить не будет? — неожиданно спросила Нинка в сторону сидевших мужиков и нервически улыбнулась. Наверное, Асланов кокс был не такой сильный по действию и не такой чистый, и Нинка начала быстро трезветь — одна медовая улитка начала быстро сползать с другой, разъединяя счастливое перетекание двух удовольствий друг в друга и наоборот.

Ребята посмотрели на неё и не ответили. Да и не нужно было уже отвечать, потому что мизансцена этого действия поменялась в один миг, когда все увидали, что хозяин спускается по лестнице обратно, с трудом сдерживая два поводка, с которых рвались вниз, опережая его, два остромордых кобеля в крапинку с мелкими, рыскающими глазками и распахнутыми челюстями. Таких я прежде не встречала, но потом уже, через время, опознала таких же в другом месте, и мне сказали там, что их породу называют стаффордширами и что эти собаки — натуральные убийцы других собак и заодно людей, если понадобится.

Понадобилось, значит, в тот раз, с нами. Собаки тянули хозяина к низу лестницы что есть сил, и ему приходилось цепляться рукой за перила, чтобы не завалиться. Жертв своих, то есть, нас с Нинкой и одетую Зебру, кобели вычислили в секунду и всю свою ярость нацелили в нашу сторону без всякого дополнительного приказа.

— Ну, что, девчонки, — снова так же, как и прежде, без нервов спросил собаковод и удлинил чуть поводки через круглую рукоять, — работаем или не работаем?

Сейчас уже молчали мы все, даже Зебра. Она словно замерла на месте и онемела. Хозяин подождал нас немного, но не дождался ничего определённого и отпустил машинку еще метра на два, так, что пёсьи головы были к нам совсем близко уже, в метрах двух, наверно, не дальше.

— Ну, тогда, будем считать, вы сами все решили, сучки, — улыбнулся он и освободил поводки так, что стаффордширы радостно взвыли, почуяв почти свободу от кожаных пут и предвкушая быструю кровь от голых, пахнущих страхом тел, кинулись вперед окончательно с целью порвать нас на куски. И это было так страшно, что я зажмурилась и приготовилась к дикой и рваной боли, но не знала, откуда она начнется, с ног или с шеи, а тихая Нинка задрожала и, присев на корточки, отвернулась к собакам спиной. Машинку свою, регулирующую, собачник этот херов защелкнул, когда до нас оставалось сантиметров по пятнадцать: что — до моих ног, что — до Нинкиной, присевшей на корточки, спины. И поэтому у нас не получилось в тот момент хорошо рассмотреть, как Зебра не сдвинулась с места, где стояла, а теперь я уже думаю, что тогда она и не моргнула даже, потому что внезапно все вокруг изменилось, вся картина у мужика этого с псами и их отвратительного над нами превосходства.

Я только услыхала, как Дилька заорала не своим голосом, но не от страха, а от ненависти и от гордости и рванула на себе кофту, в какой приехала. Это я уже успела зацепить, так как разомкнула глаза и увидала.

— Мра-а-з-з-зь!!! — выкрикнула она навстречу собакам, но, имея в виду всех их: и псов и мужиков. — Хуй соси, мр-р-ра-аз-з-зь!!! — Хозяин опешил от неожиданности, но собаки пока ещё не въехали в непредсказуемость ситуации и не поняли, что происходит. — Думаешь, я боюсь тебя, ублюдок??? — продолжала орать Зебра, — да срала я на тебя и на волков твоих ебучих, — одним коротким движением она рванула рукава кофты к верху и задрала низ кофты к шее, обнажив разом страшные свои зебры на руках и неровный шов через живот с края по край. — Видал, гадина? Ты это видал, урод? — Это и был как раз момент, когда встали собаки. Встали без хозяйского приказа, замерли перед Дилькой, не доступя тех самых опасных сантиметров, и даже слегка отшарахнулись назад. Зебрина неожиданность была сильней для них, чем не отданный до конца хозяйский приказ, и они растерялись. Парни привстали, где сидели, вытаращили глаза и тоже застыли с оторванными от дивана жопами посредине состояния между сидя и стоя.

Больше Дилька ничего говорить не стала, она подхватила сумочку свою с косметикой и гондонами и, не обращая внимания ни на кого, пошла вон, бросив нам по ходу убытия: — Ушла я. Если чего, на Павлике буду, — и хлопнула дверью.

Хозяин проводил ее глазами, удерживая собак, постоял немного без комментариев и утянул псов войны обратно наверх. Мы продолжали с Нинкой стоять голые и ждать последнего решения после всего, что произошло, своего решения и ихнего. По-правильному было сейчас одеться быстро и свалить под получившийся скандал, списать происшедшее на общие нервы и потерю настроения. Но такое мне было не по нутру, несмотря даже на Зебрино непокорство, включая животных. Нинка, я поняла, ждала, как я решу и что начну предъявлять. И я решила предъявить следующее соображение:

— Извините её, — миролюбиво предложила я, рассчитывая избежать ненужного попадания на 70 баксов, делённых пополам и ещё на два, и развила мысль дальше. — Она была в трансе из-за собак, это ж не она виновна, а они сами, — я выдавила замирительную улыбку, потому что совершенно отрезвела и сознательно попыталась отвести часть вины от хозяев Кривого Арбата, передвинув её в сторону безответных диких зверей.

Кто они были, мужики эти, что нас купили, я вычислить не сумела, хоть и редко такое было со мной, но любая разборка мне не по нутру, и пришлось решать не в пользу начатого Зеброй принципа, а по правилам и без накала ситуации. Хозяин, я тоже поняла, оценил такое достойное предложение, махнул рукой и закрыл вопрос:

— Ладно, хуй с ней, с вашей чокнутой со шрамом. Ушла и ушла, целей будет. Давай, девчонки, выпьем.

Мы выпили ещё и потом сразу ещё. А после всё было нормально, правда, без групповухи уже, почему-то, хотя мы бы не были против — они сами не попросили больше. Мы разошлись по комнатам, потом поменялись и еще поменялись раз — мужики сами определяли свою нужду, и все было, в общем, нормально. Утром даже чай налили нам и сделали глазунью, но мы чай выпили, а глазунью не стали, ушли. Нинка перед уходом наглости набралась и попросила на такси, и они дали, вот так.

Пока домой утром ехали с Арбата, Мойдодыр молчала и я не разговаривала, но знала, что обе мы думаем про одно и то же, и это немного смягчало неутихшее ещё раздражение на Зебру, затеявшую переполох по ерунде. А когда получили от мамки баксы за вчера, то, не сговариваясь, разделили с Нинкой поровну, не отделив Зебрину часть, никак это не обсудив ни с ней, и не поговорив об этом между собой, так как обе считали, что такой раздел заработка был по совести. А загрызли бы нас те собаки со второго этажа или бы благополучно не загрызли — неизвестно ещё, хоть Дилька слово свое и сказала в самый момент главного стресса и террор тем заявлением остановила, и агрессию. Но, с другой точки если посмотреть, то сама же она эти беспорядки и вызвала акцией своей неповиновения совместному отдыху, сама Зебра. Таким вот конкретно макаром и прошел праздник моего возвращения из Бельцов на Павлик, таким вот отмечен был двусмысленным событием.

Если помните, я недавно на мизансцену ссылку сделала, когда тот с Арбата вниз собак своих на нас спускал. Допускаю, что удивила вас некоторым образом, использовав такое замысловатое словечко. Но в том-то и фокус, что все в моей жизни не случайно переплелось, а в виде определенной последовательности выложилось, вроде туго свернутого рулона обоев, например, с которого сорвали бумажную заклейку и пустили катиться под уклон. А после по всякому может произойти, зависит от уклона и качества бумаги: если, например, уклон не загаженный, а бумага крепкая, то можно вполне рулон тот обратно закатать, взять домой и на стену поклеить. Или же, если бумага не порвалась, выдержала, но сильно запачкалась — опять варианты имеются: отмыть, потереть, посушить и в дело. А вот, если бумага изорвалась, то, даже если грязи и не было вовсе по наклонному пути, где раскатывали, то все равно никаким клейстером не перекроешь, хотя и не будет на испорченной бумаге наружных пачканных следов. Такая вот метафора.

И снова к мизансцене обратно и к распечатке рулона, потому что как раз все с этого началось, с уклона и с театральной постановки, хотя и не жалею ни о чем, не зову и не плачу, как сказано поэтом в его поэзии. Но постановка была не в стихах, а в словах. Смысл каждого действия я не точно сейчас уже припоминаю, по прошествии лет: все это тогда же перекрылось получившейся двойной трагедией, и творческого следа на всю жизнь не получилось. Но зато запомнила, что название постановки было «Бокаччо», а писатель, написавший исходное произведение, — Декамерон, итальянец по происхождению. Я иногда, когда попадаю в ресторан с кем-нибудь состоятельным, перед отдыхом — такое тоже по работе случается, когда клиент уже нетрезвым покупает и желает добавить ещё в обществе себе подобных — всегда нахожу в меню «Карпаччо», это блюдо такое мясное, и смеюсь и вспоминаю про спектакль, в котором играла в ДК «Виноградарь» в восьмом классе. И тоже, кстати говоря, блюдо это итальянское и созвучное, как и спектакль наш.

А пьесу саму написал Валерий Лазаревич, дядя Валера Берман, мой отчим и мамин муж. Он в школу нашу приехал после своего развода в Кишиневе преподавать русский язык и литературу. Ему жилье выделили на поселке временное, так как он считался исключительно ценным знатоком предмета и таких учителей раньше в нашей поселковой школе не работало до него. Лет ему 55 было, и он сразу обратил на меня внимание, это еще, когда я в седьмой перешла только, дело было. А после этого он и маме стал знаки внимания оказывать в той же школе, она малышей вела, как всегда. Но начальных малышей тогда было уже всего шестеро на поселке, и мама не была загружена до упора, как другие. А Валерий Лазаревич очень говорил фундаментально, бородку короткую носил, вечно отутюжен был, и пахло от него тоже очень. Сам про себя говорил, что только по недоразумению не стал Дон-Кихотом из Ламанчи по жизни, а сделался учителем по профессии. Очень загадочным был интеллигентом в отличие от других местных. Имел, правда, проблему в виде больного сердца с приступами иногда, всегда клал под язык таблеточку из упаковки, вроде нитротолуола что-то и успокаивался потом через какое-то время.

Но маму совершенно не отпугнуло это обстоятельство, потому что он гораздо красивее за ней ухаживал, чем был больной. Поженились мама с дядей Валерой и стали все мы вместе Берманами через полгода после его приезда на поселок и за полгода до итальянской постановки в «Виноградаре», в самой середине, от конца всей истории если мотать. Само собой, как родня, я главной была актрисой в дяди Валериной пьесе, и мы репетировали с ним. Сначала, по ходу действия, еще до антракта я была монахиней, потом женой пастуха, потом соседкой обжоры, а потом хозяйкой бани. А после антракта — рабыней, переодетой в мальчика, богиней из небесной дали, сбежавшей дочкой купца и служанкой патриция. И всё это в одном представлении — так он придумал. И столько же костюмов, и столько же переодеваний, и столько же подгримировок под каждый раз. И уже перед самой премьерой в ДК дядя Валера все крутил меня так и так, щупал, на роль проверял бесконечно, тексты, чтоб учила и ему повторяла, до самого, помню, вечера проверял и волновался, пока все из «Виноградаря» не ушли и мы с ним в гримерной комнатке не остались сами только. А я вижу, что он переживает просто невозможно за судьбу нашего спектакля, за постановку свою. Так переживает, что руки трясутся немного, и щека слегка подергивается от волнения. Он посадил меня на колени к себе и говорит только:

— Киронька, Киронька моя...

Сейчас мне понятно, что переход он тогда верный искал, не был уверен, как поточнее растление мое начать, какими словами убедить, чтобы совпало всё с его затеей без обид и последствий, но с результатом. Но то, что не мог он себя перешагнуть, пересилить в отношении меня, то, что запал смертельно и не было это все для него так просто — это тоже точно, отвечаю, зуб даю.

— Чего, — говорю, — дядя Валер, не так чего я делаю?

— Всё, — отвечает Валерий Лазаревич, — всё ты так делаешь, доченька, всё у тебя прекрасно получается, — а самого ещё сильнее трясет, чувствую, как бьёт просто его снизу и в меня упирается жестким краем. И руку мне кладет на коленку, а другую на ребра. — Сейчас в богиню переоденемся давай, говорит, и в последний раз прогоним монолог выхода в завершающей мизансцене. — А там у меня костюм другой, всё свободное, падающее до низу с дыркой для головы посередине и с широченным рукавом.

И он начинает меня расстегивать с целью помочь переодеваться в богиню, но руки плохо управляются и расстегивают меня неловко. Тогда я сама ему помогла, кофту скинула и в маечке одной осталась, чтобы в дырку уже головой забираться. И забралась, но не до конца, а до середины божественной накидки. В этот момент дядя Валера и решился. Он поднялся, обхватил меня всю целиком, пока я ещё с другой стороны платья не появилась, и пережал все мои движения, тесно притянув к себе самому. Потом мягко так к земле притянул, чтобы я упала на пол, на другие костюмы из Бокаччо. А сам шепчет беспрестанно:

— Киронька, Киронька моя, девочка золотая, дочурка, надо так, надо нам обязательно, поверь мне, пожалуйста, поверь... — И снова: — Киронька, Киронька...

Я замерла на полу с головой под тканью и только там сообразила, что это не театр всё был, всё это время прошедшее с самого начала, не Бокаччо никакой, а он все время меня хотел потрогать и поласкать. А отчим юбочку мою под покрывалом божьим нащупал и потянул на себя, тоже с прерывистой дрожью, а рука все норовила попутно дальше проскочить, туда, где между ног. И я испугалась по-настоящему в этот момент. Я сдвинула ноги, как могла сильней, и поджала их под себя, а дяде Валере выкрикнула оттуда:

— Вы чего, дядь Валера, делаете, вы чего?

Он снова как заведенный:

— Киронька, Киронька моя, так надо, дочка, так надо... — и резко полотнище богини отдергивает и дает на меня полный свет. Я глаза от неожиданности и страха распахиваю, и тогда он в глаза мои губами впивается, и в губы, и в шею, и снова в глаза, и везде, и целует, целует. А сам давит, давит все сильнее на меня внизу твердым. Тогда я не думала, что это член дядин, мне в голову не приходило, что у старых людей члены бывают вообще, в смысле, чтобы они служили рабочими органами человеческой страсти у учителей русского языка и литературы. С мамой они поженились, я была уверена, по другим совершенно показателям взаимоотношений: по общей профессии школьных педагогов, по единству взглядов на воспитание и жизнь целиком, по заботе друг о друге, чтобы не было одиноко, а было веселее вдвоем в нашей местности. А когда глаза мои от губ его освободились и мне удалось вниз посмотреть, я увидала, что орган его мужской был уже голый и торчал вверх совершенно не по-стариковски, как не должно быть у автора театральной пьесы. И меня это бесконечно удивило, поразило дико, и зрение в этот миг поплыло и ослабло, потому что снова на моем лице лицо Валерия Лазаревича оказалось внакладку, и я захотела сказать теперь уже, что что он делает со мной, но не успела, так как именно в этот момент меня пробило болью внизу живота и ударило в глубину меня твердым. И стало туда бить, строгать и стонать.

Это был дядя Валера собственной персоной с голым, как рубанок, членом, но уже не снаружи, а внутри меня. И он туда бил и бил, пока не закричал ужасно и не заплакал в этом своем крике настоящими, а не бутафорскими слезами, как у меня в спектакле, когда за кулисами быстро успевают пшикнуть из флакончика, когда забегаешь туда ненадолго переодеться и снова выйти в мизансцену. А в тот момент, как он заплакал, мне вдруг перестало быть больно, сразу отпустило и тут же, наоборот, прикатило другое совсем, приятное и волнительное, и я вся разом разжалась и обмякла и прекратила дергаться в сопротивлении усилиям отчима. А он додернулся ещё несколько раз и выкатил от счастья глаза — точно видела, от самого настоящего счастья жизни. Тогда-то и выстрелило что-то внутри меня ему навстречу, прибору его вынутому и съежившемуся — ужасно незнакомое, новое и охватившее всю меня целиком, от зацелованной им макушки до кончиков ногтей на ногах. И эта моя конвульсия избавила нас обоих от ужасного разговора, обвинений моих и его оправданий. Поняла я, что не всё так просто и понятно в театральном деле и в остальной жизни тоже, в секретах ее и неозвученных монологах.

Крови было совсем немного, и всю ее дядя Валера вытер сам и промокнул. Тогда я решительно оделась и сказала ему:

— Знаете чего, дядя Валер? — он задрожал от страха и поднял на меня глаза с выжиданием своей участи, а я поставила точку. — Я маме не скажу, я так решила, но вы ко мне больше всё равно не приставайте, а то все расскажу, ладно?

Он заморгал благодарно и снова завел:

— Киронька моя, Киронька, доченька...

В этот момент он совсем не походил на благородного интеллигента больше, а похож был на предателя из старого кино про революцию, ещё черно-белую. Таким он и запомнился мне навсегда, таким не гордым, а подбитым.

Но зато умер Валерий Лазаревич легкой смертью, без длинной болезни, на другой день, как все у нас случилось, после премьерного показа спектакля. Но умер не от счастья, а от горя из-за того, что в зал ДК «Виноградарь» пришло четыре человека только кроме учителей наших и тоже не всех, всего получилось семеро зрителей в зале. Спектакль начали все равно, не стали других ждать, а он ушел за кулисы и больше не вышел, Валерий Лазаревич. Там у него образовался сердечный приступ, и организм отчима, видно, с ним не сумел справиться, преодолеть его как нужно, с таблеткой. И он умер. И его похоронили у нас же, на поселке, так как кроме мамы и меня у него никого в жизни не оказалось, хотя мы нашли прошлую родню, но он со всеми ними был в разводах и разладах, и те не захотели приехать, знали что-то про него, чего не знали мы, вернее, мама моя.

А Сонечка моя — его дочка, получившаяся из-за насилия надо мной за кулисами за один день до авторского воплощения учителем литературы Берманом произведения писателя Декамерона на сцене «Виноградаря». И скрыть это от мамы я не сумела, больше не от кого было, придумать, от кого будет мое дитя. Мама пошла тогда и плюнула на отчимову могилу, а ребенка, сказала, будем оставлять и воспитывать сами.

С Красных Ворот мы отвалить решили с Зеброй вместе, в том разрезе, что мысль эта в голову нам пришла одновременно после случая с фальшивыми баксами, за которые пострадали, а не должны были по правилам хорошего тона. Но тут на принцип я больше пошла, потому что оснований было на самом деле больше разругаться и уйти только у Зебры, а не у меня и у неё вместе.

Купили нас с Дилькой в тот вечер по одиночке, на разные места отдыхать, но платил один и тот же клиент, за две тачки бабки отдал, по полтиннику туда и сюда, за себя и за друга. И поехали: я на баню с тем, кто платил, а Дилька — на квартиру с другим. В бане получилось лучше, чем всегда, потому что был редкий случай: одна баня, один он и одна я. И всё. Ни жратвы, ни бутылок, ни друзей других потрахаться на халяву. А сам парился, как будто по-настоящему решил здоровье поправить: с веничком, запаренным из березовых веток, в шапке войлочной, с эвкалиптом, пар по градусу отмерял, по науке, сам трезвый, как гвоздь стальной, и настороженный. Со мной разговаривал вежливо, так, что я даже засомневалась, что голая буду, а не в купальнике. Подумала, извращенец, и ошиблась. Ничего общего, ни намека на любое отклонение, кроме непривычного режима поведения с девчонкой для отдыха. Мне-то что, мне ещё лучше, если нет подвоха, хотя хуже, если нет никакого алкоголя для банного куража, мне даже немного жалко стало, что все тихо вот так пройдет, без малейшей паники, дурных анекдотов и щипков за жопу до и после. Не подумайте, что это от испорченности я так говорю, просто, действительно, непривычно очень и поэтому непредсказуемо — отсюда страх присутствует.

В общем, я разделась без приглашения и к нему в парную отошла, где он раздул уже градус до нормы крепкого здоровья. Первое, что сделал этот странный человек — схватился руками за пах и прикрылся. Ну, загадка помаленьку стала раскрываться — поняла я, что он имел в виду этим жестом: купил женщину за деньги первый раз в жизни и не смог перебороть стеснения. И ещё я поняла — не от того, что женщина голая или секс, или незнакомы и сразу. А оттого, что он натурально произвел покупку товара и теперь ему неловко из-за этого, что может делать с ней, с женщиной, то есть, всё, что ему пожелается, кроме анала, о котором мамка всегда на всякий случай предупреждает, и сколько отдельно ещё за это, если девушка согласна будет, надо добавить. А красноту ему было скрывать свою как раз в бане удобно, где и так все вокруг красное и жаркое. И я сообразила, зачем он такой тип отдыха выбрал — для маскировки совести. Правда, он сразу опомнился, почуял, что сам себя выдает, и руки от паха отвел, открылся весь и сделал вид, что сосредоточивается на изготовлении верного пара. Только тогда я успокоилась окончательно, расслабилась и решила сама сдвинуть дядьку с мертвой точки.

Этот самый у него не то, чтобы болтался и не то, чтобы торчал дыбом вверх или вперед, но никак не определялся с местом четкой дислокации, вздрагивал с неритмичными синкопами, про какие говорил отчим Валерий Лазаревич, когда подкладывал под меня в качестве героини музыку авангардного композитора Пуленка, ненадолго задерживался в самых разных точках вертикали и не фиксировал по этой причине своего отношения к моей обнаженке. А время дядькино истекало, и мне стало жаль его незакаленной совести. Я подкралась к нему сзади, приобняла за таз и развернула на себя. Он дрогнул, но не возразил такому развитию парки. Потом я ласково взяла губами и показала, что получается, если таким образом. Он прикрыл глаза и постарался закрепить мужество насколько долго получится. Но крепкости ему не хватило, вмешалась, все-таки, неуверенность в себе самом, и он, не открывая глазниц, выпустил заряд своего страха так, что я не успела отпрянуть. Тут же первым делом сам побежал под душ, чтобы, не дай Бог, не объясняться по факту недодержки.

Когда я вышла вслед, похлестав себя брошенным веником, он уже был почти одет, но все ещё красный. Я вопросительно посмотрела на него, и он сказал:

— Мне, к сожалению, пора, а вы побудьте сами теперь, попарьтесь. И вот еще... — он положил на стол полтинник баксов и быстро пошел на выход. Не оглядываясь, добавил в дверях уже: — Это для вас лично, до свиданья.

Я купюру подобрала и огорчилась, честно опять — не было удовлетворения от этих легких денег и радости: ни в сердце, ни в душу отдача не получилась, потому что и не отработала по-настоящему и, подумала, что от меня ему удовольствие было тоже картонное, не сумела разжать до конца, вытащить его распаренное тело из задумчивости и подозрительного испуга, в общем, говном себя ощутила и расстроилась. Но, с другой стороны, такая баня для меня самой первая была за всю работу, где не трахали, не поили, не били или пиздюлями не грозили и на «вы» обращались при этом один на один. Странно, очень это странно все вышло. Но потом, немного посидев с банкнотой в руке, я ушла от собственной исповеди в сторону и перестала каяться, а заказала два пива в номер и леща и впервые в жизни засосала оба бокала в единственном числе, в пустой, жаркой пограмотному бане, без никого — сама по себе. И всё, точка!

С Зеброй, которая отъехала с оплаченным другом моего затюканного апостола, история была другой, но тоже отличалась дополнительной щедростью. Квартира, куда приехали, была съемной и неуютной, со следами проживания в одиночку. Зато мужика Зебриного, в отличие от моего дурика, прямо распирало гордостью и похвальбой. Для начала он налил ей вина и попросил станцевать что-нибудь сексуальное, сказал, за танец узбекского живота доплатит ещё полтинник сверху. Зебра замялась, но соблазн был крепкий, и она решила, что сначала покажет живот в натуре, чтобы заявить некрасивый шрам и не было потом претензий по переплате. Так и сделала честно — Дилька вообще всегда по работе честная и по жизни тоже — с принципами.

Друг апостолов шов пальцем потрогал, но утвердил и сказал, ничего, мол, подходит для танца. Только, сказал, нету у него полтинника отдельно, а есть сотка целиком и он бы хотел полтинник обратно иметь, если можно так разойтись. Был, к несчастью, полтинник у Зебры с собой, мамка выдала накануне за вчера нам на двоих, а саму купюру забрала Дилька, пока её не распилим. Его и отдала клиенту, а сотку забрала довольная. Когда танцевала, старалась угодить, музыка, правда, не подходила, потому что в квартире была только радиоточка на маяке и давали в тот момент адажио из откуда-то, другое по темпераменту и звуку, не подходящее для живота. Но все равно клиент остался доволен.

После этого они вместе выпили и залегли до утра, и Дилька работала. А утром уехала на Павлик, где я ночевала после бани той. Перед вечером решили свежую ночную сотку поменять в обменке, чтобы разойтись. Оттуда моих четвертак был, с мамкиного полтишка. И выяснилось, что баксы фальшивые, в обменке сказала девочка: хорошо, что знакомая нам была, мы у нее часто меняем, не первый год. Повезло — могли потому что замест нас под это дело, и не успели бы «мама» произнести или «мамка» даже — ни та, ни, особенно, другая выручать бы не явились.

Чего делать, если честно, я не знала — с Зеброй, в смысле. На четвертак попадать мне было страшно неохота и, если разобраться, моей вины натурально не присутствовало в ее танце живота, сама виновата, доверилась и лоханулась, да еще на свой полтинник попала, на собственный, в котором и моя половина лежала. Это первая мысль была самая, которая меня пробила сразу, как узнали про фальшак. Насчет подлости клиентской — это потом уже было, на счет два, мысль. Но Зебра и тут не смалодушничала, а решила ответить и сказала прямо:

— С меня четвертак, сама дура, сама плачу.

— Да ладно, Диль, — миролюбиво среагировала я, — разберемся. — Но так ответила, чтобы не было доходчиво понятно, будем разбираться или нет, и так знаю — в расчет четвертак тот войдет, как долг от Дильки, в хозяйственные нужды впишется и растворится без особого акцента на финал, что она, все-таки — мне.

Третье, о чем спохватилась, это об апостоловой банной банкноте: спохватилась и от ненависти к самой себе, что такая дура лоховская, сжалось всё у меня, где могло сжаться, сами знаете — от грудной жабы и вниз до конца. Мы обратно к девушке знакомой — извиняться и еще раз проверять. И что вы думаете? Самой бумажка подлинной оказалась, самой натуральной американской платежной деньгой, слава тебе, Господи мой Боже. И тут мне проясняться многое начало, про моего дурика из бани, про апостола стыдливого, который в первый раз к тому же за услугой на точку явился; поняла я, почему сказал он мне, что для меня, мол, лично полста эти сверх услуги предназначаются, и в дверях не повернулся. Откупался, наверняка, за фальшак, про который все знал заранее, метало его между кидаловым и стыдом, крутило меж обманом и совестью, опыт нужный не нажил ещё, гондон. Стоп! И тут до меня дошло дополнительно, что расплатился-то он вчера на точке тоже фуфлом — в церковь не ходи, бабушка, точно — вернул мне, чего там у мамки нагадил, а друг — нет, тот ещё добавил к точкиному кидняку свой, персональный. Сколько людей — столько характеров, это ещё отчим объяснял на репетициях, до того, как плащ богини мне на голову через дырку натянул в гримёрке ДК, когда живой еще был, так-то.

К вечеру на точку явились и к мамке красноворотской, к нашей, у какой стояли не как процентщицы, а числились постоянными. Тамошняя мамка у начальника точки шестерила в полном рабстве и угодничестве, у Следака. Да и то сказать, Следак мужик был серьезный, сам мент в прошлом, следователь по угонам. Его на взятке прихватили всего в две сотки, за полную какую-то ересь, что-то кому-то в виде протекции оказал, чтоб тачку получше разыскать спизженную, а саму взятку не просил, между прочим, просто, когда принесли и сунули, то не хватило сил не взять. И взял. И его взяли самого тут же по навету, кто давал. А он, и правда, нормальный был, ни понтов не колотил на своей должности, ни толпу не портил никому. Один раз всего к нам прибыл со штатским другом, взял девочку среднюю и честно бабки отдал, как просто клиент, а не мент. А когда его турнули с места за две сотки те, то он вспомнил о точке и нужную связь включил, потому что ему весь наш принцип тогда по душе пришелся, как точка устроена и как работает по отдаче, очень сам толковый он и просчитал все как надо. А кончилось, что прежнего мудака выдавил с владения через бывших ментов, других своих же следаков, но по-честному с ним обошелся, бабки за приобретенный бизнес все отдал скрупулезно, заём от другана в штатском получил долгосрочный, и обошлось без войны, только с несильной угрозой. И всё, стал точкой владеть на радость гражданскому населению. А мамка наша, у которой мы с Зеброй, кроме нас ещё на листе рабочем душ пятнадцать имела и без поблажек все, как и мы, со штрафами, если чего. Это я к тому, что мы с Зеброй на обязаловке стояли, а не на проценте. Объясню.

Те, со своими мамками — вольные: прибивайся, хочешь, не прибивайся к точке — отдай твердый процент Следаку и работай, пришла — не пришла — твоя головная боль и твоей мамки, профит они дальше сами располовинят. Мы же —

вот они всегда, кроме менструальных дней, кроме уважительных красных флагов поверх Красных Ворот. А мамке по типу нашей — по сотке деревом на карман от Следака за проданную девочку, если сотка баксов или, что редко, сто пятьдесят деревом — за полторы, тоже баксов, ну и полтина в рублях, если за полтину в баксах, доступно говорю?

Короче, бабки забираем за баню и танец живота, а мамка половинит нашу долю и морду воротит.

— Что такое? — спрашиваем. — Что за дела?

— А такие, — отвечает, а сама цедить продолжает через забрало свое. — Фуфлом кавалеры ваши вчера расплатились, убыток получился и недобор. Решение на ваш счет — убыль вчерашнюю уменьшить и по возможности на всех раскидать заинтересованных.

Ну такого беспредела ещё не было, ни до, ни после. Мамка и сама знала, что не права, бабки-то она принимала от апостола моего за обеих нас и приняла, поэтому морду сейчас и воротила и в глаза не глядела прямо. Тут Зебра слово свое и сказала, но не в крик, как потом с бойцовыми псами, а тихо и пронзительно, как будто прошипела, словно кобра, раздумывающая перед принятием решения:

— Ты, — говорит, — марамойка падлючая, чего гонишь тут? На кого ещё раскидать, мандавошка, на какого такого заинтересованного? На которого, манду от работы прячет, чтоб ссалось дороже? Иди наёбывай прохожего, мамочка, а нас не хера лечить, поди Следака погрузи своего, пусть гондоны поштопает и по второму кругу пустит, может, сэкономит чего. А нам бабки отдай законные, мы работали за них, а не курорт отбывали, ясно?

Мамка опешила и подалась назад. Я, если честно, тоже слегка не поверила, что Дилька так вот выдать решила за нетяжелую обиду. Можно и схлебать было, если с другой точки посмотреть — побазарить, само собой, но не отдавать такие швартовы, стоя с места на полный ход. Но такая уж Дилька по характеру, такая правдивая и искрометная. Вы бы посмотрели на ее внешность в тот момент: сама черная, глазастая, несмотря, что узкие, а скулы гуляют от желваков вверх-вниз и такая красота получается, что Боже мой. Я бы сама, если б мужиком была или клиентом, в такую минуту на нее накинулась бы, купила или за так договорилась, за любовь, но всё равно рывок произвела бы. И никакие зебры не при чем тут и швы её, потому что, когда таким огнем Дилька моя горела неугасным, то ничего её прекрасней и быть не могло, никогда и в голову бы не пришло, что Зебра не супер — за сотку или же за полторы, а нормально средняя и легко отъедет за полтинник.

В общем, весь расклад красноворотский в этой истории ясен нам стал окончательно предельно. Ушли мы оттуда в тот же день, плюнули на их подлость, а ещё через неделю с Бакунинки съехали и поселились на Павлике, там резону жить было для нас больше, к другим толковым местам обитания ближе и по цене не хуже. А на другой день, пока еще не съехали, мамка мне лично позвонила по телефону и сказала, что мне бабки за меня отдаст, а Зебре не отдаст ни по-какому, и чтобы я осталась, а она нет. Сказала, что революционерки ей на точке не требуются и всякие обвинители порядков. И я подумала, что хуже не будет, если деньги за то самое возьму хотя бы свои. Я пошла и взяла, но на работу так и не вышла, отомстила хотя бы немного за нас с Дилькой. Дильке, правда, тоже про это не сказала, про мой возврат, чтобы ее больше не нервировать. Ну и не делиться тоже — это ж, как-никак, за баню возврат был, а не за танец живота, так ведь?

А Следак, в отличие от ожиданий, гадом оказался все же, нормальным серьезным гадом, а не человеком, как думали про него. Сидеть, не вылазя из тачки да девчонок обирать, это и я бы могла, для такого ума много не надо: владей, собирай и отстсгивай — вся наука. Мусор — он мусор и есть, даже, хоть и бывший, хоть и выгнанный следак.

Нинку к нам пригрела Зебра, не я, если вспомнить, как было на деле. Я, может, тогда и не стала бы связываться с ситуацией, где не знаешь всегда, чего больше будет — найдешь или потеряешь, тем более, что Нинка валялась у бортового камня с разбитой мордой и изо рта у нее продолжала вытекать на асфальт кровавая смесь. Теперь я не жалею о том нашем решении, даже, несмотря на последующее Мойдодырово зелье, но в свое время сильно сомневалась.

А получилось все после полгода, как Нинка вахту отстояла в апартаменте на Шаболовке. Она и до этого все знала по работе, готова к ней была после детского дома и пошла на неё с легким сердцем, хоть и пустым на тот момент, тем более, что была цель в виде больного братишки. А через этот срок в работу вошла бесповоротно, как будто всю жизнь к ней тянулась, к профессии нашей, и клиент ее ценил, шел к ней опять, конкретно уже из-за неё.

Девочек на апартаменте было семеро, и все разные, но две отличались сильно. Одна, рыжая, из украинского города Черновцы имела фамилию по мужу Счастливая, но была в разводе со своим мужем Счастливым из-за непомерно толстого тела, получившегося после родов первенца. Больше на этой Счастливой никто в Черновцах жениться не захотел, и тогда она собрала своё большеразмерное имущество и приехала в Москву искать другое счастье, столичное, но, не найдя, поступила в апартаменты, чтобы было на что содержать оставленное дома Счастливое дитя. В то, что Счастливую возьмут, сама она не верила до того момента, как расположилась ночевать на Шаболовке в комнате на двоих с Нинкой. Нинка и была всегда худой и продолжала оставаться самой тонкой на месте досуга, и поэтому получилось смешно: обе они были как два единства и две борьбы противоположностей, единства — по работе и соседству, а противоположностей — по наружности и весовой категории.

Другая, отличная от других девчонок жрица успеха на Шаболовке по имени Ирма, прибыла на Нинкин апартамент из другого, но ещё раньше — из города-героя Ульяновска, откуда родом сам Ленин, так представлялась. Была Ирма не самой толстой или же худой, а, наоборот, самой из всех пожилой. Для своих сорока трёх лет выглядеть она ухитрялась на все пятьдесят пять с хвостиком. И в этом был фокус, в сутенерской мудрости содержателя Нинкиного притона. И расчет его подтверждался наличием обильной у той и у другой клиентуры, что у Счастливой, что у Ирмы.

Счастливую девчонки держали за свою, как пострадавшую по вине бывшего мужа: гормон — дело такое, непредсказуемое, сам, кто хочешь, попасть может на полноту послеродовую, если получится. Ирму же девки тихо ненавидели, тайно завидуя её выгодной старости, обеспечивающей ей процветание и упокой на будущее. Ирма и Счастливая имели другую оплатную шкалу, отдельную от других и в полтора раза выше, чем нормальные девчонки, но, тем не менее, всегда оборачивались востребованными. Очевидно, срабатывал закон особого спроса на элитный товар некатегорного качества, и, оказалось, под товар этот население шло отдельным косяком и тоже особое шло, население-то. Бывало, что до непосредственного соединения полов и не доходило, до интима. Один, к примеру, приходил к Счастливой два раза в неделю или три, чтобы поесть. Еду чокнутый приносил с собой и всегда красиво сервировал двухчасовой стол. Питание было дорогое и красивое, как и сама Счастливая в те моменты, пока ела, а странный визитер неотрывно глядел на неё и гладил обожаемый предмет по руке от локтя до запястья. Забраться куда выше, ниже или в сторону от руки потребности у него не возникало никогда. Иногда клиент плакал, иногда — нет. Длилось это по самый Нинкин уход с Шаболовки, когда уже ей стало там окончательно невыносимо. И какая была за этим тайна, за приходами дядьки того, не знал никто, даже сам содержатель, кто и придумал варианты ненормативной любви в стенах своего заведения.

Были и другие постоянники — так назывались прикипевшие к определённой девочке клиенты, но те уже числились чисто по сексу, по прихоти к специально толстым телам, как у Счастливой. А с этим делом при помощи толстолюбивого прихожанина со своей едой все у неё оставалось лучше некуда — она толстела на два сантиметра в месяц по длине ремешка, вернее, двух состроченных вместе ремешков с одной пряжкой. Счастливая человеком была общительным и хорошим рассказчиком, так что девчонки всегда были в курсе, кто с ней и как. Но с сексом или без, трогали её все непременно, трогали, мяли и ласкали Счастливое тело, пробовали на упругость и мягкость Счастливые груди, Счастливые ягодицы на Счастливой попе, процеловывали трижды Счастливый подбородок и Счастливые рыжие волосы, единственно нормальные по толщине в гигантском Счастливом организме. По ночам иногда, если обе не работали, Нинка слышала, как Счастливая тихо молилась под одеялом и благодарила свою судьбу на Шаболовке за такое к себе отношение, за такое неожиданное процветание, спрос и, если перевести в гривны по текущему курсу, то и богатство.

Свои многочисленные постоянники водились и у Ирмы, бабушки Ильича. Те странными не были в большинстве своем, потому что геронтофилия, оказалось вещь науке известная и представителей этого жесткого в смысле принципов направления удовольствий выявилось гораздо больше расчетной величины. Много было и молодежи среди почитателей Ирминого таланта быть старше собственных лет, и даже возникали время от времени лет до двадцати юнцы, также алчущие морщинистого возраста претендентки на шаболовскую постель. Но настойчивей других все же был Педофил. Прозвище прилипло сразу и не отлипало уже по самый Нинкин оттуда уход. Педофил от Ирмы млел и заикался, он разглаживал каждую складочку на съёжившемся от недостаточного обмена веществ теле, целовал многочисленные морщинки каждую по отдельности и нервически сжимал до и после любви отдельные фрагменты Ирминой поверхности, добавляя очередную временную складочку к уже имевшимся постоянным. Ирме внутренне это не нравилось, она считала это увлечение чрезмерным, но Педофил так трогательно производил над ней свои нежные опыты, изменяя складчатую картину любимой, что она терпела и выдавливала ему навстречу очередную порцию морщинистой улыбки.

Возможно, Мойдодыр пожила бы на апартаменте ещё сколько-то и поработала, но ванная была одна, а работы с клиентом, требующей горячей воды и частой подмывки, было невповорот, не до Нинкиных чистоплюйских сантиментов для оттирки себя с утра до вечера. Одним словом, интересы сторон разъехались в разных направлениях дальнейшего быта, и Нинка ушла.

О ленинской точке она узнала намного раньше, чем туда заявилась, клиент рассказал, как пользовался там отъездной услугой. Был и приятный момент в географии столичных расстояний — Шаболовка отстояла от точки на Ленинском проспекте — всего ничего, ну, примерно, как пройти от детдома на Магнитке до градообразующего комбината. Вещи Нинка оставила пока на прежней работе, а сама прогулялась до тамошней мамки и сразу попала на Лариску. Лариска её осмотрела и взяла с испытательным сроком в один рабочий отъезд.

Испытания начались тут же, так как минут через пятнадцать на точку подрулила раздолбанная мусорская канарейка и оттуда вытащился ментовской старшина, представитель крышевого отделения наведения порядка. Он отозвал Ларису в сторону и отдал короткий приказ, кивнув в сторону показа. Мамка тоже кивнула в ответ, и мусор вернулся в канарейку. Лариска пошарила глазами и призывным жестом пригласила Нинку обратно к себе.

— Само в руки идет, — весело отрапортовала она Мойдодыру. — Помочь людям нужно, мальчиков наших выручить. Я сказала, новенькая у нас с сегодня заступила, а у них субботничек как раз, то есть, у нас с ними. Давай, девочка, отработай, там трое всего в тачке, два и боец-водитель, три минетика отстрочишь по-быстрой и обратно, долго им не надо, они на смене сами ещё, объезд делают, так что времени в обрез. А потом уже нормально начнешь работать, на себя. Договорились?

— Договорились, — согласилась Мойдодыр. — Куда идти-то?

Лариска показала глазами на уазик, и там приоткрылась задняя дверь.

Канарейка тронулась с места, и они поехали в сторону улицы Вавилова, на которой в это время суток всегда было полутемно. Рядом с рядовым по званию водителем-бойцом сидел старшина, тот самый, который отдавал приказ на минеты, а сзади, рядом с Нинкой расположился молодой лейтенантик, который по старшинству начинал первым.

— Давай, подруга — сказал он Нинке, расстегивая ширинку и вынимая прибор наружу, — а то время уже много, смена скоро закончится. — Есть гондон-то?

— Нету, — испугалась Нинка. — Я сегодня только пришла, но не знала, что заступлю сразу.

— Тьфу! — огорчился лейтенант, — Чего ж ты полезла тогда в машину? — Нинка опустила голову и промолчала. — Ладно, — согласился лейтёха. — Была — не была, без гондона давай, но только смотри у меня, поняла?

Куда смотреть Нинка знала сама и кивнула. Усы у него почти не росли, и вообще, весь он был по типу подростка, только что получившего аттестат зрелости, и поэтому Нинка удивилась такому несоответствию чистой наружности и вынутого без лишних сантиментов детородного милицейского отростка. Она примерилась, нагнулась над офицерским тазом и выполнила свою работу, стараясь доказать, что место на точке будет соответствовать её умению и покорству.

— Давай, давай, сука, — постанывал лейтенантик, — ещё добавь немного, — на этом месте он неожиданно дернулся и выплеснул в Нинку заряд бесплатного удовольствия, и она еле успела отогнуть голову в сторону. — Не понял, — возмутился лейтенант. — Чего это ты делаешь, дура? Рот зачем отворотила, спермой моей брезгуешь, что ли? — он взял ее рукой за шею и сжал кисть так, что сзади в позвонке хрустнуло. И это снова было так поразительно странно, все, что происходило в желтом воронке дежурного патруля, и этот переход к новой обязанности был настолько быстрым и неподготовленным внутренне, что Нинка растерялась. Больше всего она не хотела скандала, скандал для неё означал потерю места в Ларискином списке.

— Я не знала, — робко промолвила Нинка. — Я же первый день сегодня только, извините.

— Ладно,   принял извинение лейтенант. — На первый раз прощаю, — он отпустил Мойдодыров загривок и застегнул штаны. — Потом подотрешь здесь, поняла?

Нинка кивнула. Молодой толкнул водителя в спину. — Тормози, Сереж.

Машина остановилась, старшина с лейтенантом вышли и поменялись местами, теперь рядом с Нинкой оказался старшина.

— Поехали, Сереж, — сказал он водителю, тоже толкнул его в спину, и они тронулись, медленно двигаясь по Вавилову в обратном направлении.

— Давай, дочк, — кивнул Нинке старшина и тоже расстегнул штаны. Лет ему было пятьдесят, и от всего его основательного облика исходило ощущение силы, добродушия и отеческой благодати.

— Надо глотать теперь, — подумала Нинка, — а то не пройду проверку на место, — старшина с пониманием улыбнулся и вытащил инструмент наверх. Сам милиционер был большим по росту широкоплечим мужчиной с выпуклым вперед животом и дубинкой за поясом. Дубинку он отстегивать не стал, чтобы не нарушать установленный на дежурстве порядок ношения средств нападения и обороны, и по этой причине Нинка имела возможность сравнить теперь оба орудия — резиновое и плодотворящее. И результат не замедлил обнародоваться не в пользу последнего. Из большегрузного старшины торчало нечто настолько невразумительное и вялое по виду, что Мойдодыр засомневалась в успехе будущего сочленения и недоверчиво спросила:

— А он что, всегда у вас такой?

— Не понял, — насторожился старшина. — Какой, такой?

— Ну... — протянула Нинка, подбирая необидное слово. — Ну... такой миниатюрный... аккуратненький, я хотела сказать?

Мальчуковый офицер и Сережа заржали и обернулись, чтобы увидеть своими глазами то, о чем так деликатно упомянула проститутка. Старшина прикрыл хозяйство рукой и через сжатые губы прошипел:

— Ты работай, работай лучше, хуями после меряться будем.

Ребята, придавливая смех, отвернулись обратно, а Нинка нагнулась над старшинским пахом, разыскала, что было нужно, и кое-как пристроила это в работу. После имевшего места обсуждения внутри канарейки достоинство старшины окончательно потеряло надежду на восстановление, и управляемость его стала совсем уже призрачной. Старшина видел, что Нинка это понимает, и ёрзал от злости, не зная как перевести ситуацию в свою пользу, сохранив при этом честь мундира. Внезапно включилась радиосвязь и хрипло заговорила:

— Третий, третий, вы где? На Орджоникидзе езжай, там драка у дома 12, корпус первый, как понял, третий?

В этот момент, когда раздался голос дежурного, Нинка вздрогнула от внезапности, и миниатюрный старшинский инструментик выскочил из зоны её старательной ласки. И это, слава Богу, и факт вызова на драку явились для мента спасительными обстоятельствами непозорного его финала.

— Ах ты, сука! — ни с того, ни с сего заорал он и схватил Нинку за грудки. — Укусила, гадина, зубом укусила меня, мандавошка, своим заразным. — Мужики обернулись и не-хорошо посмотрели на Мойдодыра, уазик продолжал при этом движение вперед.

— Ты ей зубы поточи об асфальт, Петрович, — посовето-вал молодой лейтенант, — чтоб не кусалась больше, — он об-ратился к Сереже: — Ну-ка не очень гони сейчас, а то неров-но получится, с заусенцами.

Тот сбавил обороты и поехал еле-еле, а старшина Петро-вич открыл на ходу дверь автомобиля, резко схватил Нин-ку за ворот, и, сильно толкнув жопой, переместил её ближе к краю сиденья. Затем он рванул Нинкин ворот вперед и вниз, так, что голова ее стала нависать над землей, почти касаясь асфальта.

— Вы чего?!! — заорала Нинка. — Вы чего делаете, вы же милиция!

— Мы-то милиция, а вот ты — хуесоска, — ответил старши-на и мокнул Нинку головой вниз. Удар об асфальт пришелся на нос и зацепил часть щеки, сорвав кожу и там и там. — Ну что? — спросил старшина, — Будешь теперь кусаться, доч-ка? — и снова коротко ткнул ее голову вниз. На этот раз каса-ние было сильней и страшней прежнего, потому что получи-лось дольше и разорвало верх правой губы и сильно ободрало висок. Изо рта у Нинки полилось соленое и, когда старшина втащил ее обратно, часть этого соленого и густого попала на вытертую обивку сиденья из кожзаменителя.

— Снова гадишь, дочка? — участливо спросил старшина и осмотрел почти бессознательную Нинку.

— Да выкинь ты ее, Петрович, — не оборачиваясь посоветовал лейтенант, — а то все там загадит нам сзади.

— А я как же, товарищ лейтенант? — с обидой в голосе спросил рядовой боец-водитель Сережа. — Мне-то она ещё не отстрочила.

— Ничего, — ответил офицер. — Петровича, вон, тоже не до конца обслужила, в другой раз, Сереж, а то на драку не попадем и сами пиздюлей схлопочем от начальства. — Он повернулся назад и бросил старшине: — Всё, Петрович, едем на Орджоникидзе.

Петрович снова распахнул дверь и толкнул туда Нинку, в пустую уличную темноту. Скорость всё ещё была невысокой, но Нинка упала нехорошо, головой упала, правда, не об асфальт, а об укатанный колесами земляной газон и поэтому не убилась, а просто ненадолго потеряла сознание. Когда мусорской УАЗ исчез в темноте, она все ещё продолжала лежать на том месте с разбитым и окровавленным лицом, приходя в себя постепенным включением потерянного сознания.

Там мы и нашли Нинку-Мойдодыр, когда шли на точку, срезая двором, чтоб было ближе. Там она и лежала, как убитая. Заметила её первой я, указала рукой Зебре, но сама же придержала её за локоть, чтоб не ходила. Но Дилька не послушала и пошла и увидала, что Нинка избита, но нормальная: не пьяная и не бомж, а наоборот, совсем молодая и нормально прикинутая. Она её пошевелила и Нинка тогда пустила красную слюну и открыла глаза. Дилька приподняла ее и посадила спиной вверх, так, чтобы опереть на дерево.

— Кто тебя так, подруга? — спросила Дилька и стала вытирать своим платком Нинкину физиономию.

— Мусора, — с трудом пробормотала Нинка и втянула кровавые сопли.

— За что? — спросила Зебра, продолжая оказывать посильную помощь.

— За то, что член у него маленький, а я сказала, — призналась Нинка и заплакала.

— А сама откуда, где живешь-то? — совершенно, как будто не удивившись такому ответу, продолжала допытываться Зебра и уже всмотрелась в Нинку внимательней.

— Нигде-е-е, — продолжая всхлипывать, призналась Нинка. — Я на точке тут рядом, первый раз сегодня, а живу нигде ещё.

— Ясно. — Зебра поднялась на ноги и сказала теперь уже мне: — Кир, ты работай иди, а я её к нам отвезу на сегодня, а то пропадет она. Куда ей такой, сама подумай — на точку не подпустят, народ пугать, а по новой загребут и в обезьянник до выяснения — на хер ей надо самой.

— Ладно, — согласилась я тогда, проявив великодушие к Дилькиному предложению. — Вези к нам, а там видно будет, — а сама подумала, что не ей самой, а нам самим на хер всё это надо, вся эта тягомотина с девчонкой побитой. Ну, да ладно...

Нинка на Павлике отмылась, морду ей Дилька обработала перекисью водорода и потом перекрыла кремом для рук, чтобы смягчить удары об асфальт, и они вместе поели макарон с кетчупом «Дарья». Уже после этого Нинка стала рассказывать про свои дела и почему Мойдодыр, начиная от утки с отцовскими ссаками и вазой с говном, через детдом, до маленького брата с плохой болезнью, до работы на шаболовском апартаменте и сегодняшнего испытательного мамкиного срока.

Когда я вернулась утром с работы, она спала на диванчике в Дилькиной комнатке, а Дилька уже встала и сразу, чтобы не оттягивать, сообщила, что так теперь на этом диванчике Нинка и будет жить вместе с нами, потому что надо помочь человеку, которому восемнадцать только-только и сразу не повезло, с самого начала работы на точке. Мнение у меня было своё, но Дилька так пристально ждала от меня ответа и так жгуче буравила меня своими восточными прорезями вместо нормальных глаз, что я не решилась связываться в такой момент и согласилась с фальшивой легкостью, тем более, что не я, а она попала вчера на четвертак баксов из-за невыхода. Ну и что? Это её было решение, а бабки ей тоже не так нужны, как мне, мы это обе с ней знаем.

На другой день мы обе работать вышли, Нинку оставили раны заживлять, а сами сперва к Лариске. Так, мол, и так,
объясняем, и гневно вчерашнее происшествие с нашей по-
стоялицей подробно излагаем, с описанием деталей, как было. Лариска сначала не поверила, ужаснулась — я же говорю, нормальная она, в общем, мамка, не сука. Пошла к начальнику точки информацию переправить, а на дорогу мы
с Зеброй дополнили от себя, чтоб попугать на всякий случай на будущее, что, вроде, Нинка — малолетка и не работала ещё совершенно, так что собирается в прокуратуру обращаться и для этого все запомнила: машину с номером и цве-
том, как зовут кого у мусоров, какие звания и всё остальное
по преступлению порядка органами власти. Ей это дополнение самой сильно не понравилось, когда слушала, и она
добавила скорости и скрылась за углом, где хозяйская тачка находилась. Потом нам сказала, что хозяин тоже возмутился до нельзя и пообещал с бригадой той ментовской через их начальство разобраться и пресечь такие дела на корню. А лучше с ментовским штрафом, сказал, во что мы не
поверили с Зеброй, как в невозможное абсолютно меропри-
ятие. Но Лариске поверили про хозяйский гнев за Нинку,
тем более, что субботниковый вариант присутствовал, а для
мусоров это — за так против полцены для бандитов, хотя
иногда и для бандитов за ничего бывает.

Не знаю, как всё было, знаю лишь точно, что что-то он
там какое-то своё запустил после мамкиного доклада
и ждал результата. А результат был таким — заставили его
точку продать в другие руки, как раз тогда Аркаша Джексон
объявился на Ленинке и представился контингенту, помните я про это рассказывала уже. Выходит, он сам от ментов
прибыл, раз того они убрали и сразу переменили власть.
А Лариска сказала, но потом уже, через время, что хозяин
прежний дешево очень точку отдал, чуть не задаром — таким вот макаром его шуганули сами мусора, за то, что пену
поднял гнилую, на поводу пошел у проститутки сопливой,
нюни распустил и пасть открыл на власть. Да и то верно: ну
что она сказала-мазала там, подумали они, а старшина, какого за хуй укусила, наверное, подтвердил собственную

версию случившегося и, сами понимаете, на чьей стороне власть окажется, если примет эту версию, так или нет? Ну и утихло всё само по себе, а Джексон принял объект и сел за угол на хозяйство сам.

А после всё притёрлось, к Нинке я привыкла и не пожалела о своем тогдашнем согласии на проживание вместе, это не считая, что Павлик стал уже на троих по арендным бабкам делиться, а не на двоих, и в тот месяц я отправила Сонечке с Артемкой и маме на сорок баксов свыше обычного размера пересылки. А если, кстати к разговору, вы не знаете, сколько отправка стоит через поездного проводника, то скажу — сотню в рублях стоит за каждую сотню в баксах. Не за так, да? Хотя, с другой стороны, и прировнять можно — как один раз на точке поссать по просьбе маньяка и не на весь пузырь к тому же.

Я почему, вы думаете, злобничаю типа: надо — не надо, хотела — не хотела, это я про Нинку всё толкую, помочь — не помочь кому по жизни — да потому, что мне-то никакой такой счастливый случай не представился вроде того, как Мойдодыру нашему, Нинке-золушке. Ей морду менты об землю расквасили, и она ровно на нашем пути пересеклась со своей бедой и без жилья, и при этом, как я говорила уже, в раннем возрасте не изнасилованная. Что там в детдоме у нее магнитном с кем было из пацанов — ее дело, но по любому добровольное. У меня про школьную историю вы знаете и про последствие, но вот что дальше получилось, сразу после победы путча 21 августа, в 91-ом, когда мне самой, сколько Нинке было, ни больше ни меньше, а ровно так, как у неё, я не говорила, поэтому расскажу про всю эту канитель. Так вот...

Представьте себя меня — я не делаю сейчас оправдательной попытки исказить историю жизни по сегодняшний день, но просто встаньте на мое место, произведите умственный тест и прикиньте, когда я, девчонка, которую выгнали из общаги, а потом из квартиры Андрея с гитарой, осталась на улице города, в самом центре победившей в революции столицы, в одном платьичке и без ничего, кроме паспорта, без ни копейки, то вообразите мое состояние духа и что мне надо было делать тогда. Мимо меня никто на точку не пробирался в тот день и внимание не остановил, как мы на Нинке, чтобы спасти её.

Это теперь я знаю наверняка, что все люди, даже больше того — весь мир человеческий делится на две неравные части: на лохов и на кидал. И те и другие могут быть обоих родов: и мужских и женских, без разницы и здесь, скорее всего, даже части сравниваются и делятся половина на половину — и одних и других поровну. Лично я — лох, и готова расписаться в этом, потому что не имею нужной хитрости и дальнего расчета против кого-то, это не мой принцип. И таких, как я, абсолютное большинство людей — от профессии не зависит, от должности так же и от того сколько у них денег: или могут сделать или не могут, и это изнутри идет, от крови. А кидал меньше, но тоже от крови и рождения, а не от профессии и от денег: давит у него внутри, чтоб кинуть человека, или не давит — даже зависит не от него самого, а от природы вещей.

Именно так я и думаю — но только не в тот день, когда в жопе полной оказалась одна, а гораздо уже после этого — кто же Андрей мой тогда получается в связи с этой квалификацией людей по результату путча, по его со мной поступку — лох и распиздяй или же нормальный кидала с моими у него дома вещами и дармовым разовым сексом с приезжей сельскохозяйственной абитуриенткой из Тимирязевки?

И делаю вывод, что он — третий типаж в этой серии, что тоже, получается, бывает на свете, а именно: они, такие люди, есть производная смесь от первых и вторых, где истинная правда их натуры задуркнута в бесшабашность и даже в добрый поступок, но от этого он не становится полезным, а, наоборот, приносит горе и заставляет страдать и мучиться других. И никто, вроде, не виноват, и это и есть самое отвратительное. Полуправда. Я даже по телевизору однажды в передаче про мировой фашизм услыхала, когда Артемку грудью кормила, у себя там, два часа от Бельцов, что был у Гитлера личный врач, доктор Геббельс, и он сказал, что самая на свете нужная и эффективная ложь та, в которую легче всего поверить, и это — полуправда. Не вся только голая правда, а только ее часть, перемешанная в зависимости как нужно, с неправдой и ложью. Вот так! И точно! Я, как услышала, даже присела: не скажешь умней его врача, попал в самую точку — молодец, хоть и фашист!

Сама не поняла, чего сказала, но все равно, вы-то поняли, надеюсь, о чем я? Вот и разбирайся — где лохи, а где чистое по жизни кидалово, натуральное. Но покупают нас и кидалы и лохи не вследствие своей человеческой деятельности, а в силу отдельной от состава крови причины, и делится эта причина вот как: половина из них нас трахают, потому что женатые, а другая половина — из-за того, что у них нету жен. И эта часть их поступков не связана с той, кровной — это тоже точно. И ещё, к слову, важное добавлю, что когда им плохо — они женщину ищут: или нормальную или из наших, а когда хорошо — то к уже имеющейся другую ещё добавляют: к жене — блядь или просто любовницу, а к бляди или любовнице — по типу как жена чтоб — снаружи честную и без обозримых пятен.

Короче, стою я и плачу в середине города. Из метро, как ехали вчера, запомнила только, что на станции Андреевой разводы были цветные по краям проходов, если выходить с перрона в зал и на эскалатор. И я решила пробовать станцию искать и на ней стоять сколько можно, у прохода вниз в надежде встретиться с ним в метро. Бабушка меня за так пропустила, дежурная, без денег, потому что видела, что плачу и сжалилась. Сначала я все кольцо подземное проехала и везде выходила, это ещё до радиусов, те даже не начинала ездить. Но и не понадобилось, так как только на кругу станций подходящих оказалось четыре и все с такими подходящими под Андрея разводами, особенно Новослободская, я даже пожалела, что они не те, которые были на самом деле нужны. И тогда я на исходную вернулась, где села, и обратно поднялась в город. Опустилась на лавочку, есть захотелось сильно и я думаю. И надумала, что есть у меня в запасе только три варианта: пойти в милицию и все рассказать, что приключилось, а дальше пусть они решают что делать, или же пробиваться домой поездом, проситься без денег у проводника, но это слишком страшно и нет еды к тому же, или же просить у кого-то денег с позором, отбить маме телеграмму, чтобы молнией выслала на билет домой до востребования и сидеть, голодая, ждать другого позора, домашнего. И тогда я прикинула хорошенько и сделала выбор, остановилась на четвертом варианте, исключающем все прочие. Я решила пойти по пути наибольшего сопротивления жизни и будь со мной, что будет, раз так.

Единственный, кого я знала в Москве, человек, был моего покойного отчима сын, не знаю, правда, как его по имени. И вообще, я не его знала, а знала, что он в природе и в Москве существует от какого-то отчимового раннего брака с кем-то ещё, кроме мамы. Это мы потом с мамой всё выясняли про дядю Валеру, когда на похороны приглашали всю родню по его линии, до маминого заключительного плевка на его могилу. И я подумала с его сына начать, всё упомянуть про отца его, рассказать, как умирал, как спектакль в ДК поставил по Декамерону и попросить денег на дорогу домой.

И должна сказать, что к Москве я прикипать как раз в те дни начала, когда мне дважды люди московские помощь оказали, первой та бабушка в метро была на проходе, а вторым — старичок из Горсправки оказался помощником. Он слезы мои когда увидал, то тоже взялся за так адрес узнать этого сына, что тоже стопроцентно был Берман и по отчеству Валерьевич и это всё, что я знала о нем. Год рождения был примерный — дядя Валера рассказывал, что женился по молодости, по очень ранней, почти юности и сразу родился его первый сын Берман, который в Москве. Я прикинула и дала старичку год с 1954 по 1956 рождения объекта поиска в городе Кишинёв. И что вы думаете? Через два часа старичок выдает мне справку на сорок четыре Берманов Валерьевичей этих годов рождения, но кишинёвского происхождения из них четыре. Но только один их четырех имя носил Лазарь. Я тут же догадалась, что он самый и будет, в честь папы моего отчима, и адрес есть. Я дедушку попросила ларек открыть и поцеловала, и он сказал, что да ладно, девонька, только ты поосторожней там, когда найдешь, ладно? Знал, что говорил, наверное, пожилой человек.

А дальше, вообще, не поверите: дом этот, что добралась, был точно мой — и адрес и сам Берман с отчимом совпали. А дело совсем было к вечеру, и у меня уже кишки такое караоке запели, что, думаю, будь что будет, покушаю у них, хотя бы, под рассказ о смерти папы от сердца. И что вы снова думаете? Звоню и открывает мне почти покойный отчим, Валерий Лазаревич, только лет двадцать тому назад или даже меньше: лицо такое же, с такой же породой, горбинка тоже есть, все на месте. Окидывает меня взором и пропускает в квартиру. И я начинаю плакать и рассказывать про свою беду с самого конца, а потом постепенно перехожу на начало, а он дома один. И все-все говорю, кроме, что Сонечка его сводная сестра по рождению и что она вообще у меня имеется от его отца. Лазарь Валерьевич слушал, слушал, курил, а потом налил себе выпить пополам с соком, а мне дал поесть, и я от голода съела все, что он наложил.

— А тебе известно, что мой отец отбывал срок в заключении, восемь лет за растление малолетних девочек? — спросил Лазарь Валерьевич.

Хорошо, что к тому моменту, как он сказал, я уже все проглотила, а то точно не в ту глотку пошло бы и задохнулось. Я обалдела просто, что отец его был уголовный преступник, и учитель русской литературы, и театральный режиссер и мамин муж одновременно. Раньше я думала, так не бывает. Я продолжала сидеть с распахнутым ртом, переваривая сообщение сына своего отца, а он тем временем мне стакан, где водка с соком была, пододвинул и сказал, чтоб запила скорей, а то поперхнусь. Я и запила залпом стакан его и настолько почти вкуса не почуяла, насколько меня новость услышанная потрясла. А уже очень было темно и поздно, и он сказал, что положит меня в детской комнате, потому что жена его на даче с детьми ночуют, а он туда только завтра поедет после работы. Но в дверях задержался, оглянулся и снова мне сказал:

— Я думаю, мой отец на маме твоей женился не из-за неё, а из-за тебя, Кира. Что ты мне на это скажешь, а? —

и очень внимательно на меня посмотрел, испытующим таким взглядом, как почти в первый раз на меня дядя Валера смотрел, как только учителем стал в нашей школе и на маме не женился ещё. Ответ он ждать не стал, а пошел стелить, я же помолилась в первый раз в жизни про себя, что так всё сложилось удачно с роднёй, и я не осталась брошенной одна, потому что он сказал, что денег на поезд домой мне даст и отправит по возможности. И я тогда не знала: или это ко мне пришла вера в тот день в Бога, или я была очень пьяной из-за того стакана, которым запила потрясение, но в любом случае, когда исповедовалась в молитве, пока он стелил, голова у меня кружилась сильно и плохо соображала — просто мне было очень хорошо и тепло от всего, что случилось.

А дальше было вот что. Он пришел в детскую ночью, пока я спала вырубленная совершенно и голая, как в раю, — всегда такой сплю, с детства — тоже голый уже пришел, готовый, и так рядом прилег со мной, так руки и ноги разместил по мне, что я только могла головой двигать и ничего больше, что бы он ни делал. А делать он стал. Он меня целовал всю, не перемещая рук и ног, чтобы сохранить мою неподвижность на всякий случай, лизал языком везде и шептал, шептал... Знаете, чего? А того же: Киронька... Киронька моя, доченька, девочка дорогая... Как и отец его, отчим мой, словно сговорились на одни и те же слова, вот что значит родня кровная.

Я не стала сопротивляться — видела, как его трясет всего от приключения со мной и, кроме того, он был спаситель моей беды. Я терпела и молчала, а он мною владел и шептал. Потом он меня поцеловал в грудь напоследок, пожелал спокойного сна и ушел дальше ночевать в свою супружескую спальню один. Утром пришел снова и снова сделал то же, что и ночью, но уже не шептал. Потом мы поели и снова я съела все, что наложил — глазами хотела, хотя и была сыта уже. После этого Лазарь Валерьевич сказал, что едет на работу, а я чтобы оставалась, но не брала телефон, если будет звонить, — он вернется после обеда и отвезет меня на вокзал и купит билет на родину. И ушел.

И тогда я пошла на экскурсию, где у него чего, посмотреть, в квартире, просто так, без задней идеи. Денег нигде не оказалось, где я просто так полазила, из интереса, — я бы не взяла все равно, и нашла б даже если. И делала я это рассеянно довольно-таки, ловила себя постоянно на другой мысли, на более важной, чем отъезд домой.

Ну, хорошо, — думала я, выворачивая ящички и полочки и задвигая потом на место. — Приеду, допустим, обратно — здравствуй, мама, — здравствуй, дочка, и чего? Нет вещей, нет студенческого удостоверения тимирязевского, ничего нет, кроме жизни в два часа автобусом от Бельц без средств к существованию. А, если не домой, с другой стороны, то куда? То где жить и заработать дочке и себе?

Этот вопрос налетел в тот момент, когда я потянула на себя зеркало в ванной, оно же было и дверцей в буфетик с причиндалами для домашней гигиены. Дверца зеркальная оттянулась, и там прямо на нижней полке лежало кольцо из золота, ясно, что обручальное, без камня, и ясно, что мужское, по размеру видно, хозяйское. Вот оно-то мне биографию и изменило, колечко это, потому что, если б находка эта не случилась в московской квартире жильцов Берман, то и всё другое иначе бы, может, продолжение имело и вернулось, откуда началось, в молдаванскую республику, а не осталось бы в Москве.

Если бы кольцо я сначала в руку взяла, а потом только подумала, то, наверно, положила бы просто обратно и уехала после обеда в Бельцы на деньги Лазаря. Но было наоборот: сначала я подумала, потом ещё немного прикинула, а только после этого взяла кольцо в руку, безвозвратно уже. При этом я четко понимала, что Лазарь Валерьевич — не Валерий Лазаревич, и то, что у нас было с ним ночью, все же, не насилие надо мной, а мучительная просьба уступить, что я и сделала, не пытаясь ни кричать, ни вертеться, чтобы уклониться от связи с ним. А раз так, то и мстить мне было не за что ему, не за доброту же? У меня другое на уме было после прикидки: он — часть фамилии Берман, от которой была проблема в моей жизни, и стоимость кольца частично скомпенсирует мою и мамину потерю кормильца. С другой

90

стороны, Лазарь Валерьевич никогда не станет искать меня затевать и обвинять не посмеет, потому что знает, что могу жене рассказать, что он со мной спал у них в детской — и это для любого мужчины хуже в семье, чем от потери супружеского кольца. И в этом был главный козырь и соблазн — чего я сделала, а не в фамильном соображении, тем более, что из той семьи его попросили в свое время, отчима моего, из-за склонности к детям, теперь-то понятно.

Больше из квартиры однофамильца я ничего не забирала, кроме начатого столбика красной помады, закрыла за собой дверь, спустилась на лифте и пошла вперед. Отмечу вам, что стало мне гораздо легче. Не потому что покушала и выспалась, если про это можно так говорить, про такой нервный сон, а в силу того, что переломился во мне страх вчерашний и неуверенность в будущих действиях, словно появилась крепкость непревычная, что всё смогу, что захочу добиться.

Кольцо нужно было продать, а вырученные деньги пустить в дело, использовать по уму — так продолжала я зародившуюся в ванной комнате мысль. Но главное — не для покупки билета на поезд, а для чего-то более нужного по жизни, не позорного, но и не несчастного тоже.

Первый покупатель изделия был у меня таксист, он же был и последний. Машину его я остановила уверенным взмахом руки в конце переулка, в котором стоял дом сына Бермана. Он повертел колечко в пальцах и необдуманно отметил, что по номеру выдавленной изнутри пробы золото червонное, то есть, особенно хорошее, и поехал.

Мы ехали довольно долго и приехали недалеко от Сокольниковского лесопарка, где было как за городом, — никого. Таксист снова достал колечко и повторил, что хорошее, но много не стоит, так как краденое. Я возмутилась и сказала, тогда давайте обратно и я не продаю вам. А он ухмылку построил на лице и сказал:

— Вот что, дочка, я не знаю откуда у тебя мужское кольцо, но предлагаю тебе два варианта, — после этих слов я поняла, что будет угрожать и захочет трахнуть, в любой последовательности: все, кто, так или иначе, не считая мамы, называли меня дочкой, переходили вскоре к этой части отношения ко мне. Но страха не было, сработали защитные механизмы, начавшие вырабатываться в моем организме гораздо быстрее, чем успевали накопиться текущие неприятности. Таксист продолжил выкладывать карты: — Смотри сюда, — сказал он. — Я тебя сдаю в ближайшее отделение, как выявленную мною воровку, а там сама выкручивайся, воровка или не воровка, — он печально вздохнул и посмотрел на мои ноги, торчавшие из под платья. — Или же беру кольцо от тебя по договоренности за не так дорого, и ещё... — он помялся, — и... ну, сама понимаешь, — он кивнул на заднее сиденье своего драндулета с шашечками, — и ты со мной побудешь, как с мужчиной сейчас прямо, — он безобидно развел по сторонам руки и разъяснил, как будто дело упиралось лишь в это малозначительное обстоятельство: — Место здесь подходящее, никто не увидит и знать не будет, я гарантирую, а после отвезу куда скажешь в пределах окружной. Ну, как, дочка?

Я решилась на этот случайный раз обойтись без обиды, хотя уверена была, что не станет таксист меня сдавать в милицию и время терять на это — просто высадит, а имущество не вернет, найдет способ не отдать. И я сказала ему, что ладно, но оплату за колечко вперед, пожалуйста. Таксист вынул деньги и отсчитал сколько-то, потом подумал и ещё одну бумажку положил. Я проверила и получилось, что на столько я и сама не рассчитывала, его «не так дорого» было больше, чем я думала, и я перебралась на заднее сиденье. Он тоже грузно перелез и начал стаскивать брюки.

В общем, все получилось не так страшно, я только попросила его не кончать в меня, и он не кончил, выскочил наружу, как и обещал. И по времени долго не заняло. И мы поехали потом куда он посоветовал.

— Ты попробуй, — сказал, — на Лужники пристроиться, там много народа разного и работы разной по барахлу и вещам, чего-нибудь сыщешь своего, дочка, — и выпустил у торгового стадиона, а сам уехал.

Совет его хорошим оказался, это я уже потом оценила, и сам он мне иногда вспоминался не раз, как порядочный человек, по сравнению с другими, о которых я в то время не всё знала, какие бывают люди в целом. Я входной билет купила и прошла в самый центр торговли. И чего там только не было, на стадионе том Лужники: ну все, что существует на белом свете и не только из одежды и из обуви, а и зимнее, и летнее, и детское, и любое, и на любые деньги, даже за совсем маленькие. Так мне там одни захотелось сразу джинсики купить для Сонечки, маленькие такие, с вышивкой по краю, словно рисунок нитяной и с бахромочкой кожаной, по-индейски, как в видео американском, — смерть, как захотелось, зашлось всё внутри прямо, турецкого производства, оказалось, а вид американский. Я ещё часа два по толкучке этой ходила и обалдевала от сортамента и обилия всего.

Но, странное дело, то, на что тайно я рассчитывала, что кто-то предложит мне работу сразу или в помощники, не возникало. А тут юбочку я присмотрела крохотной длины, в блестках и решилась купить, деньги таксистские позволяли и ещё не только юбочку. Но тогда к ней надо верх, и я там же, у хозяина прилавка тонкую блузочку черную добавила и вместе за всё получилось дешевле, если б по отдельности не у него брать. И там же, за вывешенными плащами кожаными на себя нацепила и, кстати, Бермана жены помадой подкрасилась красной, чтобы был завал — так завал. И вышла обратно в получившемся блестящем мини варианте и с платьем в руке, чтобы скорее на себя посмотреть в зеркале. А хозяин, который мне кухню всю продал, весь комплект, просто ахнул, когда увидал новую меня, без платья, и говорит, что я выгляжу теперь стопудово и ему бы если такую помощницу, пошутил, то бизнес его торговый любой турецкий перевесил бы намного, если брать, как турки торговать умеют, и продать любой залежалый товар. А ещё пошутил, что если в зеркало в полный рост посмотреться желаю, то милости просим, недалеко тут живу, квартирку снимаю рядом с торговой точкой, с местом ведения бизнеса. Если хочу, конечно.

Ну, а вижу, что мужчина глаз от меня не отводит просто, всё остальное — шуточки его, а сам только на мини моё новое смотрит, что сам и продал, и интерес его самый ко мне настоящий, не поддельный, и сам ничего, не старый, моложе даже Лазаря Бермана, я уж не говорю об его покойном отце. И зовут Руслан — тоже, подумала, ничего, не противно. Самое интересное, что голос изнутри приказал мне на шутку его согласиться, потому что шутка могла обратиться в шанс, за которым в Лужники эти притащилась по совету таксиста. И я говорю Руслану:

— Я приезжая, а если вы серьезно мне можете зеркалом своим помочь, то не откажусь от него, если вы приглашаете. — А вижу, испугался он, не думал, что так быстро перейду в ответный разговор на эту тему. И от этого я ещё храбрее стала, что не я пугаюсь теперь, а другие мною. И так мне от этого радостно стало внезапно, так щекотно внутри, что засмеялась с заливом и надолго, и чувствую, что точно, хрустнуло у меня там, где надломилось, в нужную сторону, окончательно уже лопнуло вместе с неуверенностью и разорвалось. Практически за один день жизни, но очень важный один. Всё!

Мы уже вместе дождались конца работы Руслана, потом вместе паковали нераспроданные остатки турецкого товара в полосатые нейлоновые сумки, вместе весело катили их на каталке в сторону дома на Усачевской улице, где он квартировал, и вместе затаскивали на четвертый этаж без лифта. Потом мы вместе ужинали его едой из холодильника и вместе стали целоваться перед тем, как вместе лечь спать в его кровать. И уже было это всё для меня — без вопросов: после Бермана — сына Бермана в тот же самый день, таксиста — в этот же почти промежуток и счастливого прозрения внутреннего мира между Русланом и ими обоими. Это, если не вспоминать о канувшем в неизвестность революции противопутчисте Андрее, но это было вчера уже, а не за сегодняшний так по удачному сложившийся день.

Маме врать не пришлось почти — сообщила, что провалилась, что устроилась работать в торговое предприятие «Лужники» младшим продавцом с предоставлением общежития, и что буду ходить на курсы подготовки в Тимирязевку к следующему году. Последнюю, не очень достоверную часть сообщения пришлось добавить для маминого покоя и хорошего ухода за Сонечкой.

А в Турцию мы с Русланом отправились через два месяца, когда кончился товар и собрались средства на другую партию шмотья. К этому времени я домой смоталась и тут же назад, Сонечке джинсики отвезла, что тогда понравились, а себе загранпаспорт выхлопотала быстрее срока, за взятку. Это октябрь был у нас уже, а у них в Стамбуле было теплей, чем в Бельцах, почти жарко, очень здорово. У Руслана для экономии расходов всё было расписано по минутам: встречи с оптовиками, отсмотр, погрузка, паковка, доставка и все такое. Он, вообще, точный мужик был, а по отношению и в деле — добросовестливый, и со своей семьей, если меня не считать, честный и порядочный. Сам был из Салехарда, есть такое место на земле, женатый и с тремя детьми. Содержал их из Москвы через свой товарный бизнес со Стамбулом и держал поэтому семейство на плаву жизни, но иногда вырывался туда и сам, повидаться, к детям и жене. За два года, что мы прожили вместе, ездил раза четыре, не больше. Во мне видел прежде всего помощницу по делу, а не компаньонку по бизнесу, и ещё ощущал, как женщину, с которой жил. Это меня устраивало, и я к нему тоже привыкла, но не привязалась, потому что чувствовала, что Руслан для меня не цель, а ступень. Поэтому я считала вправе использовать себя самою и по своему также желанию, а не только по его ко мне отношению. И всегда, когда мы были в Стамбуле за товаром, я целиком один или два дня для себя выкраивала лично, без него и не для дела — говорила, я женщина и хочу одна побродить и всё посмотреть и купить не для перепродажи, а для самой. Ну, и дочки тоже ради, Сонечки.

Но лукавила, так как в самый первый наш приезд оказалась в маленьком магазинчике, и тогда он мне в открытую предложил. Хозяин, в смысле. Показал в два счета, чего сам желает, на руках и штанах объяснил и предъявил в виде доказательного экспоната американскую бумажку размером в пять долларов США. И я не стала обижаться, подумала, что типа если как он просит, то согласиться — быстрее будет, чем потратить время на обиду, тем более, что и турецкого чая он налил после, во рту ополоснуть.

Этот минет был самый первый у меня вообще, с Русланом мы этого не делали, он сразу дал знать, что против извращений любых, у них в Салехарде этого не любят, считают недостойным — так, по крайней мере, он до меня доносил. Оказалось, что ничего зазорного в этом нет и нет противного, а в плюсе — что быстро, моментально, практически, и без затей с раздеванием. Так что я, наверное, по версии Яночки — помните, я рассказывала про соседку свою на Бакунинке, — и была одной типа из тех самых студенток херовых, которые рынок сбили короткой услугой, не отходя от места получения прибыли. Я не призналась в этом Янке в тот раз — когда полтинник стоишь, как минимум, то про прошлые пятерки вспоминать и даже червонцы не с руки, дурная примета у нас считается, не к деньгам, а к потерям и раннему старению. Но в те годы, когда ездили, про конкуренцию в Стамбуле я ничего не знала, просто мне сердце подсказывало, что это нормальная цена за такой тип взаимной услуги. Обычно получалось баксов 150 — 200 от Руслана приработать на стороне и занывать за каждую ездку и не только по пятерке потом получалось, а по чирику тоже было не раз. Для отмазки же какое-нибудь фуфло покупала — для себя, вроде, а в Москве по тихой на реализацию сбрасывала, далеко не отходя — у себя же на Лужниках. Ну и Руслан мне платил независимо от нашего гражданского брака, как работающей ассистентке, знал прекрасно, что у меня дочь и мама имеются на стороне и обе дорогие мне.

К концу второго года нашего единства у Руслана в Салехарде умерла жена от раковой болезни грудей, он собрал всё свое, простился со мной по человечески, но без адреса в Салехарде, поцеловал в лоб, типа как отец сына-Кибальчиша: вода в ключах, а голова на плечах — и уехал на родину к детям.

Кстати о ключах — их он отдал хозяйке квартиры, а она меня одну не пустила дальше оставаться, без Руслана, отказала в жилье и сказала, что мужиков водить буду, а ей этого не надо.

Ах ты, дрянь такая, — подумала я про себя, — ну не сюда, так в другое место водить буду тогда, тебе назло, — и повезла вещи в камеру хранения.

Вы, наверно, думаете, что все мои встречи и контакты с мужчинами, которые я в Москве имела в первый период обустройства жизни, не оставили на мне серьёзной зарубки? Ошибаетесь. Очень даже оставили, а некоторые зарубились накрепко. Таксист — таксистом, это необходимый был для выживания эпизод. Берман — Берманом (сын который, Лазарь, а не отчим) — тоже история умалчивает, но вы-то понимаете, что я была права тогда. Руслан — это вообще не в счет, у Руслана со мной всё как у людей обстояло, и у меня с ним так же, и это нельзя держать за просто контакт, исходя из сути нашего разговора.

Другое дело — Андрей, не знаю как его фамилия, к сожалению. Андрей для меня был главная зарубка после первого в жизни женского оргазма на почве доверия, чувства и любви без оплаты. Потом уже, после отбытия Руслана домой, когда я оставила торговый бизнес и перешла на окончательно независимую жизнь и полное профессиональное самообеспечение, начались другие контакты мои с мужчинами — сами понимаете я о чем — но ни одной зарубки предъявить я вам, боюсь, не сумею, ни одной маленькой зеброчки: ни на сердце изнутри, ни на руке снаружи.

Теперь к Андрею вернусь. С ним у нас вышла встреча, не сразу после путча, а через годы уже, точнее говоря, через десять лет, как растеряли друг друга на баррикадах. Это как раз год назад было до сегодняшнего футбольного чемпионата мира. Кстати о футболе этом. Наши вчера обосрались, слава господу Богу, с бельгийцами, 2 : 3 игру просрали и из одной восьмой финала в другой восьмой финал не попали — вот в говне каком разбираться приходится попутно в силу профессии, — так что, всё ничего, в общем, не так страшно по рабочему простою, клиент немного, скорей всего, от ящика отхлынет и про прекрасный пол вспомнит, про меня с девчонками и про дурко своё между ног.

Забрали нас в тот раз впятером: мы с Зеброй и Мойдодыром и Светка-Москва с Косой, ею сам шофер нашу выездною бригаду доукомплектовал, по своему личному вкусу, а она на Косе настояла вдогонку комплекту. Возил у шеф на точку направил, за девчонками, а везти велел в их газпромовскую баню в их же спецгостинице. Или лукойловскую какую-то, нам без разницы, они обе чумовые по достоинствам. Нас троих Лариска вмиг отрекомендовала, как лучших, по сотке, потому что это сразу после абортной истории с кожаным пацаном случилось, и она по возможности со мной расплачивалась таким образом, хотя самой тоже выгодней гораздо. А Светка-Москва интуицию имеет исключительную, она нужный момент чувствует всей харизмой сразу, сверху донизу, и умеет себя подать, когда клиента на расстоянии ощущает. Она игриво возиле газовому маяк поставила, ногу чуть в сторону и улыбнулась невинной детсадовской овцой ясельного возраста. Возила губу отвалил, слюну выделил и мысленно Светку изнасиловал: и так, и сяк, и снова так, а она уже сама в шестисотый залезать намылилась, поняла, что выбрали, несмотря, что мы по сотке для газпрома шли, а она на полтинник выше. Коса паровозом, выходит, получилась, за Светкиной ширмой в мерс прошмыгнула.

Но и, правда сказать, фактура у Светки есть, всё по делу: нога от уха, ресницы — вперёд и свои, худая щиколоть, что так любит продвинутый клиент, сама — тоже стройняшка и лет её не дашь по этой причине — вот вам и всегдашняя сотка — отъехать со Светкой-Москвой, или часто — сотка с полтиной. Единственный фактор, почему недолюбливаем, — говно характер, неуживчивый и выпендрёжный. Объясню.

До того, как объявиться на точке, Светка работала частной госпожой, индивидуалкой, со всякими ремнями, ошейниками шипами наружу, хлыстами, кожаными масками с молнией на рту и стальными наручниками для извлечения из клиента кайфовых высококачественных мучений. И дела шли у нее очень неплохо. Когда начинала, интернет ещё не был так освоен, как сейчас, где и фото, и ракурс, и адрес, и цена от времени. Поэтому клиент был у нее свой и бо-

лее-менее постоянный. Много из них кроме сутера она на-
рыла сама, своими связями через мир культуры и искусства, потому что когда-то по первому образованию Светка
чуть не закончила музыкальное училище имени Ипполито-
ва-Иванова и почти уже была детский педагог по роялю,
по клавишной музыке. Оттого у неё, скорее всего, такие
пальчики тонюсенькие и длинные — Зебра от злости всегда
это подмечает и Светку очень недолюбливает, хотя не только за это. Я к Зебре прислушиваюсь частенько, но тут — не
за что, если честно, а что Светка сама московская, то не её
в том вина, а наш недостаток, так вот. Были у нее и одиночки и пары: и супружеские и просто, но больше, всё же, мужские одиночки. Но всё это было после того, как она ушла от
дирижера, плюнула ему под кожаную маску и ушла.

Дирижер по фамилии Попенко преподавал на дирижер-
ско-хоровом отделении в их училище и руководил также
студенческим оркестром, где на клавишах сидела третье-
курсница Светка. Она очень старалась и была от музыки за-
вороженной, «на весь череп головы», как сама потом рассказывала на точке девчонкам из московского окружения.
И ей очень нравился педагог Попенко за небывалое умение
извлекать из студентов драгоценные по звучанию оркестро-
вые интонации там, где у других не получалось так и близко. Родом Попенко был из Ростова-на-Дону и потому немного «гэкал» и нарушал привычный для Светки человеческий выговор и общий строй речи. Светку, впрочем, это не
смущало, а даже умиляло, ей казалось, так нежней, загадочней и игривей и делается специально для неё, чтобы таким
оригинальным образом обратить на себя внимание. Интерес её не остался незамеченным педагогом-дирижером,
и Попенко не преминул этим удобным фактом воспользоваться. К тому времени дирижер был уже извращенцем со
стажем и имел опыт втягивания в совместное времяпрепро-
вождение не одной неустойчивой души обоего пола, возраста, веса, а также неокрепшего интеллекта. И опыт этот сбо-
ев практически не давал — редко, разве что, когда к делу
примешивалась ненужная любовь и продолжала устойчиво
портить обедню участникам праздника. Но и выбор тоже

мог упасть не на всякого, от партнерши всенепременно требовалось нужное сочетание слабости и силы, неугомонное содержание и простодушная форма.

Для начала Попенко пригласил Светку к себе в однушку на окраине Москвы, выставил пиво и прочел лекцию о вреде одиночества для музыкально одаренных людей. Пиво подействовало, и в теорию Светка поверила очень сильно, но в тот раз лекция этим и ограничилась. На прощанье Попенко прижал свою щеку к Светкиной и ненадолго замер, без каких-либо звуков вообще. Потом ещё долго щека её пахла приторным запахом дирижера, но это ей нравилось, и запах, и сам он, его талант и участливость к способностям студентки.

Дальше всё было быстрее, потому что ко второму визиту в однушку Светка была влюблена в педагога по дирхору, как коза в батон с изюмом. Попенко налил Светке вина, чтобы переход от пива к извращениям осуществлялся плавным образом, постепенно, взял её на руки и положил на постель. Светку била истерика, она дрожала, любила и ждала, но Попенко не спешил. Он медленно раздевал девушку, так же не спеша освобождался от одежды сам и медленно, словно преодолевая отсутствующее совершенно Светкино сопротивление, с большим трудом сумел забраться к ней вовнутрь. Девушкой Светка не была с десятого класса, поэтому немного удивилась такой заботе и мягкотелости старшего друга, тут же прервавшего объятья без особого для себя результата.

— Вот видишь, — сказал он Светке с лёгкой укоризной, натягивая на себя брюки.

Светка перепугалась и тоже стала одеваться:

— Что? — в волнении спросила она. — Что я не так делала?

— Всё, — ответил огорченный Попенко и снова подлил ей вина. — У тебя нет ко мне любови, — он так и сказал — «любови», чем снова Светку озадачил. Дирижер опустился на стул и сообщил с горькой интонацией в голосе: — Если бы я ощутил в тебе ответное чувство, то я бы не стал делать того, что пытался, без всего, что нужно. Но это только самые близкие люди могут себе позволить, те, которые доверяют друг другу целиком и полностью и хотят иметь от жизни радость без купюр.

— Без каких купюр? — поразилась Светка, — без денежных?

— Глупенькая, — мягко отреагировал Попенко, — деньги здесь ни при чем — без ограничений в чувствах и чувственности, я имел в виду, в ощущениях, в прикосновениях и боли внутри человека. Эта боль и есть самая великая радость и самое большое наслаждение для истинного ценителя жизни. Это как малая терция — на полтона в сторону от основной ноты, но уже всё не так, всё совершенно по-другому и не для всех, а только для тех, кто умеет её взять, — он проводил Светку до двери и на прощанье сказал: — Подумай, Светлана, о том, что я тебе сказал, и, пожалуйста, приготовься внутренне к тому, что ты мне доверяешь, если любовь твоя настоящая, а не суррогатная. Договорились?

— Договорились, — нетрезво пробормотала Светка, испытывая непонятную вину за то, что она натворила, за всё то ужасное, которое она доставила любимому человеку и дирижеру, поверившему в талант её длинных пальцев.

Началось всё с третьего её визита на окраину, когда Светка была готова ко всему, что предложит любимый, исходя из приготовительных действий и слов. Слов он добавил еще, на эту же невнятную тему, но виноватил на этот раз меньше, предчувствуя Светкино согласие на любых условиях. И от этого, от предвкушения заслуженной победы думать о предстоящем удовольствии ему было во сто крат слаще, чем вспоминать набившие оскомину обычные сеансы садо-мазо с сучливой и равнодушной Госпожой, которая требовала по тарифу и ещё выёбывалась, что Попенко живёт хуй знает где, торгуется каждый раз и старается недоплатить её законную ставку.

— Я хочу просить у тебя прощения, — внезапно известил он юную гостью, — за прошлые мои резкие слова и обороты по отношению к тебе, и ты должна меня наказать. Ничего не спрашивай и не говори, а просто делай, что я скажу, так надо, и я этого заслужил.

Он скинул одежду до плавок, лег на кровать и пристегнул себя к ней наручником. Другим, себя же — попросил пристегнуть Светку, и она растерянно щелкнула обручем на его запястье.

— Возьми это, — указал он на приготовленные кожаные плетки разной величины, — и бей меня как можно сильнее. — Светка опешила, но плеть взяла, самую маленькую из всех. — Ну бей же, бей скорей, — почти заорал Попенко, изнемогая от желания, и Светка обнаружила, что педагог в высшей степени эрегирован, то есть, просто целиком, всем организмом в полном составе, всеми выступающими частями, что имелись в его активе. Она всё еще была напугана, но уже понимала, что это не игра, а она действительно должна ударить своего любимого дирижера и что тот на самом деле от неё этого удара ждет. Она размахнулась и ударила, Попенко застонал и покраснел лицом. — Еще, еще, госпожа моя, — выдавил он из перекошенного счастливой мукой рта, — сильно, очень сильно, пожалуйста, не жалей своего раба! — Светка била уже по-честному, она хлестала учителя до тех пор, пока не устала сама. Но тут он быстро распахнул глаза, словно опомнился, и затараторил: — Скорее раздевайся, скорее, пожалуйста, девочка, и освободи меня от этого, — он кивнул на ставшие тесными плавки.

Светка стащила блузку, юбку и всё остальное, и он показал ей глазами, что нужно делать. Но она уже и сама знала — что. Потом это называлось у них «наездница на рабе». Перепуг — перепугом, но оргазм их был общим и прошиб Светку до самого спинного мозга, как не бывает в жизни, думала она, а случается только в кино. Этот оргазм, совпавший по счастливому стечению обстоятельств со всей затеянной Попенко мутотнёй при помощи плетки и наручников, стал пропуском для Светки в зону взаимности и дирижерского доверия, и он же заставил её впоследствии быть терпимой и к другим ненужным, в общем-то, для её любви приколам с кожаной и металлической фигнёй, неизменно затеваемым Попенко, которого она продолжала любить, несмотря на странную прихоть быть обиженным ею.

Посоветоваться, однако, и обсудить сложившуюся ситуацию ей было совершенно не с кем — не с мамой же, которая и так порой смотрела на дочку подозрительным глазом, когда та припозднялась, добираясь с окраины до центра Москвы, где они жили. Так продолжалось в течение лет полутора или около того, когда до её пианистического выпуска оставалось совсем немного — месяц-другой. Именно в этот момент и нашелся некто по имени Гарик Шилклопер, вполне приличный с виду парень с мясистым носом и масляным взглядом, который объяснил Светке суть вещей, поведав разнообразную правду о садо-мазобизнесе, а в частности, о тех её потребителях, которые научились обустраивать собственное удовольствие, экономя на профессионалках. Советчик положил перед Светкой бумажку с расчетами, из которых следовало, что за весь этот полуторогодовой кусок бесплатного обслуживания органов своего тела дирижер Попенко сэкономил... Далее следовала цифра, в которую Светка поверить не могла, она была нереальна сама по себе, но кроме того, наличие такого подхода ставило под сомнение тянущуюся без перерыва любовь к этому человеку, если не обесценивала её заочно — слишком убедительными были доводы случайно подвернувшейся стороны.

...Попенко посмотрел на Светку мутными глазами, поскучнел разом, обмяк как-то весь и не стал отпираться, тем более, что набирал к этому моменту следующий ученический курс. Так она разом рассталась и с дирижером, и с незаконченным музыкальным училищем по игре на клавишном рояле.

Советчик оказался нормальным сутенером и толково сумел донести, что плюсов в получившемся расстройстве настроения значительно больше, чем минусов. Это, как он объяснил, к месту вспомнив писателя Киплинга, будто длинный нос у слона, который мешал ему до той поры, пока он не научился извлекать им пользу: есть, что высоко расположено, пить, что течет неудобно, да ещё одновременно наказывать обидчиков.

Светка поняла — к тому времени она изрядно поумнела, хотя и постоянно отвлекала собственное прозрение на производство «любови» с прибамбасами из натуральной кожи. Музыкальный талант её оказался не таким тягучим, как она с помощью дирижера себе представляла, и поэтому интерес к развернутой картине управляемых человеческих страстей, прорисованной сутером, перешиб прошлую страсть в такие же короткие сроки, какие понадобились им для оборудования гнезда «Госпожи Страсти» в специально снятой с этой целью квартире не на окраине. Гарик и тут проявил себя молодцом и порядочным человеком — не взял со Светки ни копейки за евростиль, хотя они были партнеры, а не просто кто кому и за что.

Светкин опыт тоже не оказался лишним, а с учетом иного уже против прежнего набора атрибутов страсти — всех цветов, фасонов, материалов, а также соответствующих новому статусу одежд с прорезями, вполне отвечал самым высоким претензиям неслабого во всех смыслах и капризного клиента.

Дело пошло в полном согласии с тем самым замахом, который они взяли. Светкина стать в сочетании с ушлостью сутера стали приносить бабки с первого дня. При этом Светка старалась, но удовлетворения ей это не приносило: и раньше она делала почти то же самое через силу, но для любимого человека, а для хуй знает кого — просто старалась производить высококачественный обман. Другое, однако, её занимало гораздо больше и по-настоящему, и это были натурально деньги, бабки: деревом ли, баксами — главное, чтобы много.

Три года она их честно добывала, истязая рыхлые клиентские телеса всех возрастов и умозаключений, втыкая в их согнутые спины металл своих острых шпилек, тщательно выстраивая суровый взгляд из-под эсэсовской фуражки и подгоняя нерешительных рассекающим воздух свистом неожиданно выдернутого из-за голенища хлыста бычьей кожи. Так она тыкала, хлестала, смотрела и даже прижигала, если случай был непростой; когда требовало дело, отдавалась, превозмогая отвращение не к процессу, а к тому, кому добавок этот наряду с основным извращением также был необходим, и откладывала получаемый результат на что-нибудь заграничное, улётное, чтобы можно было с легкостью решить для себя вопрос, где ей жить дальше насовсем: в Париже, Лондоне или Монреале — скопленная сумма начинала мысли такие «Госпоже Страсти» позволять.

Но получилось гораздо внезапней, чем она могла себе предположить. Гарик прибежал в середине дня, в короткий разрыв между двумя клиентами и заорал, что скорее, мол, скорее, Светочка, родная, скорее! Чего скорее — Светка так и не смогла просечь, потому что все скопленные ею на садо-мазо бабки понадобились Гарику сейчас же, вплоть до отказа очередному страдальцу-рабу и для этого надо было бросить все, лететь за бабками в место постоянного складирования, добрать остаток их дома и всё это срочно вручить компаньону по мечу и оралу, всё до последнего цента.

— Бегом! — орал на неё Гарик. — Не успеем втиснуть бабки в бизнес — пиздец, сейчас утроить можно, до вечера успеем провернуть и обратно, только не опоздай, я всё уже собрал, только твоих как раз не хватает! — Светка схватила тачку и, не снимая блядской кожи, ринулась увеличивать на халяву свое приличное состояние. Деньги привезти успела и вручила Гарику весь пакет, как лежал на складе. Гарик не стал считать, унесся, успел крикнуть только: — Никуда не уходи, я вечером вернусь, в крайнем случае — утром.

Ни вечером, ни утром, никогда в ее жизни больше Гарик никуда не вернулся, а через месяц Светка случайно узнала, что Шилклопер тем самым вечером навечно отбыл в государство Израиль, куда у него загодя был приготовлен билет в одну сторону, потому что, хотя он был родом из необразованной провинции, но продолжал оставаться верующим евреем, и место его было для жизни там, а не здесь, к чему он так долго и готовился с помощью пострадавшей Светки. Когда до неё дошло, что она банкрот, Светку вырвало и продолжало рвать до тех пор, пока она не поклялась на Гариковой крови никогда не заводить никакого партнерства, никогда никому из мужиков в этой жизни не доверять, всех евреев на круг ненавидеть и никогда не работать Госпожой, чтобы не видеть эти мерзкие рожи, которым, чтобы по-человечески кончить, нужно налюбоваться сначала, как бригада лилипутов со свастикой отсасывает в очередь у ангорского козла, обряженного в фуражку с кокардой и портупею, а затем быть отхлёстанным недоразмороженной отечественной курой с вытянутыми ногами, чтобы было за что держать. Потом она дополнительно прикинула и решила пойти в обычные нормальные проститутки, где без затей, ремней и сложного дележа.

По внешним данным мамка приняла её на раз, оценила в сотку, и Светка приступила к работе, держась от народа несколько в стороне. История собственного обмана и опыт плётки и голенища закалили её настолько, что силу Светкину другие девчонки не почувствовать не могли и невольно её сторонились. Допускала она до дружбы с собой лишь натуральных москвичек, по специальному отбору и паслась с ними белой костью чуть в стороне от основного собрания, но совсем по-свойски только к одной из них относилась, к худющей Косе. От других девчонок, когда слышала мягкое «гэ» или же когда улавливала признаки семитской наружности на клиенте, брезгливо зажимала уши и сплёвывала об асфальт, за что и получила от девчонок кликуху Светка-Москва. Такие у Светки две были главные фобии. Из немосковских девчонок жаловала Светка-Москва только одну меня, в смысле, терпела общение, потому что я её спасла от Бог знает чего — никто не знает точно, от чего. Об этом и продолжаю рассказывать.

Одним словом, поехали мы в газонефтяную ту баню и добрались, когда мужичье тамошнее распарилось уже докрасна и накирялось в лохмотья. Их тоже пять было там, как нас — один на одну получилось, но главного я вычислила сразу, по ленивой повадке и равнодушному глазу на других своих же. Поляна накрыта, я вам скажу, была неслабо — ну всё, просто всё, что бывает — всё на столе: хавка любая, виски отовсюду, рыбка, зелень, окорочок. Сами они веселые были, добродушие демонстрировали и щедрость, но не голые пока, в простынях находились. Мы тоже переоделись культурно, тоже в махровые простыни поначалу: выпить для прелюдии, покушать с нефтяного стола и пообщаться для ознакомления с клиентом. Вижу, Светка напряглась, набычилась слегка и не пьет. Ну про это-то я знала — она последний год не принимала почти, на сухую работала, печень лечила от накопившегося алкоголя — поддавать ещё на «Госпоже» начала — так что причина была не в том, а другая. И я всмотрелась тогда в мужиков почётче и увидала, что её напрягло, Светку-то. Один, что с краю, кстати, очень обходительный и веселый, явные признаки нерусской национальности выдавал и говорил с картавью слабой, как Ленин. Вот этого Светке и хватило, видно, чтобы опасаться его выбора в её сторону, она перешла даже, между делом, на другой край, чтоб не сошлось. Подумала, наверно, когда разбор начнется, мужики, и так пьяные, брать станут, что ближе расположено, и тогда это будет не она рядом с ним, а Мойдодыр или Зебра.

Но самое страшное случилось, пока я в них вглядывалась по очереди и не поняла внезапно, что главный их, тот, что с начальственной повадкой, напоминает мне кого-то давно далёкого, но очень близкого. И тут меня выстрелило: так Андрей же это, Господи Боже, это же Андрей мой с баррикад, хоть и в очках теперь от Гуччи-хуючи и с животом не своим — первое предательство и первый оргазм моей жизни; вот как, стало быть, обернулась для него революция — нефтью с газом и сауной с девочками, вот за что мы тогда с ним боролись и Высоцкого по ночам хрипели.

Меня колотнуло изнутри, но я постаралась виду не подать, а сохранить спокойствие и профессиональную по его вине гордость. А сама не знаю что делать надо: остатки прошлой памяти немедленно предъявить ему и посмотреть, что скажет, или же не признаваться, если сам не увидит во мне ту девочку, разгружавшую вместе с ним грузовик с баррикадными шпалами и отдавшуюся ему потом в обмен на его обман.

И как раз время подошло нас разбирать и идти трахать на диваны приспособленные. И еврей — первый, тут как тут. Такой же веселый, такой же учтивый и не грубый, как и выпивал, как будто ничего Гарик Шилклопер со Светкой и не делал, никакой подлости не учинял ей, и всё осталось для неё без обид. Он не Мойдодыра, как назло, выделил и не нас с Зеброй, а прямёхонько стол обогнул и к Светке-Москве подвалил. Приобнял Светку и руку под простыню запустил игриво, где груди у Светки, что, мол, пошли, солнышко, потрахаемся с тобой на диванчике, а то подпёрло уже, невозможно одними глазами тебя поедом поедать. Светка глаза подняла на него и ничего не ответила — прикидывала, скорее всего, как поступать: отшучиваться, чтобы не допустить его до себя и поменять на другого, или пойти напропалую и придумать базар неприличный, чтоб как-то вывернуться, пусть даже без денег после всего. А газовик еврейский не врубается совершенно в Светкин внутренний мир, ему скорее надо уже, созрел, видно, вот-вот брызнет из него желание, и он торопит: скорее, скорее, лапочка, бегом давай! Ну точно, как Шилклопер тогда говорил ей, Гарик проклятый, такими же подлыми словами.

И знаете, что Светка сказала ему? Отъебись, гондон, сказала и отвернулась. У того пачка отвисла от неожиданности, он за руку тогда её ухватил и заорал, как ненормальный:

— Ах ты, паскудина ебаная! Ах ты, проблядь грязная, ты с кем это права качать надумала? Имеешь представление, хотя бы, сука?

Мужики с мест встали, хоть и пьяные, и на всех нас недобро уставились, мы тоже поднялись с девками, не знаем что делать, никто не ожидал от Светки такого, и ни от какой девчонки это было невозможно предположить, вообще никогда. И снова получилась мизансцена, почти немая сцена, сказал бы мой театральный учитель и отчим Валерий Лазаревич Берман, если бы стороны не матерились и не выкрикнули грязные обвинения друг в друга.

А дальше, знаете как произошло? Ужасней не бывает. Светка поднялась на ноги, вырвала руку из той руки, и от усилия этого и памятной ненависти к сутенеру Шилклоперу всё съеденное на поляне этой вырвалось из неё залпом обратно, непосредственно на еврейского обидчика, на нефтяника по газу, все как есть непереваренные ещё куски деликатесов.

Андрей угрюмо окинул взглядом получившуюся картину моральных разрушений и спокойно так кивнул одному из своих. Тот, видно, понял что-то там своё и направился к выходу бани — думаю, звать кого надо для производства со всеми нами расчета. И тогда я решила, что делать мне с Андреем, как прошлое наше восстанавливать.

— Стой, Андрей! — выкрикнула я и посмотрела на него так, что он кивнул тому обратно. — Подожди! — Я обогнула стол, подошла к нему, взяла за руку и повела в предбанную спальню, где застеленные диваны. Он, странное дело, не стал сопротивляться, а пошел куда повела с недоумением на хозяйской физиономии — уже в тот момент чего-то, наверняка, ему начало припоминаться. Я прикрыла дверь за собой и спросила: — Узнаешь? — он неуверенно молчал, пытаясь что-то в себе растолкать. Тогда я скинула простыню, сделала оборот вокруг себя и переспросила: — А теперь?

Он вперился в мое тело глазами и тут до него докатилось, достучалось чего-то изнутри, из забытой сердцевины самой. Андрей присел на диван и поднял глаза на меня:

— Кира, кажется? Ты?

Я тоже присела рядом, положила ему руку на руку и мягко ответила:

— Кто ж ещё-то, Андрюшенька?

Больше всего я боялась, чтобы задуманное разоблачение себя не оказалось напрасным и всё равно не кончилось общим наказанием под горячую руку. А как ребята эти из новых богатеев отомстить могут — не сюда рассказывать, больно страшно получится; это вам не зубы об асфальт поточить или стаффоров с поводков сдёрнуть, хотя скальпели те, помните, на болоте? — тоже страшно могло получиться в финале аборта.

Но боялась зря на этот раз — внезапность моей догадки помогла и спасла всех нас.

— Кирка-а-а-а, — протянул он, улыбнулся и обнял меня, — Куда же ты делась тогда, а?

Я прекрасно понимала, что ему стыдно и что он дуркует сейчас, но виду не подала и перевела беседу в нужное русло:

— В проститутки после тебя подалась, — ответила я с отчаянием в глазах, — работать начала. На трассе в Химках постояла, школу первую прошла, а дальше к центру ближе переехала, тебя чтобы повстречать ненароком. Ты мне выбора не оставил: ни вещей, ни денег, ничего. Пришлось выживать таким образом, а оттуда в воронку меня и засосало черную, и дна там не оказалось, так и продолжаю падать вниз. — Я сама удивилась своей поэтической способности вырулить, когда горячо, не потеряв при этом лица, — вот, что значит блядский опыт в сочетании с театральным прицепом.

Эту часть ему явно не хотелось развивать, и он увел зарождавшиеся отношения в малозначимую для него сторону:

— А зачем подруга твоя Шпеера обговняла, а?

Именно на такой поворот я и рассчитывала и отреагировала без запинки:

— Я, понимаешь, когда тебя признала, успела ей про тебя шепнуть, ну, что ты у меня первый в жизни мужчина был и я тебя любила, а она расчувствовалась, что мы вот так встретились, в вашей бане, а нигде больше, и расстроилась...

В общем, закончилось всё нормально: Андрей трахался со мной под романтику воспоминаний, получив в ответ на них сымитированную мною парочку фальшивых оргазмов, по типу «не так я вас любила, как стонала», Мойдодыр — с отмытым от Светкиной блевотины еврейским газовиком Шпеером, а трое других — с Зеброй, Светкой и Косой. Потом Шпеер попросил у Андрея ещё меня, но Андрей не разрешил, а Зебру тот сам не захотел из-за шрама на животе, смутил его шрам её — если б только руки, тогда — да.

На прощанье Андрей дал мне пятьдесят баксов сверху во искупление старого долга и не дал зато никакого телефона для связи с прошлой памятью, а я сделала вид, что забыла спросить. Сказал лишь, в шутку, вроде, что пора бы мне самой точкой владеть, а не по саунам шастать, как по баррикадам, — сам-то он вырулил, не на дядю теперь трудится, не на Джексона-Аркашу какого-нибудь, а на самого себя газ качает и нефть из скважины отсасывает — и всё благодаря «живому кольцу» тогдашнему, установленным вовремя оппортунистским взглядам на жизнь. Так и расстались, а Светка-Москва мне с тех пор должна, за что и смиряется с моим молдаванским происхождением и сомнительной фамилией.

Одно только не упомянула я — Косу тогда Андрей оставил на продолжение под отдельный с ней расчёт, и она с нами не вернулась из бани при газовой спецгостинице. Мне он объяснил, что для компаньона её хочет подержать ещё, а тот не прибыл пока. Но я-то поняла, что для себя добавить хочет, а не для компаньона — запал на Косу, на лысый шар её эротический в варианте для горячего пара, скорей всего, и искренне удивилась тогда, что не впрямую сказал мне, а через версию про друга. Выходит, не такой он, всё же, конченый газовик или нефтяник, как я подумала сразу, когда он изворачиваться стал, — совесть у него имелась какая-то в остатке. И меня это порадовало, честно говорю, не гоню.

А Коса? Да и слава Богу, что срослось у них на ещё раз, кроме основных бабок, я не завидую никому, когда не надо. Зато, когда надо, стараюсь не прощать. Но это так, к слову. Но про Косу скажу пару фраз отдельно, коль разговор зашел и её купили к тому же.

Коса была Косой не потому, что худая, как смерть, а из-за длиннющих своих волос, не стриженных почти с самого детства. Тоже аномалия, но, согласитесь, терпимая вполне, так как волосы у неё на самом деле были потрясающей красоты и невероятной длины, добивающей до земли. Коса гордилась волосами своими невозможно, так как особенно больше гордиться было нечем — очень была худа и не очень лицом. Носила их она по всякому: и на полный выпуск при погоде, и по двум плечам, и по одному вбок, и на тугой закрут, и по другому. Но главнее всего голова её выглядела — и это сильнейшей было для Косы стороной при оценке её клиентом целиком — когда все они были в одной центральной косе, волосы её, в тугой и толстенной. Самым большим недостатком была трудность драгоценность эту вовремя предъявить покупателю до того, а не после. После — нет разговоров: не было ни единого отморозка, бандита или нового русского, кто купил бы впопыхах поначалу, но потом не отметил бы, разобравшись, это качество Косиных волос, и не прицокнул бы восхитительно языком. Однажды ведущий взял её из вечерней передачи для населения, куда звонят все, кому не хера делать, и глупости сообщают, думая, что они так за родину болеют. Потрясся, как и другие, её волосами и говорит, давай, мол, сюжет снимать будем, что такие волосы есть. Но потом передумал сам же, что выйдет как-нибудь наружу её профессия и его заденет репутацию. И не стал снимать, а оператора своего направил, чтобы Коса отъехала с ним для отдыха, а не съемки: но ей-то все равно как, лишь бы не наебали.

Так вот, как раз и недорабатывало это достоинство из-за неудобства быстрого показа вместе с остальным телом. И недобирал клиент Косу поэтому, не покупал часто, так как главного не видел в темноте показа, и работа шла у неё слабо, без огонька. А потом случилось страшное, что закончилось нормально, в общем.

Приехал клиент, солидняк, иногородний, волосы сумел разглядеть у Косы, купил её у Лариски и повёз в отель. Волосы в тот раз незаплетёнными были, на свободный выпуск лежали. В номере у себя солидняк тот Косу раздел, пощупал, повертел так и сяк худыми сторонами тела и попросил в косу волосы собрать, в хорошую, аккуратную, красивую косу. Ну, дело привычное — не он первый, не он последний с такой просьбой домогается. Она стала плести, а он ушёл в санузел. Оттуда кричит, что готова, мол, или нет коса. Она кричит, что нет ещё, не готова. Через время снова кричит то же самое — а она уже кончает почти. Тот так и сидит, не выходит из санузла. На третий раз сама пошла и говорит — всё, заплела. Тогда солидняк дверь ей распахивает, сам голый, и втягивает Косу за руку. В унитазе — полная куча лежит от него, тухнет, а сам он дрожит весь и говорит, что, давай, мол, пожалуйста, утри мне зад после дефекации, а то мне не с руки самому. Коса напряглась, но подумала, с рукой что, может, у солидняка, паралич, вдруг, прихватил внезапный или судорога, и отрывает бумагу туалетную для оказания первой помощи. А солидняк бумагу отшвыривает и задницей разворачивается, а в руку берёт бритвенное лезвие и очень, очень спокойно рассуждает и слова медленно чеканит, что, пожалуйста, мол, дорогуша, вытри мне анальное отверстие этим вот самым и на косу кивает самой же ею приготовленную.

Тут Коса всё и сообразила: что — маньяк, что — убьет, и что надо вытирать. Она присела на корточки и трясущимися руками всё, как он хотел, сделала. А придурочный этот извертелся весь, пока его утирали, подстанывал и по всей длине косы, чтобы утирка получалась, косу сам подправлял. Про бритву свою забыл, лезвие из руки его выскочило и так брошенное до конца экзекуции и провалялось без применения. Он и потом ей ничего дурного не сделал, если не считать саму просьбу, и поблагодарил, и секс ему тоже не понадобился. Одного только не позволил сделать — вымыть волосы и вообще зайти в ванную после всего этого. Проводил вежливо, пожелал всего хорошего и закрыл дверь.

Представляете состояние Косы? Она ринулась вниз, в туалет, мужской, женский — любой, искать воды, рвать волосы, всё, что угодно с собой делать, топиться, душиться, биться об что-нибудь головой. У консьержа внизу ножницы вырвала из рук, и бешено косу свою отрезать стала, кромсать на куски, резать, резать, резать. И выть, выть, выть...

Это была неприятная часть биографии. И надо отдать Светке-Москве должное — именно она привела Косу в чувство, сумела найти нужные слова, ей даже удалось перевести всё в шутку и вернуть Косу на точку. У тебя, Коса, сказала она ей, всё устроено, как у настоящего осьминога — и ноги от ушей, и руки из задницы, и коса оттуда же теперь, хоть и ни при чем.

Коса вернулась абсолютно бритой под круглый матовый плафон, сказав, что никогда больше в жизни на голове её не будет ни единого волоска.

Но была и другая часть, плюсовая, так как, отсчитывая с той поры, Косу стали часто покупать из нашего отстойника, потому что худобу её смертельную Светка переориентировала в модельную стройность, придумала образ и стиль, а для лысого шара подобрала короткий блядский парик, нагло торчащий в стороны перьями разной масти, и сказала, что теперь всё стопудово. Клиент пошел на Косу косяком, — прошу извинения за такое тавтоложное высказывание — и она быстро и хорошо стала подниматься на бабках. Но прозвище «Коса», хоть и лысая, так за ней и осталось...

Неудобство, которому я не могла найти внутреннего объяснения, начало жечь мне печенку через короткий промежуток после газпромовской бани. Долго я не могла понять, в чем его суть и почему оно принимает непроходящий характер, как хронический, но не воспаленный геморрой какой-нибудь или вялотекущий герпес. Иногда я ловила себя на мысли, что это связано с домом, с Бельцами, и тогда я каждый раз накручивала маму, чтобы тут же убедиться, что с детьми всё у неё хорошо — у меня, в смысле. Первое прояснение пришло после того, как меня избили очень сильно и недалеко от точки, что было особенно обидно, так как рядом были свои: охрана и все другие. Но сейчас я понимаю, что место он выбрал не случайно — хотел себя тоже в зону риска загнать, чтобы щипало сильнее и адреналинило.

Вида мужчина был совершенно приличного и поведением своим, когда покупал, предположительных сомнений у меня не вызвал. Тачка тоже была подходящей, из недешевых самых, с кожей внутри. Каждый раз после дурного события с девчонками или мной я внимательно думаю, почему произошел такой промах на грани опасности жизни. И отвечаю себе, что, потому что те, кто нас мучает, бьет и не платит, всегда оказываются ещё ушлей и загадочней, чем сами мы. Мы — опытные жертвы, то есть, подопытные, но с собственным опытом, а они — и в этом их сильная часть — ни на какой опыт не опираются вовсе, не дают себе труда опереться, и поэтому получаются непредсказуемыми: и как выглядят, и как ведут себя, и как чувствительно издеваются.

Так вот. Не успели мы отъехать недалеко, но уже в глухое место, как он тормозит и говорит, чтоб я разделась наголо и перелезла назад. Я, естественно, послушно мужской воле раздеваюсь, перебираюсь и жду секса там же, сзади. Клиент аккуратно одёжу мою на переднее сиденье складывает, стопочкой, трусики сверху, как положено, и говорит, чтоб выходила на улицу. А там апрель — не лето. Я улыбнулась недоверчиво и вопросительно посмотрела на его водительское место, что, зачем, мол? А он тоже лыбится и спрашивает, чего это я улыбаюсь так, словно у меня хуй во рту, неживой улыбкой. На всякий случай я соглашаюсь, чтобы избежать подвоха и потом всё перекачать в шутку с его стороны и выхожу. И стою. Он сам выходит тоже, огибает тачку и без одного слова или подготовки бьет меня ногой в живот, так, что я голая заваливаюсь в апрельскую лужу. И еще я не успела прийти в себя от боли и заорать, как он мне тихо говорит, что, рот откроешь — убью. И я ему поверила и не заорала, а стала терпеть дальше, потому что он стал избивать дальше. Он бил меня остервенело обеими ногами и добавлял ещё одной рукой, а другой рукой вынул голый член и стал его мастурбировать и заводить глаза на небо. И поэтому мне повезло, что его взор не глядел точно в меня, и из-за этого он часто промахивался мимо. Но больно всё равно было страшно и кроме того, ещё дико страшно отдельно, что не выполнит обещания и прикончит. Я уворачивалась, как умела, закрывала по очереди брюхо, голову, пах, все другие женские места, и мне удавалось, в общем-то: клиент был в полной невменяйке, додрачивал уже до оргазма и ему было неудобно качественно кончать и так же эффективно по мне попадать башмаками в одно и то же самое время. Тут он задрожал и выплеснул в лужу и на меня конечный продукт своего и моего истязания. Дальше он спрятал орган, глубоко вздохнул и взглянул на меня уже другими глазами: заинтересованными и по-человечески, с состраданием. Он подал мне дрочильную руку, и я на волне страха взяла её. Затем он вынул из багажника полотенчик и аптечку, обтер меня сам и промокнул ссадины и раны йодом.

На заднем сиденье я оделась, и он отвез меня ближе обратно к точке. А, высаживая, извинительно сказал на «вы», что, простите меня, мол, голубушка, я не со зла такое творю, а по необходимости, связанной с особенностями физиологии организма, иначе я не достигаю оргазменной разрядки, а другие любые способы не обеспечивают требуемого результата — можете мне поверить, я много чего перепробовал и успеха смог достичь лишь при избиении обнаженной натуры на свежем воздухе. Вот так. И я подумала, что мне ещё повезло, что попала в руки к этому сложно организованному клиенту после того, как он, судя по всему, завершил серию опытов по достижению удовлетворения в отношениях с женщинами, а то могла бы попасть в промежуточный период исследований, и чем это закончилось бы всё — не знаю.

Отлёживалась я после того случая дней десять и много передумала про себя. И вдруг всё прояснилось, потому что вспомнились Андреевы слова, что я работаю на дядю, а не на себя, не на собственную точку, а на собственную погибель, если такие клиенты будут у меня и впредь. И я заболела именно после той апрельской лужи: не простудой и не от ударов, ранений и гематом, а от прилипшей накрепко мысли, что прав Андрей был в бане-то, прав абсолютно, хотя и негодяй — вызрела я на этой работе, подошла внутренне к этапу другого пути, более прямому и выгодному, чем нынешний мой, — к разделу жизни кардинальному, независимому и самостоятельному. Пора, подумала, давно пора внести соответствующую поправку Джексона — Вэника в собственную, нестабильную по большому измерению жизнь и перелистнуть блядскую её главу, проституткую её страницу, чисто рабочую часть её биографии.

Нет, если бы, скажем, всегда было по работе, как у Барби прошлый раз вышло, — тоже из Светкиного-Москвы окружения девчонки — но только, если откинуть печальный финал, то у меня и мысли бы не возникло пересматривать отношение к затянувшейся без творческого развития профессии, почти равняющей мою опасность с извлекаемым ежемесячно заработком, а ещё чаще делающей её выше приходящих денег. Я вообще заметила, что московские больше наших имеют девчонки, потому что они коммуникабельней гораздо, веселее на разговор и разводят клиента ловчей по праву местных.

А Эрику девки называют Барби, что она белобрысая, как кукла, и хохотушка без умолку. Всё время довольная ходит и ржет, хотя мне это в ней и нравится — не люблю грусть сама и на других тоже наводить. И у нас так на точке — никто особенно ни за кого не переживает, если не считать Зебру, у которой до любого несчастья чужого всегда доброе слово найдется и утешение. Но она не в счет, она ненормальная — я поняла про неё после истории с собаками, хоть она и по-хорошему в ненормальном смысле сколочена, — не все такие, как Зебра, а еще точней — все не такие. И я не такая. Так вот, про Барби дальше веду, почему ей повезло.

Взял её типа новый русский, но сам сипий весь, это значит, пьяный. И такой же, как она, веселый — одно на одно попало у них. Сначала Барби подумала, на уборку взял. Это значит, как бывает: подваливает на точку клиент, но нужно ему не потрахаться, а быстренько квартирку убрать, ну там, выгрести всё, что собралось, пока жены не было или в отъезде находилась, чтобы не обнаружила следов от других баб и лишнего пьянства, пятна подозрительные трезвым глазом обнаружить и подтереть, волосню чужую пылесосом отсосать, запахи проветрить и забытую бижутерию по щелям выискать. Девчонки, в общем, соглашаются, прикинут — делов на пару часов, не больше, а бабки те же. Но это только кто не убирался ещё. Кто съездил разок — другой, доходчиво знают, как всё потом будет: уберешь ему, выищешь, проветришь, высосешь, а потом он как минимум отсосать попросит, но убедительно, с применением настойчивости, так, что, как бы не возразила, всё равно минетом в его пользу кончится или полноценным сексом. А после этого ещё одна уборочка, в миниатюре, но всё же — после себя самой уже, после своих же волос и прочих знаков отличия от жены. И редко кто из этих попрошаек добавит за нарушение оговоренного сервиса, поскорее выпроводить поспешит, а то вот-вот супруга заявится.

Так вот. Едут к нему и оба ржут от всего вокруг: тот — оттого, что синий, а Барби — потому что всегда такая. Синий говорит ей:

— У меня жена — не как ты, а маловеселая, но зато ее на сантимент обычно пробивает. Я ей про Париж рассказываю, типа «идешь, смотришь налево — ну в натуре, еб твою мать! А направо поглядишь — ну, вообще, мать твою еб!» А она в слезы. Я, типа спрашиваю: «Ты чего плачешь, дура?» А она отвечает, типа через плач свой: «Это ж красотища-то какая, Коля?» Она у меня из Череповца сама — откуда взял, такой и осталась, без всякого подвоха: ни хитрости никакой не прилипло, ни потрахаться с развратом чтоб, как со стервой.

А потом снова уже Барби говорит:

— Дай руку на коленку положу.

А Барби продолжает ржать и отвечает:

— Пятьсот рублей. — Это она просто так, с потолка, по дурке.

Синий дает без вопросов и тут же говорит:

— Дай поцелую на том вон светофоре.

Барби ржет и снова реагирует, и снова по дурке:

— Пятьсот рублей.

Синий снова без никаких дел выкладывает, и с удовольствием, причем, и дальше:

117

— Колготину приспусти, — она: — Пятьсот, — он: — На лифте поедем или пешком? — она: — Пятьсот, — он: — Трахнемся для разгона знакомства? — она: — Пятьсот.

И каждый раз дает без разговоров. А она ржет и складывает бабки, как родные. Перед утром отлить пошла и объемный пакет с собой прихватила, куда складывала. Прикинула, и её там же кондрат почти не хватанул, в евросортире: на баксы перевести если — три штуки выходит, без чуть-чуть всего не добивает. На часы смотрит — время вышло по работе, она — одеваться, собираться, прощаться. Синий растолкался, всё ещё не в себе, не прочистился до конца — провожать пошёл до дверей, об коридор спросонья спотыкается сам, совершенно в обстановку не въезжает — чего и как. Барби снова благодетелю своему заулыбалась, расчувствовалась от дикой этой удачи, в щеку синего поцеловала и отпрянуть собралась, чтоб уйти. А синий за пакет с набросанными пятихатками держится рукой, как для равновесия, и не отпускает. Эрика вежливо пытается пакет освободить и вместе с ним выскользнуть уже насовсем из евроапартамента, а новый русский коротким энергическим движением первым пакет от самой Барби освободил и побрел обратно досыпать с ним в евроспальню. Сказал только, не оборачиваясь, что сам весёлый и любит весёлых, но до степени разумного предела. Вот так, вот и верь после этого новым русским, пускай и синим даже в дупелину — в последний момент всё равно не позволят тебе испытать горделивое чувство за твое же искреннее обаяние и договорную честность, по-любому переиграют и останутся не внакладе, где деньги.

Но даже, если бы ситуация с Барби закончилась бы для неё пакетом, то всё равно полагаться на такое дурко не следует: чудо — оно чудо и есть, чтобы не случаться и не повторяться больше. И ещё свою часть в раздумья мои добавил сон, который случился тоже в эти дни, пока выздоравливала от лужи.

Апрель кончился и начался май, сон тоже получился майский, светлый и радостный, как первый гром. А приснилось мне, что еду я в трамвае из Бельцов в Москву. Оттуда проводили меня отчим, Валерий Лазаревич, и мама. Они стояли, облокотясь друг на дружку, и махали мне вслед рукой, оба улыбались по-доброму и напутственно, и всё было у всех хорошо. Я ехала, смотрела по сторонам и радовалась, потому что знала, что именно мне нужно обнаружить за окном, какое место должно остановить на себе мой взгляд и вписаться в мой разум.

Уже была Москва, все время тянулось Садовое кольцо, оно было нескончаемым каким-то, но не утягивалось дальше Смоленского бульвара с прилегающими переулками. У каждого очередного переулка вагоновожатый давал короткий звонкий сигнал, приветствуя подходящее место за окном, весело оборачивался и преданно глядел мне в глаза, спрашивая как бы своим веселым поворотом: что, мол, на этот раз, как тебе? Водителем трамвайным был Эдик, ученый по математике, Эдуард, незаконный отец моего Артемки, но он на это, в общем, не претендовал, всем своим видом показывая, что полностью доверяет мне воспитание нашего мальчика, исходя из того, что я заботливая и трудолюбивая мать, а он ни по одному параметру, кроме знания теоретической геометрии, со мной в сравнение вступать не смеет.

Пути состояли из рельсов, а рельсы под нами были параллельны, и поэтому мы ехали совершенно спокойно, зная, что прямые внизу, направляющие наше движение вперед, никогда не приведут к беде, из-за невозможности пересечься и привести состав к краху. На другом конце пути меня уже поджидал другой Берман, Лазарь Валерьевич, но без жены, потому что она как раз была на даче с детьми. И он это знал, и я это знала, и старший Берман это знал, отец его. А также знала это мама и не имела никаких возражений, потому что она до сих пор думала, что я не к нему еду с согласия обоих Берманов, а на работу, в торговую сеть, где продолжаю трудиться двенадцатый уже год подряд без разрыва стажа, если не считать невыходы на службу в месячные дни.

Младший Берман стоял на краю Смоленского бульвара и тоже махал мне рукой, но уже на приём, а не на отправление. В руке у него был поводок с двумя красавцами стаффорширдскими терьерами, оби кобеля, которые радостно извивались и терлись боками об его ноги. Я помахала ему рукой в ответ, и он засмеялся. Вагон плавно затормозил ход и остановился. Эдуард поднялся с места и, приветливо кивнув Лазарю, переместился в конец вагона, туда, где размещался точно такой же пульт управления электрической трамвайной тягой. Он коротко звякнул в городской воздух, и вагон стронулся в обратном направлении, туда, где меня ждали мама с отчимом Берманом, на другом конце Смоленскобульварной трассы, на том, на котором размещались Бельцы и два часа на автобусе от них.

И снова прямые под нами были исключительно параллельны, и все мы были этим обстоятельством весьма довольны: и мама, и я, и оба Бермана, и оба добродушных стаффора. И внезапно меня переполнило случайным чувством к недалекому прошлому, и я с гордостью крикнула туда, где должна была ещё виднеться мама:

— Мамочка, мама! — и указала рукой на Эдика, — вот отец твоего внука, вот Артемкин папа!

Мама услышала, но видеть Эдуарда не могла. И тогда она взволнованно крикнула из ниоткуда, пытаясь получить хотя бы главный ответ на мучавший её больше других вопрос:

— А он высокий, Кира?

И тут я поняла, что совершенно не помню, какой он, мой Эдик, какого роста. Я оглянулась и всмотрелась в место для возилы, но Эдика там не было, он пропал. Трамвай продолжал движение по параллельным рельсам, железные колеса оставляли на них параллельные железные следы, но впереди снова начал прорисовываться Лазарь, а не молдаванские родственники, как будто, рельсы остались недвижимы, но поменялась сама география вокруг них, ровно на сто восемьдесят градусов: на 90 — выше нуля и на 90 — ниже. Переулки, примыкавшие к Садовому кольцу, те самые, которые мне и были нужны для отстойника, снова оказались справа по ходу трамвая, а не слева — специально, подумала я, чтобы тачкам заезжать было неудобно на показ, и я прицельно решила разобраться, кто же так ведет мой трамвай, что ничего не сходится, кроме параллельного под нами направления рельсов. И я посмотрела на возилу:

— Руль, — спросила я его, — куда едем?

Руль обернулся, но это был не он и, само собой, уже и не Эдик. На месте Руля восседал непосредственно Евклид, сам лично, чисто собственной древнегреческой персоной, с гипсовым лицом и каменными кудряшками на голове. Он кивнул мне в противоположном направлении и вежливо на «вы», как и Эдик, намекнул:

— Спросите у Бернхарда, пожалуйста, ему лучше знать.

Я растерянно обернулась в направлении кивка и обнаружила ещё одного Руля за противоположным трамвайным пультом управления вагоном.

— Руль! — крикнула я тому Рулю, не Евклидову, — чего так едем кривожопо?

Второй Руль обернулся и тоже не оказался самим собой, зато я сразу догадалась, что теперь вагон ведет чисто Риман, собственной многомерной персоной.

— Скоро уже, — добродушно сообщил Бернхард Риман, — скоро доедем, там будет точка пересечения рельсов между собой, и напротив как раз будет ТОЧКА. Подождите немного ещё, пожалуйста, — и задумчиво добавил, не поворачиваясь уже:

— А про жопу вы зря задеваете, жопа — не часть тела, жопа — это состояние души...

Он продолжал движение, и я не успела еще осознать высказанную им мудрость, как впереди вместо Лазаря Бермана, сына своего отца, вновь начали проступать неясным контуром очертания отчима Бермана, отца своего сына, а заодно и мамины тоже. Они то продавливали изображение сильней и были чётче, то расплывались в дымчатом выхлопе нечистой столичной атмосферы, то внезапно менялись местами между собой.

А потом трамвай задрожал, потому что и Евклид и Риман одновременно ударили по электрическим рычагам, пытаясь перетянуть вагон каждый в своем единственно правильном направлении движения, и тогда внизу под нами затрещало, под самой вагонной серединой, где сидела я, Кира Берман, заложница и раба двух противоположных научных титанов, и что-то гулко задолбило в трамвайное днище, тоже прямо подо мной. Вагон затормозил в бессильном сопротивлении каждому из возил и медленно стал подниматься на дыбы. Я схватилась за сиденье, обняла его обеими руками и закричала. Но страшный треск из-под начинающего разламываться надвое вагона был ещё сильней моего крика и заглушил его без всякого труда. Вагон подбросило и опустило на землю, на вырванные из асфальта и пересекшиеся между собой рельсы.

— Всё! — сказал одномерный Евклид. — Пиздец, приехали. Точка!

— Всё! — сказал многомерный Бернхард Риман. — Пиздец, приехали. Точка! — и, развернувшись к Евклиду, неучтиво бросил: — А, кстати, Евклид — это кликуха или фамилия? А то у тебя, может, как у Эдика, кроме имени и нет ничего, отчества даже? Хули тогда земными параллелями заниматься?

И оба они посмотрели в сторону начинающегося от Смоленского бульвара незаметного переулочка, уплывающего в глубь староарбатских земель. Риман — победителем, Евклид — побитой собакой, но оба, не сговариваясь, синхронно повторили:

— ТОЧКА! — и тут же оба исчезли в асфальтовом разломе земли на месте трамвайного крушения, так же как и родня, провожающая и встречающая меня здесь же, вдоль линии трассы Смоленского бульвара, но кто теперь из них был мне кто, я уже не знала точно. Другое нормально сообразила — вот где будет моя персональная точка, вот, где теперь я буду хозяйничать сама — на этом вот самом месте непараллельного пересечения параллельных рельсов. Пиздец!

После сна этого прошел ровно год, чуть больше — как раз и начинался мировой этот футбол, с чего я начала вспоминать всё третьего дня тому назад. И весь протекший год я про сон вещий вспоминала, никак меня он не оставлял, постоянно будоражил воображение, хотя работать продолжала как обычно — все дни подряд за вычетом трудных. И, знаете, несмотря, что особенно рисковых беспределов за отчетный период с нами не случилось со всеми, с Зеброй и Мойдодыром, но угомониться у меня насчет идеи о своей точке всё равно не получалось — так прикипел тот сон с Евклидом и другим геометром из Германии, который теорию на практике доказал — на живом Эдиковом глобусе мира.

И действительно, год был неплохим, если рассматривать историю с ватутинским бассейном не как драматическую опасность, а как просто неприятное происшествие, после чего у меня — ничего, у Зебры — ничего тем более, а у Нинки — простуда и температура с сухим кашлем ниже бронхов. Расскажу заодно.

Брали тот раз снова без отсмотра. Приехал джип с охранником и два микроавтобуса с возилами только. Охранник купил двадцать девчонок, ну и нас, само собой среди них. Лариска была первой, успела подвернуться под джип и сгрузила всю бригаду оптом — рада была до усрачки. И мы поехали в поселок Ватутинки по Калужскому направлению. Что будет праздник жизни, никто из девчонок не сомневался — так только самые крутые берут, без разбора, а значит, и без претензий на потом. Это я на всякий случай уточняю, к разговору. Время, если помните — дня за три перед футболом, конец самого мая.

Приехали. Ну — домина, как водится. Выходит сам, с пузом и не разговаривает, рядом охрана. Пить, есть — ничего подобного нету, нигде ни стола не видно, ни фуршета, ни музыкалки, ничего. Нас построили, как на показе: он смотрит, сам хмурый остается, без эмоций, без приветливого слова, без ничего опять. Больше всех это дело Светке-Москве не понравилось. Она меня тыкнула сзади кулаком и прошептала, что попали мы, точняк: она, зараза где человеческая — за версту чует, её на подозрительную ненависть прошибать начинает сразу и плохую догадку. Но не дёргается сама, потому что силу чувствует, от этого человека идущую и власть. А он всех так медленно пересмотрел, опять ни говоря ничего, глазами прощупал внимательно и охране чего-то шепнул. Главный по охране, бригадир их, к строю прошел, Зебру отделил и в микрик автобусный отвел. И Зебру увезли, а потом выяснилось, что обратно на точку — выходит, за так отпустили, без работы. А потом и сам ушел в дом, и больше мы его не видали на берегу.

Охранный бригадир после этого скомандовал всем раздеваться, одёжу на стульчики пластмассовые у бассейна складывать и голыми всем в бассейн купаться прыгать. Ну, немного после этого нас удивление непривычное отпустило, все расслабились, кроме Светки, всё с себя поскидывали и в бассейн тот попрыгали. И думали, конечно, что как всегда — тепло будет в воде и не глубже, чем по грудь, ну, а сам смотреть будет и кайфовать до того, как выбирать из нас начнет для секса.

А вышло наоборот: дна было не достать ногами по всей глубине, и вода теплой не была, а была естественного уличного градуса без дополнительного подогрева. Ну мы поплавали сколько-то, кто умел, а кто не умел, тот просто поплескался и руками за бортик держаться стал, чтобы ждать конца водной процедуры. Но глядим — кто за края держится, охранники подходят к ним и безразлично так ногой руки сталкивают, чтоб обратно в воду купались шли. И не в шутку, причём, а по-серьезному сталкивают, и по-серьезному неулыбчиво. Так проходит около часа. Девки уже телом все дрожат, я тоже со всеми вместе. Этого так и нет на берегу, а охрана молчит, наблюдает и сталкивает. Тогда стали сами вылазить, не держаться, а пытаться выйти через лесенку. Они снова не пускают и кивают, чтоб купались в воде. Тогда все заорали, когда поняли, что не игра это для хозяев, а план ублюдский, издевательский. И кинулись вылезать в разные стороны, все разом. Но и они тогда разбежались к нам, тоже почти к каждой, и в воду пошвыряли обратно, но уже грубо, с применением силы ног, ботинками.

На этом всё закончилось. Я имею в виду, любая попытка другая выбраться из воды на сушу. Светка-Москва больше всех мучилась от этого, что знала всё наперед и в воду изначально полезла. Но также знала она, к кому попали и что не стоит противиться — просто могут убить, если что. Коса в это не врубилась и попыталась права прокачать, на испуг взять охрану, ментами погрозить, омоном на завтра. Так с неё парик сдернули, за подбородок наверх вынесли и к лысому шару ненадолго сигарету поднесли горючим концом. Коса обратно рухнула в воду, тушиться, и больше оттуда не возникала. А мы, кто плавает сам, других девчонок под локти держали, чтоб они ко дну не пошли, и было уже не до тепло-холодно, а до держусь-тону, борьба на выживание под контролем специально обученного персонала. А сам, кто-то видел, из окна сверху смотрел через жалюзи. Зачем всё это — тоже мы никто не знали — может, тоже дрочил, как со мной тот, вежливый, с полотенчиком и аптечкой.

Махнул нам бригадир часов под пять утра, когда жалюзь захлопнулась наверху и, видно, сам спать отправился, насмотревшись на нашу беду. Рукой призвал, что, мол, вылазьте оттуда, хватит полоскаться. Быстро сказал одеваться, всех по машинам и в город назад, до первой метростанции, как из области ехать по шоссе.

Вот и вся неприятная история, последствия вы знаете, кроме тех, что воспаление легких у Косы случилось, и её на другой день по скорой в больничку повезли. А воспаление подхватила почему она, а не другие, я знаю точно. Коса — самая из нас рослая, и до дна ей удалось, в отличие от прочих, дотянуться цыпочками. Так она на них и простояла без движения почти, пока другие барахтались и волей-неволей себя вынужденно прогревали двигательными упражнениями, и мы все: кто простудился, кто — ничего, а Коса единственно свалилась в тяжелое нездоровье.

В больничке выяснилось, что страховое свидетельство отсутствует, хоть и москвичка, и хотели скандал открыть, чтоб отказать в медицине, но Светка всё устроила, договорилась, денег запустила куда надо и пообещала ещё в случае успешного лечения и ухода за полумертвой Косой дать дежурному врачу за полцены, кроме бабок, со скидкой, по льготной ставке, как для бандита на субботнике.

Что сейчас с ней — не знаю, не видала их никого ещё, чтобы поинтересоваться. Ну и ещё девчонка одна белорусская, точно не помню с какого места, покрылась тем же утром розовой коростой по всему телу, и все поняли сразу, что на нервной почве, и поэтому решили, что не страшно, типа аллергии, пройдет — была бы инфекция, то и другие заодно цепанули бы горюшка заразного, но больше ни у кого не оказалось.

Одно для меня сплошной неразрешенной осталось загадкой: почему хмурый господин из Ватутинок Зебру одну выпустил, а других — нет, что такого он в Зебре особого обнаружил, что пожалел её и обратно доставил? Если по причине азиатской наружности, то, вроде, понятно тогда — не любит или брезгует. Но тогда должен был послам своим команду дать прежде, чем на точку посылать — черножопых не покупать и не везти. Но, по-другому взглянуть, как было, — больно он её долго взглядом ощупывал, туману наводил, хотя сразу ж ясно, что Дилька не белого племени, как все остальные, а чисто восточного разлива. Зебры её, если только, на руках приметил и внешне отшарахнулся? Тоже — нет, рукав Дилькин ниже зебр спускался, не давал смотреть до купанья. А потом вдруг поняла я чётко, само дошло — просто он, наверно, увидал в ней тоже особую силу, мудрой своей опытной кишкой почуял: прикинул, что эта — не уступить ему сможет, если что, не согласится на всё, что он делать скажет, и всю обедню ему испортит дрочильную или какая там у него намечалась. И я ещё больше Дильку зауважала, но внутри себя, с самой с ней этим не поделилась после.

Вот ещё что — давно всё хотелось Нинку упомянуть, Мойдодыра моего и про порошки ее непрекращающиеся полялякать. Про Зебру чего говорить — верней её нет у меня человека и подруги: и по совести и по взаимности. А рассказываю не случайно, потому что сейчас самое время начнется для меня жёстко избирательную кампанию проводить для открытия собственного дела, самого за десять лет, как работаю, важного и волнующего кровь. И, конечно, придет срок, и я спрошу — Вы с кем, люди? А первые, спрошу кого, Зебра будет и Нинка, кто ещё-то? Не Аркаша же Джексон, и не Следак красноворотский, и не Андрюша мой с газпромовских баррикад, так или не так?

И я представила себе картину. Сижу я на собственной точке. В тачке нормальной, само собой, за углом в неприметном переулочке, том самом с двором-отстойником, который от Смоленского бульвара отторгается в месте, напротив которого — помните? — трамвай в противостояние вошел со своими же рельсами, навернувшись сам об себя.

Так вот, жопу от кожи сиденья не отрываю, курю что-то типа Давидофф лонг сайз, само собой. Зебра при мне, и она же над мамками, над своими шестерками — всё ведет, весь учет на ней: охрана, возилы, девочки, расчеты. Нинка — та с другими мамками на связи, которые от процента, независимое направление сотрудничества и другой на ней контроль, отдельный от этого. Сама — внешние контакты-монтакты, крыша, касса, общее руководство, справедливое распределение по труду на основе имеющихся договоренностей с персоналом точки, обязанностей и прав. Контракт есть контракт, слово есть слово, профессия есть работа, а порядочность людская девальвации не подлежит — так меня мама учила ещё с начальных классов, и особенно это важно на точке, в силу специальных социальных причин и возможных дальнейших разборок, в том числе и своих со своими. А для чего охрану держать, спросите? От кого, если и так мусора крышуют? Отвечу, потому что знаю про это всё. Итак, предположим.

Вы купили, как порядочный, отъехали, тоже, как нормальный, насосались ханки до кабаньих глюков, как вольный хозяин своего ЭГО, — ничего, что по научному немного? — это у меня от Эдика осталось — далее вы размягчились после всего хорошего и доброго настолько, что не смогли соответствовать своей же покупательной способности и в результате остались без оргазменной разрядки, несмотря на имевшиеся ранее намерения. Вы всё еще человек порядочный и потому принципиальный, а это означает, что вы снова падаете в тачку, где у вас получается управлять обратной ездой лучше, чем не получается втиснуться в девочку на месте соединительной попытки, и доставляете вас обоих на точку, где оплачивали. Всё пока — чистый принцип, чтобы замаскировать недовольство на себя.

Однако нужен мотив к возврату тарифа, и он, конечно же, имеется: девочка — говно, скандалистка, алкоголичка, недотрога, не целуется в губы, не заводит и сама не заводится, не улыбается, хамит, матерится беспрерывно, в рот не берёт без резины, ногтем оцарапала острым, оскорбила два раза, что козел, и вообще не дала — другими словами, сука, блядь и проститутка. Так что, бабки назад попрошу, господа мамки и прочие сутенеры.

И тут вступают в законную силу пацаны из охраны. Они на точке в обязательном порядке трезвые и вежливые и поэтому так же трезво и вежливо умеют объяснить вам, что вы не правы, а в частности, что сами вы понтярщик, дядя или юноша, там, и возврат мы не производим по не своей вине, а по вашей, и вам, мужчина, лучше отнестись к происшествию со всей завтрашней трезвостью и вообще, вали отсюда, козлина, пока ноги не переломали, врубаешься в ландшафт?

И это их работа — мусоров на разборках подменять. Ну, сами подумайте — даже мент и крышевой если, неужели, полагаете, начнет такие выяснения устраивать с клиентом и всю нашу чистокровную милицию подставлять? Имя ей такой ерундой пачкать и репутацию? Не за то мусорам точка платит, чтобы они знамя своё марали, а за то, чтобы просто знали о всех делах на зоне их ведомства и сумели вовремя облаву предвосхитить в конкретно вверенном подразделении порядка. И чтоб ещё другие менты об этом в курсе были и не хамели не у себя на территории, и разбойный беспредел не учиняли типа того, который прибыл на точку раз, не сказал, что сам мент, на квартиру Кристинку свёз, которая из-под Рязанской области только начала работать, а там ещё мусоров пьяных штук десять отирается, этого дожидаются. Ну, ксивы повытаскивали, в нюхальник Кристинке сунули и сказали, пикнешь — пару чеков героиновых подложим, здесь же прям повяжем и на всю катушку отдыхать пристроим, на восьмерочку, где-то, — на девяточку.

Что такое чек, Кристинка не знала, но про героин услышала и так перепугалась, что пока они в очередь по всякому её трахали, не произнесла ни слова, а на другой день до точки дохромала, бабки забрала за прошлую ночь и вернулась к себе под Рязань, и больше в Москву ни телом, ни духом. Особенно один из ментов тех след оставил неизгладимый.

Она и не думала сопротивляться, губу закусила, терпеть решила до самого края — так тот непременно изнасиловать хотел её, несмотря на согласие и безропотность. А когда не получил в ответ ни сжатых ног, ни словесных проклятий, разгневался страшно и стал в Кристинку фанту запихивать, в самую глубину. Спасибо, другие менты его приостановили, фанту отобрали, и что фанта эта была 0,33, а не 0,5 бутылкой и без пробки уже, пустая.

Вот и всё, так что нужны пацаны охранные, нужны, никуда не деться — на них не сэкономишь. А также нужны возилы, чтоб возить, когда надо, и сидеть где было девчонкам. Совершенно незаменимы мамки для совершения сделок купель-продаж и исключительно нужен сам клиент — чем дороже и чаще всех, тем лучше и больше всем.

Ну, и крыша сама — штукарь баксов — есть работа — нет работы, а только слабая занятость — не качает: будьте любезны, по любому пошлите через посредника в нужное отделение от нашей точки — вашей, с поклоном и уважением, или точке вашей штраф и последующий пиздец, ляжет она на сохранение и отойдет к кому пограмотней или блатней. А кто там для неё Христофор Колумбом стал, открыл, обосновал, жизнь в меха надул — без разницы начальству, ему тоже жить надо и кушать двадцать один раз в неделю, не считая полдников, праздников и напитков. Оно разрешение тебе озвучило — трудись и соответствуй, а то Москва одна, а вас до хуя желающих до богатств её добраться, до человеческих ресурсов, залежи уникальные источить мужских резервов, включая одинокие, холостые, нетрезвые, старые, молодые, пока ещё неразведанные, а также гостей столицы. Так-то!

Ну, это я вкратце, сама себе иногда напоминаю, перед чем стою, напротив какого пограничного столба, чтобы себя же на стойкость проверить и на саму себя грусть нагнать. И замечаю, что получается устоять против перечисленных неудобств и страхов: гордость за смелую мысль мою перекрывает неуверенность в поступке, а отсутствие денежного капитала на разворот проблемы компенсируется надеждой на будущий успех и мысленной картинкой себя в тачкс с Давидофф на поджопной коже.

Но я о Нинке хотела вспомнить, а отвлеклась, однако. Очень мне увлечение её коксовое не нравится. Я, когда из Бельцов вернулась и узнала о Нинкиной новой страсти, что ей Аслан подтаскивал, — помните, наверно, — то подождать решила и посмотреть, как пойдёт у неё процесс дальнейшего употребления, с каким вредом для нас с Зеброй и последствиями для самой Мойдодырки. Прошло с поры обнаружения около лет двух скоро, но надо сказать честно — Нинка употреблять всё это время продолжала, но без одного эксцесса, без наркоманской падучей держалась и истерических выходок обходилась. Но мы-то с Зеброй знали, что все равно в зависимость от порошка Нинка влетела, и на полстоимости Аслан её тоже долго не продержал — на всю полную перевел. Одним словом, дуреть Нинка не дурела и башня с неё не слетала, но бабки все, какие на работе имела, туда теперь улетали, в Асланов карман. Но Нинку, как будто, это не волновало, потому что как раз оставалось на жизнь с нами на Павлике.

Одно угнетало её, по отдельному направлению её забот — как там братик её на магнитогорской родине существует, какое у него здоровье и как же ей, наконец, отобрать его к себе у алкашей, которые обоим им родителями приходятся. Правда, вспоминала Нинка о родственной проблеме за последние пару лет всё реже и реже — некогда было постоянно: то одно, то другое, то работа, то порошок, то субботник, то снова порошок. А главное — так и не собралась ни разу в город детства и детского дома и не выяснила до сих пор, как братку её больного звать. Но намерений своих, тем не менее, не оставляла, не вдумываясь про то, кто ей его отдаст, зачем он ей нужен, где она с ним, дебильным, будет жить и что сама будет дальше делать. Кроме боли в глубине сердца, когда вспоминала, и горькой к нему же жалости, когда плакала, Мойдодыр конкретных действий не применяла: то ли на потом оставляла, то ли решение подбирала нужное. Во всяком случае, именно за такое отношение к неизвестному кровному малышу Нинка вызывала у меня иногда невольное уважение, и это было, кроме того, что она просто хорошая подруга и вместе работаем — это было за конкретное сознательное дело.

Короче, конкурс мой для партнерства на точке Нинка прошла чисто, с небольшим отклонением от анкеты, но в незначительную сторону, связанную с злоупотреблением кокса. В конце концов, это её личное дело, если не будет мешать моему делу и её здоровью. Ещё я подумала, что все равно у меня нет никого больше, на кого положиться могу, — Зебру я вообще не беру в расчет, Зебра у меня и так под номером один, без всякой анкеты и прикидок на совесть. Дилька — она и есть совесть сама, Дилька — наша всё, как Пушкин на Красных Воротах, то есть, как Лермонтов напротив точки у Следака. На Дильку у меня главная ставка по надежности: вот кто не продаст и не предаст вовек, хотя и живет в Москве столько лет без паспорта, легенды и домашних тылов, куда возвращаться. Есть, конечно, в этом неудобняк — когда менты Зебру прихватывают, освободительный тариф, само собой, вырастает в связи с отсутствием подтвержденных паспортных данных в целом, но компенсация за такую потерю — максимум полтора клиента, жалко, гадостно, но терпимо, в общем, если не всё время под мусорское бремя подпадать. Лично я в Бельцы Сонечке с Артемкой с проводником больше отсылаю, чем на сколько Дилька в месяц попадает через голяк по бумагам, так что проблематику такую она пережить в состоянии вполне. А начнем работать по-новому — паспорт ей купим через тех же ментов, через паспортный их мусорской стол: кому надо чего надо дадим сколько надо, в смысле, Дилька даст, и позицию Зебрину закрепим через их ментярскую бизнес-визу.

Итак, руководство для будущего предприятия я приготовила, кадры подтянутся сами, только два пальца в рот — свистни и условия обозначь. Здесь я чётко продумала — нечего жлобствовать, надо девочек привлекать на новую систему: где 50 процентов отдачи было, станет на процент меньше, а то и на целых два, штрафы не за всё, в целом — через один на третий включать буду. Девок собирать очень по тихой надо, свои — если чужих не хватит, а то конфликт может случиться по части конкурентной борьбы и разборка, так что лучше с вокзалов начинать и с отдаленных вариантов.

Возил подберу на прежние условия — не хера им, но с тесными тачками брать не буду, чтоб ноги под себя поджимать, когда сидишь полсуток. Охране добавлю, но символически, только чтоб не разбежалась по другим точкам, цеплялась за должность и нормально отбивала бабки. География определена — тот же самый угол, что приснился. Всё, собственно говоря. Одно осталось — чтобы всё, так мною сердечно задуманное, получилось наяву, а не в представлениях о прекрасном, не в идеалах про когда-нибудь лучшее предстоящее.

Потом я села и предметно прикинула первый расход. Получилось, на начальную стадию, на разворот, переманочный призыв и авансы только штуки две американские уйдет. А на другое сколько — понятия не имею, на лицензию ментовскую, я имею в виду. И ещё. Брать-то её как? Идти куда? К кому? И поняла я тут, сообразила внезапно, про что раньше и думать ничего не знала, пока долбёжкой десяток лет на жизнь зарабатывала и другой лаской, что ни хрена-то я вопросом по большому счету не владею, нахожусь не в теме, внутренних никаких перемычек не понимаю и связей соответствующих не имею. Это как магазин открыть, если бы захотели, а сами в нем до этого на подноске трудились и на подсобке, как Нинки-Мойдодыра отец у себя в Магнитке. И чего? Чего остается, кроме вещих снов про трамвай с двумя Рулями в разные стороны и завышенной самооценки?

И стало мне от этого открытия так мерзко, что такая я дура, всё же, а не хозяйка точки, и тогда решилась я, наконец, девкам открыться про идею свою и вывалить на свет мой пошатнувшийся план. Зебра — та отъехала на тот момент с клиентом, а Нинка как раз была, и я видела, что под кайфецом она, под порошочным. Я отозвала её из тачки и рассказала всё, как наизобретала. Нинка охуела просто от счастья и спросила:

— А что же теперь, если даже поработать захочешь для души, то нельзя, что ли, будет?

— В свободное от основной занятости время, — строго объяснила я и добавила, — но времени такого будет теперь у тебя меньше, потому что в месячные дни по твоей будущей профессии тоже прекрасно функционировать можно, без простоя на здоровье и болезнь.

Нинка приняла это к сведению, но радости от этого у неё не убавилось.

— Первым делом Зозулю работать не возьму, — обрадованно приступила она к разработке личного плана, — чтобы она не выдуривала с девчонками, как со мной тогда выдурила. Потом... — она задумалась... — потом братишку сразу выпишу сюда, как дело пойдет.

— Ты, Нин, лучше, не кого не возьмем, и не про братишку своего безымянного, а кого перетащим, промозгуй, а то нет ещё ничего, а ты народ уже увольнять надумала, — дала я ей первый начальственный урок, и Нинка, задрав глаза, переварила и согласно кивнула.

Но, с другой стороны, внутри, я была с ней про Зозулю согласна, сама её недолюбливала. К нам Зозуля не касалась, с другими мамковала, но был раз, когда Лариска отсутствовала, и нас именно Зозуля продавала. Так она Нинку, как не свою, на лесбис пристроила, хотя знала, что это заранее надо оговорить с девчонкой, и чуяла, что эти в джипе: два мальчика и тёлка за рулем — точно на лесбис разводить будут. Это когда ребят двое и с ними тёлочка ихняя, то одну они часто для пары ей докупают, чтобы смотреть.

Но в тот раз, в Нинкин, всё было не так, как всегда бывает, если лесбис. Клиент — была как раз девка за рулем, а мальчиков самих тоже купила, в другом, соответственно, месте. И приехали когда, мальчиков заставила не лесбис с ней и Нинкой смотреть как делают, а бить только Нинку и трахать, а смотрела на это сама, набирала информацию и картинку, скорей всего, для вибратора себе на потом, для воображения и живой памяти. Так что, и такое было приключение, а оплаченные мужики те, молодые, сами волю чужую за бабки исполняли, как миленькие, но били не очень, пытались важного не задеть для здоровья и внешнего вида, скользяком старались попадать, когда били, — трахали-то куда положено. Но Нинка Зозуле запомнила.

Тут же Нинка переспросила в сомнении:

— Подожди, Кир, а сколько надо бабок-то для запуска точки в работу?

— Не знаю пока, — честно призналась я, — пока двушник скалькулировала на подъемный расход, а про остальное надо выяснять, — и снова подумала: — Действительно, приду я, допустим, к начальнику мусорского отделения по месту точки и спрошу, что ли, типа «Здрас-с-с-сьте, я Кира Берман из Бельцов, хочу образовать новую точку на вверенной вам территории, сколько за это бабок отстегнуть надо, товарищ подполковник, к примеру, или майор, и дальше, как отстегивать продолжать буду — вам прямо?»

Дальше — ясное дело: в обезьянник упекут до выяснения, ночью дежурные перетрахают согласно дежурству, под утро пиздюлей наваляют и выкинут, если не решат дело заводить по статье.

— А ты, Кир, к Джексону сходи, у него узнай, — подбросила верную мысль Мойдодыр. — Кто-кто, а Аркаша-то всё, как надо, знает и сам, если чего, сведет тебя с главным. Правда, злой он может быть, что футбол смотреть не может из-за работы, а работы нет из-за футбола.

— А что? — подумала я и прямо с места пошла за угол к тачке начальника точки, будущего коллеги и конкурента.

— Чего тебе? — хмуро спросил Джексон, приоткрыв черное окно.

Ну, тогда я и сказала — чего. У него от изумления глаза полезли по разным бокам сторон, и он на самом деле стал походить на великого Майкла.

— Ты совсем охуела, падла? — спросил он, справившись с шоком от меня. — Ты хоть знаешь, куда нос свой жидярский суёшь, в какие дела? — он перевел дух и добавил ужс спокойней: — Иди работай обратно, а заикнёшься снова — ищи другую точку, сюда дорогу забудь, чучело.

Всё, всё, всё разом покатилось обратно, все разом отхлынули картинки, нарисованные про угол Смоленского бульвара с переулочком напротив двух трамваев — двух Рулей, про крушение их, про точку рельсов, про весь целиковый вещий сон, про кожу под жопой, про Давидофф в уголке рта, про справедливость распределения благ и благодетельный труд с лучшим ещё процентом, чем был. Я растерялась совершенно, потому что и ждать не могла такого ответа от Джексона даже прикидочно. Но ответила, пытаясь сохранить лицо:

— Я не еврейка, мы с мамой Масютины.

Зачем я так сказала в тот момент — не могу объяснить. Джексон сплюнул через стекло и ответил снова без нерв:

— Была б Масютина, на аборт не попала бы в болото.

И вот после этих слов я поняла, что Ленинке конец, и тогда собралась с духом и выпалила прямо внутрь окошка ненавистной тачки сутера:

— Козёл ты, Аркадий, а не Джексон никакой, понял? — и никуда не пошла, а нагло посмотрела ему в зенки, почему-то довольно равнодушно гадая, будут бить охранники или нет.

И — странное дело — Джексон с интересом на меня посмотрел, по-новому совсем, как на человека, а не на блядь за полтинник, ничего не ответил, кроме «ну-ну...», и закрыл стекло обратно. А я вернулась к Нинке, сказала, что еду домой, вышла на панель тротуара Ленинского проспекта, схватила первую тачку и уехала на Павлик.

И знаете, мне отказ в такой форме неожиданно придал сил, несмотря на первоначальное недержание эмоций. Я подумала, что такое мелкое блатное говно, как Джексон, наверняка, в трудную минуту спасует первым по любому делу, по первому подвернувшемуся об него камню преткновения с жизненной опасностью или судьбой. Я же заметила, когда не повиновалась, как у него дрогнули оба века под глазами, где мешки, и зрачки съехались от сторон обратно, к середине шаров и озадачились. И, скорее всего, он подумал, что есть кто-то за мной, если я так открыто с ним вступаю в полемику и называю козлом. А, может, так догадку построил, что кто-то ему через меня, вроде, проверку учиняет на то, как он поведет себя при этом обороте событий, на какое решение сам замахнется и что ответит на гнилой заход.

В общем, поняла я этим же вечером, что нет в нашем деле сильных, а есть только понты, кидняк и бабки. И больше ничего: ни принципов, ни правил, ни поддержки. Помните у Кибальчиша опять? Щи в котле, вода в ключах, а голова на плечах — такой вот Гайдар выходит по сегодняшней жизни, хоть и дедушка. И стало мне легко от этой новости, которую столько лет носила и не знала, а она всегда была, никогда не менялась, сколько работаю, а теперь вот прорвалась. Я знаю — точка будет, я знаю — саду цвесть... — само обвалилось детское стихотворение неизвестного автора моей сегодняшней мизансцены.

«Не верю!» — говорил сам Станиславский, а драматург Берман нам про это подтверждал на репетиции в ДК «Виноградарь», и мы верили, что он не верит, и не верили сами, когда играли в его талантливой пьесе «Бокаччо» как говно последнее, а не артисты, — то есть, не как он настаивал.

Так вот и я теперь не верю, что козлам этим верить должна: уродам, кидалам и понтярщикам. Я — Кира Масютина — Берман, мать Сонечки от старшего Бермана и Артёмки от многомерного математика Эдуарда, торжественно клянусь перед лицом всех девчонок, с которыми работала на Химках, на Красных Воротах, на Ленинке и по заказам, что образую нашу персональную точку, вдохну в неё жизнь на льготных условиях и буду нормальной хозяйкой, не хуже других, а намного лучше и справедливей! Кроме того, обязуюсь свято блюсти военную тайну, высказанную авторитетным человечеством:
«НЕ ВЕРЬ, НЕ БОЙСЯ, НЕ ПРОСИ!»

А проводником человечества по части этого высказывания стал, между прочим, раз вспомнили, тот самый сухаревский бандит из местных, но не крышевых, который ещё жену обожал с черешневым компотом, если помните, он тогда Зебре на прощанье слова эти посоветовал, так как трезвый один из всех остался после бани, ну а Зебра мне их насоветовала тогда же от себя.

Теперь конкретно. Обещание моё распространяется на всех, кроме мамок, но исключая Лариску, и кроме той сучары, Бертолетовой Соли, которая в трудную минуту кинула Зебру на Химках на все её бабки. Все остальные пусть работают, милости прошу на точку.

После этого мысленного призыва я налила себе «Гжелки» в стакан, выпила залпом, набрала маму в Бельцах плюс автобусом, узнала про детей, сказала, что у меня тоже всё нормально, и по работе и вообще, легла спать и намертво уснула.

Зебра пришла под утро первой, я слышала как она, стараясь не шуметь, грохнула дверцей холодильника, а потом шумно пила воду с газом из пластиковой бутыли. Нинки всё не было: то ли отъехала с клиентом, то ли, скорей всего, дежурит ещё на точке, предутренних ждет, кто с клубов возвращается и затянувшихся пьянок. Тогда я решила встряхнуть сон, встала и вышла к Зебре на кухню. Жгло внутри меня невозможно, ужасно хотелось про точку Дильке сообщить, про суть самой идеи свободного труда, независимого от других сутенеров, кроме нас самих. Дилька удивленно проглотила газированный глоток и спросила:

— Кир, ты чего так рано?

— А того, Диль, что поговорить с тобой хочу, с Нинкой уже потолковали и согласились.

— Про что? — она снова хлебнула, снова проглотила и с легкой досадой сообщила: — Нет, Кир, ну не перестаю людям удивляться: сколько работаю, столько не перестаю. Приехали к нему, сам нормальный, всё по делу, кофе, говорит, чай там. Легли. Я презерватив достаю, раскрывать уже собираюсь, чтоб надевать, а он останавливает вежливо, дай мне, говорит, посмотреть на него. Я думаю, может, проверить хочет на качество или левый чтобы не был какой-нибудь, типа Северный Вьетнам. А он не это проверяет, то есть это, но не для того. У тебя, говорит, Диляра, когда гондончику твоему срок выходит гарантийный? Я, отвечаю, понятия не имею, а чего? Тогда он внимательно его изучает, мой гондон, и сообщает, что у него ещё о-го-го-о-о какой огромный по времени запас прочности, до исхода потребления. Хорошо, говорю, всё в порядке, значит, никакого беспокойства. А он его шасть в тумбочку, а оттуда свой достает, другой и объясняет, что этому вот, его который, срок один месяц по обложке упаковки остаётся жить, и лучше он его сейчас со мной наденет, а мой для себя на потом приберёт, так получится разумней. И спрашивает, что, мол, верно рассуждаю, Диляра? Тебе же, говорит, всё равно — расход гондонов один и тот же получается. Не возражаешь?

Дилька сунула бутылку обратно в холодильник и снова шарахнула дверью: — Нет, Кир, ну что за мужичье пошло, а? Ненавижу жмотов и идиотов за любые бабки!

— Очень кстати ненавидишь, — согласилась я, — потому что мы скоро от них отделимся и перейдем на другие бабки совсем.

— В смысле? — Дилька удивленно посмотрела на меня, ожидая, чего я там ещё надумала.

— В том смысле, — спокойно отреагировала я, зная, что будет сюрприз, — что делать точку свою будем, собственную, и место есть уже присмотренное, надо только условия все выяснить, про деньги и ментов. Сами будем всем распоряжаться, хватит урода этого кормить, Аркашку-Джексона, я уже начала вопрос пробивать. — Я поглядела на Дильку с видом снисходительной победительницы и поинтересовалась: — Ну, как тебе мысль?

Зебра задумчиво посмотрела на меня и тихо произнесла, без всякого возбуждения:

— Говно, мысль. Не нужно никакой ещё одной точки, хватит без нас этих блядских точек на свете, пусть они лучше будут, как есть, а мы тоже будем, как есть, как бляди простые, а не блядские хозяева.

Вот когда я опешила, так опешила, у меня даже в трусах немного намокло от гнева. Удивление мое было так велико, что могло сравниться по силе только с чувством собственного уважения, когда я швырнула за стекло Джексону слова про козла. Я присела на табуретку — вид, наверно, у меня был дурной из-за неожиданности. И вдруг в голову мне дошло, что я совершенно не знаю этого человека, вот эту вот Дильку, вот такую вот Зебру, конкретную Диляру Алибековну Хамраеву, мою лучшую подругу и напарницу для того, чтобы было спокойней вместе отъезжать — женщину без паспорта, без родных и без родины.

— Диль, — пробормотала я, сама не веря, что она шутит, — ты это серьезно?

Дилька мотнула головой:

— Серьезно.

И я поняла, что дальше говорить про это тоже несерьезно, Дильку мы потеряли. Точнее если, — не приобрели.

— Как хочешь, — попробовала я сказать равнодушно, и у меня это получилось.

— Мы с Нинкой сами управимся, и ещё народ просится профессию сменить, Светка-Москва, к примеру, — соврала я, приподняв, между делом, акции будущего предприятия.

— Ну и славно, — согласно кивнула Дилька, — Если чего, то на обычную работу я к вам выйду, если возьмете, а в хозяева — нет.

После этого она пошла спать, а я осталась на кухне. Я знала, куда мне дальше нужно постучаться, в какую дверку — кишками почувствовала, разозлившись на Зебру нежданно-негаданно.

Ложиться я так и не захотела, а решила дождаться Нинку, зачем — не знаю сама. Нинка явилась через час, под сильным порошком.

— Работы никакой, — весело сообщила она, — сплошной стресс: французы просрали, Аргентина, а теперь Италии пиздец — тоже покидают. — Глаза её сновали туда-сюда в поисках радостного выхода принятой дозы кокса. — Всю ночь с девчонками просидели, радио у Руля слушали, кто с кем и с каким счетом обосрался, — она сняла очки и положила их на холодильник. — Ну нам теперь всё равно, да, Кир? Мы скоро на всех забьем на них, у нас свой теперь футбол намечается, в одни ворота, в наши собственные. Ты в центре поля судьёй будешь, а мы с Зеброй по бокам, мячи подсчитывать, точно?

— Зебра отказалась, — сказала я Мойдодыру без всякого выражения, — не хочет точку с нами делать, решила дальше работать, как работала.

Нинка обалдело вперилась в меня:

— Она чего, охуела? Она ж у нас внутренне хорошая.

— Не знаю, — ответила я, — она такой взгляд на жизнь имеет и пусть. А что — внутренне только, а не вообще, то что ж мне ее теперь наизнанку выворачивать прикажешь, что ли, чтоб согласие получить? Сами разберемся с делами, без неё. Завтра я к Следаку пойду на прием, побазарить. А там видно будет, что дальше.

Нинка уважительно согласилась:

— Следак мужик серьезный, хоть и кусок говна, так что, сходи, Кир.

На Красных Воротах я появилась к десяти, когда самый разбор. Следак был на месте, меня вспомнил, выслушал и уточнил географию самой точки. А, выслушав, не удивился, ни в позу вставать не стал, ни ругаться грязно, а просто подумал и сказал:

— Давай так: ты мне завтра в это же время на трубу отзвони, я ответ дам по твоему делу, лады?

— Лады, — ответила я Следаку, позабыв про прошлые обиды, — позвоню.

— Ну и молоток, — закрыл вопрос Следак и коротко добавил: — Будь!

Я порадовалась, что есть ещё нормальные люди на нашей поляне, которые не растеряли до конца настоящую грамотность и добрую речь типа «лады», «будь» и «молоток», так проласкавшие мои уши вместо гадких словечек от других козлов и уродов. И я вдогонку подумала, что ошибалась, наверно, насчет соображения, что все менты, хоть и бывшие, — гондоны: есть среди них и нормальные, но они обязательно с другими не сходятся по интересам, отсеиваются в сторону, как отсеялся Следак.

Назавтра в это же время я всё уже знала наперечёт и была от этого в шоке и расстройстве. Следак доложил вопрос по-военному: место расположения к утверждению годится, менты местные не возражают, запустить надо пятёру сразу — за всё про всё, можно через него, посредника дадут из их отделения, с Арбатского — через кого работать; далее — штукарь в месяц без никаких дел. Всё! Начать можно недели через две, сейчас нельзя, пока мировой чемпионат не кончится, все футбол смотрят, ни до оргзабот ментам по новой точке.

Радость от новости имелась, конечно, что всё может сложиться вдоль затеи, но горя от неё же было намного больше из-за чумовых бабок на взяточную часть. Пять назначенных штук баксов — бабки, какие я в руках до сих пор не держала сроду. А ещё двушник, который сама прикинула, на внутренний разворот стартового капитала. Вместе — семёра получается, семь штук чистых американских долларов. Вот так, друзья мои, и не меньше!

Лично у меня отложено было свободных сто восемьдесят баксов, из тех, что остались после майской отправки домой, квартирной выплаты и расходов на жизнь. У Нинки, думаю, ни хуя не отложено — всё у неё после квартирных, мыла с мочалками и макарон улетало к Аслану: хорошо ещё покупали её неплохо до сих пор — она пока по молодому поколению проходила, а не по зрелому, как мы с Зеброй.

С Дилькой была загадка. Про деньги мы с ней особо не обсуждали, а сама она не напрашивалась, я имею в виду, до того, до нашей идеи про точку. Отправлять Дилька никуда ничего, естественно, не отправляла, к семейной жизни тоже, понятное дело, не готовилась, одевалась без особо блядской харизмы, кроме необходимых по работе трусиков с кружевом и минимальной косметики, а что остальное из вещей брала, — носить старалась аккуратно и подолгу. В общем, куда девала капитал за годы труда и сколько его там накопилось — не знаю. Это было ещё одно моё расстройство, потому что вы, наверно, догадались, что расчет мой был на него очень нацелен, на Дилькин запас прочности — кто же знал, что она такой окажется непредсказуемой — сама бы раньше не поверила никогда, что душа у безродной бляди с Бишбармака — такая сложная загадка. Ну, да ладно...

Зебре снова повезло, удалось отъехать, а Нинка опять вернулась под утро ни с чем и снова на веселом глазу. И тогда я ей сказала про бабки по линии Следака. Услыхав, она присела на месте и спросила только:

— А как же теперь братик-то? Я уже про школу сегодня для него думала, про письменный стол для уроков.

Но потом мы, не сговариваясь, посмотрели в одно и то же место — каждый друг на друга, и подождали, кто вымолвит чего-то первым. Никто из нас не вымолвил, а я только кивнула Нинке, но не глубоко — как бы, между делом. Нинке этого хватило. Она поднялась после того, как присела на новость, и вышла. Я осталась у себя в комнате. Через пять минут она вернулась и сообщила:

— Восемь тыщ девятьсот, одними сотками.

— Отдадим, когда сможем, да? — спросила я Нинку.

— Само собой, Кир, — недоуменно пожав плечами, ответила Мойдодыр. — Что мы, твари последние, что ли?

Уже было зрелое утро, но Зебра ещё не вернулась. Тогда мы решили с Нинкой уйти пораньше из дома, чтобы избежать на сегодня встречи с Дилькой. Решили, сделаем дело, зашлем бабки в адрес, а дальше будь, что будет — обратной дороги нет. И ушли.

К вечеру заскочили на Красные Ворота, вручили большую часть Зебриного конверта Следаку и поехали к себе на Павлик. Зебры снова не было, но мы поняли, что до нас она была. Нинка, зайдя к себе, крикнула мне и позвала.

— Смотри, — указала Нинка на Зебрину кровать. Одеяло было откинуто на сторону, а поверх простыни желтело ещё не до конца просохшее кислое пятно. Нинка брезгливо поморщилась и не стала близко подходить. А я сунула в пятно палец, потерлась им об простыню и понюхала что получилось.

— Обоссалась она, Нин, когда с ночи отсыпалась — сказала я Мойдодыру, — от нерв, когда пропажу обнаружила, — точно. У неё это с той истории тянется, после вагона, ты про это не знаешь, а мне говорила. Восстановилось, значит, всё обратно.

И тут Нинка улыбнулась со вздохом облегчения:

— Ну, вот, видишь, как всё складывается, Кир? Я же не могу с зассыхой жить теперь, у меня самой на мочу фобия застарелая, ты же знаешь. Так что, сама она виновата, пускай долга своего в другом месте дожидается теперь, а не здесь. Ты согласна?

Я прикрыла подмокшую простыню одеялом и ответила:

— Согласна. — И мы пошли на кухню, где была «Гжелка».

Зебра не пришла и утром. А потом Зебра не пришла и на следующий день, и — странное дело — ни Нинка, ни я не испытывали волнения о нашей бывшей подруге, более того —

всё происходящее даже, пожалуй, вполне устраивало нас такой своей неопределенностью, оттягивающей в непонятку предстоящее объяснение с Дилькой.

На точку Мойдодыр ходить перестала, как и я, потому что уже истекал отпущенный срок до начала старта нашей точки для эксплуатации. За это время я по тихой переговорила с девчонками, какие понадежней, подобрала возил, вышла на охранников и приоделась посолидней на остаток от Дилькиных бабок. Нинка практически не помогала, от тех же Дилькиных средств она на радостях взяла у Аслана оптом кокса на пятихатник в баксах и всё это время канифолила порошок, обдумывая план спасения братишки. Но меня это не слишком расстраивало — дело было сделано, и Нинка занимала в нём далеко не решающее место; Мойдодыр была всего лишь промежуточная часть идеи, а сама идея не допускала присутствия случайных в ней людей, и мне это было ясней ясного.

В тот день, когда ко мне пришло твердое понимание предстоящей жизни, был парламентский час, как всегда по субботам. А перед ним криминальная хроника за неделю. В ней-то я и увидала Дильку. Фотографию мертвой Зебры дали во весь экран и сказали, что кто знает чего об этой неизвестной девушке с перерезанными венами на обеих руках, позвонить по такому-то телефону. А ещё добавили, что, судя по всему, эта смерть напоминает суицидальную попытку, так как на тех же руках также найдены застарелые шрамы от другого вскрытия вен.

Телефон я записывать не стала, потому что сообщить органам власти мне было по этому вопросу нечего. Нинке тоже решила не говорить — сама же она всё равно не узнает, подумала я, к ящику не подходит, так что пусть лучше остается в неведении, пусть над ней долг наш висит совместный подольше, а там видно будет, куда оглоблю завернуть, в каком нужном направлении.

Перед тем как уехать в Магнитогорск за братом, Нинка забежала на Ленинку, потолковать с девчонками понадёжней, которых оставалось подтянуть под Смоленский бульвар, и пересеклась с Джексоном.

— Ну как там? — поинтересовался Джексон нашими делами, — получается?

— А то! — похвасталась Мойдодыр и добавила впроброс: — Пятерка — и все дела, уже на себя работаем.

Джексон сплюнул и искренне усмехнулся:

— Ну и дура евреечка твоя, гордая больно. Я бы за трёху вам то же самое организовал, а то и за двушник.

— Нет, — подумала я о Следаке, узнав такой расклад. — Всё же мусор есть мусор. — Хоть бывший — хоть какой: гондон — он гондон всегда, хоть старый — хоть с запасом по гарантии — хоть пользованный уже.

В тот же день, как уехала, Нинка отзвонилась с Магнитки и сказала, что едет домой сегодня уже, потому что братик её умер три года назад, а мама — через год после него, так что дел у неё там нету.

Это был уже поздний вечер, и я порадовалась, что не надо собираться на точку. Не надо, в смысле, чтоб работать, а надо, в смысле, чтоб владеть и справедливо распределять. Я вышла на улицу, поймала у себя на Павлике тачку и скомандовала возиле:

— Поехали!

— Куда поедем, женщина? — вежливо поинтересовался возила.

И тогда я окончательно уже улыбнулась и со всей возможной вежливостью объяснила этому Рулю:

— На точку, мужчина, на точку. Куда ж ещё-то?

Москва, июнь, 2002 года

ЧЕТЫРЕ ЛЮБОВИ

Повесть

Ле-ев!... Лев Ильи-и-и-ч!.. Лё-ё-ва-а!

Был десятый час вечера, между двадцатью пятью минутами и половиной, и солнце по обыкновению коснулось в этот момент торца левого столба, что у ворот, того самого, откуда начинался штакетник. Лёва знал, что еще самая малость, и оно присядет на край забора, на минутку, не более того, потому что еще через мгновение начнет заваливаться ниже, к верхней сучковатой перекладине, а потом — и ко второй, нижней, той, что почти у земли. Но к этому моменту отсюда, со второго этажа дачи, из его, Лёвиного кабинета, солнца будет практически не видно. Там его перекроет куст красной смородины, последний из тех, что сажала Любовь Львовна, Лёвина мать. И хотя она обычно лишь руководила посадкой, в семье заведено было считать, что главный по растениям, как, впрочем, и во всем остальном, — она. Лев Ильич любил эту ежегодную свою летнюю повинность — нет, не сажать и копать, а вообще — проживать с матерью и семьей дачный кусок жизни. Это было его любимое время, особенно в конце июня, когда солнечный диск перед самым закатом внезапно загустевал розовым, и в момент касания о небо, в той самой недолгой точке, совпадавшей с воротным столбом, горизонт тоже становился розовым, однако уже не таким густым и сочным. Лёва не посвящал в свою *поэтическую тайну* (вообще-то вполне профессиональное знание: всякий киношник осведомлен о получасовом освещении, на профессиональном жаргоне — *«режим»*, когда дважды в сутки небо розовеет, и надо успеть снять самый красивый кадр) никого, даже самых близких: жену Любу и падчерицу, тоже Любу, Любочку, или как называли ее в семье — Любу Маленькую. Наверное, если бы Любовь Львовна в те годы, еще до своей неизлечимой болезни, знала об этой романтической причуде сына, она не стала бы каждый раз настаивать на непременной жизни на даче с мая по октябрь с предъявлениями доказательств пошатнувшегося за последние двадцать лет здоровья и отдельно — состояния многочисленных «нервных путей». По той же причине ревнивой материнской зловредности она никогда не называла внучку-падчерицу Любой Маленькой. В этом, по ее мнению, скрывалась излишняя ласковость, совершенно не пригодная к употреблению и без того в непростой системе семейных коммуникаций, шатко балансирующих в узкой зоне относительного мира, туго зажатого между бесконечными свекровиными обидами и последующими их утрусками и усушками при постоянном Лёвином посредничестве. Заменителем Любы Маленькой, таким образом, в Любовь Львовнином лексиконе являлось слово простое, упругое и незамысловатое — Любовь. Просто Любовь, невесткина дочка и ничего больше — этакое сочетание строгости, дистанции и прохлады. При этом собственное имя в сравнительное рассмотрение не принималось. Само по себе, отдельно от отчества оно в расчет не бралось, и поэтому было неделимо и неразрывно связано с именем Лёвиного прадеда, Льва Пантелеймоновича Дурново, того самого, из тех Дурново, что и при царе, и при Временном правительстве, да, кажется, и потом...

Жена Лёвина, Люба, так в Любах у свекрови и ходила, при этом хотя и не была переведена ею в разряд Любовей, но в зону нужного к Любови Львовне приближения при помощи уменьшительно-ласкательных суффиксов и окончаний тоже не попадала.

Дача стояла в подмосковной Валентиновке, где уже двадцатый год после смерти Лёвиного отца семья ежегодно проводила лето, иногда захватывая часть осени, даже если та была морозной, но при этом сухой. Дом и участок остались от Ильи Лазаревича, Лёвиного отца, литератора и драматурга таланта более чем сомнительного, но обласканного в свое время властью за пьесу «Два рассвета на один закат». Пьесу эту по пьяному делу накатал друг Ильи Лазаревича, Горюнов, и, в отличие от образованного приятеля не осознавший что получилось, переуступил авторство Илье за недорого — поход в «Арагви» с «отрывом от действительности». Пьеса пошла в восьмидесяти театрах по всему Союзу и не исчезала из репертуара вплоть до восемьдесят пятого — начала горбачевского перелома. Таким образом, строительство дачи на трудовые отчисления началось сразу после опубликования пьесы — весной шестьдесят второго. Землю на восьмидесяти сотках, по количеству театров, предоставила в собственность щедрая власть. К моменту, когда нужно было стелить полы, недовольной оставалась только Любовь Львовна — считала, что восьмидесяти театров явно недостаточно, а пьесу Горюнов мог бы по дружбе написать для них еще: одной — больше, одной — меньше, все равно ни черта в этом не смыслит.

К середине шестидесятых, когда Лёва заканчивал школу, Валентиновка обросла номенклатурным населением самым капитальным образом. Литераторы и композиторы по чьей-то неслучайной причуде перемешались с министрами, их замами и прочим нетрудовым людом, готовившим уже тогда отходные пенсионные позиции взамен госдач, которые по разным причинам могли не стать пожизненными. Тогда и въехала взамен сгинувших куда-то интеллигентов-врачей Кукоцких семья Глотова, отраслевого рыбного начальника, — что-то по линии мореходства или пароходства, который с палочкой все хромал, на протезе, без одной, говорят, был ноги. Знакомиться к соседям Казарновским глава семьи, Эраст Анатольевич Глотов, пришел самолично. Илья Лазаревич тогда отсутствовал, и Любовь Львовна, прихватив с собой Лёвку, милостиво откликнулась на приглашение рыбной семьи отпить чаю из самовара. «Рассветы» к тому моменту бушевали уже по всей стране, и к кому шел знакомиться, Глотов представление имел.

— Пьесу вашего мужа я, к сожалению, не видел, — доложил за чаем вежливый отраслевик. — Мне, знаете ли, лишний раз деревяшку таскать по театрам несподручно. — Он глянул на протез. — Но мне докладывали, это про блокаду, про Ладогу?

Любовь Львовна согласно поклонилась слегка и уточнила:

— Мой муж, Илья Лазаревич, был непосредственным участником этих событий. Он лично выводил гражданское население через озеро и тогда получил ранение в грудь.

— Мне, знаете ли, тоже довелось участвовать в этом, — задумчиво сказал Глотов. — Зимой сорок третьего, тоже на Ладоге. С тех пор я не театрал, — он улыбнулся. — А болит частенько ниже колена до сих пор. В пустоте... Внутри деревяшки... — Любовь Львовна напряглась... — Интересно было бы пообщаться с вашим мужем, — продолжил тему Глотов. — Исключительно любопытно...

Любовь Львовна внезапно засобиралась:

— Он сейчас занят очень, к сожалению. Роман заканчивает и повесть. Нам уже пора... — Она растянула губы в вежливой улыбке. Глаза же смотрели на нового соседа не по-доброму. Разговор про Ладогу ей не понравился и сосед тоже. Пока они шли к дому, Лёвка спросил у матери:

— А папа какой роман пишет, про чего?

Любовь Львовна одернула:

— Роман и повесть. Не приставай.

Начальник Глотов приснился Лёве в первый раз в ночь после этого чая из самовара. Вернее, это был не Глотов. Это был человек с его лицом, с такой же деревяшкой под брючиной, но только сильно небритый. Он долго поднимался по лестнице к нему наверх, скрипя по пути кожаными лямками протеза, потом приоткрыл дверь к Лёве и улыбнулся:

— Привет!

Лёва хорошо запомнил, что совершенно не испугался во сне, а только удивленно спросил дяденьку:

— Вы кто? Глотов?

Дяденька снова улыбнулся:

— Можно и так сказать... А вообще я грек.

— Какой грек? — не понял мальчик. — Который через реку? В реке рак?

— В реках раки не очень любят водиться. — Дяденька присел к нему на кровать, протез торчал в сторону и упирался в дощатый пол. — Раки все больше в озерах водятся. У нас на Ладоге много их было. Мы их на мормышку все больше. Или на кивок. У нас их пекут на открытом огне и едят с салатом из брынзы и маслинами. Вкусно-о-о-о... — Он зажмурился.

— А у вас это где? — не понял Лёва. — Где греки все? На Ладоге? У папы в спектакле тоже про мормышку и крючок было. Но там война у него. Они там раков не ловили. Там другое было, про блокаду.

— Там про любовь... — таинственно произнес грек. — Про любовь к жизни и про ненависть... Наши про это лучше всех знают. Потому что умеют объяснить на греческом.

— Про что объяснить? — не понял Лёва.

— Про любовь, Лёвушка, про любовь...

— А зачем это? — он решил выведать у грека все до конца.

— Лё-ё-ё-ва-а! — Любовь Львовна распахнула дверь в комнату сына и отдала приказ: — Вставать, чистить зубы, завтракать!

Грек-посетитель растаял в воздухе вместе со своим протезом, и Лёва проснулся.

...К Глотовым, на запад, если считать от ворот, сразу после штакетника и красной смородины и закатывалось оранжевое солнечное колесо. Но об этом Лёва мог только догадываться, видеть не мог никак, даже если спускался со своего второго этажа и прямиком проходил на полукруглую застекленную веранду. В момент посадки небесного диска на Глотов забор розовое растворялось и почти незаметно для глаз перетекало в синее, невзирая ни на какие законы природных цветосочетаний. Синее, а потом сине-серое. Так было и в этот раз. Все как обычно...

— Лё-ё-ё-ва, ну где же ты, наконец?

Лев Ильич тяжело вздохнул, дописал предложение, нажал клавишу с точкой, встал из-за письменного стола и пошел вниз по деревянной лестнице, туда, где была комната матери. Чертов сценарий не шел куда надо совершенно. Вообще никуда не шел. Не двигался... Внезапно он поймал себя на мысли, что чего бы он в последнее время ни написал, все равно получалось полное говно.

«В отдаленный гарнизон надо было тогда соглашаться, — подумал он, переступая последнюю ступеньку. — А не к грекам этим...»

— Да, мама? — Лев Ильич приоткрыл дверь в ее спальню и, не сделав попытки зайти, переспросил: — Тебе что-нибудь нужно?

Любовь Львовна приподнялась на локтях:

— Я ору уже целый час как ненормальная, но в этом доме мне некому даже воды подать.

— Не нужно кричать, мама. Ты просто скажи, что хочешь, вот сюда. — Он зашел в спальню и приподнял со стула пластмассовую коробочку вуки-токи с внутренним микрофоном. — Кто-нибудь всегда тебя услышит, я или Люба. Наверху у меня такая же штука есть, в ней все будет слышно. — Он включил кнопку. — И не выключай его больше, ладно? Тебе кричать вредно, тебе нельзя напрягаться...

Любовь Львовна молчала, уставившись в одну точку, и Лёва понял, что она отключит коробочку как только он уйдет. — Дать воды, мам? — устало поинтересовался он.

— Не надо мне никакой воды, — раздраженно ответила старуха. — Ничего мне тут ни от кого не надо.

— Мам, опять ты начинаешь... — Он взял в руки поильник с водой, стоявший на том же стуле, и протянул матери. — Ты же знаешь, нет никого сейчас, Люба к врачу снова уехала, а у Маленькой сессия. В городе она.

— Ну да, у всех свои дела, а ты тут хоть подыхай. Без воды... — Она не сделала ни малейшей попытки хлебнуть. Про воду она уже забыла. Лёва рассеянно поставил поильник на место, удивившись такому непривычно разумному развитию разговора со стороны сумасшедшей матери.

— Я вспомнила тут... — Любовь Львовна закатила глаза, откинулась на высокие подушки и без всякой связи с предыдущим, так и не сумевшим набрать требуемые обороты скандалом, продолжила: — А ты знаешь, к примеру, что отец твой, будучи военным корреспондентом «Красной звезды», выводил блокадников из-под бомбежки? В Ленинграде, в сорок третьем, через Ладогу... — Лёва пораженно промолчал. — На грузовиках, по льду, по голому льду...

«Неужели на поправку пойдет? — мысленно спросил он сам себя, не зная, когда начинать радоваться. — Про отца наконец-то вспомнила».

— Мам, это его вывозили вместе с блокадниками. Ты забыла просто.

Старуха не унималась:

— И ранение груди он тогда получил, ты знаешь об этом?

— Мам, это не ранение было, он простудился тогда сильно и воспаление легких получил, а оно переросло в хроническую астму, — ответил сын.

— А они знают? — Любовь Львовна прищурилась и посмотрела на сына. Было неясно, чего она в этот раз желала больше: лишний раз вспомнить героического мужа или избежать внутрисемейной огласки про так и не состоявшийся подвиг на ладожском льду.

Отца Лёвы, Илью Лазаревича, действительно занесло в блокадный Ленинград за два дня до начала эвакуации жителей города перед концом страшной блокады — это было редакционное задание. И действительно, он попал в один из первых грузовиков, взявших курс на Большую Землю. Впоследствии он рассказал об ужасах той самой бомбежки Горюнову, вечно нетрезвому своему приятелю. И «Два рассвета на один закат» тот написал в результате именно этого рассказа. Самому же Илье Лазаревичу просто в голову не пришло, что здесь лежит пьеса, более того — вообще какая-либо не военная, а человеческая история.

Первой записавшей псевдоавтора в гении была его собственная супруга. Вся дальнейшая ее жизнь протекала под знаком жены гения и поэтому Лёве как сыну гения и его жены начало доставаться с самого раннего детства. То, что сын ее — ребенок исключительный, Любовь Львовна поняла в одночасье, после первой премьеры отцовой пьесы, когда Лёве стукнуло двенадцать, и это новое понимание заставило учащенно биться и трепетать материнское сердце. В том, что мальчик будет писателем, драматургом, либо, на крайний случай, большим поэтом, не вызывало при навязчивом материнском содействии сомнений ни у кого, кроме Ильи Лазаревича и самого Лёвы. Когда же школа осталась за спиной и пришла пора определяться в высшем образовательном смысле, Любовь Львовна проявила неожиданную твердость, граничащую с жестокой материнской придумкой: либо филфак практически без экзаменов, либо отдаленный гарнизон Советской Армии. И то, и другое — при содействии тихого, но всемогущего отца. Лёва, как водится, попугал маму армией, но выбрал в итоге из двух предлагаемых путь наиболее отвратительный — филфак МГУ.

Незадолго до поступления Любовь Львовна хорошенько подумала и переделала сыну отцовскую фамилию Казарновский на более изощренную и пригодную для будущей славы — Казарновский-Дурново. Лев Ильич Казарновский-Дурново. Одним словом, владелец аттестата школьной Лёвиной зрелости обозначался там уже через черточку. Присоединив таким образом себя к славе сына — той, которая ожидалась всенепременно, Любовь Львовна компенсировала частично понесенный ею многолетний ущерб от недополученной лично ею известности своего древнего дворянского рода. Лёвина же жизнь в результате такой перестановки, точнее, добавки, осложнилась существенно. С этого дня она стала окончательно подконтрольной и регулируемой бесконечными материнскими вмешательствами и придирками, начиная от выбора основного для изучения языка и заканчивая пристальным рассмотрением Лёвиных подружек по студенческой жизни. С первым обстоятельством Лёва обошелся весьма просто — выбрал зачисление не на респектабельное отделение романо-германских языков, а на редкое и совсем неперспективное — классическое, с никчемным греческим во главе. Почему греческий — объяснить он не мог даже сам себе. Отомстить хотелось матери именно таким странным образом. Из редкого была еще и латынь, и другое...

В ночь перед зачислением вновь прикостылял небритый Глотов и сказал:

— Даже не думай, Лёвушка. Только греческий... — И растаял в воздухе аэропортовской квартиры...

Узнав о таком самовольстве, Любовь Львовна пришла в ярость, но было уже поздно: группы были сформированы, занятия начались.

— Ты не понимаешь! — кричала она сыну. — Какие греки?! Ты же сын самого Казарновского! Ты же из рода Дурново, дурень! Тебе ясно?! Дурново! Дурново! Дурново! Ты должен свободно говорить на языке твоих предков — на французском! Ты понимаешь?!

— А куда же мы денем предков по твоей отцовской линии, мама? — поинтересовался молодой студент. — По линии Альтшуллер?

Любовь Львовна хватала ртом воздух и гневно реагировала:

— При чем здесь это? Как это вообще можно сравнивать? Ну как ты, черт возьми, не понимаешь?

Лёва понимал. Понимал также и то, что утихомирить маму без потерь не удастся, вероятно, никогда. Скорее всего, она не позволит когда-нибудь с собой это сделать. И тогда Лёва подумал и решил, что выход есть. Он просто должен полюбить маму по-настоящему. Полюбить так, будто бы не она — мучительница, которая доводит его своей материнской любовью, а он, Лёва, первокурсник МГУ, мудрый и добрый сын проявляет терпение и заботу по отношению к самому близкому на свете человеку — собственной матери, представительнице настырного рода Дурново. Осуществление идеи он решил начать с ближайшего понедельника. Но с понедельника не получилось, потому что в тот день он впервые не пришел домой ночевать, оставшись у Любаши...

— ...А они знают, я говорю, или не знают? — Теперь она уже смотрела на сына с явным подозрением.

— Мам, они об этом просто не думают, — Лёва привычным жестом поправил матери подушку. — Они слишком заняты, чтобы об этом помнить.

Любовь Львовна задумалась, не зная, судя по всему, с какой стороны лучше оценить слова сына. Ни к какому решению она так и не пришла. Тогда, чтобы выдержать паузу и еще немного поразмышлять, она высунула наружу ногу, свесила ее с кровати и слабым кивком указала в направлении стопы:

— Подстриги мне ноготь. Мой любимый. Снова отрос необычайно...

— Мы вчера его только подстригали, мама. — Лев Ильич представил себе, что снова придется вгрызаться щипцами в ороговевшее пространство, выкусывая угол между толстым желтым маминым ногтем большого пальца и усыхающей мякотью, и поежился. — Может, потом? Мне еще поработать надо...

— А Мурзилку кормили? — спросила мама, забыв о ногте. — Мурзя наверняка не кормлен.

— Мурзилка умер десять лет назад, мама. От старости.

Любовь Львовна хитро улыбнулась:

— Ты ему рыбу больше не давай, ты ему дай куриную котлетку. Только не надо греть, он холодные предпочитает.

Мурзилка был котом, наглым, жадным и исключительной глупости ума, даже по кошачьим меркам. Умер он от старости действительно около десяти лет назад. Котенка этого притащил Илья Лазаревич из подворотни, расположенной недалеко от редакции журнала «Мурзилка», где получал гонорар за опубликованный в нем детский рассказ. Таким образом, имя было найдено само собой. Кроме того, Любовь Львовна увидала в этом добрый знак и неожиданно для домашних зверя разрешила оставить. То, что через год примерно выяснилось, что зверь этот — мужчина, ее тоже не смутило: имя менять не стали. Да и род одноименного журнала вызывал противоречивые сомнения — что такое Мурзилка, никто в точности не знал. И то, что на протяжении всей его затянувшейся лет на пять свыше кошачьей нормы жизни они с мамой были друзья, никого в семье почему-то не удивляло. Как и то, что никого, кроме Любови Львовны, эта дикая тварь не принимала на дух. Ничего, кроме свежих холодных куриных котлет, собственноручно накрученных для него бабушкой, Мурзилка не признавал. Один раз, когда Любовь Львовна пребывала в санатории вместе с Ильей Лазаревичем, оставленные ею котлетки закончились (или завоняли, Лёва не мог припомнить точно), жена его, Люба, проявила инициативу и сварганила нечто ...ее с бабушкиным куриным продуктом. Она уже знала — рыбу кот есть не станет, Лёва пробовал как-то дать ему тресковый хвост.

Люба с Лёвой поженились совсем недавно и были в то время счастливы каждой возможности побыть наедине. Ну и с Любой Маленькой, конечно, которой в ту пору было около пяти лет. Лёва, помнится, был особенно нежен с женой — та ждала второго ребенка, на этот раз Лёвиного, была на четвертом месяце. Мурзилка подошел к своей миске, внимательно осмотрел невесткино изделие, но даже не сделал попытку его понюхать. После этого он медленно развернулся и неожиданно для всех пружинисто вознесся в воздух, приземлился выпущенными когтями на руку к Любе и зубами впился ей в запястье. Все это он произвел в полной тишине, не выпустив из себя ни звука, ни визга. Люба от неожиданности закричала, Лёва бросился на помощь, пытаясь отодрать бешеного кота от жены, но получил когтями по лицу. Люба тем временем, потеряв равновесие, поскользнулась на навощенном паркете и всей тяжестью тела рухнула на пол. На живот...

Выкидыш случился через два дня. И сколько потом они ни старались, детей у них не получалось...

— По Мурзилкиной милости... — как-то в присутствии хозяйки дома позволила себе заметить Люба. Любовь Львовна не ответила... Промолчала. Но запомнила...

С тех пор кошку тихо обходили стороной все, кроме хозяйки. Так нейтралитет этот между зверем и неглавным семейным составом продержался вплоть до самой Мурзилкиной смерти. Желая угодить матери, Лёва сразу после кошкиной кончины приволок в дом другую — дорогую и пушистую.

— Тоже Мурзилкой будет, если хочешь, мама, — сказал он, протягивая ей животное.

— Уберите отсюда эту мерзость, — процедила сквозь зубы мать и, брезгливо поморщившись, ушла к себе.

В этот момент Лёва почему-то понял, что Мурзилка не был глупым. Наоборот, все происшедшее с ним доказывало, что ума он был исключительного и очень странного. Это поразило и озадачило Лёву, и он вдруг понял, что бывает любовь, совершенно ему неизвестная. Отчаянная в своей прямоте и непонятности. Другая...

Куриные котлеты с той поры в доме больше не готовились.

У Глотовых за забором взвыла электропила. Любовь Львовна вздрогнула и недовольно поморщилась:

— Снова папа пилит? Я ведь просила тебя — не разрешай папе пилить. Мурзилка этого не любит. У него изжога от этого развивается.

— Это у Глотовых, мам. У соседей наших, — ответил Лёва и осторожно завел материнскую ногу под одеяло. — Они электропилу запустили. — А сам подумал, снова удивившись: — Вот и Мурзя воскрес. Может, и вправду обойдется?

— У рыбаков? Сволочи, — равнодушно отреагировала Любовь Львовна. — Все соседи — сволочи. А папа все равно пусть не пилит...

— Хорошо, — вздохнул Лев Ильич. — Я передам... — И одновременно подумал: — Как все же странно это устроено: до болезни дня не было, чтобы про папу не вспомнить. Потом — провал, а теперь разом возник и все пилит, пилит... А эти пароходники из рыбного министерства два раза с ней чаю попили: в шестьдесят пятом, когда после Кукоцких заехали, и в восьмидесятом, когда отец умер, на другой день после поминок. Так толком и не познакомились, все больше через забор кивали. Да еще Геник пьяный к ним как-то забрел по ошибке, году в девяностом, ну да, точно, после Мурзиковых поминок. С Толиком тогда еще добавил. И рыболов этот, отец Толиков, Глотов-старший, тогда же умер, вместе с Мурзей. Может, поэтому она и помнит Глотовых. Смерть, стало быть, у больных головой сильнее память цепляет, чем любовь. Надо запомнить и воткнуть в сценарий...

Отца Лёвиного, Илью Лазаревича Казарновского, мать любила так, как положено любить родственника, который оказался гением, причем выяснилось это не сразу. Лёва не знал, как точно обозначить такую любовь, такой ее странный и устойчивый сорт. Впрочем, это началось позже, сразу после «Рассветов». Таким образом, любовь Любови Львовны к мужу траектория жизни развела на две части, приблизительно равные по расстоянию от начала до середины и от середины до конца. Однако по своему удельному весу любови эти различались существенно, как и прожитые в них годы супружеского благоденствия. Противостояния сторон ни на одном из отрезков почти не имелось и особенно, конечно же, на втором — главном. Но надо отдать должное Любови Дурново — хранить очаг она умела расчетливо и профессионально. В сорок пятом, сразу после обставленной по-бедняцки свадьбы с моложавым черноволосым капитаном Илюшей Казарновским, только что демобилизовавшимся военным журналистом, Люба Дурново решила романтическую часть отношений оставить на потом, на аккуратно и со вкусом разложенное ею по полочкам будущее семьи Казарновских: работа мужа в солидной газете, лучше в «Правде», затем — издание военных воспоминаний о днях блокады, сразу вслед за этим — мемуары о переправе или, как там это называлось, про Ладогу, в общем, про озеро под бомбежкой, про «Дорогу жизни», затем — членство в Союзе советских писателей. Ну а далее по порядку: пайки, блага, улучшение жилья и все такое в понятном направлении...

Илья Лазаревич молчал, но и не отказывался. Он как-то сразу поник под напором дворянского племени Дурново, обрушившего на голову бравого еврейского капитана всю мощь вековой настырности носителей голубой жидкости, с успехом заменившей красную в артериях и венах. Однако получаться задуманное стало частично и не так победно, как планировал фельдмаршал-интендант. Газета оказалась паровозной — «Гудком», куда и начал потихоньку уходить пар энергичной Любови Львовниной надежды на скорую реализацию семейной конструкции. Воспоминаний тоже не получилось — здесь муж проявил неожиданную твердость и честно заявил, что таковых не было. О самом интересном, но коротком и по-настоящему страшном куске, в который он окунулся скорее как гражданский пострадавший, нежели лицо военное, он не думал писать: просто не приходило в голову. Да и не сумел бы никогда он написать об этом так.

Как было и как получилось у несвидетеля Горюнова. Илья Лазаревич вспоминал: вывернутый наизнанку грузовик, разорванный на куски, дымился на ледяной ладожской обочине, а полутонная авиабомба со свистом рассекла пространство над ними и проткнула лед насквозь совсем рядом, и это спасло их, потому что рвануть в момент удара об лед не успела, но рванула уже там, в черной воде, внизу, и в получившейся дыре вскипела ладожская вода, а обезумевший от страха моложавый шофер грузовика, отброшенный взрывной волной, полз к этой страшной полынье, собирая по пути рассыпанные кем-то спички, и оторванная ниже колена, залитая кровью нога волочилась вслед за ним на тонкой кожной полоске, оставляя на снегу ярко-алый след по всей ширине кровавых лохмотьев... и как он дополз до воды наконец и хрипло спросил у Ильи, контуженного, но еще соображавшего, улыбнувшись широко и белозубо, как, мол, ловить здесь лучше будет, подледно если: на мормышку или опять же — на кивок. И посмотрел вдруг безумно, и засмеялся, зашелся просто от хохота, а кожа к тому времени уже оборвалась окончательно, и нога осталась где-то на полпути к черному проему. А потом он растаял в воздухе, и оба они потеряли сознание почти одновременно, и не знал Илья тогда, что же лучше: мормышка или кивок...

Об этом он и рассказал однажды обалдевшему Горюнову, когда оба они поддали на день Красной Армии. К тому моменту истек первый, неглавный, отрезок Любови Львовниной любви к мужу. Переход же ко второй, главной, совпал с тем самым утром, когда Илья Казарновский проснулся знаменитым драматургом. В соседней комнате мирно спал, ни о чем не подозревая, гениальный отпрыск двенадцати лет от роду — Лёва Казарновский, в будущем — Лев Казарновский-Дурново. С этого дня отец и сын начали получать любовь по заслугам: отец — по имеющимся, сын — по предстоящим...

Люба Маленькая вернулась на дачу, когда было уже совсем поздно. Лев Ильич услышал сквозь надвигающийся сон: вот фыркнул глотовский джип, заезжая на соседний участок... вот хлопнула дверца и заскрипели, распахиваясь настежь, соседские ворота, тоже глотовские.

«Теперь целуются...» — он представил себе, как мужик этот, Толик, поздний соседский отпрыск, прижимает к себе Маленькую, как касается ее кожи, как целует в губы, скорее всего, взасос, и как в этот момент напрягаются соски на ее груди, сосочки, маленькие, розовые детские сосочки, так хорошо ему знакомые с ее малых лет. У Лёвы ревниво дернулось между анусом и пупком.

Через пять минут заскрипели деревянные ступеньки, Маленькая Люба поднялась на второй этаж и зашла к себе. Комната ее была через стенку, через тонкую деревянную перегородку, которая, казалось, не скрывала, а наоборот, усиливала доносившиеся оттуда звуки, резонируя и разгоняя всей поверхностью слабые звуковые колебания воздуха. Он услышал, как отлетела в сторону майка, шмякнулись о его стену шорты, клацнув по дереву металлической пряжкой ремня, и продавился матрац под Маленькой Любой.

«Что же у нее с Толиком этим, интересно? — подумал Лёва. — Неужели спят? — Сердце сжалось и уперлось в ближайшее ребро. Внутри Лёвы стало тесно и неудобно. — Надо бы с Любкой про нее посоветоваться, чтоб беды не вышло. Раньше времени...»

С первых самых дней, как Люба с Любой Маленькой по настоянию Лёвы окончательно переехали на «Аэропорт» к Казарновским, Маленькая, которой накануне стукнуло пять, решила, что, если папой называть Лёву нельзя, то пусть он будет просто Лёвой. Так будет здорово, и получится, будто папа Лёва, но только без «папа». Брак свой Лёва и Люба зарегистрировали между делом, заскочили в ЗАГС по пути в Валентиновку, на дачу, расписались в амбарной книге, где положено, но только без свидетелей и в чем были — в джинсах и свитерах. Загсовская тетка окинула их ненавистным взглядом, но ничего не сказала. Генрих, отец Любы Маленькой, первый Любин муж, который к тому моменту стал другом семьи, развлекал в это время дочку в машине. С бывшей женой и будущим ее мужем Лёвой они сошлись за последний год так, словно расстались до этого ненадолго по весьма незначительному поводу — досадному и случайному. Особенно дружили с ним молодые Казарновские-Дурново в те нечастые времена, когда он не пил или не выпивал вовсе. Бывало и такое в разноцветной и многостраничной Генькиной биографии. Трезвый Генрих был просто обворожителен: тонок, интеллигентен и, что вовсе не свойственно художнику — умен. В общем, исследователь жизни. Так было и в этот раз. Сидя с дочкой на заднем сиденье, он старательно перерисовывал портрет Ленина со сторублевой банкноты в блокнот и объяснял девочке:

— Знаешь, кто этот дяденька?

— Не-а, — честно отвечала Люба Маленькая, тщательно оберегаемая сначала матерью, а потом и Лёвой от всех видов социальной информации. — А он хороший?

— Скорее, он красивый, — отвечал Геник, удовлетворенно высунув язык от наслаждения процессом сравнения рисунка с оригиналом. — На нем тени лежат удачно, видишь? — Но тут же он спохватывался и исправлялся: — Он красивый, но зато злой. Он у тебя отнял колбасу, ясно?

— Когда? — удивленно спрашивала девочка. — Ты в прошлый раз тоже говорил, что украл, а он не украдывал.

— Он ее давно украл, когда тебя еще на свете не было, когда он вождем еще работал, — отвечал Генька, завершая очередной рисунок. — И меня тогда тоже еще не было...

— Ну все! — Молодые супруги выскочили из дверей ЗАГСа и сели в машину. — Едем праздновать! У нас сегодня ребрышки с «Цинандали». — Лёва развернулся и ущипнул Любу Маленькую между ребер. Девочка восторженно завизжала. — А у нас еще один праздник сегодня, между прочим, — уточнил Лёва. Люба вопросительно посмотрела на мужа. — Сегодня в Горьковском МХАТе последний раз «Рассветы» играют. Вообще последний. Все!

— Ты хочешь сказать...

— Я хочу сказать, что пора жить по средствам. Кончилась халява с переправой через Ладогу. Сами себя кормить начинаем.

— Лично я давно уже начал, — отреагировал Геник. — Как себя помню, начал...

— А нам привыкать еще придется, — улыбнулась Люба. — Помнишь, что твоя мать говорила: «Если женишься на этой, с ребенком, — она опасливо посмотрела на дочку, прикрыла рот рукой и, прижав смех, добавила: — ...лишу наследства». Она какое наследство в виду имела?

— Ты зря смеешься, между прочим, — весело подхватил тему Лёва, продолжая вести машину. — Как мы с дачей закончили, в шестьдесят третьем, она только на жизнь отделять стала, а все остальное в камни вкладывала, в бриллианты. С шестьдесят третьего года по сегодняшний спектакль, значит. Двадцать два года. Не верила властям совершенно. И сейчас никому не верит.

— Вот Дурново-то! — промычал Генька. — Натуральное Дурново! А красивые камни-то хоть?

— Не знаю, — ответил Лёва. — Никто их сроду не видел. Мне отец перед смертью рассказал, зря, говорит, она это все затеяла, никому, говорит, это не нужно.

— Вот-вот... — задумчиво протянул Генрих. — Кому — щи жидкие, а кому — брильянты мелкие...

Невестку, а в особенности дочку ее, Любу Маленькую, Любовь Львовна незалюбила с первого дня, но квартира была огромная, только незанятых комнат было три, и не пустить молодую семью было глупо. Кроме того, Любовь Львовна представить себе не могла и в страшном сне, что Лёвушка может сгинуть куда-то в Бирюлево-Товарное и для любви самозабвенной, так же как и для помыкания, не останется ей ни одного живого объекта. Кроме Мурзилки. Но это — только для взаимности и любви...

— Слишком Люб много получается в одном месте, — недовольно отчитывала она сына. — Любовей этих... — Эта твоя... с дочерью чужой — две... И та Любаша, которая была, первая твоя, размазня, — считай, трех перебрал. И никакого толку от них от всех. Что им тут всем, медом намазано?

— Ты, мам, себя еще не посчитала, — улыбнулся Лёва. — Всего четыре получается. Вернее, четыре с минусом.

— Это ты меня в минусы назначил? — мать не была настроена на шутку. — Ты меня вообще с ними не складывай.

Я от них всегда отдельно буду, понятно? Я — Дурново! Любовь Львовна! Я тебе — мать!

— Нет, мам, минус — это Любаша. — Лёва обычно не позволял себе быть втянутым в мамины скандалы. — Но я хочу ее с Любой познакомить, чтоб восстановить комплект. А потом мы ее замуж еще пристроим. За Геника.

— Это что еще за Геник? — с неподдельным интересом Любовь Львовна уставилась на сына. — Это фамилия или имя такое идиотское?

— Это хороший человек, мам. То пьющий, то нет. Но талантливый. Любин муж бывший, художник. При Любашкиной глупости и жертвенности — то что им обоим нужно. Она его еще и спиртом из кабинета химии снабжать будет. За школьный счет.

— Идиотизм какой-то! — злобно отреагировала мать. — Еще чего не хватало! Просто идиотизм натуральный! Любашу — за алкоголика! Никакая она не глупая, просто... — она бешено повертела глазными яблоками в поисках подходящего обозначения бывшей невестки. — Просто какая-то разобранная была, как тургеневская барышня.

— Тогда почему же не заладилось у вас? — спросил Лёва. — С первого дня не заладилось. Может, и у нас тогда бы брак не развалился.

— Потому что никто в семье Дурново пробирки мыть не должен, — гордо подняв голову, ответила Любовь Львовна. — Даже в собственном институте.

Лёва вздохнул:

— Она, мам, сейчас не пробирки моет, а химию преподает в школе. И не замужем.

— Ну вот и пусть преподает, — оборвала дискуссию мать. — А не за алкоголика замуж собирается.

Почему такое предложение сына с ее точки зрения выглядело идиотизмом, она объяснить, наверное, не смогла бы. Да и потребности никогда в этом не имела. Просто импульсы, моментально зарождавшиеся в неравнодушном материнском организме, распространялись, судя по всему, со скоростью, значительно опережающей самую стремительную скорость на свете — скорость мысли.

Жизнь в одном пространстве с молодыми, тем не менее, началась на редкость непредсказуемо: тихо и мирно. Девочку свекровь игнорировала, а Люба, к ее великому огорчению, никак не давала ей повода для жизненно необходимых пульсаций, бравших начало в височных долях головы.

«Расчетливая... — подумала она как-то про невестку не без доли уважения, — и, машинально прибавив к ней для парности Маленькую Любу, передумала мысль, внеся нужное уточнение: — К наследству подбираются. Нужно переложить камни подальше...»

Если бы тогда, за пять минут до рождения дочери, кто-нибудь спросил двадцатипятилетнюю Любу, недавнюю выпускницу истфака МГУ, молодого искусствоведа, почему она, несмотря на последнюю, самую мучительную родовую схватку, решила в столь неответственный для такого дела момент назвать своего ребенка Любой, она вряд ли смогла бы вразумительно ответить. Имя, в точности повторяющее ее собственное, просто возникло само собой, вывернувшись откуда-то изнутри, из-под ложечки, прижимавшей его до поры до времени там, в неясном и тревожном пространстве между животом и головой.

Девочка получилась маленькой, меньше, как ей показалось, чем того требовала будущая жизнь, но в то же время — очень славной, с миниатюрными пальчиками на руках и ногах, пухлой складчатой попкой и неожиданно длинными черными волосами на маленькой кричащей головке.

— Есть! — радостно выкрикнул молодой врач-акушер после того как снова нажал локтем на верх Любиного живота. Показалась головка, и стало ясно, что кесарить теперь не придется. Он принял на руки первенца, благополучно завершившего выход в человечество, и с восторгом неопытного специалиста, неожиданно для себя самого сделавшего работу хорошо, поднес ребенка совсем близко к ней: — Девочка у вас, мамочка!

Настолько близко поднес, что лица Любочкиного Люба рассмотреть хорошо не смогла, но зато успела почувствовать, как остатки боли в момент откатили, отхлынули, как внутри у нее стало просторно и непривычно пусто, не там, где ныло и тревожило, а ниже, за брюшиной, в самой сердцевине прошлой боли. В том месте же, где была подложечка, где Любочка придумалась и получилась — сначала сама, а потом уже и это имя — стало, наоборот, тепло и нежно, будто кто-то разминал и поглаживал, не объясняя, для чего это делается. Любочка тем временем растянула рот в широкой безмолвной улыбке и снова прорезалась таким криком, что у Любы на миг остановилось сердце, и она в страхе посмотрела на врача. Тот подмигнул молодой матери и весело отреагировал:

— Ишь раздухарилась! Имечко хочет. Как звать-то тебя будут, марципанчик? — Он вопросительно посмотрел на Любу.

— Люба она, — с тихой радостью произнесла молодая мать. — Любочкой будет, как я... Только Маленькой...

Геник прилетел в роддом прямо из мастерской, как был: с неотмытыми как следует от краски пальцами, в прокуренной своей затасканной куртке и без шапки, несмотря на крепкий январский мороз. Машина его по обыкновению не завелась, и он добежал с Фрунзенской набережной до Пироговки за двенадцать минут, возбужденный, счастливый, с идиотской улыбкой на сильно небритой физиономии, свидетельствующей о том, что щетине этой дней не меньше, чем сроку, исчисляемому с начала последнего запоя. Про цветы и записку в палату для рожениц он не то что забыл, просто не подумал вообще, не свел необходимые концы с нужными началами. В результате никуда его не пустили и получилось, что он просто постоял в предбаннике. Обмозговав там же ситуацию, он двинул к ближайшему магазину придумывать имя дочке. Товарища по счастью он искал недолго, поскольку деньги за последний макет еще закончились не совсем.

— Как жену-то звать? — спросил его найденный партнер, тоже небритый, но без сильно выраженного, как у Геньки, творческого начала. — Бабу-то твою...

— Любой, — ответил счастливый отец.

— Тогда Валей девку назови, — предложил почему-то мужик неожиданно смелую версию. — Как у Терешковой чтоб было имечко. Космонавтское. — И попросил два рубля до завтра с отдачей в том же месте в то же время.

— Никогда, — твердо возразил Геник. — Никогда моя дочь не будет с мужицким именем жить. — И совсем уже нетрезво добавил: — Не желаю подобной демократии для моего ребенка. В вербальном, конечно, смысле.

Мужик уважительно посмотрел на Геника, сосредоточился и сделал новое предложение, не менее неожиданное, чем первое:

— Тогда кроме Любки ничего не остается больше. Чтоб проверено было уже. И не запутаться...

Предложение мужиково понравилось, и рубли Генька дал, однако на встречу не явился. В назначенный час он уже почти не вспоминал о ребенке, его имени и жене Любе, потому что в связи с рождением дочери ушел в запой уже настоящий, без самообмана и неоправданных перерывов.

Домой из роддома Люба не вернулась. Она поймала такси и поехала к матери, в их пятиэтажку в Бирюлево-Товарном — жить дальше уже без Генриха. И когда через две недели Геник вышел из запоя и начал разыскивать жену, а, разыскав, узнал заодно, что дочь его — тоже Люба, Любовь Генриховна, он ничуть не удивился, а воспринял это должным образом — так, будто готовился всю трезвую часть своей бестолковой жизни назвать своего ребенка именно этим именем.

Лет до двенадцати Люба Маленькая хлопот семье не доставляла совершенно. Единственным моментом семейного сопротивления было то, что Любовь Львовну она упрямо называла бабаней или реже — бабой Любой, чем вызывала ее гнев. Правда, в таких случаях она быстро прикрывала рот ладошкой и с откровенно поддельным испугом ахала:

— Ой, я забыла. Я не нарочно...

Свекровь замирала не месте, глаз ее холодел, и она выдавливала из себя через плотно сжатые губы что-то среднее между шипом гремучей змеи и жужжанием шмеля:

— Я ж-ж-ж-е прос-с-с-ила вас... Предупреж-ж-ждал-л-а... — При этом она всегда смотрела в Лёвину сторону.

Лёве потом приходилось объясняться с матерью, после каждого такого случая:

— Она же ребенок, мам. Она рассчитывает на ответную ласку.

— Она не твой ребенок! — Мать успокаивалась небыстро. Быстро — не входило в ее планы: не получалось нужной подпитки. — И не моя внучка! Они не должны рассчитывать в этом доме ни на что особенное...

Сын порой слегка раздражался, но всегда держал себя а руках:

— А чего бы ты хотела, мама? Я имею в виду вообще — чего?

Лёва знал, что таким вопросом он ставит ее в тупик. Он прекрасно осознавал, что желание участвовать в судьбе сына гениального отца для матери его было определяющим. Но также он понимал и то, что места для такого материнского участия оставалось у нее с годами все меньше и меньше. Как мог, он пытался лавировать между членами семьи, соединяя или по необходимости разводя группировки противника по разные стороны фронта, даже если воевать никто не собирался. Просто в определенные моменты интуиция Лёвина и получаемый опыт мирного выживания внутри аэропортовской квартиры подсказывал — требуется передых и профилактика.

Мать на Лёвин вопрос ответом не утруждалась никогда. Да и не смогла бы. Не знала и знать не хотела — это совершенно не входило в ее планы. Процесс был значительно важнее результата, но и его хватало ненадолго. В перерывах между столкновениями Любовь Львовна старательно перепрятывала небольшую коробку с камешками, проявляя каждый раз чудеса изобретательности. Затем она записывала на специальной бумажке местоположение схороненного в очередной раз наследства, которую, в свою очередь, хранила в одном из трех мест, о которых помнила всегда. Даже иногда, точно зная, где оставила бумажку в прошлый раз, она проверяла на всякий случай два предыдущих места, чтобы быть абсолютно уверенной — изобретенная ею система сбоя не дает. В дни таких проверок настроение ее заметно улучшалось, и тогда Люба Маленькая, прекрасно чувствовавшая настроение зловредной бабки Дурново, разыгрывала свой очередной спектакль.

— Любовь Львовна, — девочка смотрела на нее честными преданными глазами, и далее следовал вопрос: — Вы не помните, правду в школе говорят, что катет, лежащий против угла в 30 градусов, вдвое меньше биссектрисы?

Любовь Львовна неопределенно хмыкала:

— Ну конечно правда, Любовь. Ты что, сама не знаешь разве?

— А в учебнике геометрии написано, что — гипотенузы. Меньше вдвое... — Люба Маленькая продолжала смотреть на нее тем же уважительным взглядом, с каким и подкатила с самого начала. — И математичка тоже говорит, что — гипотенузы.

Бабушка слегка терялась, победительные нотки ослабевали, но к этому испытательному моменту позиции ее были еще крепки:

— А кто же тогда говорит про это в вашей школе? — переспрашивала Любовь Львовна немного озадаченная, но совершенно не чувствуя подвоха.

— Да Мишка Раков, он в соседнем классе учится, двоечник вечный. Дурак. Правда, Любовь Львовна, дурак? — Девочка завершала испытания, невинно пару раз хлопала длинными ресничками и, впившись в бабаню, ждала ответа. Любой из вариантов ее бы вполне устроил. В ход шла также ботаника с женскими пестиками вместо мужских тычинок, физика с французом Исааком Ньютоном — потомком эфиопских царей, география с первооткрывателем арктической атлантики Мадагаскаром и другие нужные в семье науки.

Поразительно было, что при всей своей житейской изворотливой хитрости и скандальном нутре хозяйка дома каждый раз покупалась на примитивную девчачью придумку, не выстраивая из фактов легкого по отношению к собственной персоне издевательства малолетки какой-либо причинно-следственной связи. Люба Маленькая, не получив ожидаемой бабылюбиной трясучки, ровно как и прочих видов удовлетворения от свежей провокации, была недовольна и уходила к себе, оставляя непрошибаемую бабку один на один с неподдельным возмущением по вновь возникшему поводу.

Первая хлопота с Любой Маленькой возникла, когда ей исполнилось тринадцать. Сама хлопота была даже не с ней самой, а, скорее, с Лёвой. Дело было утром, в воскресенье. Девочка торчала в ванной уже час, рассматривая начинающуюся красоту, когда Люба включила телевизор и крикнула в направлении дочери:

— Клуб кинопутеше-е-е-стви-и-и-й, Маленькая-я-я!

Лёва в это время сидел за письменным столом в отцовском кабинете и определялся с персонажами. Персонажи не определялись, и тогда он задумчиво вертанулся на кресле. Проносся взор мимо распахнутой кабинетной двери, его глаз засек неожиданно промелькнувшую в долю секунды женщину. Женщина была абсолютно голой, с упругими молодыми формами. За ней махровым шлейфом тянулся ненадетый халат. Лёва вздрогнул — это была Люба Маленькая. Он вдруг с ужасом понял, что это она. Его Маленькая. Его падчерица — Генькина дочка. Он вернул кресло в исходное состояние.

«Чего это я? — подумал Лёва. — Зачем это?»

Отношения Лёвы и Маленькой Любы на фоне имевшегося дисбаланса сторон всегда отличались наибольшей безоблачностью. Это обстоятельство искренне радовало Любу, но частенько напрягало Любовь Львовну, и порой она не умела скрыть своего неудовольствия, видя как сыновья нежность по отношению к падчерице переходит все допустимые границы. В такие минуты, не находя нужных слов для прояснения своего отношения к происходящему на ее глазах испотребству, она просто поднималась с места и, круто разворачиваясь, выходила вон. Пару раз, из чувства сострадания к ее ревнивому материнству, Люба обрывала разыгравшуюся с мужем дочь и отправляла ее делать уроки.

— Вот именно! — восклицала согласная с этим свекровь. — Это получше будет, чем дурачиться!

Чувство благодарности она к Любе не испытывала все равно — слишком много та должна была ей за сына.

Лев Ильич отодвинул сценарий, дав персонажам паузу, и побрел в гостиную. Там, закутавшись в безразмерный Лёвин банный халат и уставившись в телевизор, в кресле полулежала, задрав голые ноги, Любочка, Люба Маленькая. Лёва растерянно остановился, не понимая, зачем пришел.

— Смотри, Лёв, — обратилась она к отчиму. — Про Грецию рассказывают. Про древнюю, — и, хитро улыбнувшись, кивнула в направлении через стенку — туда, где находилась бабкина спальня. — Про родину млекопитающих грецких орехов показывать будут.

— Ну, со мной этот фокус не пройдет, — мягко возразил Лев Ильич. — Я-то в отличие от тебя знаю, что родина грецких орехов — Кордильеры-Анды. А из млекопитающих в Греции только позвоночнокрылые. Из отряда перепончатых.

Люба Маленькая засмеялась. Лёва понравился ей с самого первого знакомства, и с того же дня они сразу стали на «ты». Ей было четыре года, когда они с мамой столкнулись с ним в метро, на станции Площадь Революции. Они тогда шли на пересадку, чтобы доехать до Варшавской, а оттуда уже — к себе, в Бирюлево. Перед ними в задумчивости шел Лёва, мучаясь над очередным сюжетом. Тогда обе Любы, мать и дочь, не знали еще, что это Лёва. Они думали, что это просто пассажир. Внезапно пассажир остановился у колонны, перед бронзовой статуей пограничника с собакой, протянул вперед руку и погладил пистолет пограничника. Тогда они не знали еще, что у железного пограничника не пистолет был, а маузер. Об этом позже, когда они уже подружились, но еще не поженились с мамой, Лёва рассказал Маленькой по секрету. Но в этот раз она тоже хотела погладить рукой по желтой вытертой тысячью ладоней железяке. Но не по пистолетной, а по собачьей. Пассажир стоял к ним спиной и не пропускал. Сзади напирали. И тогда Люба Маленькая протащила руку через дырку между пассажировой рукой и его пальто и все равно погладила холодный овчарочий нос. Пассажир медленно развернулся, внимательно посмотрел на Маленькую, затем перевел взгляд на Любу, весело улыбнулся и сказал:

— Умница! — Он тоже протянул руку и почесал собаку за ухом. — Потому что это железное, — он кивнул на бронзовый маузер и постучал костяшкой пальца по стволу. — А это... — Он слегка пригнулся, сделал полшага вперед и потерся своим носом о собачий, — это живое...

Люба Маленькая открыла от удивления рот, сделала шаг вперед, встала на цыпочки и тоже попробовала дотянуться до бронзового носа. Ей не хватило ровно полметра. Тогда Лёва приподнял ее и, держа в воздухе, спросил разрешения у матери:

— Не возражаете?

Люба не возражала. Она уже знала обо всем, что произойдет дальше. Все это дальше и произошло. По Любиному сценарию и Лёвиному сюжету...

...Он присел на соседнее кресло и всмотрелся. Действительно, рассказывали что-то про культуру Древней Греции, и ему стало интересно.

— Про ваших там, — кивнула на телевизор Маленькая. — И про богов любви еще.

«Афродита будит в сердцах богов и смертных любовь, — вещал с экрана дикторский голос. — Благодаря этому она царит над миром... Никто не может избежать ее власти, власти прекраснейшей из богинь... — Картинка сменилась. После паузы тот же голос продолжил: — Прекрасная Афродита силой любви правит миром... И у нее есть посланник, Эрот, через него выполняет она свою волю. Его стрелы несут с собой радость и счастье, но часто с ними приходят страдания, муки любви и даже гибель...»

— Лёв, Эрот этот, от эротики происходит? — неожиданно, продолжая качать голой ногой, спросила отчима Маленькая. — Или эротика от него?

Тогда в первый раз Лёва удивился и задумался. Разнообразных совпадений было слишком много, и без подготовки к ним как-то трудно было привыкнуть...

— От Афродиты он происходит, — ответил Лёва, стараясь придать растерянному лицу серьезный вид. — Сын он ей. Все происходит от любви...

— Я знаю, — так же серьезно парировала падчерица. — Мишка Раков так и сказал...

Ночью объявился Глотов. Сначала он пристроил протез, а уж потом присел к Лёве на кровать. Лев Ильич в страхе посмотрел на мирно спящую рядом жену. Грек успокоительно махнул рукой:

— Не бойся, Лёвушка. Она не проснется. Ей еще рано...

— Долго вас не было, — тихо сказал Лёва. — Я уж не знал что и думать...

— Про Грецию смотрел? — вопросом на вопрос отреагировал Глотов, пропустив мимо ушей Лёвино замечание. — Там про нас вчера показывали.

— Про кого про нас? — с интересом спросил Лёва и пристально посмотрел в глотовские глаза. — Про нас с кем?

— Про любовь, — ничуть не удивившись вопросу, ответил грек. — Про нас с тобой. И про тебя с ней... Про всех про нас, в общем.

— Я-а-а-а-а... Я не очень понимаю, куда вы клоните, я просто-о-о... — настороженно протянул Лёва и на всякий случай посмотрел на Любу. Та продолжала спать.

— Не идиотничай, пожалуйста, — точно так, как сказала бы Любовь Львовна, оборвал его Глотов. — Не затем я тебя на классическое отделение отправлял, чтобы ты здесь одиссейскую верность разыгрывал. Аргонавта из тебя ни по какому не получится, не дуркуй. Раздел, где любовь, лучше как следует проштудируй. По-гречески только.

Лёва поразился совершенно непривычному для него образу ночного гостя. И вместе с тем он был абсолютно уверен, что оба они говорят сейчас об одном и том же. Вернее, одно и то же оба не договаривают. Этот грек был другой. Такой же небритый, как первый Глотов и последующие, но совсем иной. Разговор начинал приобретать неприятный оборот, и на всякий случай Лев Ильич решил сменить тему:

— Я вас давно хотел спросить кое о чем. — Тема возникла сама по себе, без подготовительного перехода. — Вы не знакомы случайно с человеком по фамилии Глотов?

— Два их, — не задумываясь, ответил гость. — Один, который был, и один, который остался. Был еще, правда, третий. Недолго был. Полетал там у нас, над Ладогой, но передумал и вернулся. В первого, по-моему. Тебе нужен только один, не мучайся, потому что еще и другие будут.

— Какой? — быстро спросил Лёва, желая перехватить инициативу и воспользоваться замешательством грека. — Какой остался?

— А такой, — ничуть не смутившись, спокойно ответил грек. — Тот, который тебе нужнее.

— Для чего нужнее? — Лёва чувствовал, что еще немного и все наконец прояснится, все вернется к тому, с чего это началось, вся эта странная глупость и метаморфоза с визитом незнакомца, лицом похожего на одноногого рыбного начальника из соседских гостей с самоваром, у них там, в Валентиновке, через забор от Казарновских-Дурново.

Сердце Лёвино внезапно стукнуло, громко так и глухо, ровно один раз. Звук отозвался в мозгу и перекатился эхом в ноги. Кровать дрогнула, и греков костыль грохнулся на паркет. Люба шевельнулась и открыла глаза. Лёва продолжал сидеть на краю матраца и молчал, уставившись в одну точку.

— Для того, чего ты хочешь, нужнее! — членораздельно произнес грек, подобрал костыль и растворился в воздухе.

— Приснилось чего, Лёва? — Люба дотронулась до мужа и нежно привлекла его к себе. — Что с тобой?

— Приснилось, — твердо ответил он. — Черт-те что снится. Пойду взгляну, может, с мамой чего?

Первый раз Геник пришел к Казарновским на «Аэропорт» в восемьдесят шестом, на день рождения к Маленькой. Подарки он не покупал никому и никогда. Ему это было не нужно. Подарки он изготавливал при помощи рисовальных инструментов и подручных материалов. Менялась только технология. В этом году в моде были аэрографы, и Геник в соответствии с этой модой налил на лист бумаги разноцветных красок и ужасно талантливо раздул их воздушным потоком, превратив все это в дочкин портрет. Маленькая была в восторге и повисла на шее у отца. Такого замечательного повода, чтобы напиться, Геньке было более чем достаточно. Бабаня, как обычно по дням рождения неродных людей, лежала с головной болью и к гостям не вышла. Через час, набравшись до нормы свободы, Геник потерял к дочке интерес и отправился в путешествие по квартире классика, покойного мужа вдовы Дурново. Любовь Львовна в такие принципиально напряженные для нее даты, оставаясь в комнате одна, занималась единственно успокаивающей ее оздоровительной процедурой. Она проверяла секретные бумажки в потайных местах для того, чтобы перейти к главной и мучительно-счастливой процедуре — перекладыванию драгоценной коробочки на вновь изобретенное место...

До бабкиной спальни Генька добрался сразу после того, как сунул нос в ванную и загасил там в раковине окурок. Он приоткрыл дверь, обнаружил там незнакомку и вошел без тени сомнений внутри готового к приключениям проспиртованного организма...

Любашу, первую Лёвину жену, и Генриха молодым Казарновским не удавалось свести в единое пространство в течение целого года после данного Лёвой матери обещания соединить двух безнадежных разведенцев воедино. То стеснялась Любаша, то был в очередном запое Геник и плохо понимал, чего от него хотят:

— На какой твоей Любе я должен жениться? — никак не мог уразуметь он. — На моей жене, что ли? Или на твоей жене? Так ведь это она и есть, Люба.

В тот раз, казалось, все совпало самым удачным образом: вариант дня рождения Маленькой устраивал всех. Любаша пришла на час позже — собиралась с духом, а когда собралась, выяснилось, что тушь для ресниц высохла необратимо. Пришлось сначала решать вопросы красоты, а уж затем отправляться на «Аэропорт», по знакомому адресу. Геника хватились как только раздался звонок в дверь. На этот раз он ничего не знал, поскольку согласно умыслу Казарновских не был заранее предупрежден о сватовстве и его необходимо было подготовить на всякий случай, чтобы не напился больше, чем требовала жениховская ситуация. Однако Геньку все-таки упустили: и по количеству выпитого, и в географическом смысле. Любаша была такой же, как и тогда, при разводе в семьдесят пятом: преимущественно в сером, тихой и на все согласной размазней в больших очках.

«Те же самые, — отметил Лёва. — Права все же мать бывает иногда, точнее не скажешь», — подумал он и поцеловал бывшую жену в щеку. Та зарделась и поэтому сразу понравилась Любе. Она протянула ей руку и сказала:

— Предлагаю дружить. — Потом приобняла гостью и добавила на ухо: — Даже если и с Генькой не выйдет.

Генриха, однако, в квартире не было, хотя следы имелись — пропахшая табаком и другим несвежим куртка так и висела на спинке кресла. Быстрый обход квартирных площадей результатов не дал никаких, кроме обнаруженного в раковине раздавленного окурка. На этом поиски были прекращены, и участники несостоявшейся брачной сделки вернулись к праздничному столу.

Когда принялись за сладкое, в маминой спальне раздались подозрительные звуки. Они стали увеличиваться по нарастающей и окончательно перешли в раскатистый хохот Лёвиной матери. Теперь в этом никаких сомнений не было — это ревела, задыхаясь от смеха, Любовь Львовна.

— Это бабаня! — весело выкрикнула Маленькая Люба. — Она выздоровела!

Лёва, Люба, Любаша, остальные вскочили с мест и подошли к хозяйской спальне. Лёва подумал немного и постучал к матери. Дверь от толчка подалась внутрь. В кресле у кровати сидела Любовь Львовна, тело ее сотрясалось от хохота, из глаз катились слезы. Одновременно она подвизгивала, но тут же снова уходила в полноценные раскаты. На полу перед ней на коленях стоял невменяемо пьяный Генька с протянутыми в ее сторону руками и вытянутыми по-верблюжьи губами. Не обращая ни малейшего внимания на вошедших, он повторял чувствительно и отрешенно:

— Мой друг... Я люблю-ю-ю вас-с-с... Просто люблю-ю-ю... — Он не отрывал взгляда от пожилой дамы. — Я хочу вас люби-и-ить...

Действительно, полное дурново, как он и говорил... — подумал Лёва и поймал себя на том, что подумал не без удовольствия.

Там же на полу, между Геней и хозяйкой спальни валялась оброненная ею тайная бумажка с еще более тайным местоположением секретного брильянтового наследства Ка-зарновских-Дурново.

Сватовство в тот день не состоялось, как не состоялось и потом, потому что пробовать повтора уже никто не пытал-ся. Но зато в доме на «Аэропорте» в этот день зародились две новые дружбы: одна — предполагавшаяся и получивша-яся, хотя и не сразу, а гораздо позднее — семьи с Любашей, и другая — неожиданная для всех, легкомысленная и чуда-коватая — Геника с Любовь Львовной, вдовой классика-драматурга...

Любаша с Лёвой были одногодками, более того, — одно-классниками. Когда в ответственный и волнующий момент вручения аттестатов зрелости выпускникам десятилетки в актовом зале школы завуч с легким недоумением произ-несла удлинившуюся ни с того ни с сего вдвое Лёвину фами-лию, все грохнули. По новому документу выходило, что Лёвка, оказывается, всегда был Дурново, знаменитой же ча-стью фамилии — Казарновский — только прикрывался, а ис-тинную правду тщательно скрывал.

— По мне так тоже лучше еврейцем быть, чем в таком Дурново ходить, — толкнул его тогда в бок одноклассник. — А теперь получается, ты — и евреец, и Дурново одновремен-но. Через палочку...

Лёва побагровел, встал и под нестихающий хохот поки-нул актовый зал. Вслед за Лёвой поднялась Любаша, скромница, серая мышка, и без тени улыбки последовала за ним, не дожидаясь вручения аттестата. Это был поступок.

Дома распространяться о том, как начался его новый жизненный отсчет, Лёва не стал. Ему нужно было крепко подумать, но много времени это, как выяснилось, не заняло. Он просто вычеркнул из памяти ненавистную школу со всеми ее кримпленовыми учительницами, комсомольскими понуканиями и по случайности застрявшими в голове дву-мя не пригодившимися лично ему формулами: товар—день-ги—товар — из обществоведения и — омыления жиров — из органической химии. Вместе с последней из них ему до-стался довесок в виде химической отличницы. Это и была верная Любаша, смело последовавшая за ним из зала вон...

В ночь после фамильного позора привиделся грек Глотов. Он был весел и куда-то спешил.

— Братец, — грек взял Лёву за руку и одновременно скрипнул протезом. — Послушай меня внимательно... Все это для тебя чепуха настоящая. — Он сделал в воздухе оборот пальцем и неопределенно ткнул им в направлении окна. — Здесь мы остановки делать не будем. Для тебя здесь нет... м-м-м... нет материи совершенно никакой.

— Вы про какую материю, простите? — искренне не понял Лёва. — Где нет?

Глотов помолчал и улыбнулся:

— В поступке. В том, как ты поступил. И — как с тобой...

— Ну и что? — снова не понял он.

— А то... — Глотов снова скрипнул протезом, поднялся, подхватил по пути костыль и засобирался исчезать в воздухе. Лёва уже знал что и как произойдет с ночным гостем, но хотел успеть прояснить головоломку. Грек подвел итог незваного визита: — В этом нет любви ни с чьей стороны. Так, филия, может, небольшая проскочит. Не более...

— Кто? — Лёва окончательно запутался и собрался переспросить грека, но тот растаял в аэропортовском полумраке вместе с костылем и протезом быстрее, чем успел бросить напоследок: — Потом у другого Глотова узнаешь. Он куда надо направит...

Других, правда, поступков, равных аттестатскому, кроме преданности бесконечной и рабьей покорности, Лёве выявить за Любашей не удалось. Тем не менее, они поженились в семидесятом, когда Лёва успел привыкнуть к ней настолько, что это совершенно не отвлекало его от учебы на втором курсе филфака. Любаша же после второй псудачной попытки поступления на химический факультет педагогического продолжала трудиться там же лаборантом, перемывая бесчисленные пробирки в лаборатории органической химии. Денег молодой семье не хватало категорически, но замечать этого Любовь Львовна не желала. Червонцы иногда им подсовывал Илья Лазаревич из тех случайных гонораров, что удавалось заныкать от бдящей супруги. Проследить к тому времени денежный поток из восьмидесяти раскиданных по необъятной стране точек было делом весьма непростым. Шел восьмой год беспрерывного накопления благосостояния семейством живого классика Казарновского, точнее говоря, его жены, превращавшей бесчисленные ленинские профили в ограненные кусочки твердого углерода в минимальной оправе. Камни были разные: от высокой чистоты старинных голландцев до новых примовых якутов. Других, без тончайшей огранки и высочайшей дисперсии света, Любовь Львовна не признавала. Однажды, правда, Илья Лазаревич сделал робкую попытку притормозить страсть супруги к ювелирным алмазам, но потерпел, несмотря на занимаемое в семье величие, провальное поражение по всем статьям. В финале выговора мужу Любовь Львовна сменила гнев на милость:

— Ты лучше пиши, Илюша, пиши что-нибудь. Или с Горюновым еще раз поговори, пригласи его в гости, что ли. Посидите... Повспоминаете... А с этим делом я сама управлюсь. Как-нибудь уж...

С Любашей у Лёвы стало разлаживаться года через два, когда он основательно укрепился в кругу филфаковских интеллектуалок. В результате к началу четвертого курса разовые приключения писательского сына в общаге потихоньку начали перерастать в легкие романы, не затяжные, но с приятным ароматом, с коньяком, лимоном и умными разговорами. Любаша закусывала губу, но по обыкновению молчала. Она продолжала неистово штурмовать химический учебник для очередного поступления на педагогический, несмотря на то что уже знала его внутреннее устройство вдоль и поперек. И все равно, в момент экзамена ее просто сводило от страха судорогой и отпускало лишь после очередного неуда. Свекровь эти неудачи бесили как никого другого. Она понимала, конечно, что Любаша не виновата, что просто она — такая, ну... несмелая, что ли, робкая, одним словом, размазня. Такое отсутствие в невестке нужного огнеупорства вызывало в ней против всякой логики и здравого смысла не желание помочь и защитить, а наоборот, — дополнительно подавить и еще добавить. Лёва со своей стороны уже особенно

179

и не переживал: ни за свои измены, ни за Любашин институт. К чему дело шло — не было известно лишь Илье Лазаревичу, мало понимавшему в семейной паутине и вообще в устройстве жизни внутри реальных границ, без призрачной ее драматургии. Когда Любовь Львовна с окончательной ясностью поняла, что брак этот — промежуточный, она на время ослабила семейные вожжи, чтобы дать невестке возможность все обдумать и сделать выводы самой.

Так и случилось. Любаша ушла тихо и благодарно. Когда через пару дней Лёва вернулся домой после очередной романтической встречи, дома ее уже не было. На столе в их комнате было оставлено письмо: «Лёвушка! Виновата во всем я одна. Тебе будет лучше не со мной. Поблагодари за все папу и маму. Любаша». Он тогда не огорчился и не удивился. Как филолог, он удивился другому: она сама себя назвала Любашей. Лёва попробовал прочитать вслух:

— Лю-ба-ша! — Все равно резало ухо.

В комнате возникла Любовь Львовна. Настроение у нее было отличным, слегка даже игривым:

— Папа принес котенка. Мы решили назвать его Мурзилкой. Как тебе, Лёвочка? — И весело подмигнула сыну...

Разводилась Любаша одна, без Левы. Просто попросила прислать заявление почтой, что он и сделал. Как раз в день первого экзамена на Высшие курсы сценаристов и режиссеров...

Розовая благодать, та самая, которая получалась, когда небо над Валентиновскими дачами густо загоралось почти с такой же пронзительной и быстрой силой, как и по вечерам, повторялась и утром. Но только в эти минуты солнце наваливалось на небо не сверху, а наоборот, выталкивало его снизу. И не с востока, не с глотовской стороны, а с запада, от поселкового пожарного пруда. С той стороны никакие соседи к Казарновским не примыкали, там вместо высокого штакетника была ячеистая металлическая сетка, пропускавшая природные виды практически без каких-либо существенных потерь. На этом, набравшись отваги, настоял в свое время Илья Лазаревич. Наверное, пожарный пруд после определенных творческих свершений в жизни автора знаменитой пьесы стал напоминать ему Ладожское озеро в миниатюре. Пруд был небольшим и неглубоким. Поэтому, когда зима получалась ядреной, он промерзал почти до дна, и поселковый бульдозер смело пересекал его по диагонали, выкладывая трассу, которая в течение всех морозных недель надежно держалась, укорачивая пеший путь от станции до поселка. Но зимний пейзаж с западной стороны по понятным причинам никак не мог быть связан с рассветом. Летом, однако, если очень хотеть, отловить это состояние было можно. Особенно в конце июня, как было сейчас. Один раз Лев Ильич устроил себе подобный праздник: разрешил снять у себя на даче эпизод из своего сценария в режимное утреннее время. Денег им так и не заплатили, вороватый директор съемочной группы исчез и больше не объявился, а потом выяснилось, что картину вообще не планировали доснимать, и в прокат она, само собой, не вышла. Воровское кино было в то время в самом разгаре, стояло лето девяносто первого, следующее после Мурзилкиной смерти, ровно год как раз, день в день, незадолго до путча. И Любовь Львовна, желая отметить таким образом годовщину памяти любимого зверя, тоже дала согласие на дачные съемки, рассчитывая на всякий случай укрепить и собственные материальные позиции, потому что «Рассветы» закатились безвозвратно лет шесть тому назад, и уже никто толком не вспоминал ни героических ладожан, ни их создателя, ни его законную вдову. Тогда-то, в пятом предутреннем часу, он и засек этот момент, когда над прудом полыхнуло густо-розовым и растеклось над всей Валентиновкой и еще шире, с краю по край. И не знал Лев Ильич, где начинаются эти края и где кончаются: розовым поначалу, потом — бледно-розовым, чуть погодя — просто бледным, а уж после него утекал этот свет и начинался другой, тоже постепенный, но все ж — другой, дневной, совсем на рассветный не похожий...

Лёве так и не удалось убедить мать не судиться с киношниками, он не хотел позориться среди своих. Мать долго колебалась, мучая сына бесконечными сомнениями, но, тем не менее, решила на киношников подавать и уже было совсем настроилась. Но когда на следующий день, девятнадцатого августа, она начала причепуриваться в юридическую консультацию, то с утра же и узнала, что грянул путч. Тогда она ничего сразу понять не сумела — хорошо это для них с Лёвочкой или плохо: по телевизору говорили, что коммунисты вернулись, и тогда она сразу подумала, что «Рассветы» можно быстро пристроить по новой. Но по радио кто-то молодой, но хриплый объявил, что все это временно и новых чекистов вот-вот посадят, как только вернется Горбачев. В любом случае в город вошли танки и, забыв о судебной затее, Любовь Львовна на всякий случай перепугалась, но не насмерть, а вполне по-деловому и понеслась перепрятывать сокровенную коробочку, не соблюдая заведенного графика перемены мест сохранения драгоценностей.

— Генечка знает? — было первое, что спросила она у домашних, обеспечив безопасность наследной упаковки.

— А при чем здесь папа? — удивилась Люба Маленькая, собираясь в школу. — Папа — художник, ему коммунисты не указ. Они теперь никому не указ, да, Лёв? Вы с папой против будете гэчепэ или за?..

— Уймись, — оборвала дочку Люба. — Сейчас не время для балагана. А отца сама спросить можешь, не вовлекай всю семью в свои прихоти.

— И спрошу! — Девочка ушла к телефону и через минуту вернулась растерянная. — А папу в тюрьму забирают, он сказал. Прямо сейчас, с милицией...

Когда утром в дверь позвонили, Геник уже не спал. Работа была срочная и оплачивалась хорошо настолько, что со вчерашнего дня он планировал завязать до сегодняшнего вечера, чтобы сосредоточиться на выполнении задания и успеть в срок. А после двадцатого, ему сказали, у него будет дня четыре, так что короткий перерыв от творчества будет иметь место.

Надо к своим заехать, — подумал он, забивая утренний косячок, самый сладкий.

Самыми своими уже давно для него стала семья Казарновских-Дурново и, когда он о них вспоминал, то начиналось приятное это воспоминание не с дочки, Любы Маленькой, и не со ставшего ему другом Лёвы, не говоря уже о бывшей жене, а как ни странно — с Любови Львовны, тамошней царицы и вдовой начальницы. Царица обычно определяла Генькины неплановые появления раньше других домочадцев. Какое из бабаниных чувств срабатывало всегда раньше всех прочих не знал никто, включая саму ее: интуиция, чутье рода Дурново, неясный, исходивший от Генриха призыв в неопробованную неизвестность или же просто острое обоняние. Это была загадка неразгаданная, как и сам факт удивительного свойства притяжения этих совершенно разных людей. Что касается обоняния, то тому были веские причины: прокуренная насквозь всесезонная Генрихова куртка, обмененная у антикварного спекулянта Ленчика на поддельную запись в неизвестной трудовой книжке, помещалась на спинке кресла как раз напротив главной спальни, известно чьей. За годы притяжения куртка и Геник совершенно не менялись никак, разве что Геня мог иногда позволить себе в зависимости от неведомых обстоятельств слегка изменить состав личных ароматов, что, впрочем, совершенно никоим образом не отражалось на куртке. Годами уминавшийся в нее дымный запах не поддавался влиянию никаких добавок, ни в том, ни в другом направлении. Вместе с тем входную дверь, если кто-нибудь еще был дома, Дурново не открывала никогда. Не позволяла дворянская сословность. Но в дверях спальни стоять наготове ей было самой себе разрешено. Генька, как заведено, целовал ей руку, вежливо здоровался и проходил к ребятам. Оба они знали: через какое-то время он деликатно постучит в ее дверь и скажет:

— Любовь Львовна, я зайду?

— Конечно, милый, — ответит Любовь Львовна, — конечно... — Но уже не поднимется, чтобы встретить. Потому что расположится к этому времени в кресле и немного театрально сделает легкий жест рукой. — Проходи, Генечка, присядь сюда, посиди со старухой...

Никто в жизни и никогда не посмел бы назвать ее старухой. И никому в жизни и никогда не назвалась бы так она сама. Даже в шутку. Кроме Генриха — случайно, по пьяному делу прибившегося к ее жизни художника, отца Любы Маленькой — дочери нынешней ее невестки. И это они тоже знали оба — это была их маленькая тайна.

Дальше обычно все происходило по плану, а чаще — без него.

— Скажи, Генечка, — на полном серьезе обращалась к нему бабка, — а что происходит сегодня в искусстве?

— В изобразительном? — пытался уточнить вопрос Генька, зная, что все равно бесполезно.

Старуху сбить с толку было невозможно. Она снисходительно улыбалась и доходчиво уточняла:

— Генечка, я имею в виду, гораздо шире, чем изображательство. Вообще в искусстве, в целом. Кроме писательского — там мне удается следить за процессом.

Геник задумывался, но так, чтобы приличествующая моменту пауза не была раздражительна для него самого и не стала обременительной для мадам.

— Искусство по-прежнему принадлежит народу... — кидал он пробный шар в кресло напротив. — Но не всё и не всему...

Этого для затравки разговора оказывалось вполне достаточно, дальше полагалось слушать. Он слушал и понимал, что на этот раз угадал — старуха светилась счастьем изнутри:

— Вот-вот, Генечка, вот именно, что не всем. Когда Илья закончил «Рассветы», никто и представить себе не мог, что это самое высокое искусство — когда и про кровь и про любовь сразу. А у него ведь там и то, и другое, и ранение в грудь у самого.

— И играют отлично... — угодливо добавил Геня.

— Ты в каком театре последний раз видел? — заинтересовалась Любовь Львовна. — Когда?

Генрих смутился:

— Ну-у-у... это уже довольно давно было, года два тому...

Дурново подскочила на месте:

— Как, два года ??? У меня с восемьдесят пятого последнее поступление было по авторским, а сейчас девяносто первый! — Она упала обратно в кресло и откинулась на спинку. — Сволочи!.. Вот сволочи!!! Так в каком, говоришь, театре-то?..

Странно, но его тянуло туда снова и снова. Для чего он терял время в спальне Дурново, Геник понял гораздо позже, уже сидя в крытке новомосковского образца. Отбывал он срок там, а не на зоне, куда не был переведен по желанию начальника тюрьмы, которому искусство графического портрета пришлось по вкусу и он взял Геньку под свое крыло, пристроив его работать художником в тюремную обслугу. Трудился он в специальном хозблоке для избранных начальством счастливчиков, где и спал. Там же художник понял, точнее сказать, осознал вещь, которая удивила его своей незамысловатой простотой. Осознал и согласился. А изложил ему эту теорию в тюремной общаге как-то раз авторитетный бугор из простых мужиков:

— Семья, брат, — сообщил он Геньке, — это шестеренчатый редуктор, в котором много разных шестеренок и передач. Все они подогнаны друг под друга, обточены и отшлифованы: сначала инструментом, а потом еще и временем. И шестеренки эти не могут войти во вращение без нужной передачи, а если и завращаются, то все равно занадобится регулярная профилактика. А если нету ее, то редуктор этот говно окажется и встанет. А не остановился чтоб, тогда хоть смазать надо самую главную в нем часть — большую зубчатую шестерню. От нее после само растечется. Понял, паря?

— Друг мой, — задумчиво ответил ему художник-график, сосед по койке. — Ты и представить себе не можешь, насколько ты тонок...

Действительно, все было именно так. Генрих ухватил это сразу. Бабка Дурново была главной несмазанной шестерней семьи Казарновских. А он — Генька, должен был смазывать и делать ей профилактику, иначе аэропортовский редуктор без этого рассыплется на шестеренки. Все было ясно: бабка нуждалась в любви так же, как и все нормальные люди, но принимать ее не умела. Нуждалась, но не научилась. Исключением был Мурзилка. И теперь, если бы не это досадное недоразумение — арест и заключение под стражу, — Геник, обойдя ближайших конкурентов, окончательно смог бы занять место зверя, почившего за год до августовского путча, а попутно и разобраться с редким, но легким покалыванием в недовостребованной области творения добрых дел. Однако непосредственно к Генькиной совести это отношения не имело: та была хорошо защищена от попыток преодолеть возведенные проспиртованным Генриховым организмом защитные рубежи и, если удавалось пробиться к ней чему-либо особенно неугомонному, то это и служило причиной игольчатых волнений: совсем пустяковых и не очень надоедных...

«И все-таки вовремя я предложил ей мудацкую свою любовь, — подумал он. — Если б тогда не напился, ни хера б мы не подружились. Не встретились бы даже...» — Он улыбнулся своему совместному с авторитетным соседом открытию и приступил к наброску на бумаге первого варианта редуктора, начав с главной шестерни...

...Звонок прозвенел как раз в тот момент, когда Геник подсушивал оттиск печати, только что нанесенный им на доверенность с правом продажи BMW-735 от гражданина Семкина Германа Валериановича, проживающего по адресу: г. Новомосковск, ул. Ленина, 22—11, гражданину Глотову Анатолию Эрастовичу. Подделка на этот раз оказалась несложной: бумага была достаточно потертой и естественных шероховатостей хватило для воссоединения их с искусственно нанесенными Геником потертостями вокруг имени будущего владельца. Следы художественного своего преступления на рабочем столе он даже не удосужился прикрыть листком бумаги. А загасить дымящийся дуревой косячок ему просто не пришло в голову. Он славно затянулся и пошел открывать...

На пороге стояли пятеро: двое в форме и трое в штатском: четверо из Тулы, один — из Москвы.

— Простите, вы Генрих? — поинтересовался главный в форме с капитанскими погонами.

— Ну конечно, мой друг, — ответил ничего не подозревающий художник. — Я Генрих.

Удивиться он успел лишь после того, как его ловко оттеснили к стене и привычным движением прохлопали карманы. Группа захвата прошла в квартиру и осмотрелась. Штатский заметил лежащий на видном месте паспорт, открыл, пролистал:

— Как же так получается, Генрих Юрьевич, — нехорошо, по-ментовски улыбнувшись, поинтересовался он у хозяина. — Работаете, работаете, а на обстановочку нормальную никак не заработаете? — Он брезгливо кивнул на пол-литровую банку с окурками. — Недоплачивает Глотов?

Геник поднес дотлевающую папиросу к губам и сделал последнюю конопляную затяжку. Он уже отчетливо понимал, что — последнюю.

— Какой Глотов? — удивленно переспросил он мента. — Никакого Глотова не знаю, дружочек.

— Вот этот вот Глотов, — прояснил ситуацию другой в штатском и протянул Геньке недоделанную доверенность на Толиково имя. — Анатолий Эрастович. — Затем достал из кармана другой листок. — А это ордер на обыск.

Генрих поправил очки и близоруко опустил глаза на бумагу:

— А-а-а-а, этот... Сейчас... — Он поднял глаза и уставился в потолок. Немного помолчал, обмысливая что-то свое, и твердо произнес: — Этого Глотова я не знаю. И никакого другого тоже не имею чести.

Второй в погонах, московский, самый незаметный, в это время вытаскивал из ящика упаковку травы в полиэтилене. Он внимательно взглянул на Геника и шепнул первому:

— Увозите в Тулу. Бесполезно. Этот не расколется...

Раздался телефонный звонок. Крайний в штатском взял трубку, послушал.

— Тебя, художник, — сказал он и протянул ее Генриху. В трубке была Люба Маленькая:

— Пап, а ты за гэчэпэ или против?

— А кто это? — переспросил он, но сам же не дал ответить. — Маленькая, передай Лёве, что меня арестовали и увезли. — И выдернул шнур из розетки.

Суд над бригадой в составе шестерых автомобильных злоумышленников, включая организатора дела Анатолия Глотова, четверых его подельников разных воровских направлений и несчастного верного Геньки, смутно догадывающегося о дальнейшей судьбе своих графических произведений, но не вникавшего в состав не им налаженного рисовального преступления, состоялся в Новомосковске, по месту обнаружения преступного замысла.

Лев Ильич, как только начался процесс, прибыл в Новомосковск с кучей придуманных им бумаг от кучи творческих союзов, характеризующих Геника с самой творческой стороны.

— Свидетель Казарновский-Дурнев Лев Ильич! — объявил судья. — Что вы можете показать по делу?

— Дурново, — поправил Лёва судью. — А не Дурнев.

— Кого? — не понял судья. — Я говорю, по делу что?

Лёва внутренне махнул рукой и приступил к свидетельским показаниям:

— Представьте себе, — обратился он больше к залу, чем к суду. — 1981-й год. Разгар брежневского правления. Международный конкурс плаката в Греции, посвященного инвалидам. — Он по-доброму посмотрел в сторону завсегдатаев-старичков и старушек. — Обвиняемый, Генрих Юрьевич, — участник от нашей страны. И этот человек, — Лёва с гордостью посмотрел на Геньку, — придумывает следующее: четыре кисти рук, спаянные в замок. И одна из них — протез. И название: «ВСЕ ВМЕСТЕ!» А еще ниже — «ЛЮБОВЬ!». — Он перевел дыхание и взволнованно закончил доклад. — Четыре кисти — четыре руки — четыре любви человека к человеку. Греки такого еще не видели. И он ПО-БЕ-ДИЛ! Этот плакат висит сейчас в общественной приемной ЦК профсоюза работников культуры. И каждый раз, когда я прохожу мимо этого произведения, я горжусь, что этот человек — обвиняемый! — тут он смутился и быстро поправился. — Э-э-э... То есть, я хотел сказать... что обвиняемый — этот самый человек!

Лёвка прощально посмотрел на друга и сел на место. Почти все из сказанного было импровизацией, но выстроенной на основе частично правдивых и при иных совершенно обстоятельствах имевших место фактах. Зал зааплодировал...

— Две-е-е, — наполовину шепнул — наполовину губами показал ему Генька, пока судья призывал зал к порядку. Лёва не понял и вопросительно кивнул в обратном направлении. — Две любви, а не четы-ы-ы-ре, — губами по верблюжьи уточнил автомобильный художник, продемонстрировав кисти рук. — Руки — четыре, человека — два...

Геня никого не сдал и ни в чем не признался, и поэтому по 196-й статье — за изготовление фальшивых документов — получалось при максимальном сроке меньше, чем по 224-й — за хранение и распространение наркотических веществ. Распространение при помощи следака притянули, расфасовав Генькину дурман-траву по дозовым упаковкам, и получился законный семерик. Но с учетом такого неслыханного для Новомосковского суда Лёвкиного вмешательства с применением инвалидного человеколюбия Генрих получил не семь положенных лет, а шесть и без конфискации. Четырем глотовским быкам тоже дали сроки немалые, на них еще висела куча разного плюс рецидив, но на Глотова они работали не впрямую. Плакат с инвалидной любовью, спиритически выпрошенной Лёвой из спертого воздуха судебного зала, пролетел над головами присутствующих, плавно перекочевал в зону конвоя, чиркнул краем крыла по председательствующему, по обоим заседателям и, сократив Генику год отсидки, вылетел вон.

Вина же организатора преступных деяний Анатолия Эрастовича Глотова доказана не была, и прямо в зале суда он был отпущен на свободу сразу по оглашении приговора.

«Сукин сын...» — подумал Генрих. Но подумал он о соседе Казарновских не мстительно и без презрения. Скорее, с легкой завистью провального художника к успешному...

О Генькином аресте стало известно в тот же день. К вечеру об этом узнала и Любовь Львовна. Она тихо ахнула и сползла со стула. Люба бросилась к свекрови и с удовольствием отвесила ей оздоровительную пощечину. Маленькая взвизгнула от восторга:

— Лёв, а можно мне тоже?

— Исчезни, — шикнула на нее Люба. — Кому я сказала?

— А тебе понравилось, я видела, — сказала Маленькая и пристально посмотрела матери в глаза.

— Нет! — твердо ответил Лёва. — Тебе нельзя. И бабушка здесь ни при чем. Генрих сам виноват. Его самого надо как следует стукнуть, хоть он тебе и отец.

Баба Люба открыла глаза, встала и, не слова не произнеся, ушла к себе. С этой минуты путч перестал ее волновать вне зависимости от результата — как получится, так и будет. Но коробку и сопроводительную бумажку она все же перед сном поменяла местами — по короткой теперь уже сохранной схеме...

Когда стало окончательно ясно, что Генрих у Казарновских в ближайшие шесть лет не появится, в доме начали происходить зримые изменения семейной атмосферы. Часть из них носила быстрый и решительный характер, как, например, резкое снижение терпимости Любови Львовны в отношении Любы Маленькой и заметное, но не категорическое охлаждение к Любе. Другая часть касалась стороны позитивной и адресована была в направлении, наоборот, вполне человечьем. А виной тому явилась зачастившая на «Аэропорт» Любаша. С ней по неведомым Льву Ильичу причинам его жена сближалась все усерднее и, как ему казалось, не без доверительной взаимности.

С Маленькой Любой все было более-менее ясно: Любовь Львовну просто бесило проявленное девочкой равнодушие к аресту и последующему заключению отца в тюрьму. И не то чтобы даже равнодушие: просто ничего, казалось, для нее не изменилось особенно: ну был, приходил, теперь посадили — сидит. Жалко папу, конечно, но папа ведь сам виноват, Лёва говорил, его самого как следует надо было стукнуть. В отличие от всех прочих, Любовь Львовна поверить в Генечкину вину не хотела совершенно.

— Он человек искусства, — повторяла она сыну первые пару лет Генриховой отсидки. — Именно за него и пострадал. Он человек безотказный и бескорыстный. Он принадлежит народу, как и твой отец...

— Вот и занимался бы искусством, мам, а не лез в криминал, — раздраженно реагировал сын, не улавливая никак эту странную тягу матери в сторону Геника.

Мать пропускала встречные аргументы мимо ушей:

— А падчерица твоя, Любовь, безжалостная и бессердечная дочь. Она лишний раз никогда не поинтересуется, что там у отца в заключении. Как ему там? Сколько осталось?

— Он там портреты рисует тюремному начальнику. И натюрморты, — ответил Лёва. — А тот их продает, и все довольны. За Геню вообще особо переживать не следует, мам. За него всегда все само решается. Его усилия никакого значения не имеют. В любом направлении. Он давно уже перешел в отряд созерцателей и поэтому может себе позволить паромом своим не управлять. Вынесет куда следует, по течению... — Он подумал об этом с легкой завистью, зная, что обречен на управление собственным паромом весь остаток жизни, и продолжил: — Так что Геня твой более-менее в порядке... А Маленькая, между прочим, об этом тоже знает, спрашивала недавно. Никакая она не бессердечная, просто она современный ребенок, у нее переходный возраст.

Лев Ильич сказал это и снова представил, как Маленькая сидит в кресле в его банном халате, задрав голые ноги на подлокотник, и как незадолго до этого пронеслась она мимо Лёвиного кабинета, легкая, упругая... Другая... И он снова поймал себя на том, что воспоминание это ему определенно приятно.

Что же они имели в виду, все эти греки-то глотовские? — Ему вспомнился последний ночной визит рыбака.

Мать не унималась:

— Подожди, сынок, вот перейдет она этот самый возраст и всем еще вам устроит. Вот увидите...

Что и кому Люба Маленькая должна устроить, Лев Ильич выяснять не стал, полагая, что на сегодня терапии достаточно. Отвечать он не стал, но взгляд его сделался рассеянным и потерял сыновью внимательность. От Любови Львовны такие мелочи ускользнуть не могли никак. Она поджала губы и притворно вздохнула, подводя обычный итог каждому случаю общения с сыном:

— Никому я в этом доме не нужна. Папа меня предупреждал перед смертью: «Не позволяй никому садиться себе на голову. Все этого только и ждут...»

Это была неправда. Об этом знал Лёва, и Любовь Львовна знала, что он знает, но значения это для нее не имело никакого. Ей важно было в отсутствие Генечки заполнить получившуюся паузу правильной смесью почитания и любви. Но нужный объект не находился...

К этому моменту в дом и зачастила Любаша. Чаще ее вызванивала Люба и зазывала на «Аэропорт» по самым несущественным поводам. Поначалу Лёва думал, что это делается женой из жалости и сострадания к его первой жене, к ее никчемности и одиночеству. Отчасти он Любку понимал — это была частичная компенсация за историю с неудавшимся сватовством. Понимал он также, что история эта сделала Любашу еще несчастнее, чем она была раньше, и знал, что некоторое бремя вины ощущает и его сердобольная Люба.

— Мам, а зачем она к тебе ходит, курица эта? — спросила однажды Люба Маленькая у матери. — Она же Лёвиной женой была раньше, а еще замуж за папу хотела, да?

— Она тебе не курица, — строго сказала Люба. — Никогда не называй людей обидными прозвищами.

— Она не мне курица, — не растерялась девочка. — Она вообще курица, всем — курица. Она что, не может другого мужа себе найти, что ли? — И, не дожидаясь ответа, уточнила: — У нее кофта дурацкая очень, у нас химичка тоже в такой ходит. Тоже очкастая, как она. Все химички одинаковые. Пусть лучше ваша Любаша кофту эту не надевает, а то от нее все мужики шарахаться будут.

Последние слова Маленькой услышала свекровь. Она вошла на кухню, где в это время Люба кормила дочь обедом, и тотчас воспользовалась ситуацией:

— Это бессовестно, Любовь, обсуждать за глаза порядочную женщину. Она тебе в матери годится, между прочим, а ты идиотничаешь. — Внезапно до нее дошло, что про «матери» было сказано невпопад, но Любовь Львовна не смутилась, а еще энергичнее продолжила воспитательный урок: — Любаша всегда была святая почти, как... — Она поискала глазами предмет для сравнения, кинула быстрый взгляд на Любу, посмотрела в потолок, подумала немного и определилась: — ...Не как другие... Мой сын — твой отчим, сам ошибку совершил в свое время, расстался с хорошим человеком. — Свекровь снова едва заметно скосила глаз в Любином направлении. — Мог бы и сейчас жить как все нормальные люди.

— А мы и живем как нормальные, а чего? — искренне не врубилась Маленькая.

— Я ви-и-и-жу, ви-и-и-жу... — с таинственной укоризной протянула вдова и развернулась на выход, вполне удовлетворенная полученной подпиткой.

— А чего она приходила на кухню, а, мам?

— Обедать, наверное, — пожала плечами Люба.

— А ушла чего тогда? — прихлебывая компот, поинтересовалась Маленькая.

— Скорее всего, пообедала, — предложила вариант мать. — Нами с тобой...

— Баба-а-а-ня... — протянула вдогонку Любови Львовне Маленькая и укоризненно покачала головой...

Переходный возраст Любы Маленькой между тем набирал обороты гораздо интенсивнее, чем к этому успевал привыкать Лев Ильич. Через год, когда падчерице стукнуло четырнадцать, в отдельные моменты ее трудно было узнать даже Лёве. Особенно, когда началось первое косметическое вмешательство во внешность.

«Геник через три года вернется — не узнает ее, — думал отчим, наблюдая со все возрастающим интересом, как быстро и хорошо зреет Маленькая у него на глазах. — Надо бы фотку ее отправить в тюрьму. С бабушкой в обнимку — сюрприз с «Аэропорта»...

После того обеденного разговора на кухне, насчет Любаши, позиции по отношению к ней для Любови Львовны были прояснены окончательно: Любаша в доме должна стать желанна, несмотря на установившуюся между ней и Любой беспричинную дружбу. Протестное мнение Маленькой о Любаше-курице явилось поводом более чем достаточным для оформления курице родственного пропуска в аэропортовскую святыню; с другой стороны, оно способствовало дополнительному разогреву нервных проводов, ответственных в организме Любови Львовны за контакты с Любовью Маленькой.

Сначала за окном раздались редкие хлопки, как будто кто-то запускал во дворе петарды, затем они стали чаще, трескучей, и наконец, собрав воедино, этот «кто-то» выпустил их одной длинной очередью. Сразу вслед за этим взревел двигатель и уже вполне устойчивыми оборотами начал посылать одну за одной раздражительные вибрации на окно Лёвиной спальни. Лёва открыл глаза, за окном было темно: предутренний зимний свет не успел набрать еще нужной силы.

«Что за люди такие? — подумал он про снегоуборщиков. — Они бы еще ночью дизель свой запустили. — Он посмотрел на мирно дышащую рядом Любу. — Надо матери сказать, пусть в правление позвонит».

Лёва встал с кровати и подошел к окну. В этот самый момент за окном зарозовело и стало кое-что просматриваться.

«Надо же, продолжал размышлять Лев Ильич, — как интересно... Не припомню на «Аэропорте» состояния утреннего режима».

Тот факт, что это в принципе было невозможно у них на Черняховского, где небо на Лёвиной стороне перекрывалось соседним корпусом, таким же писательским, как и их, его почему-то не смутил. Не удивился он еще и потому, что розовое исходило не от небесного, как положено, источника, а из какого-то совершенно другого эпицентра света. Эпицентр этот находился над самой серединой их писательского двора, и Лёве стало ясно, что и серединная точка звуковых колебаний чертова дизеля тоже лежит ровно под ним. Дизель пускал ядовито-синий выхлоп, и дым этот смешивался с режимным нежно-розовым рассветом. В результате образовывалось густо-розовое, уходящее в сирень и фиолет. Но за это время еще немного рассвело, и источник звука материализовался наконец во вполне знакомые очертания. Это был бульдозер, но такой, каких в городе быть не должно было никоим образом. Он стоял посередине снежной дороги, прорезающей двор по диагонали, — той дороги, какой во дворе тоже не бывало с тех пор, как Казарновские въехали в пятикомнатную квартиру кооператива «Советский писатель». В какой-то момент Льву Ильичу показалось, что похожую картину он уже видел где-то, причем неоднократно, и тут же он понял, что заоконный пейзаж в точности повторяет зимний вид со второго этажа Валентиновской дачи — вид на пожарный пруд с расчищенной поселковым бульдозером сезонной дорогой к станции.

У пожарного пруда они с соседскими ребятами собирались по вечерам, были там и девочки, и играли в прятки.

— А-кале-мале-дубре... шуре-юре-тормозе... златер-итер-компо-зитор... жук-сделал-пук!

Это была считалка, и Лёвке частенько приходилось водить. «Пук» обычно заканчивался на нем. Но просуществовала дачная компания недолго, все быстро выросли, и все были из неслучайных семейств, так что родители рано начали пристраивать отпрысков по разнообразным полезным жизненным направлениям. Не был исключением и Лёвка. Так что скоро стало не до «пука» и не до «акалемале»...

«Как же я раньше этого не заметил? — искренне удивился Лев Ильич. — А Люба знает, интересно?» — Он обернулся к спящей жене. Люба продолжала спать, не слыша никакого бульдозерного шума.

Тем временем там, где рычало, теперь начало хрустеть. Лёва снова посмотрел в окно. Из-под бульдозера с хрустом вывернулась льдина и поднялась отколотым краем почти вертикально рядом с машиной. По соседству с бульдозером затрещало, и сбоку от него протянулись две мощные трещины во льду дворового пруда. Бульдозер просел вниз правой гусеницей, накренился, но не заглох.

Ничего страшного, думал Лёва, пруд-то неглубокий совсем, бульдозеру максимум по пояс будет. Никуда не денется. — Происходящее начинало его забавлять.

Между тем внезапно лед хрустнул еще раз, значительно сильнее прежнего, и еще один ледяной кусок, теперь уже с другой стороны от продолжающего реветь железного сооружения откололся и встал дыбом, и вся махина, как была, стала резко наклоняться в сторону просевшей гусеницы, потом ненадолго зависла и, внезапно ринувшись всей тяжестью вниз, сделала один огромный бульк и исчезла под водой. На том месте, где еще несколько минут тому назад через писательский двор проходила поселковая дорога к станции, теперь зияла страшная черная дыра с рваными ледяными краями и бурлящей в ней ладожской водой. То, что вода в пруду была ладожской, а никакой другой, Лев Ильич понял сразу, вернее, — ни понимать, ни догадываться ему об этом просто не пришлось — он почувствовал, что всегда это знал, начиная с тринадцати лет, — после первых «Рассветов», в шестьдесят третьем...

В дверь позвонили, когда он снова укладывался в постель, стараясь не разбудить Любу.

— Это еще что такое? — прошипел он в раздражении и посмотрел на часы. На часах все было в порядке: циферблат на месте, стрелки раскинуты в нужных радиусах, секундная резво бежала по кругу, но времени часовая конструкция не показывала. То есть смотреть на все это было можно, и все было правильно и как всегда, и тикало изнутри, — он потрогал металлический будильник, отцов еще, Ильи Лазаревича, — но сколько времени на часах, было непонятно. Часовой механизм, стрелки, тиканье, их законный наследник Лев Ильич и главный продукт часового производства — время, не совпадали между собой никак. Лёва потряс будильник, поставил его на место, чертыхнулся, накинул халат и пошел в прихожую открывать дверь.

— Кто там? — тихо спросил он, чтобы никого не разбудить, но уже машинально сам скинул цепочку и открыл дверь раньше, чем успел услышать ответ.

На пороге стоял мокрый человечишко, небритый, в телогрейке и ватных стеганых штанах. В руке он держал ушанку, тоже насквозь мокрую, с которой тонкой струйкой стекала на пол вода и растекалась лужицей по кафелю лестничной площадки. Другой рукой человек опирался на костыль. Вид у него был весьма жалкий, но, казалось, сам он на это внимания не обращал.

— Тут такое дело, Лёвушка, — тихим голосом сказал дядька. — Под бомбежку попал я тут недалеко... Во дворе у вас, на Черняховского... Когда дорогу чистил. Снег в смысле... Я войду, лады? — Лёва отступил, пропуская мужика в квартиру. — Как пройти-то? — ежась от холода, спросил гость. — Куда? В спальне-то я у тебя был, помню, но я тогда не через дверь заходил, а так...

— Как так? — не понял Лёва, видя, как в прихожей уже собирается приличная лужа. — Так — это как?

— Как всегда, Лёвушка, как обычно...

196

Лев Ильич посмотрел на него внимательнее и открыл от удивления рот:

— Глотов!

Глотов усмехнулся и окончательно приобрел знакомые черты:

— Глотов-то Глотов, конечно, но я больше грек, чем Глотов. Давай сушиться. Пойдем туда. — Он кивнул на гостиную.— Пока дойдем, я подсохну немного. Раздеваться не буду, потом все одно снова нырять придется.

— За бульдозером? — спросил Лёва, совершенно не удивившись такому повороту событий.

— Не совсем, — ответил грек, отжимая воду из шапки. — Мокрая, — ласково добавил он, пробуя воду на вкус. — Наша, ладожская. Я не успел там еще дно хорошо проверить и глубину засечь. Мне потом надо будет точно знать — на кивок или все же на мормышку удачливее будет. Глотов-то про это доподлинно знает. Тот, что летал там поначалу. Он тогда рассказывал, интересовался у одного капитана. На месте лова. Мне страсть как интересно тоже узнать.

— У капитана корабля? — уточнил Лёва. — Рыболовного?

— Не-е, у военного капитана. С погонами, он там тоже ловил. Или просто был, по случаю.

— Это вы, наверное, у моего отца в пьесе вычитали, — пожав плечами, сделал предположение Лев Ильич, удивляясь самому себе, для чего он ввязывается с греком в этот нелепый разговор. — Ситуативно очень напоминает...

— Потому что как было, так и есть, — невозмутимо сделал грек очередную объяснительную попытку и, махнув мокрой головой в глубину квартиры, подвел итог: — Ну идем туда или как?

— Да, да, — засуетился Лев Ильич. — Прямо прошу, все время прямо.

Глотов перекинул костыль на один пролет по ходу к гостиной, переступил и подтянул вслед за собой протез.

— Неудобно все ж, — пробормотал он. — Больше так не появлюсь, доходягой. Это все потому, что любопытство меня одолевает: чего он там увидал тогда в воде, тот Глотов? — Грек остановился посреди коридора и просительно посмотрел на Лёву. — Слушай, Лёвушка... Если он к тебе теперь заявится, ты виду не показывай, а выпытай просто у него, чего он больше моего знает. Про что. Ладно?

— Ладно, — пообещал Лев Ильич с некоторым сомнением относительно всего происходящего, а сам подумал: — Только бы мать не проснулась раньше времени. И Люба тоже... И Маленькая... — Ему стало вдруг неспокойно. — А сколько времени-то вообще? — подумал он, и перед глазами его возник отцовский будильник, тот, который с фронтовых корреспондентских поездок и на котором все в порядке: и часы, и минуты, но при этом — ничего не нормально в связи с отсутствием главного показателя — времени.

— Работает он, работает, — убедительно сообщил грек и перекинул костыль по-новой. — Не дергайся...

— А я и не дергаюсь, — с независимым видом ответил Лёва. — Идем уже, наконец.

Внезапно все аэропортовские спальни распахнулись, и стало совершенно светло, как при полном дневном свете. Из опочивальни Дурново вышла Любовь Львовна и двинулась по направлению к Лёвиной спальне. Она вежливо обогнула сына и его ночного гостя, уже подсохшего, но все еще влажного, перепрыгнула через растекшуюся вокруг них лужу, отметив по пути:

— Ла-а-а-дожская... — И ни слова больше не говоря, продолжила перемещение вдоль длинного коридора. Навстречу ей, из их с Любой комнаты, вышли Люба и Любаша. Они были в паре, со сцепленными в перекрестье руками, более того, щека к щеке, и сразу, не сговариваясь, взяли курс на спальню свекрови, тоже вежливо и без единого слова разойдясь сначала с Любовью Львовной, затем переступив по очереди через мокрое, а потом уже деликатным втягиванием животов пропустив вперед мужчин. Рук при этом они старались не расцеплять. Из своей комнаты почти в то же самое время вылетела Люба Маленькая совершенно голая. Лёва забыл на мгновение про грека и родню, отметив про себя, что тело падчерицыно стало еще более зрелым, точеным и вожделенным. Грудь Маленькой при каждом прыжке подбрасывало вверх и тут же она упруго возвращалась на место, делая полтора качка туда-сюда. Девчонка по-оленьи пронеслась вдоль коридора, мелькая в изворотах черным плотным треугольником лобка, опередив по пути бабаню, затем сунула нос в родительскую спальню, быстро выскочила оттуда и понеслась мелькать в обратном направлении. Догнав мать с Любашей, она заскочила сразу перед ними в опочивальню Дурново, тут же дала задний ход и унеслась в кабинет отчима. Мужчины переглянулись и продолжили путь в гостиную. И когда грек перебросил костыль в последний раз, дверь в спальню Любови Львовны тихо прикрылась вслед за Любой и Любашей, его собственная дверь — за матерью, а дверь Маленькой — за ней самой, куда она окончательно вернулась, нанеся визит постоянному месту Лёвиного сочинительства.

Грек вошел в гостиную и опустился в кресло:

— Все! Теперь тебе, Лёвушка, никто мешать не будет. Некоторое время...

— Что это было? — спросил Лёва и тоже сел.

— Что бы-ы-ло, что бы-ы-ло... — не очень вежливо протянул гость. — Все было! — Он с укоризной взглянул на Льва Ильича. — Я же говорил тебе в прошлый раз, кажется, или еще раньше: греческий учи лучше. Я тебя зачем его учить отправлял в свое время, помнишь? В шестьдесят седьмом.

Лёва не собирался подчиняться так легко, тем более, совершенно не понимал, о чем идет речь.

— Слушайте, Глотов! Или как вас там еще... Грек! При чем здесь ваш греческий, в конце концов? Ну, отбыл я его в университете кое-как. Отбыл и забыл, как тому и положено. По мне теперь хоть греческий, хоть древнееврейский. Я ни объясняться с его помощью, ни манускрипты разбирать никакие не собираюсь.

Грек выслушал Лёвину тираду невозмутимо:

— Насчет евреев согласен. Если в синагогу не идти работать — язык ихний не нужен ни по какому. — Он усмехнулся чему-то своему. — Не жить же там, да? — Он весело хохотнул, подчеркивая абсурдность идеи. — А насчет первого ты не прав. Тебе без этого сейчас никак не разобраться. В самом себе. В своем собственном жилье, изнутри...

— Да что такое, черт возьми?! — вскричал Лёва, начиная терять терпение. — В чем без греков этих я не могу разобраться?

Глотов стянул с себя башмак, тот, который не на протезе, выцедил из него на паркет остатки ладожской влаги и попросил хозяина:

— На батарею не поставишь, Лев? А то тяжело мне ковылять туда. Несподручно.

Лев Ильич вырвал у него из рук башмак, подошел к батарее и с силой засунул его в пространство между радиатором и подоконником.

— С любовью... — тихо и отчетливо произнес Глотов — С любовью внутри себя. А она ведь очень разная есть. И все они тоже разные получаются, любови.

Лёва вздрогнул и медленно развернулся к греку лицом. Перед ним сидел тот же самый гость, тот же Глотов, но... уже другой. Лёва знал это точно. Он тоже был небрит, и на нем также не было одного башмака, и был он не окончательно еще просохший, и, вероятно, тоже — от ладожской воды из пруда, стерегущего аэропортовских писателей от пожара, но лицо... Глаза его смотрели на Льва Ильича внимательно и строго.

— Вспомните, Лев Ильич, — обратился он к Лёве так, как ни обращался никогда до этого, — как в греческом языке обозначается слово «любовь»?

— Любовь? — растерянно переспросил Лёва. — По-гречески? — он пожал плечами. — Ну там несколько есть вариантов, точно не припомню. Это зависит от рода отношений между людьми, от свойств и сил природных и обретаемых, вроде бы...

Глотов улыбнулся:

— А конкретно?

— Ну что-то там такое... Филия, я помню, и еще чего-то... А зачем вам?

— Это не мне нужно, Лев Ильич, это вам теперь необходимо помнить постоянно. Ваши многочисленные любови и Любови требуют точного местоположения в пространстве и чувстве. Иначе... — он замялся, — могут возникнуть некоторые неудобства с домочадцами... Даже осложнения... — Он снова пожевал губами, подбирая нужное слово. — Мой коллега пытался вам объяснить, но, к сожалению... м-м-м... не очень ловко.

Лёва потерял последние признаки агрессии и опустился на пол рядом с батареей.

— Вы хотите сказать... — неуверенно произнес он.

— Ну хорошо, я постараюсь вам напомнить, что я имею в виду, — мягко улыбнулся Глотов и посмотрел умными спокойными глазами на Льва Ильича. — Филия! Вы совершенно верно обозначили эту любовь — любовь с оттенком дружбы. Вы это вряд ли помните, но это именно она. Что осталось? А вот что — сторге. Любовь с оттенком нежности. Он повторил еще раз, явно наслаждаясь звучанием греческого слова: — Сто-о-о-рге! Идем дальше: агапе! Любовь-жертвенность. Жертвенная любовь! Понятно, о чем речь, надеюсь...

Лев Ильич слушал как завороженный. И действительно, этот Глотов, именно этот, последний из навещавших его греков, гипнотизировал его совершенно. Он говорил сейчас самые простые вещи, понятные любому первокурснику классического отделения филфака МГУ, каким когда-то был и Лев Ильич Казарновский-Дурново. Но тогда это почему-то пролетело мимо Лёвиных ушей, не коснувшись ни сердца его, ни мозгов, не задев и любой другой плоти молодого студенческого организма и не оставив никакой памяти об этом нигде больше...

— И наконец, — продолжал Глотов, — эрос! Любовь-страсть! Э-рос! — Последнее из основных! — Он и сам перевел дух. — Во всем этом, Лев Ильич, следует серьезно разобраться очень серьезно. В вашем доме многое перемешано и потому — напутано. То ли Любовей в переизбытке, то ли любовей в недостатке.

— Страсть... — с закрытыми глазами повторил Лёва последнее определение любви и вышел из глотовского анабиоза. Он открыл глаза и снова увидел перед собой гостя. Сон, на который он тайно рассчитывал, пригревшись в батарейном тепле, к сожалению не подтвердился.

— Слышь, Лёвушка. — Глотов глубоко и сочно зевнул и протянул к Лёве руку. — Ты мне ботинок-то мой подкинь сюда, а то я не дотянусь. Пора мне. Еще бульдозер вытоплять надо обратно, а там найди еще кого пойди, сам знаешь, какой у вас тут народ несердечный, у писателей. Пропадать будешь — оборесся. — Он натянул башмак на ногу. — У нас на рыбном хозяйстве все не так было. Там, с мореходки начиная, все на дружбе стоит, на взаимности. А ту-у-у-т. — Он осмотрелся по сторонам, и было неясно, какие окрестности имеются в виду: конкретной квартиры или писательские вообще, — тут и я, бывает, путаюсь. — Грек оценивающе взглянул на обутую непротезную ногу: Шнурки не завязываю, мне теперь недолго уж. — Он вопросительно кивнул в сторону коридора. — Этих тревожить тоже не буду, здесь выйду, лады?

— Лады, грек, — серьезно ответил Лев Ильич. — Выходи, где тебе удобнее. И спасибо, что заскочил.

— Да чего там... — ответил грек и растворился в воздухе гостиной.

Лев Ильич встал с пола, подошел к окну и посмотрел во двор. Все там было как всегда: ни ладожского пруда с бульдозером, ни зимней дороги на станцию поперек двора, ни следов кого-либо из греков-Глотовых. В спальне его находилась мать, — так все еще ему казалось, — и поэтому он туда не пошел, а лег в гостиной на диване, поджав под себя ноги, и провалился в сон...

Проснулся он в своей собственной постели. Люба все еще спала рядом с ним, но по сильному свету, пробивавшемуся сквозь щели в плотных шторах, Лев Ильич понял, что уже позднее утро. Он встал с кровати, подошел к окну и раздвинул шторную щель пошире. Никаким розовым и не пахло. Перед ним лежал привычный писательский ландшафт, до боли знакомый и единственно возможный. Тем не менее свой ночной сон Лёва помнил в деталях. Правда, детали эти касались всего, что связано было с зимней дорогой в розово-фиолетовом свете, черной дырой в центре двора со вздыбленными по ее краям льдинами и тонущим в ней дачным бульдозером. Все остальное растворилось в памяти вместе с растаявшими визитерами.

«Странный сон, — подумал Лёва, — Раньше мне все сосед снился, а теперь — бульдозеры...»

Но ощущение, что было еще что-то важное, что прорывалось откуда-то к нему, но так и не пробилось, тем не менее, не отпускало. И это, как ни странно, было связано с бульдозером, показанным накануне. На короткий срок это вызвало в так и не проснувшемся окончательно Лёвином теле смутное волнение, но он списал все на дурной сон.

— Одно говно показывают, — усмехнулся он сам себе. — С вонючим дымом дизельным. Могли бы сериал запустить какой-никакой, с любовью там... со страстями. Отечественный... И чего я не пишу сериалы?

Зазвенел будильник. Люба открыла глаза, увидела мужа, стоящего у окна, и спросила:

— К весне дело?

— Что, милая? — Он рассеянно посмотрел на будильник — тот продолжал звонить. Лёва прервал звонок и всмотрелся в циферблат военного образца. Все работало безукоризненно — звонок соответствовал стрелкам, стрелки — времени дня, а время — свету за окном.

«Почему же мне казалось, что он испорчен?» — подумалось ему, и он явственно вспомнил, как совсем недавно пытался определить показания стрелок, но отчего-то у него это не вышло...

— К весне? — переспросил он Любу. — Пожалуй... — И снова подошел к окну.

— Я сегодня к врачу иду, в Любашин медицинский центр, — сообщила жена. — Она меня записала к хорошему специалисту. Сын Горюнова вашего, между прочим, друга твоих родителей, классный хирург.

— Хирург? — удивился Лев Ильич. — А зачем тебе это, солнышко?

— Просто я хочу проконсультироваться, — ответила Люба. — А то с этой работой бесконечной совершенно времени не хватает ни на что... Мне нужно проверить... по женским делам. Грудь, в общем.

— Болит что-нибудь разве?

— Лёв, вот схожу когда, расскажу, ладно?

— А Любаша что, из школы ушла?

— В прошлом году еще, ты бы мог знать. Ее уговорили, оклад приличный обещали и уговорили. Старшей лаборанткой, в лабораторию. А денег у нее втрое против школьных получилось. Она ведь нищая просто была в школе в этой. Действительно, в одной кофте годами ходила и сейчас так и жила бы, если б не Горюнов этот. Она ведь не рассказывала вам, а сама после развода с тобой к старому Горюнову, отцу его, ходила почти до смерти. Помогала им, он же вдовец был.

— А я не знал, — изумился Лёва. — Надо же...

— Она хорошая, — тихо сказала Люба. — Я не хочу, чтобы мы ее потеряли, ладно?

— Ее Маленькая курицей дразнит, — засмеялся Лёва. — Тоже ладно?

— Я это прекращу, — твердо ответила Люба. — Я это Маленькой больше не позволю.

Опухоль оказалась не большой и не зловредной, однако, как Горюнов ни старался, большую часть левой груди пришлось отнять. Зато ему удалось спасти сосок на оставшейся части, хотя это существенно осложнило операцию. Вернувшись домой из клиники, Люба первые дни рыдала, и Лев Ильич как мог ее утешал. Недели через две швы сняли и выяснилось, что картина гораздо терпимее Любиных ожиданий. Она немного повеселела и спросила Лёву:

— А ты меня не бросишь теперь? После всего этого?

— Глупая... — ответил муж. — Разве тех, кого любят, бросают? — И привлек ее к себе.

— Надо Любашу как-то отблагодарить, — сказала Люба, прижимаясь к мужу. — Если б не она, мы про Горюнова этого и не вспомнили бы. Ни про сына, ни про отца...

Следующие три года протекли в семье Казарновских-Дурново без особых примет и возмущений семейной среды. Лёва написал два сценария и один их них случайно продал, чем тайно гордился.

Люба Маленькая заканчивала школу, носилась где-то целыми днями, и добиться от нее чего-либо не мог уже никто. Из домашних она признавала только Лёву, через мать смотрела насквозь, а про бабку порой забывала, почти с ней не пересекаясь.

Люба окончательно пришла в себя после операции и с головой окунулась в работу. Потихоньку она стала об ампутации забывать, но с Горюновым связи не утратила. И тот почему-то часто передавал через Любашу приветы и интересовался, как у бывшей пациентки обстоят дела. Однажды даже, будучи из вежливости приглашён к Казарновским на дачу, на шашлык, не преминул этим воспользоваться и прибыл франтом: в костюме, с цветами, коньяком и шоколадом.

— Душенька! — всплеснула руками Любовь Львовна. — Вылитый отец! Знаете как они с Илюшей дружили? — Она взяла Горюнова-младшего под руку и увлекла на самую дальнюю восьмидесятую сотку. — Голубчик, — с надеждой заглянула она ему в глаза. — А он не оставил случайно после себя каких-нибудь бумаг, записей, быть может, или чего-нибудь ещё писчебумажного?

— Он никогда ничего не записывал, — удивился сын. — Он больше выпивал, а этим никогда не занимался. Вы мемуары, очевидно, имеете в виду? Встречи с вашим мужем?

— Не совсем, — не унималась разочарованная вдова классика. — Ему, знаете ли, Илья массу всего рассказывал интересного: замыслы свои, воинские истории, ну и прочее, а? Не оставил? Для переработки...

— Нет, — утвердительно ответил хирург. — Тогда бы это сохранилось, но... Нет...

К концу девяносто седьмого года Люба завершила, наконец, фундаментальное исследование о частных московских коллекциях и передала рукопись в издательство. Два с лишним года ушло у неё на архивы. Днями она просиживала в тесных архивных комнатках, выискивая уникальные данные на тему истории собирательства живописи и антиквариата московскими купцами и интеллигентами. Не вылезала из архивов Третьяковки, Бахрушинского Музея театрального искусства, дважды в неделю моталась в Архив литературы и искусства в самый конец Москвы, на Флотскую улицу. Материал получился потрясающий: с огромным справочным аппаратом, интереснейшими биографиями и судьбами московских коллекционеров. Лев Ильич был в восторге от успехов супруги.

— Люб, я тобой горжусь больше, чем всеми Казарновскими и Дурново с Мурзилкой вместе, — сказал он ей. — Туда б еще, в книжку твою, бабаню нашу зачислить, как брильянтового коллекционера, специализирующегося на современном драматическом искусстве. Жаль вот только, что коллекцию никто не видел.

— Ничего страшного, — улыбнулась Люба. — Скоро Геник вернется, в очередной раз в любви ей признается и наверняка будет допущен. А нам потом расскажет, что видел...

Любаша продолжала появляться в доме регулярно, но сперва становилась добычей Любови Львовны. Она, конечно, не могла заменить ей новомосковского узника, и так, как с Генькой, об искусстве ей поговорить было теперь совершенно не с кем, но, тем не менее, для того, чтобы выговориться, как все здесь хотят от нее поскорее избавиться и желают ее скорейшей смерти, она подходила. Любаша, опустив глаза, выслушивала старухины причитания, произносила необходимые утешительные слова, всегда одни и те же — на другие у нее просто не хватало фантазии — и, обняв бывшую свекровь, возвращалась к Любе. Ни поначалу, ни впоследствии они никогда не обсуждали Любашины визиты в спальню Дурново. И договариваться об этом им тоже не было нужды.

В день, когда Любина книга вышла в свет, из тюрьмы, отбыв срок день в день, вернулся Генрих. Любовь Львовна нервничала с утра. В этот день она позволила себе неслыханную роскошь: самолично испекла двенадцатислойный «наполеон», пропитав каждый лист ромом, причем не вместе, а отдельно. Затем заждавшаяся вдова густо проложила листы заварным кремом и собрала все в торт, присыпав сверху измельченной тортовой крошкой из листовых обломков.

— Старинный рецепт семьи Дурново! — сообщила она в этот день каждому в очередь, включая Любу Маленькую. — Фамильный состав! «Наполеон» Дурново! — «Наполеон» она произнесла с французским прононсом, в нос.

Маленькая внимательно выслушала бабкину похвальбу, сосредоточенно похлопала глазами и, демонстрируя наивную заинтересованность, спросила:

— Скажите, пожалуйста, бабанечка, а что, ваши Дурново тогда служили у господ настоящими крепостными кондитерами?

Испортить праздник ей все равно не удалось. Геник явился на «Аэропорт» так, будто выскочил полчаса назад за сигаретами: в том же возрасте и весе, в той же куртке, с запахом того же лосьона на выбритой физиономии и с той же игриво-грустной ухмылкой на устах. Он снял куртку и пристроил ее на привычное место, напротив царицыной спальни.

— Привет, котенок! — бросил он Любе Маленькой, обнял ее за талию и прижался щекой к дочкиной щеке. — Как ты тут у меня?

Маленькая не отстранилась, но и не бросилась на шею к отцу:

— Я нормально, только не говори, что я выросла.

Генрих отпустил дочь:

— Я другое хотел сказать — я тогда был против гэкачепистов, но не успел ответить.

— А я тебя стукнуть не успела вовремя, — ответила Маленькая. — Упустила! — Оба засмеялись.

С Лёвой и Любой он поцеловался по очереди, спокойно и без слюней.

— Что теперь? — спросил Лев Ильич, когда они прошли в гостиную...

— Теперь-то? — задумчиво переспросил Генька.

— А теперь вот что!!! — громко, почти в крик раздался голос хозяйки «Аэропорта»: — С возвращением, Генечка!

На пороге гостиной стояла Любовь Львовна с мельхиоровым подносом в руках. На подносе во всю дворянскую могучесть возвышался «наполеон» Дурново, изготовленный лично наследницей столбовых дворян по старинному рецепту. Из него вверх торчали шесть зажженных восковых свечей — по количеству отбытых художником лет. Глаза старухины полыхали нездешним, неписательским огнем. Сквозь морщинистые щеки пробивался слабый румянец. На левом мизинце наследницы висел огромный брильянтовый камень, сверкающий в свете люстры поочередно синим, желтым и прозрачным. Казалось, еще чуть-чуть, и ведьма взмоет над «Аэропортом» и с гиканьем унесется в свою дворянскую вольнолюбивую неизвестность, оставив присутствующих разбираться один на один с никудышным настоящим. Все замерли...

— Вот это баба Люба... — пораженно протянула Маленькая. — Вот это я понимаю!

Впервые это «баба Люба» проскочило мимо Любови Львовны так, что не зацепило даже малым краем обиды. Впервые это «баба Люба» выскочило из Маленькой так, что сказано было ею без малейшего желания обидным этим зацепить.

— Дуй!!! — с полными восхищения и любви глазами громко приказала ведьма. — Дуй, любовь моя!

Генрих, не отрывая от старухи глаз, приблизился к «наполеону» Дурново, набрал полную грудь воздуха, сплющил по-верблюжьи губы и что есть сил выпустил воздух наружу. Выпустил с таким тюремным энтузиазмом, что вылетевшим потоком сорвало часть крошевой обсыпки и бросило ее в лицо хозяйке дворянского бала.

— У-р-р-р-а-а-а! — завопила счастливая старуха, не обращая внимания на обсыпанное лицо. — Генечка вернулся! Домой вернулся!..

Чай сели пить по-семейному: с тортом в центре и хозяйкой во главе стола. Торт действительно оказался шикарным на вкус, и на этот раз все обошлось как нельзя лучше: без взаимных намеков, провокаций, подковырок и неумело скрываемых признаков нетерпимости ни с той, ни с другой, ни тем более с третьей из существующих сторон. Еще перед тем как разложить «наполеон» по тарелкам, один большой кусок Любовь Львовна сразу отделила в сторону и сказала:

— Любаше.

«Вот он, твою мать, редуктор-то... — подумал, глядя на все это довольный неожиданной встречей Генрих. — Вот она, главная-то шестерня...»

За последние три года ни Глотов, ни грек, ни бессистемно, ни, наоборот, поочередно, — никто из них не залетал ни в Валентиновку, ни на «Аэропорт» даже мимоходом, и Лев Ильич постепенно начал привыкать к своим обездоленным в этой части сновидениям. Разве что на даче, за забором у соседей развернулось могучее строительство, с размахом, и потому частое мелькание неподсудного Толика там и сям: до и после разгрузки, перед и по окончании отключения соседской электроэнергии, выше уровня бывшего этажа и ниже балок будущей крыши в перестраиваемой им родительской даче, напоминало Льву Казарновскому о том, что странный род Глотовых продолжается, несмотря на завершившиеся визиты его призрачной родни греческого происхождения. Правду о Толиковом участии в деле посадки Геньки знал только сам Генька, да и то согласно версии нанимателя — непосредственно Толика. Обсуждения деликатной темы прошлого Геник, однако, избегал, уклоняясь каждый раз от прямых Лёвиных вопросов.

— Все, старик, не прокурорствуй. Ни при чем здесь Толик Глотов. Я знал, какой товар производил и на каких условиях. Давай лучше справку тебе в бассейн нарисуем, полностью за мой счет. Или абонемент. Девчонки там — сплошь киски...

В результате Лёва не знал, как реагировать на приветливые кивки из-за забора, посылаемые Казарновским от последнего живого Глотова. На всякий случай он неопределенно растягивал рот в произвольном направлении, чтобы не было с достоверной точностью понятно: рад он приветствию или же, наоборот, чем-то по-соседски недоволен. Но глотовского наследника это, казалось, нисколько не смущало. По большому счету, с учетом так и не выясненного до конца криминального диагноза, Льва Ильича тоже не смущало. До тех пор, пока он не обнаружил падчерицу, увлеченно беседующую с Толиком через проем в заборе на удаленной части территории, совсем не рядом с соседским строительством. На Маленькой был довольно смелый купальник с высокими бедрами, при этом бретельки у него были спущены, что обеспечивало наблюдателю непреднамеренное подглядывание... Маленькая мимоходом поправила одну из бретелек, но та тут же съехала обратно, и о ней забыли. Лёву перекосило. Кроме того, тревожно загудело паровозом ниже пупка и пару раз толкнуло в направлении ануса. Он знал, что это означало: желание, наложенное на ревность вперемежку с завистью и стыдом. При полной невозможности первого, сомнительном неотцовском праве на второе и непризнании самим собой третьего и четвертого. Он мысленно выругался, но виду не показал...

Грек заявился под утро, и Лёва сильно и искренне удивился. За три прошедших неявочных года Грек ни капли не изменился. Лёва собрался было ему об этом сообщить, но Грек не дал, поскольку начал первым:

— Лёвушка, я накоротке, а то мне к родне еще надо и на пруд. — Он примостил костыль на кровать, подмышечная костыльная часть кувыркнулась и задела Любину коленку. Но Лев Ильич знал, что это ее не побеспокоит и уже не дернулся.

— Вот именно, — одобрительно оценил Лёвину реакцию Грек. — Так-то все оно ничего... — Он пересел поближе к хозяину. — Я вообще-то не собирался пока, если честно. Думал, пока не требуется. А там лучше Глотов заскочит, ближе к делу.

— К какому делу? — решил сразу уточнить Лёва. Он уже привык, что просто так, без всякого смысла для будущего или вообще, эти Глотовы слова не вымолвят.

— Это он тебе пусть разъясняет — к какому. Как тогда...

— Как когда? — снова не понял Лев Ильич.

Грек заерзал на месте:

— Слушай, мне правда позарез еще на пруд надо. Уж к родне — в другой раз тогда получится, но на пруд — хоть режь. Я тебе свою часть отделю и погоню, лады?

— Глотов, послушайте. — Лёва почувствовал, как раздражается, это было с ним впервые. — Что вы мне загадки свои загадываете? Пришли — говорите!

— Так я и говорю, — получив Лёвин нагоняй, по-деловому продолжил мысль визитер. — Бульдозер помнишь из окна?

— На «Аэропорте» или поселковый, на пруду?

— На пруду который. На «Аэропорте».

Лёва понял. Понял и сразу вспомнил: розовое... сирень... фиолет... льдины вертикально... бульк... черная дыра... мокрый Грек... квартирные перемещения родственников... прыжки через ладожскую лужу...

— Помню бульдозер, ну и что?

— А то! Тебя тогда Глотов сильно предупредил, а я выходил на тот момент вниз. У меня там мормышка поставлена была, а кивок я с краю приладил, проверял. Ну рыбак я, рыбак! — Он схватил себя обеими руками за ворот рубахи, но не рванул, а просто потряс.

— Ну и что? — не понял Лёва, — Про дыру ладожскую помню, что мокрый ты был — тоже помню, ну и что с того?

— Э-э-э-э, парень, — озадаченно протянул Грек. — Видать, тебя Глотов некрепко попугал... А сам ходит такой... гордый... образованный. Правда, здоровается всегда первый, тут я ничего на него не скажу. Ну, дело его, как хотите. Надо мне, правда надо. — Он почти умоляюще взглянул на Лёву и потянулся рукой к костылю.

— А чего ты отделить-то мне хотел, часть какую-то? — спросил под завязку разговора Лев Ильич, понимая, что на этот раз разговор не заладился.

— А-а-а-а, это? — Он уже поднялся, но задержался. — У тебя сегодня гудело, где не надо, или не гудело?

Объяснять дважды не пришлось. Лев Ильич моментально сообразил направленность греческого инспектора. Он смутился и покраснел.

— Вот и все, Лев. Погнал я... — Грек повернулся к Лёве спиной и растаял в воздухе...

Пару лет после освобождения Генрих перебивался случайными заработками вроде изготовления книжных обложек в неизвестных никому издательствах. Платили мало, но и качества не требовали. И то и другое было для Геньки вразрез с представлениями о жизни человека, заплатившего родине долг полной монетой. Несколько раз он мотался в Новомосковск, где начальник тюрьмы по старой отсидочной дружбе свел Геника с местным заказчиком. Тот владел кафе при рынке и двумя забегаловками у вокзала. Кафе Генька оформил, а от вокзальных точек отказался — представил себе этап и стало невообразимо противно. Прежние связи к моменту выхода его на свободу прервались почти целиком — поменялись люди, да и компьютерная молодежь оккупировала творческие точки, не умея совершенно рисовать, но зато отлично набив руку на типовых приемах графического дизайна. Один раз Льву Ильичу удалось воткнуть Геньку художником на картину к приятелю-режиссеру. Но деньги быстро закончились, фильм закрыли и группу распустили.

Тем временем строительство за забором у Казарновских приближалось к стадии внутренней отделки. Маленькая позвонила отцу и сказала:

— Пап, меня тут сосед наш по Валентиновке, Толя Глотов передать просил. У него предложение есть для художника. Дизайн интерьера новой дачи. От и до. Обещал хороший гонорар. Пойдешь?

— Пусть позвонит мне, — поразмышляв, ответил Геник. — Я должен подумать.

К тому времени Люба Маленькая поступила в Театральное училище им. Щукина с первого захода и к разгару строительства заканчивала первый курс.

— Ты представить себе не можешь, Лев, — сразу после вступительных экзаменов рассказывала она отчиму, положив ему руку на плечо. — Какие же туда кретины поступали, кого только я там не насмотрелась. Из Калмыкии один был, толстый, с прыщами на лбу, глазки как щелочки, заплыли совсем. По-русски ни бум-бум почти. Что ты думаешь? Приняли! — Она закатила глаза. — Его отец с замдиректора договорился, есть там грек один, Мистакиди, он устраивает, если надо. — Лев Ильич вздрогнул, просто так, беспричинно. — Так вот он через калмыцкое представительство спонсорство для училища организовал якобы, а все знают — деньги его собственные. Он миллионер там, а живут в степи, чуть ли не в юрте, а рядом с юртой джип стоит. Он вроде того, что кумыс консервирует и в Грецию отправляет на экспорт. А сына в артисты...

— Славный тебе жених, — усмехнулся Лёва. — Будешь по степному уложению жить, пить кумыс и гонять по степи на джипе.

— Нет, Лёвушка. — Она нежно посмотрела отчиму в глаза. — Я собираюсь жить между «Аэропортом» и Валентиновкой, мне и здесь хорошо. Мы же, какие-никакие, а Дурново все-таки, да? — Глаза ее смеялись...

Как ни странно, но предложение Толиково Генрих принял и приступил к разработке проекта интерьера.

«Черт с ним... — подумал про друга Лев Ильич. — Знает, наверное, что делает. И с другой стороны — опять ведь паром его вынесет, не в первый раз. А Толик этот глотовский, мерзкий все же тип. Хоть и улыбается постоянно...»

К концу лета у Глотова Генрих закончил. Жил он все это время, пока шла отделка, там же, у него на даче. Исчез он тоже незаметно, в одночасье, и бывать у Казарновских теперь стал значительно реже. К тому времени был уже октябрь, и семья переехала на «Аэропорт». Любовь Львовна дергалась, и снова начались претензии:

— Лёва, почему Генечка не заходит? Опять кто-нибудь его обидел?

На это Лев Ильич раздражался не на шутку:

— Почему опять, мама? Ну кто, скажи на милость, хотя бы раз в этом доме обидел Генриха, кто?

Генечка утекал из ее рук, как желе сквозь пальцы: липкость и аромат оставались, а основная масса проваливалась насквозь, ненадолго задерживаясь. Любаша в этой связи снова была приближена, но все же при Генькиной досягаемости она не могла рассматриваться Любовью Львовной как сравнимая замена своего божества. Просто рядом не стояла.

Через год, когда Геник заявился к Маленькой на день рождения с очередным рукодельным портретом, все было как обычно: куртка — на спинку кресла, старуха — в дверях спальни со счастливым недовольством в глазах, затем — очередная головная боль; к столу не вышла, а уж потом — уединение с Генечкой в спальне, как бывало всегда прежде. Генька на этот раз, испытывая небольшое чувство вины за длительное невнимание к вдове, решил начать отработку культурной программы первым:

— Вот, Любовь Львовна, — сказал он, обращаясь к старухе, и протянул ей свернутый в трубочку плакат: — Специально для вас захватил. Это афиша «Новой оперы», Риголетто, Колобовский. Слыхали? Очень занятная, посмеетесь. Горб на рентгеновский просвет в классическом обрамлении. Красный полупрозрачный фон с фиолетовыми позвонками.

Дурново взяла плакат, но разворачивать не стала, а отложила в сторону.

— Мне, Генечка, не до смеха сейчас.

— Что такое, голубушка? — по дежурной схеме поинтересовался Геник и незаметно глянул на часы. — Что случилось?

Он не хотел слишком засиживаться, его ждала работа. Заказ был довольно срочный и поступил от солидного господина. Надо было успеть ко времени.

— Случилось, — с плохо сдерживаемым величием ответила бабка. — То, что я никому здесь больше не нужна, случилось. Давно случилось.

— Это вовсе не так, дружочек. — Он взял старухину ладонь в свои руки. — Уверяю вас.

Любовь Львовна в эту часть вслушиваться не собиралась. У нее созрела собственная программа дальнейших жизненных испытаний судьбы.

— Вот что, милый. — Она стала серьезной по-деловому, без величавости, но и не демонстрируя игривый идиотизм. — У меня есть кое-что очень для меня дорогое. Это память об Илюше, о войне, о Ладоге, о главном его произведении... — Она задумчиво помолчала. — Мой талисман, одним словом. — Геня старался быть внимательным слушателем, проникнувшись серьезностью момента, и преданно глядел старухе в глаза. — Я хочу, чтобы это хранилось у тебя. Я устала находить этому место в моем доме. Придет время, и я заберу это обратно. А пока... — Она обвела глазами комнату. — Пока мне неспокойно как-то... Неуютно...

— Нет проблем, Любовь Львовна, — успокоил ее Генрих, внутренне довольный тем, что может услужить мучительнице по пустяку. — Все сохраню, давайте, голубушка.

Вдова запустила руку под халат и вытянула оттуда круглую металлическую коробку из-под монпансье, образца примерно конца пятидесятых. Генрих помнил эти коробки и коробочки с давних пор, со своего детства. Еще будучи пацаном и получая в подарок такой гостинец — тогда это еще называлось ландрин, — он долго не открывал упаковку, оставляя лакомство на потом. А когда, наконец, откидывал круглую крышку, то выяснялось, что разноцветные кисло-сладкие кругляши слиплись в один большой и толстый пупырчатый блин. Он разбивал его молотком и собирал осколки, крупные и почти в пыль, тоже разных лакомых цветов, и не менее вкусных, но обратно они уже не помещались, и тогда он запихивал в рот то, что не влезло, нетерпеливо разжевывал и, закрыв от наслаждения глаза, долго-долго сосал...

Коробка была перетянута свалявшимся от времени бинтом, крест-накрест. Круглый торец ее был по всей окружности залит толстым слоем сургуча. Геник попытался засунуть ее в карман, однако туда она не втискивалась, и тогда он просто сунул ее за пазуху, подтвердив серьезность сохранных намерений. «Главная шестерня» облегченно вздохнула и развернула плакат с оперным горбуном:

— Ну теперь давай поглядим, голубчик, что ты мне принес. Какое либретто, говоришь, Квазимодо?..

Через три дня после дня рождения Любы Маленькой Любовь Львовна не вышла из опочивальни ни к завтраку, ни к обеду. Зная о неврастенических проявлениях свекрови, особенно участившихся за последний год, ни Люба, работавшая в Лёвином кабинете с самого утра, ни Лев Ильич, поздно вставший и перешедший после завтрака в гостиную, чтобы не мешать жене, не посмели побеспокоить мать вопросами о самочувствии, дабы не получить очередную отповедь о притворстве родни. Первым забеспокоился Лёва, когда понял вдруг, что за все это время владычица не позвала его ни разу обычным призывным криком, и тогда он к ней заглянул. Голая Любовь Львовна в одном приспущенном шелковом чулке рассеянно и молчаливо бродила по полутемной спальне, натыкаясь на предметы обстановки. Каждый раз, сталкиваясь с очередным препятствием, она внимательно исследовала его на ощупь, пробегая руками снизу вверх и как бы убеждаясь в непригодности его в качестве искомого предмета. Под ногами у нее, на полу, валялись три скомканные бумажки, Лёва потом прочел их и выбросил, потому что ничего не понял из записанной матерью бессмыслицы. Там было начерчено старческими каракулями: Комод сверьху... У Илюши, четьверьг... Лёвая штора — булав...

В хрустальной вазе, стоявшей на полу, налито было немного темной жидкости, впоследствии оказавшейся фамильной мочой. Таким образом, Лев Ильич стал первым свидетелем сумасшедствия Любови Львовны Казарновской-Дурново, собственной матери. Врачи потом объяснили, что это был инсульт, и, если бы сразу посадить больную на внутривенную капельницу с тренталом, то последующих паралитических осложнений, которые в результате она приобрела, можно было бы избежать. Хотя...

— А бабанька теперь все время писаться будет? — спросила Маленькая у Любы. — Ф-ф-у-у...

Лёвы тогда рядом не было, но если бы был, она не спросила бы. Знала, что отчим поймет правильно, но расстроится...

Узнав о беде, позвонил Горюнов, но не утешил. Больница, сказал, в ее случае — скорее всего для самоуспокоения, сделали и так все, что надо. Для нее важнее качественный уход, хорошие лекарства и пребывание дома с сиделкой на первых порах.

В Боткинскую ее все-таки отвезли. Лёва мотался каждый день, на ночь его подменяла тамошняя сиделка. Возвращался уставший, мрачный, Люба старалась его не расспрашивать лишний раз, если сам он того не хотел. При выписке врач неопределенно пожал плечами: ну что вы хотите, хуже бы не было...

На «Аэропорт» сиделку решили не брать, с деньгами в семье был обвал, и первые три месяца стали для супругов особенно тяжелыми. Любовь Львовна мочилась под себя, постоянно делала попытки собрать вещи и куда-то ехать, переезжать, и несла бред в таких необычных формах, что Лёва порой стеснялся собственной жены и находил разнообразные предлоги, чтобы максимально вывести Любу из зоны санитарной опеки. Любаша приходила по выходным и мыла старуху капитально, с долгим сидением в ванне, поливанием из шланга и одними и теми же разговорами о самом дорогом в жизни — блокаде и переправе через Ладогу в сорок третьем. Каждый раз, накупавшись вдоволь и набрызгавшись, старуха интересовалась у Любаши, кто она такая и не знает ли, как там у Горюнова продвигаются дела. Любаша каждый раз представлялась с подробным изложением семейных деталей и одновременно обещала все выяснить про Горюнова.

Маленькая в делах по уходу за бабаней участия не принимала, но, правда, и не могла: учеба забирала все ее время. Шуточек по поводу случившегося она, естественно, не отпускала, видя, как корячится Лев Ильич и переживает менее вовлеченная в процесс мать, но и сострадания к бабушке, на которое Лёва тайно для себя рассчитывал, он в глазах падчерицы тоже не обнаружил.

Дальше стало полегче, а к началу лета, к Валентиновке — почти совсем нормально. Любовь Львовна не поднималась, но активничала вовсю и имела хороший аппетит. Лёва у нее после лопнувшей в голове жилки остался сыном Лёвой, Люба — его женой, невесткой, Любаша — доброй самаритянкой без имени, но в больших очках и с удивительно мягкими руками. Маленькая ненадолго стала ее матерью, Леокадией Дурново, в девичестве — Леокадией Альтшуллер, младший Горюнов — старшим Горюновым, а Генечка — малознакомым соседом Эрастом Глотовым, Толиковым отцом. Но о нем она почти не помнила и не упоминала в бесконечных разговорных путешествиях по замкнутой траектории своих воспоминаний. И все же единственными участниками ближнего круга, прибиться которым к этим путешествиям не удавалось никаким краем совершенно, стали покойный муж Любови Львовны, Илья Лазаревич Казарновский, драматург-классик из недавнего прошлого, автор знаменитых «Рассветов» и спутник всей ее жизни и кот Мурзилка... Что же касалось всего прочего, то смысл предметов и слов, начиная с определенного момента, начал укладываться в голове ее в нужном направлении и, как правило, совпадал с предназначением того и другого. Исключением являлось все мокрое — оно всегда было из Ладоги: вода ли из поильника, лекарство ли из глазной пипетки или же влажная тряпка.

...Этой ночью, уже после того как Люба Маленькая, хлопнув дверью глотовского джипа, вернулась на дачу, разделась у себя там, за стенкой, и затихла, Лев Ильич так и не смог нормально уснуть и долго еще ворочался с боку на бок. Сегодня вечером, когда он обнаружил у матери заметные положительные сдвиги в функционировании сознания, это порадовало его и одновременно озадачило, потому что надежды на избавление от паралича нижних конечностей не было и не могло быть в любом, самом благоприятном случае развития болезни. Так сказали врачи сразу после снимка, в этой части они понимали и были уверены. Просто крохотнейший фугас, взорвавшийся в голове Любови Львовны, задел зону, ответственную за глупость и ум, самым краем взрывной волны, оставив возможную починку этой области на будущее. Что же касается самой точки разрыва, то она пришлась как раз на сосудик, от которого нужные провода сигналили в ноги, в те самые материнские ноги, которые Лев Ильич, обреченный теперь на ежедневную сыновью заботу, укутывал со всех сторон одеялом, легким — днем и потеплее — на ночь, подтыкая его сползающие края поглубже внутрь. Он представлял себе мать совершенно выздоровевшей выше нижних конечностей, то есть продолжающей лежать или полулежать в постели, но при этом — с вернувшейся к ней без потерь зловредностью, усугубленной новым положением в семье.

«Ладно, поглядим, как пойдет... — успокоил он под утро самого себя. — Как случится, так и будет...» — Он посмотрел на часы, был пятый час.

«Надо воспользоваться, — подумал Лев Ильич. — Когда еще сумею в это время...»

Он поднялся с кровати, накинул рубашку и, выйдя из спальни, пересек верхний второй этаж дачи. С противоположного края дома был эркер и оттуда хорошо просматривался восток. Он постоял пару минут, продолжая думать о матери, как вдруг оранжевый шар, взявшись ниоткуда, воткнулся снизу в небо, и небо в ответ на это природное вмешательство тут же вылило розовое, как и раньше, как и всегда, от края до края, густое поначалу, затем бледнее, еще бледнее, а уж потом просто никакое, утреннее, переходящее потом в дневное...

Лев Ильич постоял еще немного, пока не угасли остатки зари, самой первой, розовой, вернулся обратно в спальню, лег и заснул крепким сном.

Люба приехала во втором часу. Он сразу заметил, что что-то не так и не стал пока сообщать жене о своих вчерашних открытиях насчет матери.

— Пойдем погуляем, — таким же странным, как и явилась сама, голосом обратилась она к Лёве и взяла его под руку. Они медленно двинулись в глубь участка, по направлению к небольшому летнему домику, скорее, даже не домику, а постройке под крышей, но со стенами и дверью, где Лёва иногда любил ночевать, будучи еще школьником, когда выпадало жаркое лето.

— У меня обнаружили нехорошие клетки, — глядя прямо перед собой, тихо сказала Люба. — При биопсии груди. — Она подняла на него глаза. — Я недавно нащупала отвердение ткани на старом месте, но не хотела тебе говорить раньше времени. Теперь хочу...

Лев Ильич открыл рот, но слова не выходили:

— Ты хочешь с-сказать... — заикнулся он.

— Лёвушка... Это рак. Горюнов сделает все, что в его силах, но...

У Лёвы опустились руки. Он споткнулся и опустился на землю. Люба села на траву рядом с ним.

— Надежда есть? — спросил он, глядя прямо перед собой.

— Нет, — твердо ответила жена. — Это вопрос времени... — Глаза ее наполнились слезами, и, не умея их больше сдержать, она тихо заплакала и прижалась к мужу лицом.

— Боже... — произнес ошеломленный Лев Ильич. — Господи Боже мой... Почему?..

В горюновский Центр после операции Маленькая и Лев Ильич ездили к Любе попеременно. Чтобы бабка не оставалась одна, Любаша взяла отпуск и переехала к Казарновским на дачу. Собственно говоря, с неплановым отпуском все устроил сам Горюнов. Он же и резал повторно, он же сразу после этого и организовал месячный курс химиотерапии.

Несмотря на страшную болезнь, РОЭ, лейкоциты и другие показатели крови держались пока близко к норме. Горюнов тоже заходил почти ежедневно.

— Может, образуется как-нибудь, а? — спросил Лёва друга семьи, когда они в один из послеоперационных дней вышли в коридор вместе. — Рассосется?

— Лев Ильич, я бы не рассчитывал. Чудо будет, а я врач. Я в чудеса не очень верю. Я анализы видел.

— Сколько осталось? — Лёва посмотрел на хирурга с тоской в глазах.

— Месяцы... — твердо ответил Горюнов. — Месяцы...

Через два дня после этого разговора в Валентиновку заехал Геник. Сначала он заскочил к Толе Глотову, а затем появился у Казарновских. В это время Любаша выкатывала Любовь Львовну на веранду. Та, увидев Генриха, растерялась:

— Эраст Апатольевич, мы сейчас не можем. У Ильи повесть на выходе и на подходе роман. И самовар не работает, — она повернула голову к Любаше. — Катимся, деточка, катимся отсюда...

Генька посмотрел вслед парализованной небожительнице без сожаления, скорее даже с облегчением:

— Шестерня сломалась, а редуктор пока крутит. Ну-ну.

Лев Ильич не понял и значения словам не придал:

— Что у тебя с этим? — Он кивнул на соседский забор: — Снова за старое?

Геник вяло отмахнулся:

— Кончай нотации, прокурор. Мне осенью шестьдесят, таких уже не сажают, у них естественная смерть раньше суда получается. С Любой как?

— Держится, но все знает точно. Как все мы.

— И Маленькая? Тоже правду знает?

— Гень, ну я же сказал, тоже как все.

— И что она?

— Без истерик. Жалко до смерти. Всех жалко: Любу, Маленькую, себя жалко. Даже этих обеих, — он кивнул на удаляющуюся пару с каталкой, — тоже жалко по-своему. А мать, я чувствую, тоже знает. Но в этом состоянии понять невозможно, она не все может сказать еще, что хочет. У нее сейчас жизнь по-новому заваривается. Что-то там такое происходит. — Лев Ильич вздохнул. — Ты вот только крепко оттуда выпал. Крепко сидел сначала, а потом крепко выпал.

Генрих закурил:

— Сколько осталось?

— Месяц... два... Может, немногим больше...

Генрих положил руку Лёве на плечо, глубоко затянулся:

— Старик, я не знаю что нужно говорить в таких случаях.

— А я никаких слов и не жду ни от кого. От нее самой только, может быть. Больше ни от кого...

Утром Лев Ильич засобирался к жене в Центр. Он хотел успеть до сеанса химии. Любовь Львовна заорала в тот момент, когда он уже заводил «жигули». Лёва выключил зажигание и вернулся в дом, в спальню матери:

— Да, мама. Звала меня?

Мать посмотрела на сына строго:

— А почему ты не удосужился мне сообщить, что моя каталка — наша Любаша? Я сама вынуждена узнавать от нее эту новость. В чем дело, Лёва?

— Да ни в чем, мам. А тебе разве плохо с ней? — переспросил он, удивляясь в очередной раз могучему прогрессу материнского разума. — Что-нибудь не так?

Любовь Львовна широко улыбнулась и расцвела. Лёва понял, что все предыдущее было розыгрышем, наоборот, она продолжала улыбаться.

— Мне с ней отлично. Просто великолепно! У нее такие мягкие руки. Зачем она не жила с тобой раньше?

— Мам, она не со мной не жила, она никогда с нами не жила после развода. Это было ровно четверть века назад.

Старуха надула губки:

— Лёвушка, нам надо жить с Любашей. Тебе и мне.

— Мам, не говори глупости, — он раздраженно взглянул на часы. — Я к Любе опаздываю.

— К Любе? — удивленно поведя плечами уточнила Любовь Львовна. — А где она, Люба? Где? — Мать оглянулась по сторонам настолько, насколько позволила развернуться верхняя часть полупарализованного туловища. — Люба твоя ко мне не ходит, ко мне Любаша ходит наша, а Любы нет нигде. Нету!

Лёва понял — еще немного, и он сорвется. В висках пару раз стукнуло и гулко отдалось вниз. Он собрался еще что-то сказать, но махнул рукой и резким шагом вышел из спальни...

Когда он влетел в палату к жене, до процедуры оставалось еще минут двадцать.

— Успел! — Он присел к ней на кровать и поцеловал в щеку. — Как ты?

Как она — он мог бы не спрашивать. Люба полулежала бледная, видно было, что ее подташнивает.

— Ничего, — тихо сказала она и слабо улыбнулась. — Голова немного кружится, а так ничего. И анализы снова хорошие, и РОЭ, и лейкоциты, и чего-то там еще. Даже Горюнов удивляется. Собирается цитологию повторно провести.

Лёва воспринял эти слова по-своему, и в этот момент у него один раз сильно дернулось за грудиной. От этого сердце резко сжалось, потом, наоборот, разбухло и уперлось в ребро. Он вспомнил, что нечто похожее он когда-то уже ощущал, кажется, тогда еще Глотов был рядом. Или Грек. Но было это во сне или наяву, он вспомнить теперь уже не мог, он неотрывно смотрел на жену, не чувствуя боли, а просто мимолетно вспомнив о ней...

Волосы Любины заметно поредели, добавилось и седины, и он увидел, как сквозь пряди проскальзывает бледная кожа, такая же бледная, как и цвет лица. Она заметила, что он увидел. И он обнаружил, что она заметила, как он увидел...

— Лёвушка... — Она взяла мужа за руку, и Лёва почувствовал, как постукивает маленькая кровяная жилка на руке. Но снова не понял: на его или на Любиной. — Я хочу, чтобы Любаша осталась с тобой... Когда... Когда все закончится... — Он не мигая уставился на жену, но не сделал попытки ее остановить. — Мне так будет легче, если я буду знать, что она осталась с вами... И тебе тоже будет... И маме... — впервые за много лет она назвала свекровь мамой, и Лев Ильич не мог этого не услышать. — Она хорошая, Любаша твоя, я давно это знаю, очень давно... Она всем вам будет нужна, вот увидишь... — Люба сделала усилие и сглотнула. — И она... Она тебя все еще любит, я знаю... А Маленькая... А Маленькая уже большая теперь. Она справится со всем. Она сильная стала, ты знаешь, я с ней тоже о Любаше поговорю... — Люба с трудом поднялась. — Мне пора. Проводи меня... — Она снова посмотрела на Лёву, глаза ее затянуло влагой. — Пообещай мне...

— Обещаю... — растерянно ответил Лев Ильич. — Если тебе так нужно...

В Валентиновку он вернулся на следующий день, ближе к вечеру. Любовь Львовна сидела в кресле-каталке на веранде, уставившись в телевизор и не выпуская пульта из рук. Там были новости, и Лев Ильич отметил про себя, что у матери с каждым днем появляется все больше и больше вариантов оттянуться на чем-то, кроме родни. На всякий случай, чтобы не быть замеченным, он обогнул дом слева и зашел с восточной стороны, из сада сразу на кухню. Любаша стояла у плиты и что-то готовила.

— Любовь Львовна! — крикнула она в сторону веранды, не поворачиваясь от готовки. — Белый корень добавлять в суп? Вам можно?

Звук телевизора убавился.

— Я предпочитаю сельдерей! — крикнула старуха. — От него выше тонус!

— Тогда не класть? — крикнула Любаша.

— Клади! — крикнула старуха. — Но сельдерей пусть всегда в доме будет!

— Договорились! — крикнула Любаша. — Я теперь куплю!

Идиллия просто... — подумал Лев Ильич с внезапной злостью. Он, конечно же, понимал, что бедная Любаша, став не по своей воле заложницей семейства Казарновских-Дурново, ни в чем не виновата: ни перед ним, ни перед Любой, ни перед его матерью. Разве что в доброте душевной в сочетании с собственной глупостью и невезухой...

Он стоял, облокотившись о деревянную перегородку между кухней и верандой, и наблюдал, как продолжается самоотверженное и безответное служение его семье неприкаянной Любаши.

«Может, права Люба? — подумал он. — Когда столько доброты, любовь не главное?»

— Любаш, — позвал он ее негромко. — Любаша...

Любаша повернулась и замерла. Наверное, прочитала на Лёвином лице то, что уже сама знала, еще тогда, сразу после смертельного диагноза, и на что тайно надеялась, мучаясь от этого и страдая, как никто в этой семье.

— Ничего не говори, Лева, — тихо сказала Любаша. Она отложила корень петрушки в сторону, сделала два шага к бывшему мужу и молча прильнула лицом к его плечу. — Ничего не говори...

Он и не стал. Просто обнял ее в ответ, как не делал никогда раньше: ни когда они были мужем и женой, ни потом, когда она стала приходить на «Аэропорт» и приезжать к ним в Валентиновку, и ходила так, и приезжала все пятнадцать лет, вплоть до сегодняшнего вечера... Так, обнявшись, и стояли они подульканье супа и думали каждый о своем: Лев Ильич — о том, что полюбить Любашу он не сможет никогда, а Любаша — что не ее в том вина, и не его, и никого... и еще, что все же надо не забыть купить сельдерей, как просила бывшая свекровь...

— Курица! — Маленькая стояла прямо перед ними с перекошенным от гнева лицом, они не заметили, как она появилась. — Всегда была курицей! — Лёва с Любашей растерянно расцепились и недоуменно посмотрели на Маленькую. — Радуешься? — Маленькая смотрела на Любашу в упор, та сжалась от страха. — Получила свое, наконец? Обратно получила? — Звук телевизора на веранде исчез совсем. — Сколько лет ты всем голову морочила, в дружбу играла! А сама, выходит, часа своего ждала? Снова в Дурново захотелось? — Она перевела дыхание и отчетливо произнесла: — Не будет этого никогда, понятно? Никогда этого не будет! И не смейте маму хоронить раньше времени, вам ясно?

Все молчали... Паузу нарушил дребезжащий старушечий голос с веранды:

— Нет, будет! Это пока еще мой дом, и здесь все будет, как я скажу. Это тоже ясно?

Люба Маленькая с ненавистью бросила взгляд на Любашу так, что та зажмурилась:

— И с этой уже договорились? С бабаней своей?

Тут же с веранды донеслось знакомое шипение, переходящее в жужжание:

— Лёва, я ж-ж-е прос-с-с-ила тебя, я ж-ж-е предупреж-ж-ж-дал-ла...

— Гады! — выдала напоследок Маленькая и побежала вверх по лестнице, к себе. — Гады! — крикнула она еще раз, уже сверху вниз, и со всех сил захлопнула за собой дверь.

Через пятнадцать минут Маленькая приоткрыла дверь, осмотрелась и быстрым движением прошмыгнула в спальню Льва Ильича. Она взяла в руки вуки-токи и отсоединила коробочку с динамиком от шнура. Затем спустилась на первый этаж — там не было никого, все были в саду — зашла

в бабкину комнату и поменяла местами микрофонный при-
емник с таким же на вид передающим звук устройством.
Вернувшись обратно, в спальню наверх, присоединила ми-
крофон к шнуру. Все выглядело, как и прежде, с одной лишь
разницей: там, куда нужно было говорить, теперь можно
было слушать...

До конца дня Маленькая больше вниз ни разу не спустилась. После разыгравшейся на кухне сцены Лев Ильич не
мог найти себе места. Он даже сделал было попытку объясниться с падчерицей, поднялся для этого наверх, но она ему
не открыла и на его робкий стук не ответила.

Как всегда в последнее время, он долго не мог уснуть —
не давала покоя Люба Маленькая. Он даже поймал себя на
мысли, что думает о ней, обо всем, что произошло сегодня
вечером в его доме, больше, чем о Любе и о ее надвигающей-
ся смерти...

Дверь его скрипнула и приоткрылась, когда он, уняв
двумя таблетками неровный сердечный перестук, начал
проваливаться в темноту.

Глотов, наверное... — Мысль явилась то ли в начинаю-
щемся сне, то ли в исчезающей яви. — Который на этот раз,
интересно?..

Глотов непривычно легкими шагами подошел к Лёве
и присел на кровать. Сквозь полусонную муть Лев Ильич
успел отметить, что не услышал стука костыля о дощатый
пол... что ни разу не шаркнул по полу протез вслед каждому
сделанному шагу... что...

— Лёва... — Он открыл глаза и всмотрелся в сидящую
на его кровати фигуру. Это была Люба Маленькая. Она
придвинулась к нему ближе и наклонилась совсем низко.
От нее пахло молодой чистой кожей. — Зачем она тебе,
эта курица? — спросила она его. — Потому что мама так
хочет?

— Да... — ответил он. — Поэтому...

— И потому еще, что эта ведьма тоже этого желает, да?

— Нет, — ответил он. — Не поэтому, — пропустив оскор-
бительное слово мимо ушей.

— Но ведь ты ее не любишь совсем, — сказала Маленькая. — Я же знаю.

— Да, — ответил Лёва. — Не люблю.

— И Любашу, дуру эту, тоже не любишь ведь, да?

Лев Ильич на миг потерялся. Он думал, Маленькая говорит о Любаше, когда в первый раз спросила о любви, оказывается — о его матери.

Он открыл было рот, но Маленькая быстро прикрыла его своей ладонью. Ладонь ее тоже пахла молодым телом:

— Ничего не говори... Я все про тебя знаю...

Он согласно кивнул веками. Глаза постепенно привыкли к темноте, и Лёва увидел, что на Маленькой была одна лишь наброшенная на голое тело тонкая рубашка. Она была застегнута всего на одну пуговицу, внизу, чуть выше пупка, и когда Маленькая убрала ладонь с его губ, грудь ее нависла над Лёвиным лицом. Она склонилась еще ниже, и тогда ее сосок, маленький и твердый, коснулся Лёвиного подбородка и остался на нем лежать...

— Вы хотите курицу оставить в доме потому что тебе нужна женщина? — спросила Маленькая отчима.

— М-м-м-м... — попытался Лев Ильич вставить слово, но слова не получались, потому что горячая волна откуда-то снизу прихлынула к горлу, пережав связки, держа и не отпуская их обратно.

— Хочешь, я буду твоей женщиной? — спросила Маленькая, почти касаясь губами Лёвиных губ. — Я ведь знаю, что ты этого всегда хотел, с тринадцати лет меня хотел. Помню, как ты смотрел на меня... — Коротким движением она скинула рубашку и осталась совершенно голой. Лёва смотрел во все глаза, не веря, что это происходит с ним. Не веря, что это его Маленькая. Не веря, что это его дом. Не веря, что все это явь... — Пожалуйста, Лёва... — Она отбросила край одеяла, юркнула в кровать и, прижавшись всем телом, обвила его руками, — Пожалуйста... Нам с тобой чужие не нужны... Нам с тобой будет хорошо... Да? Ты веришь?

Сердце Лёвино заколошматило молотилкой, разгоняя кровь по организму, отметая по пути все заботы и мешающие мысли. Горло разжалось, связки отпустило, и тело охватила такая неистовая страсть, что голова закружилась, дыхание стало прерывистым и безумное желание пробило Льва Ильича насквозь, не оставляя места для любых, самых ничтожных сомнений. И тогда он в ответ обхватил Маленькую, прижал к себе что есть сил, задрожал и выдохнул:

— Да!.. Верю!..

Внезапно Маленькая откинула одеяло, вывернулась из Лёвиных объятий и вскочила на ноги рядом с кроватью:

— Говно! — Она злобно смотрела на отчима, и в свете фонарного луча света, пересекающего спальню поперек, было видно, как сверкнули ее глаза. — Говно ты, а не мужчина! Кусок дерьма!

Лев Ильич растерянно приподнялся на локтях, сердце еще продолжало накачивать кровь, проталкивая ее туда, вниз, к месту несостоявшегося ужаса и счастью, но мозги уже успели просигналить другое, сделавшее все, что случилось, понятным, объяснимым и отвратительным.

— Вот цена твоей любви! — падчерица сжала в ладонях обнаженные груди и указала на них кивком головы. — Мама умирает, но еще жива! А ты!!! Ты готов залезть на меня по первому зову. И предать! И маму и даже курицу свою безмозглую, даже ее! — Она развернулась, подхватила с пола рубашку и резко пошла вон. В дверях задержалась и снова обернулась:

— Предатель!

Лев Ильич без сил откинулся на подушку и перевел дух.

— Предатель... — повторил он и закрыл глаза. — Предатель...

Забылся он только под утро. Перед этим он твердо пообещал сам себе, что чужих в доме не будет. Что делать с обещанием, данным жене, он пока не знал. Ему надо было подумать, он решил оставить это на потом. Как и на потом — принять сердечные таблетки...

Проснулся он от резкого крика. Кричали снизу, с первого этажа, и Лёва сразу понял, что кричит Любаша. Крик перешел в вой, а вой — в причитания.

— Господи! — Он быстро накинул халат и сбежал на первый этаж. Дверь в мамину комнату была распахнута настеж. На кровати лежала его мать, Любовь Львовна Казарновская-Дурново, она была мертва. Это было понятно сразу, как и то, что тело у нее уже холодное. Она застыла, лежа на спине, глаза ее были широко открыты, рот — распахнут настежь, оттуда тускло выблескивали по две золотые коронки с каждой стороны. Одна старухина рука была сжата в кулак, другая — со скрюченными пальцами. Перед кроватью на коленях стояла Любаша и, задрав голову в потолок, выла по-волчьи, не открывая глаз и одновременно крестясь. Через минуту в комнате возникла Маленькая. Лев Ильич повернулся к ней и тихо, почти одними губами, сказал:

— Отцу позвони...

Падчерица была на удивление спокойна. Она кинула на покойную равнодушный взгляд и без выражения ответила:

— Ладно...

Звонок в дверь прозвенел, когда Геник запаивал в твердую пленку свидетельство о регистрации транспортного средства на имя гражданина Объедкова Николая Николаевича. Рядом дымился утренний косячок, самый сладкий. Геник затянулся, выпустил дым и пошел в прихожую. Наученный предыдущим горьким опытом, он не стал открывать сразу, а сначала поинтересовался:

— Кто?

— Почта! — ответил из-за двери женский голос. — Заказная!

— Ну, это другое дело, — пробормотал удовлетворенный ответом Генька и еще раз затянулся. — Почта — это святое, — и открыл дверь.

На пороге стояли четверо: двое в форме, двое в штатском. Один из них, в штатском, маленький и незаметный, показался ему знакомым.

— Генрих Юрьевич? — спросил он, и все быстро прошли в квартиру, оттеснив хозяина к стене.

— Ну конечно, мой друг, — ответил Геник, — Генрих Юрьевич. Для вас просто Генрих. Да и вы, я смотрю, почти не изменились.

Незаметный подошел к письменному столу, взял в руки свидетельство, покрутил так и сяк и бросил обратно на стол:

— Понятых и оформляйте! — бросил он другому, в погонах. Тот козырнул и вышел. — Жаль, — сказал незаметный, и Генька сразу ему поверил. — Искренне жаль, Генрих Юрьевич, что не хватило-то двух месяцев всего до дня рождения. Хоть и рецидив, но все равно учлось бы, наверное. Эти дела всегда учитываются, когда шестьдесят стукнуло. Такая уж практика.

Геник молчал.

«Хорошо бы в Новомосковск снова, — подумал он. — Там все свои...»

Второй в штатском в это время потянул ящик стола и начал там рыться. Через какое-то время он вытянул из дальнего угла круглую металлическую коробку с сургучным краем по всей окружности и перевязанную крест-накрест грязным свалявшимся бинтом.

— Это что, Генрих Юрьевич, — спросил он хозяина. — Что в коробке?

— Это не мое, — равнодушно ответил художник. — Это лежит просто. Вам это не интересно — чужие письма и безделушки военные. С Ленинградской блокады. С Ладоги. Чужая память.

— Поглядим на память? — предложил второй и сбил сургуч. — Чтоб и нам было чего вспомнить. Бинт он просто оттянул в сторону, освободив крышку. Затем он приподнял ее и присвистнул... — Да-а-а-а... Вот память так память... — Мент сразу решил взять быка за рога. — От кого на память, не уточните?

С этими словами он перевернул коробку вверх дном и вывалил содержимое на стол. Все, включая незваных гостей и понятых, ахнули. Но еще больше других поразился сам Геня:

— Ах ты, голубушка...

На столе, расположившись неровной горкой, сверкали и переливались всеми цветами радуги драгоценные камни, в основном брильянты, все в минимальной оправе. То, что камни — настоящие, сразу было ясно любому, даже понятым. Возникла устойчивая пауза при полном отсутствии какого-либо движения в обыскиваемом пространстве.

— Безделушки, говорите? — очнулся второй в погонах. — Трех лет не прошло еще, а сколько набездельничал. Он отдал распоряжение помощникам: — Описывайте! А понятых попрошу поближе...

Раздался телефонный звонок. Неприметный в штатском взял трубку, послушал, передал Генриху:

— Тебя, художник!

В трубке была Люба Маленькая:

— Отец, бабка умерла. Сегодня утром...

Генрих помолчал и сказал:

— Маленькая, передай Лёве, что меня арестовали и увезли. — И выдернул шнур из розетки...

Труповозку из Москвы участливо организовал сосед, Толик Глотов. Он же договорился, что тело заберут в ближайший к «Аэропорту» морг и пообещал денег. На том конце быстро схватили суть и обязались не задерживаться. Сам Толик погнал за врачом из местной поликлиники, прихватив по пути участкового милиционера. Маленькая собиралась с утра к матери в Центр, но передумала — решила побыть с отчимом, а ехать — во второй половине дня. К двум часам милиционер и врач, каждый по своей части, закончили с телом и бумагами, и Глотов уехал развозить их обратно на своем джипе. Лев Ильич к ним не выходил. Ни разу так и не поднявшись с места, он сидел на веранде в материнском кресле-каталке и глядел прямо перед собой. Там было пусто. Он понимал, конечно, что перед ним — предметы, но все было не в фокусе: они то отдалялись друг от друга, то, наоборот, сближались между собой, но все равно образовывали вокруг себя пустоту. Сердца своего Лев Ильич не слышал. Вернее, не слышал он привычных глухих и неровных ударов, которые должны были появиться обязательно. С тех пор, когда они начались, пять лет назад, он успел привыкнуть к ним настолько, что мог с большой точностью их предугадать. Сейчас же, до него, сюда, на Валентиновскую веранду, вместо ударов докатилась новая неизвестная боль и сменила старую: однотонная и ноющая, как будто кто-то медленно, очень медленно и расчетливо зажимал в тиски его сердечную мышцу все туже, и туже, и туже...

Пришла Любаша и спросила:

— Надо чего, Лёвушка?

Он не ответил, и она тихо удалилась. Подошла Люба Маленькая и присела рядом:

— Как ты, Лев? — Он неопределенно махнул головой, по-прежнему глядя в сторону плавающих в воздухе предметов. Маленькая погладила его по голове, как ребенка, и шепнула: — Не переживай так, она же старая была и больная. Ей время пришло, по закону природы... — И промокнула отчиму глаза салфеткой.

За воротами раздался автомобильный сигнал. Лев Ильич вздрогнул.

— Не дергайся, это Толик, наверное, вернулся — сказала Маленькая. — Этих развозил... хотя... — Она вопросительно посмотрела в окно. — Может, уже труповозка подъехала?

Санитарной машины, предназначенной для транспортировки мертвых, в окне не наблюдалось. Вместо нее по дорожке к дому со спортивной сумкой через плечо шла улыбающаяся Люба, жена и мать Казарновских-Дурново. Она шла быстро, почти бежала, и Маленькая от изумления чуть не грохнулась на пол. Люба вбежала в дом, отшвырнула сумку прочь и сразу от входной двери увидала свою семью, на веранде, в простреле коридора, соединяющего крыльцо с кухней.

— Сюрприз!!! — заорала она как умалишенная. — Жить будем, ребята!!!

Она пробежала вприпрыжку десяток разделяющих их метров и с разбегу кинулась ко Льву Ильичу в объятия, прямо в кресло-каталку. Кресло с Лёвой и Любой отъехало на два метра и, столкнувшись с краснодеревянным буфетом, остановилось.

— Что? — заорала Маленькая, глядя на счастливую мать. — Что случилось?

Лев Ильич побелел, у него дернулась щека, и он удивленно и недоверчиво посмотрел на жену:

— Люба, ты?

— Кто же еще? — снова заорала Маленькая. — Не видишь, что ли? Мама это, мама!

Люба заплакала и прижалась к мужу:

— Ошибка у них! Все было ошибкой! Биопсия была чужая! Не моя была биопсия с самого начала! Горюнов решил проверить повторно, не соответствует, говорит, анализам крови, не бывает, говорит, такого, не может быть.

Лёва постепенно начал приходить в себя, но внутри заныло еще сильнее и вонзилось острым в грудь, с левого края.

— Все сегодня прояснилось, лаборантка там неопытная, стекла, говорят, перепутала с чужой фамилией, а у меня просто утолщение старого шва было — вопрос косметики, а меня на химию... Бессмысленную...

— Курица! — опять заорала счастливая Маленькая. — Наверняка курица эта все перепутала. Она там в лаборатории чего-то делает!

— Какая еще курица? — смеясь и плача одновременно, спросила Люба и протянула руки навстречу дочери. — Иди к нам, Маленькая!

— Иду! — Люба Маленькая подскочила к каталке, забралась на поручень, обнялась с матерью и добавила: — Только знаешь, мам, у нас сегодня, это... — Она посмотрела на Лёву. — У нас бабаня ночью умерла. Сейчас труп приедут забирать. В морг.

Люба окаменела:

— Какой труп? Как умерла? Почему?

— Ночью, — по-деловому повторила Маленькая. — Я же говорю, умерла от старости, от приступа сердечной недостаточности. Врач был и сказал.

Лёва слушал молча. Он то слышал слова, то нет. Однотонный гул снова поменялся, он раздробился на несколько звуков, жужжащих и шипящих одновременно, похожих на «Я ж-ж-ж-е-прос-с-сил-ла-я-ж-ж-ж-е-предупреж-ж-ж-дал-ла-а»... И звуки эти догоняли его и отпускали... и были громкими, и тут же ослабевали...

— Геник знает? — не придумав ничего другого, спросила Люба и с тревогой посмотрела на мужа.

— Папу арестовали и увезли, он сказал. Я утром ему звонила, больше ничего пока не знаю, — завершила картину дочь. — Лёва тоже ничего не знает, я не говорила еще.

Лев Ильич продолжал молча исследовать пространство... Люба забеспокоилась и спросила:

— А где Любаша? С бабушкой? — и тут же до нее дошло, какой вопрос она задала.

— А мы с Лёвой ее выгнали, — ответила за двоих Маленькая. — Мы решили, зачем она нам после всего этого, правда?

Последней падчерицыной фразы Лев Ильич услышать не успел, потому что продолжал соединять и разъединять предметы, продолжавшие плавать в воздухе, но теперь их стало больше, а потом еще больше и еще... И они плавали уже выше Лёвиной головы и еще выше, и еще... И выше крыши их Валентиновской дачи, и выше башенки нового глотовского дома, и выше обоих рассветов, и, тем более, — одного всего лишь заката...

...Зато он услышал другое:

— Лё-ё-ё-ва-а-а! Вставать и чистить зубы!

Он открыл глаза, было утро, но очень раннее, потому что света за окном было мало, и все еще хотелось спать. Он взглянул на будильник, папин будильник почему-то стоял в изголовье и тикал. Все было на месте, но времени он не показывал. Мама же поднималась по лестнице и продолжала кричать на всю Валентиновку:

— Лё-ё-ё-ва-а-а!

Он слышал, как она приближается, как с каждой ступенькой страх перед матерью охватывает его все больше и больше, ну не совсем страх, может, а боязнь ее непредсказуемого и импульсивного темперамента, и как, переступая очередную ступеньку, Любовь Львовна перекидывает через следующую костыль и перетягивает выше протез: один шаг — один стук, один шаг — один стук, один шаг — один стук, стук, стук, стук, стук... Стуки участились, срослись и слились в единый трескучий вой электропилы, почти однотонный, и шел он не с улицы, а изнутри, из-за грудины.

«Снова папа у Глотовых пилит... — подумал Лёва — А мама не разрешала...»

Дверь распахнулась, и мама вошла к нему в спальню:

— Сюрприз! — крикнула она, затем сняла с головы шляпу, положила ее на поднос и протянула сыну. Лёва прищурился в полусвете и рассмотрел сюрприз: это была треуголка по типу французской военной из прошлого века. — Наполеон! — так же громко объявила мама с прононсом в окончании и захохотала. — Наш семейный рецепт Дурново! — Она два раза стукнула костылем по полу. — Заводите гостей! — Потом выдержала паузу и выкрикнула: — Филия!

Первый гость был Глотов, но уже без костыля и протеза. Это было видно сразу, по тому, как он вошел: тихо, ровно и уверенно. На нем была надета серая кофта, он был чисто выбрит и в больших роговых очках. Глотов вежливо поклонился, робко несколько, даже чуть-чуть стыдливо, и отошел в угол.

— Сторге! — выкрикнула Дурново с протезом.

Второй гость был Глотов, тоже без протеза, как и первый, и без костыля. На нем был больничный халат, через плечо свисала спортивная сумка. Он был бледен, волосы его были аккуратно зачесаны назад, и сквозь пряди явно просматривалась бледная кожа. Он снял сумку и положил ее на пол, а сам отошел в сторону и замер.

— Эрос! — выкрикнула владычица морская.

Третий гость был Глотов, и опять без каких-либо инвалидских причиндалов. Непонятно, каким образом Лёва почувствовал, как от него пахнет юной бесшабашностью и молодой силой.

— Привет! — бросил третий гость всем присутствующим и улыбнулся. На нем был женский купальник, откровенный, с высокими бедрами и минимумом блестящей ткани, прикрывающим то место, где бывает грудь. Одна из бретелек была спущена и свободно болталась с внешней стороны предплечья, что совершенно Глотова не смущало. Он присел тут же на пол и скрестил руки на груди.

— Агапе! — выкрикнула вдова французских дворян по линии отца и чинно сама же поклонилась. Она тоже была гость. И она тоже была Глотов.

И все Глотовы были греки. Лёва это сразу понимал про каждого, как только тот занимал часть пространства Лёвиной спальни.

— Все в сборе? — грек Дурново осмотрелся вокруг и сообщил: — Начинаем!

Греки встали в круг, второй Глотов подвинул спортивную сумку в центр комнаты, все гости взялись за руки и пошли по кругу вокруг спортивной сумки против часовой стрелки. Грек-мать завела считалку:

— А-кале-мале-дубре... сторге-эрос-агапе. — Считалку Лёва признал сразу, но в глотовском исполнении куплетным разнообразием она не отличалась. — Сторге-эрос-агапе...сторге-эрос-агапе...

Хоровод вращался все быстрее и быстрее, причудливые слова выскакивали оттуда в воздух все чаще и чаще, пока вдруг Глотовская компания разом не остановилась в середине считалочного танца и одновременно все его участники не выкрикнули, указав рукой в сторону кровати, в которой продолжал пребывать озадаченный подросток:

— Пук!

По всей вероятности, это означало, что — ему водить, Лёве. Гости засобирались прятаться, и тут Лёва обнаружил, что часть одежды на них изменилась, точнее, отдельные предметы поменялись местами, так же как и частично внешность гостей. На третьем Глотове, эросе, к примеру, уже была надета французская треуголка, и он был слегка небрит. Юностью же и свежей молодой силой повеяло от номера два, сторге, и не только это. Он был в купальнике, но при этом на кончике носа у него болтались массивные роговые очки. Филия теперь носил протез и опирался вместо агапе на костыль. А агапе приобрел больничный халат и редкость волос от сторге...

— У тебя есть шесть лет, не больше, — сказал грек Дурново. — Дальше Генечка вернется, и все обретет полную непредсказуемость.

После этих слов они, не сговариваясь, бросились врассыпную и одновременно растаяли в воздухе.

— Как же я найду вас теперь? — спросил в пустоту Лёва и встал с постели.

Никто не ответил.

— Мама! — закричал мальчик. — Мама, ты где?

Не было ничего: ни эха, ни вибраций воздушной среды.

— Мама! — в страхе заорал он. — Где вы все? Все Глотовы!

На этот раз он не услышал собственного голоса. В горле тоже стояла пустота и ничто не сжимало связки. И тогда Лев Ильич заплакал, но не так, как плачет ребенок: громко, натужно и мокро, а по-другому, по-взрослому: горько, без слез и без звука...

Любовь Львовну поместили в морг и держали там сколько было возможно. Получилось около двух с половиной недель. Надежды на то, что сын и наследник, Лев Ильич Казарновский-Дурново, к моменту похорон будет функционален, не было с самого начала. Паралич, разбивший его на следующий день после смерти матери, последовал сразу за обширным инфарктом, и в итоге, как Люба ни сопротивлялась, хоронить пришлось без него. И дело, в общем, было не столько в матери и обязательном Лёвином присутствии на кладбище в момент забивания крышки гроба, сколько в нежелании Любы смириться с новым еще более неожиданным положением, в котором оказалась семья, в желании оттянуть как можно дальше то, с чем придется теперь всем им жить.

Еще было лето, и поэтому после больницы Лёву привезли в Валентиновку и поместили в бывшую комнату Любови Львовны. Так всем было удобнее: семье — чтобы не менять сложившийся порядок жизни с мая по октябрь, а Любаше — чтобы было удобней выкатывать Льва Ильича с первого этажа на кресле-каталке в те дни, когда он глазами изъявлял такое желание. Паралич был почти полный, с потерей речи и памяти. Но про память никто точно не знал, включая врачей: проверить это с достоверностью при отсутствии речи было почти невозможно. Чаще ответы «да-нет» глазами он угадывал, но, бывало, моргал, совсем не попадая в самые простые вещи. Кормила его Любаша с ложечки и обихаживала тоже с нужной чистоплотной регулярностью. Так само собой вышло, что после случившегося в семье Казарновских двойного несчастья она так и осталась жить при них, потому что поначалу уход за Лёвой полностью взвалила на себя, настояв на этом и проявив неприсущую ей твердость характера. И после того, как закончился ее внеплановый отпуск в горюновском Центре, она стала возвращаться после работы не домой, а в Валентиновку или на «Аэропорт», где и оставалась ночевать. На «Аэропорте» Лёве также досталась спальня матери, и это было единственным оставшимся после нее наследством. Ничего другого семья после смерти Любови Львовны не обнаружила, развеяв друг перед другом миф о тайне брильянтовой вдовы. Не удалось найти и тот самый камень, который был на старухе в день Генькиного возвращения из тюрьмы, тогда... с «наполеоном» Дурново. Его-то все видели явственно...

Странно, но Люба Маленькая перестала совершенно сопротивляться Любашиному в доме постоянному присутствию и даже наоборот, со временем сошлась с ней ближе, но все чаще и чаще поручала ей домашние дела, рассматривая как безропотную прислугу, которой все довольны. Впрочем, со временем Маленькая стала бывать дома реже, а через год переехала к Толику Глотову, от которого еще через год родила сына Лёву, в честь отчима. Фамилию свою на Толикову — Глотов она менять не стала, а оставила фамилию своей матери от второго брака — Казарновская-Дурново, и настояла, чтобы Лёва Маленький тоже на эту фамилию был записан. Толик спорить не стал, жену он боготворил и побаивался одновременно. В заборе между Глотовыми и Казарновскими он по поручению жены оборудовал калитку, и Люба Маленькая носила туда-сюда Лёву Маленького: показать отчиму и погукать с бабушкой, а потом оставить на Любашин пригляд заодно со Львом Ильичом.

Все чаще в доме стал бывать Горюнов: и в Валентиновке, и на «Аэропорте». Иногда он оставался на даче — места было много и так для всех было понятнее, но затем — несколько раз подряд остался в городской квартире. Люба же в ответ на дружбу иногда задерживалась до утра у него на Академической. Потом это стало повторяться чаще и чаще, и уже без особого стеснения, да и стесняться было некого: Любаша по-рыбьи молчала и никуда не лезла, Маленькая жила отдельно, Лев Ильич знать про это ничего не мог или не умел: оба варианта всех устраивали, жизнь продолжалась...

Со временем Горюнов переехал на «Аэропорт», а Любашу со Львом Ильичом решено было поместить на Академической, в Горюновской квартире, там для двоих было вполне... Даже очень...

Любаша уволилась, их с Лёвой теперь полностью содержал Горюнов. Но зато с мая по октябрь они соединялись, все они: Люба со своим гражданским мужем Горюновым, Лев Ильич с верной помощницей Любашей и через калитку — Маленькая Люба с Маленьким Лёвой и его отцом Анатолием Эрастовичем Глотовым.

А раз в год, в один из летних дней Толик Глотов подгонял свой огромный джип к крыльцу дома свекрови и грузил в него своего свекра, Льва Ильича, грузил вместе с креслом-каталкой и тонким летним одеялом. Туда же помещались без труда и все остальные, включая Лёву Маленького и Горюнова. И ехали они в этот день на старое Востряковское кладбище, где у Казарновских было место, на котором рядом с драматургом Ильей Лазаревичем Казарновским покоилась его верная супруга Любовь Львовна Дурново. Цветы обычно за всех покупала Люба Маленькая. Она же потом укладывала их на теплую по-летнему землю, после чего Любаша по обыкновению часть из них отделяла и устанавливала в литровую стеклянную банку с водой, которую хранила здесь же, с задней стороны могильного мрамора Казарновских. И каждый раз Маленькая не возражала против такого незамысловатого Любашиного решения, и Любаша тоже это знала. Они подолгу стояли у могилы и молчали, думая каждый о своем... И каждый из них знал, о чем он подумает всякий раз, стоя перед этим камнем. И мимоходом улавливая взгляды друг друга в такие минуты, вместе все они тоже знали, что пришли поклониться человеку дорогому и близкому, вокруг которого на дрожжах такой непростой и перекрученной любви взросла эта странная, но счастливая семья Казарновских-Дурново. Теперь они точно знали, что — счастливая, убеждаясь в этом с каждым разом, приходя на Востряковскую землю из года в год. И всегда в дни таких семейных путешествий на глазах у безмолвного Льва Ильича появлялась влага, но это в семье никогда не обсуждалось, потому что никто причину этого доподлинно объяснить не брался...

Иногда, ранним утром, тоже в июне и тоже ближе к концу его, Любаша просыпалась в томительном волнении и шла в бывшую спальню покойной свекрови — проверить Льва Ильича. И каждый раз находила его неспящим. Он радовался ей глазами и... и пытался что-то сказать. Но Любаша и так точно знала, чего он хочет. Она пересаживала его в материнскую каталку и вывозила на веранду, как раз к тому времени, когда солнечный диск подбирался к небу снизу и, коснувшись его оранжевого края, небо заливалось густо-розовым: над домом его отца — классика Ильи Казарновского, над Глотовыми, ставшими родней, над пожарным прудом с ладожской водой, над всей их Валентиновкой, и еще шире, от края до края, и разливалось это густое и светлое с пронзительной и быстрой силой...

И не знал Лев Ильич, где начинаются эти края и где кончаются, когда из розового свет тот становился бледно-розовым, чуть погодя — просто бледным, а уж после него — утекал вовсе, и начинался другой свет, тоже постепенный, но все же другой, дневной, совсем на рассветный непохожий...

Август, 2001

КРЮК ПЕТРА ИВАНЫЧА

Роман в пяти историях

История первая
МЕСТЬ ПЕТРА ИВАНЫЧА

Больше всего на свете крановщик Петр Иваныч Крюков любил сливочный пломбир, жену свою Зину, а также предмет неизменно устойчивый, являющийся плодом многолетней выдержки — собственную гордость. Первое и второе он предпочитал употреблять в чистом виде, без никому ненужных промежуточных добавок. Что касается пломбира, в частности, то никаких присадок к нему он не признавал ни в каком виде даже применительно к прошлым, основательно забытым за годы новейшей истории вариантам мороженной продукции, включая мелко растворенные по всей белой замазке клубничные зернышки, легкую кофейную тень или же ту самую непонятную добавку, которая переиначивала любимый продукт в загадочное «брюле». Это же относилось и к нынешним вкраплениям в нежную примороженную плоть по всему спектру новомодных вкусовых разнообразий типа черт знает чего только не насуют туда олигархи новой жизни в угоду избалованному, но неразборчивому потребителю. Всякий раз это вызывало у Петра Иваныча легкое раздражение, и шел он на подобный питательный компромисс лишь в случае острой нужды, когда быстрый приступ пломбирного желания становился намного могучей, чем несогласие с рецептурой наступивших времен; но всегда после коротких колебаний принцип незыблемости размягчался, становился поначалу вязким, а потом начинал и подтекать, словно самое мороженое, и в результате уступал место приступу, победно перевешивавшему принцип по всей глубине желудка.

Третье по любви обстоятельство доказательств собственного наличия не требовало никаких, оно имелось само по себе, по факту дара свыше, по фортуне божественной встречи Петра Иваныча с женой Зиной, и произросло самым вольным образом, путем перетекания одного чувства в другое,

243

из всепоглощающей мужской любви к самой прекрасной, самой верной и надежной женщине на планете Земля — в горделивую особенность, что делает отдельных мужей отличными от прочих других, менее удачливых по линии счастья быть первым мужчиной в первую совместную ночь.

Произошло такое в семье Петра Иваныча и Зины вровень с днем свадьбы, день в день, ни мигом раньше, хотя знал он — допуск до сокровенности со стороны будущей супруги был бы ему обеспечен все равно, только обозначь позицию, прояви крохотную настойчивость или же намекни просто — отказ был бы исключен по любому: не тот Петр Крюков человек, чтоб в нем сомневались, тем более, когда дела такие и оба понимают, что не их случай — дожидаться документально заслуженного права на любовь.

Так все и случилось ровно тридцать весен назад, в такой же теплый и счастливый майский день, как и тот, вчерашний, что к моменту своего завершения стал наинесчастнейшим для Петра Иваныча, для всей его прошлой и будущей, оскверненной отныне жизни. Но знал об этом пока лишь сам он, Петр Иваныч, держа второй день тайну про себя, не выдавая Зине собственного обморока от того, что стало ему известно от нее же. Играючи вызнал, по случаю легкой семейной нетрезвости Зины, с которой сам же по четыре рюмки припасенного коньяку «Белый Аист» и выпил в честь ее же 57-летия. Да и рядом все были вокруг, все самые близкие и дорогие, самые такие же, как и они с Зиной, надежные, добрые и моральные члены единой, крепкой и основательной семьи Крюковых: Николай и Валентин — старшие сыновья, погодки, сами давно отцы со стажем, один — бригадир на холодильных агрегатах, другой — в торговом бизнесе, по поставкам чаеразвесочной продукции специализируется какой год уже, в Китае бывает и не за свой счет, заметьте. Жены у обоих: Катерина, Валентинова которая, профессию имеет, старшим бухгалтером служит в фирме, детей двое, внуков Крюковых — девка и малец-отличник по школе; Анжела, невестка другая, Колькина что, — тоже не последний человек, на обувной фабрике совместного с финнами изготовления трудится, да не в цеху, причем, а в кадрах заведения, на чистой должности, на решающей: кого — куда, а кого — и откуда. И тоже два пацана у них, тоже маленькие Крюковы, тоже учатся нормально, как и Катеринины с Валькой, и тоже с дедом ласковые и с бабкой. Ну и остальные: младшенький, Павлик, поздний их с Зиной, выпорхнувший из родительского не так давно гнезда, но еще не оперившийся после института ни в каком пока надежном деле, ну и прочие свои все: сваха, два кума с одной кумой, деверь, сноха — родня, другими словами. Все, в целом, отлично было у Крюковых во главе с Петром Иванычем. И все перестало разом быть...

А перестало, когда ушли все, а Зина собрала со стола обратно и в кухню все стянула — мыть, фасовать под пленку и вслух вспоминать, как все на этот раз ладно получилось, не хуже чем всегда. А Петр Иваныч рядом сидел на табурете, доскребал оставшийся в вазе сливочный пломбир, пускал через кольца папиросный дым, любовался ловкой Зининой работой, и в тысячный раз нетрезво рассуждал про себя о том, как ему подфартило, что такой козырь от колоды жизни выдернул, да еще девочкой в двадцать семь оборотов от рождества досталась, столько лет ничьей была, его, Петра Иваныча Крюкова, дожидалась, единственного и ненаглядного на всю оставшуюся жизнь.

И пока он пропускал через свое нутро эти такие сладкие минуты, усиленные белоклювым катализатором молдаванского разлива, поднималась и опускалась равномерными приливами внутри него горделивая волна за свое жизненное везенье на зависть козлорогим мужикам, в пику прочим неудачникам по бабьей части: не той, от какой на каждом углу откусить можно по легкой да сплюнуть после нужды, а по истинной, по человечьей, с теплым духом и добрым словом, с робостью для мужа и защитой для детей, с веселостью для семьи и преданностью для единственно любимого человека. И сравнить-то человека такого ни с кем больше нельзя: что до свадьбы не было другого, что после нее, в ходе всей остальной жизни. Не было и не будет никогда.

Странно, но с годами чувство к Зине у Петра Иваныча не то, чтобы разгоралось, но, окрепнув однажды до самого края, не растворялось больше никуда, не расплескивалось и не исчезало, а истекающее за жизнь время не отбивало все еще охоту ласкать жену, ревниво наблюдать за бойкими поворотами пышных бедер и часто, не дожидаясь конца домашних дел, увлекать супругу в спальню, игриво причмокивая языком и одновременно облапив кряжистыми руками поверхность тела ее от грудей до ягодиц. А сам представлял уже, как ласково подминает под себя свою мягкую Зину, как шершавит ладонями по упругой жениной спине и как незаметным усилием приподнимает она над периной свое крупное тело, так, чтобы Петру Иванычу ловчей было завести ладони вглубь, под нее и туго обхватить выпуклые Зинины ягодицы для еще большего наслаждения себе и доставления приятных минут своей подруге, для которой он был самым первым и будет оставаться навечно самым последним мужчиной в жизни. Так было, так есть и так будет.

Зина никогда не ломалась и не глупила — наоборот, скоренько и по делу сосредотачивалась, отзывалась на сигнал со всем возможным доброжелательством, и Петр Иваныч точно знал, что она не притворничает и не пытается просто угодить мужу в его вспыхнувшем приступе желания, чтобы поддержать мужской огонь, а любит своего Петра искренне и желает его так же, как и он желает ее, Зину. И если охнет Зина в постели невзначай в нежном порыве, то это и есть признак вырвавшейся честности, а не звук дурного тона или же символ обмана, чтобы мужу нравилось больше. И никогда не смывала она с корпуса и лица никакой липучей мази, никаких косметических приправ и не накладывала ничего тоже, потому что не применяла на себя — Петр не одобрял. А вскоре и сама знать про это что-либо разучилась и окончательно разуверилась в помогающем эффекте различных кремов, разглаживающих внешний вид. Так и шла к Петру Иванычу в употребление и на любовь, как была, — в естественном состоянии и на чистом энтузиазме, полностью незапятнанной и без малейших прикрас.

Конечно, годы брали свое, годы и невольные нервы, и в получившиеся шестьдесят Петр Иваныч уже не был, как даже в пятьдесят семь — боевым, и уставал больше, продолжая работать на кране; и высота его уже не так тянула, и небо самое, каким любовался раньше вперемежку с «вира» по «майна», потому что объекты менялись, а оно, небо синее, оставалось все тем же, далеким, но и близким, и родным, и единственным, как Зина — не то, чтобы совсем близким, как она, но, все-таки сильно ближе, чем к другим строительным специальностям за вычетом крановщиков.

А успех его супружеский, хотя и ослаб с годами, но продолжал иметь место в семейной жизни, и Зина способствовала этому, как умела, так что всякий раз все у них почти получалось, и хотя и с трудностями, но имело завершение, как быть тому положено, по привычному финалу. Потом она, в темноте уже, тихо целовала его куда придется: то в плечо попадала, то в край уха, но ему все равно было приятно от ее благодарного поцелуя в ответ на его мужскую состоятельность, и он крепко прижимал жену к себе, зная, что сейчас начнет засыпать, но за пару минут до того к нему незаметно подберется и прихватит ненадолго горделивый спазм, за тот самый жизненный фарт, за неизбывность и сбыточность мечты о своей в Зине первости, за подвалившую с женой удачу и последующее с ней же везенье. А после этого спазм сойдет сам и навалится на безмятежного Петра Иваныча тихий сон, ласковый, покойный и безбрежный, как само пространство между Зиниными бедрами и грудями...

Тогда-то все и оборвалось у него, рухнуло разом внутри сердца: именно от того места отломилось, к которому многолетняя гордость его приросла, прикипев туда за три десятка лет в виде нераздельной окаменелости. Хрупкой оказалось перемычка та, это думалось только Петру Иванычу, что из каменного она материала, а на деле вышло, что сплошь из слюды какой-нибудь, лишь создающей иллюзию твердокаменной уверенности.

А вышло-то по-дурацки, можно сказать, все, могло бы и вообще не выходить, если б не потянуло его за лишний язык разглагольствовать после «Аиста», пока Зина последнюю воду с тарелок обтирала и под последнюю пленку шпроты укатывала. Петр Иваныч тогда же выпустил из себя круглую дырку беломорного дыма и произнес:

— А представляешь, Зин, что если б не я тогда первым
случился с тобой на даче у Хромовых, в семьдесят втором,
то, глядишь, я б теперь шпротой-то с другой хозяйкой увле-
кался, а не с нынешней, а? — Собственная шутка ему показалось удачной, он улыбнулся по-доброму, снова выдул
в кухню сизую дыру и развил умствование на тему семейного прошлого: — Хромов-то Серега, когда я ему на утро доло-
жился, что ты вся перепуганная была через первую бли-
зость, хоть и двадцать семь уже было тебе, так не поверил,
представляешь? Не может, говорит, быть такого, Петро,
не бывает, чтоб женщина до таких лет, если нормальная,
принца ждала и не дала никакому другому и себя охранять
столько долго умела от мужиков. Опять же — все ж живые
люди, и Зинка твоя, сказал, живая, и это нормально, если
что, если не девушка, на это запрета давно никакого нет
у народа, а чаще — полное причастие бывает и — ради Бога,
без оглядки на прошлое, если без специального обмана замуж идет, по честно имеющейся любви на момент ухажива-
ния и брака.

Петр Иваныч усмехнулся с чувством застарелого превосходства над несовершенством установок жизни, потянулся, оглядел с удовольствием жену снизу доверху и подумал, что, наверно, сегодня попробует подплыть по мужской
части, нынче, наверно, должно все получиться путем, с финалом полного удовольствия. И он опять сказал:

— Дурак тогда Серега оказался, думал, самый умный
был, когда не верил в такое про тебя, вот теперь с Людкой
своей и мается какой год без укороту, а Людка-то у него третья, после Галины, так-то, — он пригасил беломорину и добавил, впитывая последнюю сладость разговора: — Я-то помню, какая ты перепуганная была тогда, дрожала вся из себя, рука дергалась, когда взял сначала за нее: шепнуть
только успела, что первый я буду, это, стало быть, предупреждала, чтоб осторожней был, что все нежное и ранимое
окажется, чтоб не поранить, и душу заодно — тоже. Да, Зин?

— Да ладно, тебе, Петь, — не оборачиваясь от мойки, ответила Зина, — при чем Людка-то здесь? Они с Серегой то
мирятся, то ругаются, но в меру живут, все же, без подлос-

ти, и Серега дурак не был, когда говорил, да ты и сам знаешь про него — какой он дурак-то?

— В смысле? — насторожился Петр Иваныч: — Почему не дурак-то, если подозрение такое к тебе применял?

Зина смахнула остатки влаги с поверхности мойки, устало обернулась к мужу, подавляя глубокий зевок, утерла руки об веселый фартучек и ответила между делом, увещевая Петра словно малое дитя:

— Ну, сам посуди, Петь, ну как я могла до тебя целой дожить, когда меня лет за шесть до тебя снасильничали? После, конечно, у меня, само собой, никого и никак, а что не девушкой тебе досталась, так это я не при чем была, это случай был неприятный. Да, если честно, ничего страшного, в общем, и не было-то, могло б гораздо хуже обернуться все, а так — только был он настырней, чем бывают, подмял с руками, я и не пикнула. Потом извинялся и все такое, и я никому об этом не говорила, не надо было просто, — она отбросила тряпку в сторону. — Парень сам-то был нормальный, просто очень горячий, у нас в техникуме учился в один год со мной, в Вольске, Славик звали, — она задумалась на миг, — то ли Коромов, то ли Коротков фамилия, не упомню теперь. Ну что я, думаю, буду ему биографию портить, тем паче, упрашивал замуж за него идти. Я просто послала его подальше и решила тебя дожидаться. И дождалась: что есть — то было, тут Серега и вправду не прав. Зато ты у меня вон какой знатный вышел, красавец-мужчина: высокий, с аккуратным животиком, нога поджарая, длинная, — она развязала сзади фартучные тесемки и повесила фартук на крючок. — Знаешь, Петь, я на тебя смотрю когда, то часто похожесть ловлю: когда ты серьезный, например, то на артиста Михаила Ульянова похож, а когда веселый, то больше на Михаила Пуговкина смахиваешь. И я всегда не знаю, какой ты у меня краше... — Зина по хозяйски осмотрела наведенный порядок и под конец спросила: — А чего ты про это вспомнил-то? — Но тут же забыла про вопрос, снова широко зевнула и пробормотала через зевок: — Ладно, пошли укладываться уже, а то на смену тебе ж утром. А меня не буди, ладно, Петь? В честь дня рождения отосплюсь, а то спину ломит чего-то.

— Ага, — ответил Петр Иваныч, удивившись собственному ответу, — сейчас иду.

Зина развернулась и поплыла в ванную, а по дороге крикнула обратно в кухню:

— Окурки в мусор брось! Не воняли чтоб ночью!

Петр Иваныч продолжал недвижимо сидеть на кухонной табуретке, осознавая единственной мыслью, пришедшейся на это страшное мгновенье, что под ним имеется твердое основание и лишь по этой причине он не лежит сейчас ни на какой другой земной поверхности, будь то пол, перина, потолок или сама сырая земля. Вокруг была то ли кухня семейства Крюковых, то ли нечто совершенно отличное от нее, если не вообще противоположное, но воздух, тем не менее, в этом «нечто» присутствовал. Он был мягкий, и это Петр Иваныч мог ощущать, но зато воздух этот состоял из темного вещества: не черного, но темно-серо-мышиного цвета, и поэтому у Петра Иваныча не получалось оторвать руку от табурета, чтобы ее потрогать, эту воздушную среду, что окружала его теперь повсюду, потому что он боялся заблудиться в получившейся темноте, тьме даже, несмотря, что и не до конца черной и не абсолютно твердой, какой должна была она стать по сути получившихся вещей, по результату того ужасного, что случилось сейчас во всей его жизни, в прошлой и будущей одним махом. Голова не хотела верить услышанному, а сил сопротивляться очевидной правде не было.

То, что это не розыгрыш, Петр Иваныч знал уже, как только Зина утерла руки об веселого ситчика фартук внутрисемейного производства и, перемежая страшную правду усталыми зевками, вспомнила мимоходом про первого в своей жизни мужчину: не про него, не про законного мужа, Петра Крюкова, а про того, про другого, про Славика из города детства под Саратовом, который собрал ее руки в такой замок и так хитро придавил их, что даже не получилось пикнуть, а уже после надругался над его, Петра Иваныча, невинной собственностью, над предметом прошлой гордости всей его жизни.

Тут же, в продолжающейся полутьме, внезапно застучало и закрутилось. Звук был неровный и быстрый, похожий на испорченную электродрель, с тем лишь отличием, что в промежутках звука прослушивались неизвестные подщелкивания, их было немало, и шли они почти без пауз, на одной незнакомой ноте, но вдобавок к тому она была неверной, эта нота, Петр Иваныч точно про это знал, так как мог слышать теперь внутренним ухом каким-то, средним, не основным, каким до этого улавливать что-либо звучащее ему не приходилось никогда. И пока он, так и не оторвав рук от табурета, тревожно вслушивался в отзвук неизвестного инструмента, до него дошло, что это просто обыкновенные часы, всего лишь часы его неудавшейся жизни, и что они отщелкивают обратно минуты, дни и десятилетия пролетевшей, пустой и никчемной жизни крановщика Крюкова — его время, его радости, его заблуждения и его же человеческую глупость.

От твердой поверхности он оторвал свинцовое тело, когда Зина уже спала по обыкновению глубоким и покойным сном верной подруги хорошего человека. Голова немного прояснилась, но не настолько, чтобы вернуть хотя бы часть доброго настроения, предшествовавшего сделанному в финале истекшего дня открытию. Он осторожно, пытаясь не нарушить сон супруги, прилег рядом и уставился в потолок. Темно было снова, но по другой уже причине — просто не горел в спальне никакой свет, даже тихий, и это заставляло еще шире распахнуть глаза, чтобы не опрокинуться в самого себя на всю ночь и не забояться остаться там без поддержки со стороны чувства мужского протеста и искомой справедливости. О том, чтобы приобнять Зину и пропустить руку под нижнюю половину ее тела, как задумал раньше, до ТОГО, речи теперь не шло. Более того, Петр Иваныч слегка сдал вбок от нее и пережал пространство над одеялом левой рукой, так, чтобы получилось отгородиться от жены через чувствительный промежуток, точнее — через бесчувственный.

Сон не получался так же, как и не тянулось полноценное бодрствование. Время, отмотанное обратно кухонной дрелью по всей длине прожитого куска, начиная от бесчестного Зининого обмана в деревенском доме Хромовых и заканчивая безжалостным признанием вечером в промежутке между остатками шпрот и грязной посудой, не желало более складываться в стройную картину полноценно удавшейся жизни со всеми ее горделивыми признаками — что снаружи, что изнутри, и это дело не могло никак уложиться в привычное понимание вещей.

Как же так? — думал, лежа на перине, Петр Иваныч. — Она же сама сказала, что я первый у нее, самый-самый, и сильно была испугана... — Тут до него дошло: — Так, может, потому и боялась, что узнаю? Крови-то не было, точно помню. Так... чего-то намокло, но не кровь, я бы увидал потом. — Он мучительно поерзал поперек перины с открытыми глазами. — Но, с другой стороны, кровь не обязательно всегда будет, тоже известно: у взрослых, как Зина была в ту пору, вполне могло не течь ниоткуда — по возрасту, по моей нежности тогдашней, как просила, по гибкости ее тела, по эластичности целяка, в конце концов. А оно вон дело в чем было, оказывается: в другом мерзавце, в насильнике, в отморозке из города детства.

— Ладно... — подумал он еще раз, — ладно... — не собираясь совершенно разбираться в том, что бы значило это умозаключение применительно к дальнейшим собственным действиям.

Он повернул голову к жене и не ощутил слева от себя привычной тяги, подмагничивающей по обыкновению всего его целиком на Зинину половину, в направлении обнимки, которую он так любил, и Зина, он знал, тоже очень любила, но в отличие от него всегда про это ему рассказывала, а он нет, он держал свою ласку в себе, переводя ее в скрытую гордость, и не слишком упирал при этом на слова, оставляя место только для ответного чувства. Зато Петр Иваныч ощутил нечто новое, и это новое поразило его своей непримиримой силой, поскольку сковало конечности, заставляя держать дистанцию и не придвигаться к жене ближе, чем было по расположению тел на постели, даже на одно короткое движение.

Нет, это была не брезгливость, хотя подспудно мысль о ней залетела, но так же молниеносно и растворилась, не успев затронуть голову надолго; это было что-то другое, еще неприятней и еще больнее, чем просто мысленно увиденная картинка про то, как Зину насилует молодой сопляк, как судорожно тыркается в ней своим... в общем, как издевательски овладевает дорогим ему телом раньше, чем это сделал он сам, Петр Иваныч Крюков, заслуженный человек, уже в те годы строитель, уже тогда крановщик бригады социалистического туда на самых непростых объектах строительств и уже окончательно к тем годам сформировавшийся, надежный и порядочный человек.

Когда он провалился в сон, Петр Иваныч не знал. Помнил только, что никак уснуть не удавалось, мешало новое переживание, начинало точить от самого горла и дальше сползало вниз, цепляя за все новые и новые выступы, о которых знать он раньше ничего не ведал, потому что не было нужно. Но когда буреломный этот ком проваливался до пят, то не задерживался в нижней точке организма, а вновь начинал медленное восхождение по обратной трассе. И так было до самого момента отключки, так и длился неровными волнами этот непрошеный переток, так и накатывал с обратными отливами, не находя выхода наружу, царапая и перебирая все новые и новые края воспоминаний, и легче от этого крановщику Крюкову не становилось...

Первым, о чем он подумал, когда раскрыл глаза в предутренней спальне, была мысль о Зине, которая все эти годы, сложившиеся в жизнь, сравнивала Петра Иваныча с неизвестным ему Славиком из Вольска, города на Волге, и сравнивала неизвестно в чью пользу, раз их совместная судьба, как выяснилось теперь, имела всегда такое сквозное отверстие.

У самого Петра Иваныча к тридцати его годам бабы до свадьбы были и не одна. Среди них попадались два раза и женщины, то есть, не до конца ясные бабы с образованием и внешним видом кроме фигуры. Но ни те два раза и ни все другие добрачные случайности не заставили его отказаться от поисков единственно для него возможной подруги, которой получилась Зина, дальняя родня первой жены Сереги Хромова, приехавшая в Москву на покупной про-

мысел и определившаяся к ним на постой. Тогда-то и сверканула молния взаимности, у Сереги на квартире, с первого
взгляда сверканула сразу с двух сторон. Оттуда и пошло
у них знакомство, тяга и любовь, а после там же у них,
но уже на даче и состоялось все, потому что свадьбу тоже
там играли, на воздухе, по уговору с Хромовыми. И выходит, когда она шептала, когда слова выговаривала в первую
ночь, а он тем словам верил, и трепетала от его касаний,
и вздрагивала, заведя глаза к портрету Хромовой бабушки,
то уже все про это знала, как бывает, про все-все самое со-
кровенное и обнаженное между двумя людьми. Знала
и сравнивала, сравнивала и знала. И так всегда, всю жизнь
потом, всю без остатка вплоть до сегодня. И как после этого существовать теперь, как назад все повернуть, к нетрону-
тости сердечной, к спасительному незнанию бывшему, что
давало жить ему счастливым человеком, а не униженным
козлом с рогом под крановую башню? Как?

Времени на будильнике было шестой час утра, и Петр
Иваныч поморщился. Не от того, однако, что время такое,
а потому, как будильник этот тоже от свадьбы к ним перешел в качестве подарка от гостя какого-то по линии Хромовых, и теперь даже такая малость в семейной спальне тоже
была ему сомнительна, как неприятная часть обманного
прошлого. Зина продолжала покойно спать на любимом левом боку, равномерно выпуская из себя тихое дыханье пополам с негромким носовым присвистом, но на этот раз этот
звук не показался Петру Иванычу трогательным и родным — было в нем что-то новое и чужое для него, без прошлой мелодики и успокоительного тепла. Он выскользнул
из-под своей части одеяла и перебрался на кухню. Там он
открыл кран и долго пил холодную воду, подставив под
струю ладонь, как делал долгие годы работы на стройках,
от крана водяной разводки в зоне стройплощадки — так ему
казалось вкусней. Но на этот раз вода показалась ему излишне пресной и повышенно ржавой и питье удовольствия
не доставило. Он утер губы от мокрого и перебрался в туалет. Там тоже хорошо не задалось: стул отчего-то вышел
жиже нормы, без видимой причины, хотя внутри он непри-

ятностей по здоровью не ощущал, расстройство явно носило посторонний характер и наверняка связано было с ночными приливами вниз от горла и до нервных окончаний. Чаю не хотелось и поесть чего-либо — тоже. Аппетит пропал, жизнь рушилась на глазах.

Отчего же, — внезапно подумал он, — Зина мне не сказала всей правды раньше? Перед свадьбой, например, или же, хотя бы, перед первой ночью? Я бы тогда, понимаешь... А чего тогда? — переспросил он самого себя. — Не женился бы? Или развелся б, женившись? — Ответ не приходил, потому что был непростым. Очень для него непростым. — Или же женился б все-таки, но до конца не простил бы и мучился весь остаток? — Крюков серьезно задумался. Зубная щетка торчала изо рта наоборот, щетиной наружу, а пасту он вовсе не думал откупоривать, паста была здесь вообще ни при чем. — А с другой стороны, за что не прощать-то? Где вина ее располагается, Зинкина-то? Сопротивлялась без силы? Так, не проверишь теперь, все равно: отбивалась, не отбивалась, каким путем отбивалась. Или ж намеренно дала чужаку Славику: думала, женится, а он и не позвал замуж на деле, отлынил после содеянного, а я, выходит, подобрал, так, ведь? — Изо рта потекла слюна и зависла на небритой щеке. Он вытащил голую щетку и подтер губу кулаком. — Обои они виноваты, — изрек он, обратив взор в зеркало над раковиной. — Обои, но Зинкиной вины меньше — ее, все ж, насиловали, а не его, она первой не нападала, а, в крайнем случае, только плохо защитить себя сумела. Точка!

Решение было с этой минуты принято, и Петр Иваныч с удовлетворением почувствовал, что ему стало на душе немного легче. Действительно, пагубная неясность была отринута в сторону, и ситуация начала помаленьку разглаживаться, выравнивая с каждой минутой наросшие за ночь холмы и заостренные вершины, переводя их в разряд плоскогорий, а порою и равнин. Через час он выпил все же чаю без всего, бултыхнув вовнутрь стакана лишь ложку меда, оделся и уехал на стройку.

Это был понедельник, и первая машина с раствором, как всегда, запаздывала. Поэтому Петр Иваныч, сидя в своей поднебесной кабине в ожидании первой «вира», мог спокойно по второму разу прогнать случившийся с ним кошмар и попытаться по новой расставить знаки жизненного препинания вперед и назад. Если не считать разместившегося по соседству Всевышнего Господа Бога, до которого, впрочем, в жизни Петра Иваныча всегда был надежный недолет, то свидетелем окончательно созревшего на верхотуре важного решения был лишь он сам, пострадавший крановщик Крюков, глава семьи, положительный человек, отец, дедушка и муж. А вердикт его был таким — кто-то обязательно должен за это заплатить: лучше всего, сам Славик, главный в этой позорной истории негодяй, если, конечно, он имеется на белом свете и досягаем до правосудной руки. Если нет, то, значит, кто-то другой, но кроме Зины. Зина по результату получалась последней из виноватых и пострадавшей — так Петру Иванычу было удобней решать. А что не сказала про свое падение ко времени бракосочетания, то это из-за любви к Петру, к его спокойному будущему счастью и счастью будущих детей. Точка!

К этому времени подвезли раствор, и к ужасу своему Крюков сообразил, что других кандидатов на месть просто не существует в природе, если насильник окажется в неизвестности, а Зина не при чем.

Ну, там не месте посмотрим, — подумал он, накладывая тормоза на привод подъема башенного крана, — решим по ходу действия. — Поддон с раствором оставался висеть в воздухе, а снизу матерился прораб Охременков, что, давай, мол, Иваныч, «вируй», хули встал-то?

А может, кинуться на хуй вниз и убиться? — подумалось ему, когда он спускался вниз к земле. — Пока высоты не потерял, чтоб разом и конец делу, а?

Но глянув с надземной отметки по направлению спуска, Петр Иваныч передумал, разум победил, да и страх животный роль сыграл, помог уберечься, и он деловито продолжил возвращение от поднебесья, потому что теперь дневные его жизненные планы никак не совпадали с утренними, они теперь были отдельно от стройплощадки, Зины и даже от самого Петра Иваныча Крюкова, машиниста башенного крана, а если короче — крановщика.

В дискуссию с прорабом Охременковым он ввязываться не стал, просто посмотрел на него, как гиена на ужа, и спросил внеочередной отпуск в две недели, начиная с послеобеда. Все!

Отпуск он получил без разговоров. Начальство допытываться особо не стало, вызвали быстренько сменщика, запустили кран и приняли весь бетон сами. Видно, умел объяснять Петр Иваныч нужду, когда она имелась. Документы, сказал, после оформим. И отпускные тоже заодно. Такой факт еще больше укрепил руководство в согласии пойти навстречу ветерану труда, и Крюков, быстро переодевшись, уехал домой сразу после двух часов.

Зины не было. Два года уже она состояла законной пенсионеркой, но ни живости характера, ни подвижности ей это не убавило. День ее тоже, как и у мужа, был строгим: утром рынок, потом уборка, глажка; после обеда — внуки: кого встретить, кому разогреть; после — бежать домой, встречать Петю поздним сытным обедом, чтоб остался еще запас времени поесть перед сном полноценный ужин. Времени у Петра Иваныча было в обрез, пересменок между соседними Зиниными забегами позволял собрать вещи и убраться из дома до ее прихода только-только.

Так он и поступил. Выгреб что было по деньгам, отделив часть на жизнь без него, собрал в сумку пару маек, то-сё и приступил к главному.

«Зинуля, — писал он в записке к жене, — услали в командировку, сдают другой объект, говорят, горячий. Прям от крана ехать. Две недели без никаких. Говорят срыв. Денег дадут потом, буду звонить оттуда. Целую Петя».

Откуда — оттуда, — решил не писать по забывчивости, во избежание опасности возможного подвоха. Он пристроил бумажку на видное место, аккуратно запер дверь на все замки и убыл на Казанский железнодорожный вокзал, отвечающий за Саратовское направление.

Поезд был неудобный и не скорый, отправлялся днем, свободных билетов была пропасть, и потому уже через час с небольшим Петр Иваныч ехал в сторону будущего мщения, сосредоточенно пересчитывая проносившиеся мимо электрические столбы, так как никакого четкого плана конкретной мести у него в разработке не имелось. Имелась, однако, прихваченная из дому в дорогу недопитая со вчерашнего Зининого дня рождения бутылка «Белого аиста» натурального молдаванского разлива.

— Чай будешь, дед? — проводница была наглой, крашенной девкой и поэтому спрашивала, не рассчитывая на отказ. Она возникла в купейном проеме, когда он пригубил из поездного стакана первую дозу темного питья, и оно внезапно ошпарило его губы вчерашней пьяной памятью.

— Чего? — поначалу не понял Петр Иваныч.

— Того, дедуля, — ухмыльнулась проводница, — сладенького, да погорячей. Будешь, говорю?

«Аист» уже успел обжечь селезенку изнутри и продолжал гореть в ней жестоким огнем. Крюков обернулся, рассмотрел девку и вдруг с ненавистью сообразил, что сбился с начатого по столбам счета и что это девка виновата в том, что продолжают рушиться все его замыслы и планы, что именно из-за нее он не знает, как начать правильное мщение и в чей адрес его после перенаправлять, если не выйдет достойно разделаться со Славиком. Он хмуро глянул в вырез явно неформенной девкиной блузки, откуда пупырились две поджатые снизу грудки, и, отвернувшись обратно к столбам, бросил в дверной проем, удивившись собственной грубости:

— Отвали...

Проводница смерила Петра Иваныча презрительным взглядом, поправила лиф, покачала головой и отреагировала:

— Сам козел старый, так и говори! — И задвинула дверь.

Ну вот, — обреченно, но уже без прежней злобы подумал крановщик, — и эта про меня все знает теперь, что рогатый. Так-то... — он налил еще коньяку и ему снова захотелось ошпарить внутренность, так чтобы разбудить в себе воина, борца с несправедливостью, героя-путешественника, изжигающего себя ради обнаружения единственного спасительного пути на материк, для того, чтобы покинуть этот постылый фрегат, зажатый ото всех сторон вечными льдами.

На этот раз огня внутри уже не было, а был вкус спитой остывшей заварки, без особого градуса и спиртового привкуса под языком.

— Гады, — сказал он, обращаясь к заоконным столбам после того, как снова сбился со счета, — гады одни кругом. Гады и предатели. — И выплеснул в рот остатки коньячной заварки прямо из бутылки.

Поезд тормознул в Вольске вовремя, но времени для высадки имелось не так много — стоянка была короткой. Был момент, когда Петр Иваныч пожалел, что прибыл согласно расписанию, — не хотелось форсировать неизвестные пока усилия, хотелось думать о них больше, чем их же предпринимать. Но в этом он постарался не признаваться самому себе, вынеся пораженческие настроения прочь за умственные скобки.

Он спрыгнул на крайнюю часть платформы чужого города там, где она была чуть ниже основной, но не менее от этого твердой. Удар пришелся на обе пятки одновременно и через сухие кости Петра Иваныча передался выше, вплоть до самой головы, откуда все, собственно говоря, и началось, вся его история и обида.

— И за это ты мне тоже ответишь, падла, — пробормотал он, превозмогая боль от прыжка, — и погрозил кулаком вслед поезду, туда, где оставалась вчерашняя девка-проводница в бесстыжей блузке...

Три следующих дня Петр Иваныч прожил в общежитии мясоперерабатывающего комбината, потому что договорные цены за постой оказались там сильно ниже, чем в городской гостинице. Договаривался он непосредственно с комендантом, что и определило окончательный выбор жилья.

— Ты только не купайся здесь, дедушка, — сообщил ему, пряча за пазуху деньги, вороватого вида вежливый комендант, — у нас Волга здесь грязная, мы, все же, центр цементной промышленности, сливы случаются в воду, сбросы и прочие бактерии имеются, мы сами купаньем не пользуемся и рыбу не советуем. Так отдыхай, без Волги.

Сдалась мне твоя Волга, — подумал в ответ Петр Иваныч, — не плескаться, авось, приехал, а дело делать. А что нечисто у вас тут, так мне это и без тебя известно, слава Богу, по себе теперь знаю, по своей семье столкнулся.

Вопрос Зины, когда он позвонил ей по междугородке доложиться, застал его врасплох.

— Где ты, Петя? — кричала в трубку жена, встревоженная таким скорым отъездом Петра Иваныча по случаю строительной запарки у смежников. — В каком месте-то, хоть?

— Да здесь я, Зина, здесь, — растерянно бормотал в ответ Петр Иваныч, на ходу сочиняя, какую географию лучше изобрести, — на объекте я, на объекте, скоро приеду, ты не волнуйся.

— А покушать-то есть там, хотя бы? — недоверчиво интересовалась верная Зина. — Кормят-то вас нормально?

— Да нормально, Зин, нормально, тут все есть, тут комбинат целый с колбасой, инвестор обещал выделить сырокопченой на форсаж работ, сдача у них срывается, а так все нормально, жив, здоров.

Что я про комбинат-то колбасный прокололся? — положив трубку, подумал Крюков.— Она ж родом отсюда, мать ее на колбасе работала всю жизнь, и саму ее тут насиловали, в Вольске. Как бы не вычислила меня, про месть Славикову не сообразила бы.

А к самому Славику Петр Иваныч, еще не зная того сам, подобрался уже на расстояние вытянутой руки — протянул и дави, пока не захрипит, ирод насильный. Дело оказалось во сто раз проще, чем он ожидал, пока пересчитывал столбы по трассе Москва — Саратов. Никаких Коромовых, как упомнилось Зине, в городе не значилось. Да и не верил Петр Иваныч в такую нескладную фамилию кандидата в покойники — выговаривалось плохо, хотя и русское, вроде, звучание, но непривычно как-то, не накатано. Коротковых была тьма тьмущая — четырнадцать разных мужских вариантов, но Вячеславом значился лишь один покойник четырехлетней выдержки, но и тот изначально родом оказался из Потьмы, кроме того не совпадал на двадцать четыре года по возрасту учебы и преступления.

— Давайте Комаровых проверим, — предложил он милой девушке в «Справке», — внутри них наверняка много всяких вариантов поиска.

К четвертому утру список был в руках Петра Иваныча, человек в нем было пятеро, и все Вячеславы. Год рождения совпадал у одного, поэтому сразу и без раздумий Петр Иваныч сделал завершающий вывод, что как раз он-то тем самым насильником Славиком и был и по этой причине не являлся в этом списке человеком, а был животным, диким зверем, замаравшим себя первой кровью не принадлежащей ему женщины. Крюков даже поймал себя на мысли, что ему любопытно посмотреть на это грязное чучело человека, не то, чтобы уперть ему взгляд прямо в глаза с осуждающей пронзительностью, как в кино, а просто поглядеть, какие они бывают в живой природе, какими становятся после совершенных злодеяний, в кого произрастают к закату жизни. Поглядеть и удавить, если это тот самый Комаров. А что так оно и будет, Петр Иваныч не сомневался ни на сантиметр высоты собственного башенного крана — сердце било без ошибки и внутренние воды отошли в сторону от основной магистрали между горлом и низом остального корпуса, плоскогорье опустилось еще ниже к равнине, бывшие острыми края затупились и саднить об них стало чувствительно не так.

Адрес у него имелся, а как пройти, подсказали местные. Дверь в жилье, располагавшееся в трехэтажке барачного типа, открыла девушка весьма милого вида, лет двадцати пяти на вид, и это не мог не отметить даже заряженный на месть Петр Крюков. Более того, она была не просто милого вида, она была очень хорошенькой, причем, не той пошлой, современной красотой, свойственной девкам из телевизора, а безо всякой молодой спеси на лице и нахально выпущенного вперед голого пупка. Да и дверь почти не пришлось открывать. Он, просто заметив щель между дверью и проемом, слегка подтолкнул дверную ручку вперед, и она подалась по направлению толчка. А там уже была и девушка, выглянувшая на его толчок из единственной комнаты.

— Здравствуйте, — вежливо произнесла она и с надеждой посмотрела на Петра Иваныча. — Вы к нам?

И снова это ему пришлось по душе — все пришлось: и как спросила, и как посмотрела с робким вопросом на личике, и как отступила уважительно на шаг назад. Он даже на миг забыл о том, что пришел на этот адрес убивать неизвестного злодея.

— Вы из райсобеса? — Она деликатно переждала заминку гостя, но уже сама ответила за него: — А то мы вас ждем давно уже, а вы все не идете. — Тут же она смутилась и поправилась: — В том смысле, что обещали давно очень прийти, а пока не было никого. Второй год уже обещают, — вздохнула она, отделив тем самым визитера от неизвестных обещателей, каких ждут-не дождутся с незапамятных времен.

И опять Петр Иваныч сразу поверил, что в доме есть, кроме него, обиженные люди. Он помолчал, подбирая подходящую тактику разведки, и спросил, стараясь соблюсти деловой тон:

— Так! У вас что? Напомните.

Сам же, решив на всякий случай свериться по месту преступного обитания, бегло бросил взгляд на бумажку с адресом. Все было правильно, адрес был тот, других Комаровых Вячеславов пятидесяти семи лет от роду в городе не наблюдалось. Если не сдох, конечно, когда-нибудь тот, за каким пришел, и не зарыт, как собака, вместе с похоронными бумагами.

— У нас инсульт с параличом, — опустив голову, ответила девушка, словно была в этом и ее вина. — У папы моего, Вячеслава Николаевича Комарова, второй год лежим, а пособие ни разу не выплатили, ни по инвалидности, ни ветеранафганские.

— А вы писали куда положено? — грозно нахмурившись, спросил Петр Иваныч, не зная, что ему теперь надлежит делать по новым обстоятельствам и как удостовериться в сути прошлого без главного участника. Но решил, пока суд да дело, заполнить паузу. — Пройдемте поглядим, — он начальственно махнул головой в направлении комнаты и вопросительно поглядел на девушку, — зовут-то как?

— Меня? — обнадежилась она. Крюков махнул головой по новой. — Феня.

— Ишь ты, Феня, — улыбнулся Петр Иваныч, — это что, Фекла, выходит по-старому?

— Угу, — согласилась девушка, — это папа при моем рождении настоял. Он тогда в Афганистане капитаном был, с душманами воевал. А когда узнал, что я родилась, то написал, чтобы назвали самым каким ни на есть русским именем. Он так думал, чтобы памяти было больше, если от руки душмана погибнет, на исламской земле. Феклой, написал, Комаровой хочу, чтобы была моя дочь, — они прошли в комнату, и там Петр Иваныч обнаружил среди прочей нищеты ситцевую занавеску, отгораживающую угол от остального пространства, а Феня продолжала: — Он думал Фекла Феней будет для короткого обращения, а не знал, что Феня это Агрофена по-настоящему, а не Фекла. А потом вернулся оттуда живой, без одной ноги, но со многими орденами за отвагу и героизм и узнал, но поздно было уже переиначивать, все мы привыкли ко мне такой. Так Феней и осталась, хоть и Фекла, вот.

Что ж это делается-то, Господи? — подумал Петр Иваныч в настоящем страхе от того, что совершенно перестал уже понимать, кого ж ему следует убивать теперь: героя войны, что ли, безногого, в инсульте и без пособий? Да еще Феня эта, в смысле, Фекла, сама солнышко ясное, чистая как небесная ткань, которая рядом с башней крановой простирается, когда всмотришься повнимательней, если бетон не завезут или раствор, и увидишь всю красоту небесной жизни.

— А мама ваша где? — в легкой растерянности от собственных сомнений спросил он Феню, надеясь на облегчительный результат.

Феня вздохнула:

— А мама умерла, когда мне одиннадцать было, от раковой опухоли. Она сказала... — тут она понизила голос, бросила взгляд на отгороженный угол и договорила, — что за папу сильно переживала, извелась за потерю ноги, за страдания его, что после войны никому ненужный стал, и опухоль у нее развилась в очень быстрые сроки, и операция не успела маму спасти, метастазы были больше нормы.

Петр Иваныч выпустил воздух — к такому повороту событий он не был готов совершенно. В замешательстве он попросил Феню:

— Ты, дочк, отодвинь тряпочку-то, я на состояние посмотрел бы отцово.

— Конечно, смотрите, — покорно кивнула Феня, — чтоб не думали, что мы поблажку просим, а не по закону.

Она отдернула ситец, и Петр Иваныч перевел взгляд в угол. Он, конечно, человек был закаленный и никогда не боялся никакой высоты в силу профессии, но то, что он увидал в доме своего обидчика, заставило его быстро отвернуться и махнуть рукой обратно — мол, понятно, дочка, закрывай назад. На железной кровати лежал человек с лицом древнего старика. Щеки его провалились, словно у неживого, но наполненные жидким глаза были полностью открыты, а из одного глаза высачивалась тонкая струйка и собиралась на небритой щеке, зависая там в вязком подтеке. Рот был приоткрыт и мелко подрагивал в унисон со слабо пульсирующей жилкой на худющей шее.

— Папа, — позвала его Феня, — к нам пришли. Товарищ из райсобеса, по нашим обращениям. Теперь все будет хорошо, пап, нам помочь обещают, слышишь?

Бывший афганец не реагировал, лишь пару раз дернулась сильней жилка на шее.

— Он так часто спит, — объяснила Феня, испытывая неловкость за отца, — с открытыми глазами, но это ничего, мы так тоже привыкли, просто на лекарства не хватает, а я работать могу только когда он спит надежно, урывками подрабатываю, на почасовой.

Славика этого парализованного Петр Иваныч признал сразу, как будто толкнул его кто-то изнутри по направлению вперед, а спереди встретили кулаком. И весь теперешний вид Славиков был не при чем, и справедливость тоже была не при этом. При этом было только то, что радости от такой находки не было тоже: ни от жизни Славиковой такой, ни от любой его смерти. И тут Петр Иваныч почувствовал легкость, идущую от самого дна ступней, просто от самых пяток, где что-то заработало, закрутилось и стало разгонять теплое в ноги, посылая сигнал в направлении главной его башни, его командоконтроллера, того, что рядом расположен с красной кнопкой «Стоп» в кабине крана.

И чего? — с недоумением задал он себе вопрос, продолжая стоять там, где стоял, между Феней и ситцевой занавеской. — И кому я должен отомстить за Зину? Не Феню же теперь эту святую насиловать, если отца убить невозможно? Она ни за кого не ответчик, а он вообще ветеран Афгана, инвалид и герой.

— Так, — по-деловому обратился он к ней, — все понятно теперь, ждите ответа по существу, в самое ближайшее время ожидайте.

— Спасибо вам, — обрадовалась девушка, — спасибо большое, я всегда знала, что правда победит, и папа всегда в это верил. Он до инсульта еще, когда в разуме был, повторял часто, что настоящей справедливости ничто противостоять не сумеет, не получится у злого доброе погубить, не сложится у него.

Петр Иваныч невразумительно промычал в ответ что-то между н-ну-у-у и м-м-м-м и быстро вышел на воздух. Там он прошел с километр быстрой походкой и присел на траву. Напряжение немного спало, несмотря на уже имевшиеся к этому моменту отливы приступов мстительной жажды, и ему захотелось пить, просто открутить водопроводный кран, подставить согнутую ладонь под быструю струю, приникнуть к пахнущему ржавчиной и холодом металлу и пить, пить, пить...

Больше в городе Зининого детства ему было делать нечего. Однако это не означало, решил он, что все вернулось на свои места. Теперь надо было что-то решать с самой Зиной, потому что Славик — Славиком, герой — героем, культя — культей, а вина ее оставалась, раз нет других виноватых в крахе всей его жизни, раз не нашлось, кому ответить за преступление боевого безногого капитана, и раз все еще оставался на белом свете раненый и пострадавший — сам он, Крюков Петр Иваныч.

Билет ему достался на тот же день и на такой же поезд, только обратный. И даже в тот самый вагон. Место свое в купе он занял, когда было совсем уже темно, но девка-проводница, та самая, что козлом обозвала, признала его сразу, но на этот раз решила очередные испытания колючему пассажиру не устраивать, памятуя о неадекватной реакции его на гостеприимство чайной церемонии. Когда уже стронулись с места и поехали, сама предложила Петру Иванычу перебраться в пустое купе — вон их, все равно, сколько пропадает в этом говнючем поезде без скорости и со всеми остановками.

Перед посадкой Петр Иваныч успел заскочить в привокзальный ларек и отовариться плоской бутылкой местной водки, других напитков крепкого содержания не имелось. До самой Москвы ему теперь предстояло решить важную для себя тему — с чем он вернется домой и как теперь после всего жить дальше. Не отомстив.

Дверь в купе была распахнута и болталась на нижнем рельсе туда-сюда. В промежутках коридорного изображения иногда мелькала девка, разнося белье новым пассажирам. Каждый раз, продвигаясь вдоль Крюкова купе, она строила ему невинную улыбку и подмигивала, словно не было между ними тогда никакой истории и не существовало полученного от нее оскорбления. На улыбку ее он не отвечал, но решил не заводиться и откупорил плоскую водку. Первая половина фляжки прошла удачней, чем он сам ожидал, хотя ни закуски, ни запивки, ни приготовленного загодя тоста, кроме все еще огорченной и пустой головы, в наличии не имелось. Но и прошибло зато его настолько скоро, что он не успел даже уловить момент собственного опьянения. Водка, в отличие от «Аиста», на вкус была жестче и ошпаривала рот сильней, чем птичий напиток. Он скинул пиджак и отвалился на купейную спинку. Злости не убавлялось. Неясное, что, казалось, отпустило кишки в день отъезда — так он, по крайней мере, подумал, когда нашел кран с водой и, присосавшись к металлу, судорожными глотками пил вольскую воду — вновь, как в свежей фотографии, стало проступать незакрытой обидой, потому что с каждым пролетавшим в ночи столбом Москва становилась все ближе, а возможность искупить Зинину вину — все призрачней.

В этот момент в купе шагнула проводница:

— За белье с тебя, дедуль. Ты у меня последний остался неохваченный. Стелись, давай, — она пристроила стопку на соседний диван. Петр Иваныч проводил белье взглядом и не ответил. Проводницу это не смутило, она присела напротив и миролюбиво произнесла: — Да не дуйся, дедуль, я ж не со зла тебя козлом нарекла тогда старым. Просто, работа у меня такая, на нервах все. Ну, сам посуди, — она протянула руку к плоской бутылке, плеснула себе глоток и одним махом опрокинула в рот. — Народ разный всегда, зарплата нерегулярная, личной жизни никакой и бригадиру поезда дай, когда скажет. А не дашь — не поедешь больше, тут же на плацкарт перейдешь, носки нюхать и говно выгребать из-под челноков.

Петр Иваныч поднял глаза на девку и тут до него дошло, тут-то замерцало и засветилось понимание нужного поступка, тут-то он и решился.

— Бригадиру, говоришь, даешь? — спросил он с тихой яростью в голосе. — А то, говоришь, не поедешь? — Предмет возможной мести сидел прямо перед ним и хлопал невинными глазами, такими, наверное, какими хлопала его Зина, не зная, быть ей или же не быть. Со Славиком, разумеется, если не еще с кем другим заодно. — Высидел я тебя, наконец, — злорадно подумал Петр Иваныч про начинающую хмелеть девку, — нашел-таки, паскуду. Ты-то мне и ответишь за все, за Зину мою бедную и за порушенную мне мечту.

Он поднялся, протянул руку и резким движением захлопнул купейную дверь. Девка снова хлебнула, и в бутылке осталось на один последний глоток. Его Петр Иваныч и совершил. Смелости, однако, это не прибавило, но и не убавило зародившейся заново злобы. Он присел к проводнице, взял ее за руки, завел в самодельный замок и неожиданно резким движением корпуса завалил ее на диван, пытаясь максимально подмять под себя с тем, чтобы перекрыть все выходы, а оставить себе лишь вход для будущего насилия. Он уже приготовился, было, к буйному сопротивлению и настроился на войну и победу, но внезапно не обнаружил ответной силы со стороны проводницы, словно то, что он собирался учудить, было для нее делом обыкновенным и вполне понятным.

— Погоди, дедуль, — легко высвободив руки от замка и прикрыв ему рот ладошкой, пробормотала она и повернула замок на двери. — Чего ты спешишь-то? Дай юбку снять, а то замнешь, она ж форменная.

Петр Иваныч отпрянул. Всего мог ожидать крановщик от получившейся жизни, но только не такого отвратительного сюрприза. Девка шустро скинула юбку, тут же с нее слетели трусы, после чего она налаженным движением задрала блузку, высвободив на вольный воздух груди. — Только это... — она прикинула и назначила: — Пятьсот рублей, дедуль ты мне подаришь, ладно? — Она потянула Петра Иваныча за ремень штанов. — Нормально будет, пятихатничек? Со скидкой на возраст. И пошустрей, если получится, ладно? А то мне поспать еще надо успеть до Тамбова или же я никакая буду, профукаю стоянку.

Петр Иваныч почувствовал, что сейчас его вывернет наизнанку, а проще говоря, вырвет чистой водкой из плоской фляги с желчью вместо отсутствующей закуски. Все рушилось по новой с самого начала неудачно задуманного марафона мести, и, казалось, возведенные с таким адовым трудом временные опоры, на которые должен был лечь спасительный мост, стали вновь надламываться и разъезжаться в разные стороны, унося с собой обломки так и не опущенной на них конструкции.

Он вскочил на ноги и рванул ремень в обратном от девки направлении:

— А ну вали отсюда, проститутка, — заорал он так громко, что девка испуганно вскочила на ноги и стала шарить вокруг в поисках юбки и трусов. — Ты что же думаешь, меня купить за так можно? За просто так? За пятистенок твой несчастный, да? Или как там у вас это называется? — Проводница лихорадочно одергивала блузку и подсовывала обратно груди под лифчик. Глаза ее были испуганны, руки плохо слушались, и она никак не могла продеть ногу в трусы.

— Дедушка, вы чего, дедушка? — бормотала она, прислушиваясь к вагонной тишине и еще не понимая окончательно, чего ей ожидать от сумасшедшего старика.

— Думаешь, я вам прощу? — продолжал буйствовать Петр Иваныч. — За то, что вы Зину мою испоганили, меня вместе с ней опозорили, прощу, думаешь?

Девке, наконец, удалось нацепить на себя юбку. Трусы она просто сунула в лифчик, крутанула замок обратно и, забыв получить с Крюкова деньги за белье, кинулась в сторону проводницкого купе. Петр Иваныч удовлетворенно посмотрел ей вслед, захлопнул дверь обратно, рухнул, как был, на диван и только после этого ощутил всем организмом, как смертельно устал и насколько ужасающе он пьян.

Весь другой день, пока ехали, Петр Иваныч почти не выходил, спал до полудня, и все это время ему снилась земля с высоты башенного крана. Но разглядеть хорошо ее он не мог, потому что мимо башни и под ней все время пролетали грязно-серые облака. Они рвались на крупные и мелкие куски, путались перед глазами и застили изображение матери-природы по всей высоте от кабины до земной поверхности. Но зато Петр Иваныч твердо знал, был надежно уверен, что там, внизу, где заканчивается облачная рвань, стоит его жена Зина и терпеливо ожидает конца Петровой смены, чтобы вести мужа домой, потому что у него нет одной ноги и с Зиной будет ловчей перескакивать через препятствия. И тогда он закричал, как можно сильнее вниз, через дымные помехи, так, чтобы Зина услыхала его и поняла:

— Зи-и-и-и-н-а-а-а!!! Я зде-е-е-е-сь!!! Я ту-у-точки-и-и!!!

Но внизу было все так же темно и неотзывно. И тогда он снова закричал, заорал на этот раз и замахал руками, высунувшись из кабины, насколько позволяла оттолкнуться от сиденья единственная нога. И услышал в ответ через облачность ответный крик. Но это была не Зина, а прораб Охременков, который высвистнул в направлении неба и четко обозначил:

— Вир-р-р-а!

Крюков дал полный рычаг на себя — это, чтобы вверх. Одновременно он дал на себя и другим рычагом — это, чтобы к себе ближе при той же высоте. Ждал он долго, потому что Охременков умолк, трос наматывался на барабан, а груз в поднебесье так и не возникал. И такая охватила Петра

Иваныча безнадега, такая истинная грусть, и такая пробила его настоящая боль, особенно в месте, где болталась культя, вернее, где она кончалась, в пустом воздухе после обрубка, что дернул он со всех что было сил рычаги на себя, оба разом, те, что уже и так задвинул до отказа, и почувствовал, как рушится в основании их железная шестерня, как упруго изгибается в последнем сопротивлении металлическая штанга и как хрустит под его жилистой и сильной рукой весь механизм целиком, весь его башенный кран вместе с небом и землей.

И тогда рассеялись разом воздушные занавеси, не устояли против силы Крюковой любви, и из самой их середины выплыла в поддоне, в каком поднимают раствор и бетон, его верная жена Зина. В руке она держала вафельный стаканчик с пломбиром, такой, как он любит, без ничего, без присадок и химии, и улыбалась Петру своей доброй и невинной улыбкой.

— Зин, — хитро засмеялся Петр Иваныч, решив немного обмануть супругу, — а я ведь тебя не ждал вовсе. Чего приехала-то? — Зина не ответила, а просто протянула мужу мороженое. Это и был ее ответ. Петр Иваныч мороженое взял и откусил. Оно было сладким и чистым — натурального вкуса, как и сама Зина. И тогда он все равно ответил, хотя и не планировал: — А за гостинец, все ж, спасибо, Зин, мне как раз хотелось холодненького.

Прибытие в Москву получилось под самую ночь. Проводнице при выходе он коротко кивнул, не упомня точно, чего он против нее восстал, против бесхитростной этой девчонки. Та тоже кивнула, но с опаской, которую, впрочем, Петр Иваныч так и не просек. До дому добрался в последнем поезде метро, под час ночи. Дверь Петр Иваныч отомкнул неслышно и так же неслышно, раздевшись, прошел в спальню к жене. Про приезд его Зина, само собой, знать не могла, она спала по обыкновению на любимом левом боку, выпуская тихий присвист через ровное дыхание честного человека.

Крюков прислушался и постоял немного, просто так, в одних трусах, вдыхая запахи родного дома. Ощущение выполненной миссии было неполным, ему хотелось поставить завершающий аккорд, и теперь он знал, как это сделать.

Он стянул трусы, и они плавно упали к его ногам. И все совпало по задуманному. Петр Иваныч внезапно почуял, как нарастают в нем огонь и мужская страсть от того, что он сейчас сотворит с этой женщиной, не ведающей о его планах, с собственной женой Зинаидой Крюковой.

— Ну что, Славик? — прошептал он почти неслышно, шевеля одними губами, — Посмотрим, чья возьмет теперь, герой Афгана. — Он сделал два неслышных шага и подобрал свисающую вниз полу лоскутного одеяла. Было почти лето, самый майский конец, но Зина любила спать тепло и приучила к этому и Петра Иваныча. — Ничего, — пробормотал он, — потерпишь. Как тогда терпела, в городе детства.

Одним рывком Крюков сорвал одеяло с кровати и налетел на спящую Зинаиду, подминая под себя ее мягкое тело. Женщина тут же проснулась и, не понимая ничего, в страхе попыталась заорать. Однако, Петр Иваныч и тут не растерялся, так как был приготовлен своим же планом. Он прижал ей рот рукой и рванул на себя женину ночную рубашку. Ткань затрещала и одновременно задралась. Зина продолжала биться в темноте, разогревая и так непростое состояние Крюкова, поддавая дополнительного пламени своим несогласием в его необузданном желании справедливой и заслуженной мести. Он перехватил ее ляжку и рывком отвел вбок, насколько получилось. Возбуждение достигло предела, и сопротивление и страх жены — тоже, и это крановщик не мог не чувствовать. Тогда он с маху вошел в ее большое тело и забился там в припадке безраздельного мстительного удовольствия, которое вынашивал, выносил и получил наконец. Так он хотел, и так случилось — так сам он решил, и так было ему необходимо.

Зина тем временем перестала вырываться и орать, а, наоборот, раскинула руки и, подстанывая, приладилась к судорожным толчкам Петра Иваныча.

— Ты! — очумело работая всем корпусом выдохнул Петр Иваныч навстречу ее пылкой реакции на насилие. — Ты!...

— Я! — прошептала Зина, не переставая также вдохновенно помогать мужу в его мужском порыве. — Я, Петенька, я!

И в этот момент все и произошло, и все разом выстрелило, и тут же окончилось после финального залпа по всем направлениям главного удара: и обида, и разрядка от насилия и любви, и отмщение за прошлую, оказавшуюся нелепой целую жизнь, и все-все остальное, о чем хорошо подумать ни сил, ни времени не хватило...

Спали они после, как всегда, в обнимку, в тесном взаимном притяжении супружеских тел, выполнивших каждый свой накопившийся долг. Только, если для Зины мужчин сумбур носил в ту ночь характер странной необычности, то для Петра Иваныча он же означал полное закрытие темы для сомнений в избранной им жизни.

Утром Зина поцеловала мужа в плечо и сказала:

— Петь, ты как зверь был просто вчера, когда накинулся и роздыхнуть не дал совершенно. Видать, командировка твоя кстати пришлась, хорошо на здоровье повлияла, не перегрузили вас там, видно, на сдаче объекта.

Петр Иваныч согласно кивнул и в свою очередь поинтересовался:

— Зин, а что с тем пареньком, интересно, сделалось, что тогда замуж тебя звал, да не дозвался?

— Со Славиком-то Комоловым? — удивилась вопросу Зина, — а чего?

— Комоловым? — недоверчиво переспросил Крюков, — не ошибаешься?

Зина, однако, на поправку свою внимания не обратила и отчиталась:

— Так он года через два после техникума на еврейке женился, по большой, говорят, любви и вместе со всей ихней родней в Израиль уехал, на постоянное житье. После этого сколько лет ни слуху об них, ни духу.

Ну, так, — подумал Петр Иваныч и облегченно выдохнул в подушку, — вот теперь совсем уже все, окончательно все, самый конец любому финалу позора.

Последняя капля отлива втянулась в высыхающий на его глазах берег и растворилась безвозвратно в пучине земной поверхности, твердой и надежной, как сама супружеская жизнь.

На работу он вышел на другой день после приезда, раньше отпрошенного срока на целую неделю. Первый день тоже пропал не зря: Петр Иваныч собрал увесистую продуктовую посылку для отправки в адрес семьи афганского ветерана, капитана Комарова, и дочки его, Фенечки, и написал про них прошение по линии депутатского запроса о творимых в городе Вольске безобразиях властей.

С обеда начиная, крановщик Крюков уже восседал на небесах, «вируя» бетон, «майнуя» раствор и удивляясь тому, как шустро в его отсутствие возвели опалубку для высоких этажей, почти подобравшихся уже к самой кабине башенного крана. И по этой понятной причине земля теперь стала как будто ближе к нему и, как будто, еще родней, чем была раньше, и никакие рваные грязно-серые облака не затмевали больше раскинувшийся перед его глазами чудный вид родной стороны, даже несмотря на высокую точку ее обзора. Разве что с точки этой нельзя было досмотреться до страны Израиль, в которую убыл нечестным путем незадачливый Комолов Славик со своей еврейкой-женой. Ну, да Бог с ним, со Славиком, ему и без Петра Иваныча пусто, наверно, да никчемно от прозябания на чужбине, на далекой, пустынной стороне, вдали от настоящей жизни, от натурального сливочного пломбира, незамутненного никакими посторонними присадками, и еще от многого остального, чем можно с удовольствием продолжать гордиться...

История вторая
БЕДА И СЛАВА ПЕТРА ИВАНЫЧА

С учетом получившийся жизни больше всего на свете крановщик Петр Иваныч Крюков радовался трем вещам. Но при этом они ни с любовью в привычном понимании слова, в том, какое он полноценно мог бы применить к жене своей Зине, ни с давшей слабую трещинку в прошлом году гордостью за многое прежнее хорошее ни в какой связи не состояли. Да и, правду сказать, и хорошее в Крюковом прошлом то ли имелось, то ли натурально — нет, но, с другой стороны, оно смело могло считаться и имевшимся, если поплотней сощурить глаза и не уделять особо большого внимания никаким житейским поворотам судьбы, возникшим по случайности и непрошенной неожиданности.

К первому в разряде трех основных радостей относились их с Зиной родные внуки, которые были от старших сыновей, от Валентина с Николаем. Самих внуков-школьников было три плюс одна внучка — по два получалось от каждого отпрыска. Радость от них ото всех Петру Иванычу и Зине была огромная, а взаимность отпускалась в доме деда и бабки Крюковых поровну всем, можно сказать, оптом, без раздела по количеству и вне конкретной привязки к каждому мальчику. Но если, кроме проявления ласкового тепла и радости бесконечной от наличия в семье такого продолжения фамилии, других серьезных забот у действующего крановщика Крюкова не имелось, то для Зины благодать эта оборачивалась и другим еще своим краем — нужной помощи малым внукам, дополнительным надсмотром над питанием после школы в согласованную родственную очередь, а также семейной заботой над излишками свободного времени в цикле детского воспитания. Однако, такая дополнительная к пенсионности нагрузка практически не оказывала влияния на Зинину хозяйскую по дому умелость и сноровку, и лично Петр Иваныч никак от нее не страдал,

274

потому что так же, как и малая поросль Крюковых, получал от жены все, на что Зина была способна к моменту прожитых лет и точки совместного счастья. Не хуже крепконогой молодки летала Зина между мужем и внуками, нацеливая ухо востро на мир и порядок здесь и там, вдоль всей фронтальной оконечности большой семьи, не давая слабины ни в одном самом малом промежутке: от снабжения овощами до безотказного согласия на мужскую нужду и скорого разогрева на стол.

Была и другая в доме радость, вторая по счету, если вести его в порядке важности отношения к ней и степени наполнения души Петра Иваныча. И радость эта была — канарейка. Впрочем, канарейка ли — точно об этом Петр Иваныч не знал, потому что был и другой вариант происхождения и пола певчей птицы. А именно — она запросто могла быть и кенар. Когда четыре года назад Павлуша, младший сын, притащил ее в дом, зажав в кулаке и продолжая выдыхать на птицу теплый воздух изо рта, Петр Иваныч с Зиной просто не задались поначалу принципиальным вопросом — кто она есть, эта Пашкина птица по половой принадлежности. Да и не интересоваться надо было для начала подобной глупостью, а животное спасать, которое почти не билось в руке и не дышало. Ну а после уже, когда существо отогрелось и с оттаявшим испугом закрутило по сторонам живой головой, то снова было не до того. Зина понеслась на кухню греть молоко с медом, чтобы поить с пипетки, бронхи греть изнутри этому тщедушному крылатому организму, почти окончательно загубленному дворовым алкоголиком, у которого Павлик эту канарейку и отбил. Или же кенара.

Начальную клетку соорудили из казана, набросив сверху редкий тюль, который каждый год Зина, опасаясь зимних бомжей, сдергивала с дачных окошек и доставляла в город зимовать после выгорания на шести сотках. Туда птичку и пустили, высвободив из заботливых объятий младшего сына. Перед самым уже запуском Зина на всякий случай еще раз промыла казан изнутри, тщательно оттерев поверхность от возможных жировых остатков прошлой готовки. Петр Иваныч плов предпочитал жирный, из настоящей ядреной баранины, с чесноком и круглым рисом, как в чуркестане, а не в столовке строительного предприятия, и, в отличие от пломбира, — с многочисленными приправочными снадобьями. Так что промыв пришлось делать с двойным порошком, учитывая слабое состояние кенара и его ненадежный внешний вид. Опускал спасенного вниз, к круглому дну сам Петр Иваныч, и тогда ему показалось, что птенец в самый последний момент благодарно лизнул его языком за большой палец правой руки, и это добавило внепланового уважения к самому себе за такое собственное участие в спасении живого существа.

Так судьба канарейкина была определена окончательно — решено было оставить ее в доме Крюковых на вечный постой, купить с этой целью нужную клетку, запасти полагающиеся корма, приладить минимальную посуду для питья и крепкую жердочку для удовольствия нового члена семьи — летающего Крюкова. Или для порхающей Крюковой, тоже пошутил Пашка вдогонку отцовой доброй усмешке.

Летать по факту птица не могла — то ли не было оказии поучиться, то ли уже разучилась. И вообще, выяснилось, что совершенно это не птенец, а полноценный по возрасту старик или старуха. Цвета птица была все еще желтого, но не уверенно — с подтеками, пробелами и внушительным лысым овалом на груди, как будто нарочно ошпаренной неразведенной кислотой. Овал зиял лишней промоиной и слегка отпугивал окружающих воспаленно-розовым колером. К птичьему врачу Зина нести приобретение не разрешила: сказала, подцепит там у них инфекцию или заразу, а мы потом не подымем после этого. Сами уход обеспечим, пояснила, домашними средствами, без химии и уколов. И подняла частично, до нормального уровня здоровья, до веселой и беззаботной старости, в которой и так уже по возрасту пребывала канарейка. По годам, но не по нынешнему состоянию здоровья и души, если отсчитывать, исходя из всех признаков поведения, мудрости, доброго аппетита и ответной ласки ко всем Крюковым.

Выделяла, однако, из них Петра Иваныча все же больше других, и это не мог он не заметить и не оценить. Наверное, помнила через прошлую свою коматозку, как бережно опускал ее новый хозяин на отмытое дно теплого казана и как благодарно принял он ее птичий поцелуй, почти предсмертный в ту пору. И понимая эту свою домашнюю радость от взаимности с живой тварью, Петр Иваныч не спеша каждый раз подходил к птице, окончательно к тому моменту позабыв, что не сам он является спасителем ее от холода и бомжа, а младшенький его, Павлуша, и по-барски подносил палец к самой проволочной изгороди клетки, ближе к птичке. И тогда, весело кряхтя, воспитанник подскакивал от радости, притирался лысой грудкой, насколько пускала, к металлической преграде, просовывал щипаную головку сквозь прутья и, прикрыв подслеповатые моргалки, нежно-нежно поклевывал заскорузлую хозяйскую конечность, стараясь не причинить благодетелю излишнего беспокойства. И млели в такие минуты оба они: спаситель и спасенный. Тогда-то и пришло к птице имя, и родилось в сладкий миг сближения, первый после оклемовки и существования в прошлой безнадеге.

А вспомнился Петру Иванычу в тот миг почему-то боевой капитан из прошлого — была в его жизни история одна, в том году имело место соответствующее происшествие, и было оно схоронено ото всех — ужасное поначалу, но к концу мирно рассосавшееся, отлегшее в сторону, к самому краю мужской нетерпимости. И был в том малоприятном деле мужчина один кроме Петра Иваныча, непрямой участник, оказавшийся честным, как и сам, человеком, героем, ветераном войны и невинно пострадавшим. А после нужного вмешательства ветерана труда Крюкова засуетились кому положено, вникли в суть человеческого равнодушия и чиновного застоя насчет творимых в городе Вольске безобразий, вломили кому следует, включая сам афганский комитет и приспешников его на местах, и на облегчение пошло у капитана Комарова, хоть и не ждали. И поправка образовываться начала и остальное улучшение по ряду параметров. Речь из мычанья усилилась, глаз помолодел, подвижность членов окрепла, аппетит возник из ничего, и кое-что из памяти вернулось обратно. Недавно письмо получил Петр Иваныч от Фенечки Комаровой, Феклы по-правильному, что помнит отец все доброе, когда в себе, и благодарит за участие в судьбе.

Поэтому и назвал он птицу Слава — не в честь капитана Комарова напрямую, само собой, а просто, как следующее по очереди спасенное им живое вещество, сотворенное из Божьей материи, которое настрадалось и могло вообще пропасть, но не пропало, а, наоборот, вернулось к жизни и сильно окрепло.

Было еще одно немаловажное соображение, касавшееся придания компромиссного имени оправившемуся летуну, а именно — отсутствие внятного полового признака женщи-на — мужчина. Сами Крюковы разобраться в столь хитром деле не умели, а привлекать специалиста считали недостой-ным, стыдным, попросту говоря, когда речь о жизни шла или о смерти, хотя больше о смерти на тот момент. Да и не-важно им было, если честно, птица все равно не пела вдоба-вок к неумению летать: то ли время обучения упущено бы-ло, то ли не все вообще они поют в зависимости от пола.

Для начала сомнений не было у Крюкова — кенар был женского рода, так как был измученным, но не потерял изна-чальной ласки, свойственной только подруге, а не другу. Но потом он же передумал — Петр Иваныч, а не кенар. А мнение поменял, когда увидал всю его птичью силу и стойкость к выживанию и боли, присущую исключитель-но мужикам — это Петр Иваныч знал по себе, настрадался за последний период жизни соизмеримо, хотя без потери голо-са и образования лысины на животе. В какой-то момент по-пробовал даже стыдливо заглянуть канарейке под хвост в попытке исследовать птичью промежность. Кенар довер-чиво разрешил и ни биться в неопытных Крюковых руках, ни судорожно хвататься цепкими конечностями за прутья не стал, а расслабился, опрокинул голову назад, закатил гла-за по бокам от клюва и, замерши таким путем, стойко дер-жался, пока Петр Иваныч, стараясь быть предельно неж-ным, внимательно шарил в промежутках редкого пуха.

Таким образом, ничего не получалось до конца. Тогда-то и решил хозяин — Славой будет птица: и за мужскую стойкость капитана Комарова, и за собственную женскую негу одновременно, за самою мать-природу, сохранившую птице жизнь. Слава — и нашим, решил, и вашим — всем понемногу, чем не имя для канарейки?

— Что? Подлизываешься? — Кенар словно понимал Петра Иваныча, весь обращенный к нему разговор, и мелко-мелко кивал головкой, приглашая отца родного к привычной процедуре. Крюков улыбался, с неловкой стеснительностью оглядывался на дверь и нагибал голову к клетке. Этого птица и ждала: она переносила кивки ближе к седой голове крановщика, не прерывая тех же частых-частых поклевок, но уже по поверхности самой башенной кабины, по главному органу Петра Иваныча, откуда и пошла вся эта линия радости под номером вторым.

Клетку, как и саму птицу, тоже приобрел Павлик, ровно полстипендии выложил — он тогда как раз на первый курс поступил, на художника-полиграфиста решил выучиться, всегда тягу имел к рисованию, постоянно листок перед собой крутил с карандашиком, все чирикал там, чирикал чего-то.

И откуда взялось чего, — с гордостью размышлял Петр Иваныч, — надо же, какое в нем прорезалось, ни от кого из нас не передалось, а взялось с другого совершенно места, может, и правда с Божьего какого-нибудь, с потаенного. У меня ни Валька, ни Колька, ни их малые никогда этим не интересовались, отродясь ни портрета, ни чего другого не пробовали и у других, по-моему, не смотрели рисунки. Так... жили себе по другому направлению, учились на средне и хорошо, все прочее тоже по уму делали, и не хуже людей заделались. А Павлуша... — Петр Иваныч удовлетворительно закатывал глаза к потолку и долго еще с удовольствием думал про то, какой у них ладный с Зиной последненький получился, от которого великая радость была в механизме его отцовских чувств. Об этом, чтоб не выделять Павлушу от других сынов, он с Зиной не делился, не хотел огорчать жену отдельностью отношения к одному из трех равно родных детей, не желал демонстрации особого прикипания к Павлику. Да и то сказать — причина имелась к этому самая наружная, с переживаниями для отца и натуральными болями для матери.

Павел Крюков родился в семье поздним ребенком, хотя было Зине к тому сроку и не так много — тридцать пять всего. Но это теперь так считают, а тогда не было принято. Тогда все боялись, и Петр Иваныч прежде всех боялся за Зинину сохранность при родах, несмотря на то, что третьего ребенка желал окаянно. Наслушавшись Петиных предостережений, на роды она пошла с пережатым страхом животом, и схватки никак не получались как было с ней раньше, согласно медицинской науке и прошлому здоровью, и в результате Павлуша пошел из нее наперекосяк, с проблемами, которые решать пришлось при помощи оперативного вмешательства. Зину тут же на столе усыпили и перекантовали в хирургию — резать. Петр Иваныч в это время ничего не знал — он был в кране, принимал раствор, хотя и ожидал родов сегодня или, в крайнем случае, на днях. САМ же, самый ВЕРХНИЙ, находясь неподалеку, никак ему в тот день не просигналил, ни о чем не дал знать, не кинул с верхотуры никакой подсказки. Петр Иваныч тогда, помнится, крепко на него обиделся и временно затаил неприязнь, но после простил, потому что все закончилось хорошо: Зина родила Пашку, и вес Пашкин получился в пределах нормы, а рост даже немного опережал остальное развитие. Переживание Крюкова, когда узнал, как все прошло, пришлось уже назад, отмоталось обратно от счастливого события, ранило уже не по прямой, а по касательной дуге, и от этого радость третьего рождения была еще сильней, и от этого Павлик стал ему еще дороже и необходимей, чем другие пацаны, которые, как будто, высиделись да вылупились из яичка в срок и безо всякой скорлупы вообще.

Так и длилась после этого радостная тайна, оставаясь все годы ничем почти непревзойденной, и числилась под номером три в том самом самодельном списке радостей жизни — не по главности, а просто по свободному перечислению. И было так вплоть до того дня, когда все закончилось, разом прекратилось, обернувшись в страшное и непредсказуемое событие с жутким промежуточным финалом и открывшимися Петру Иванычу подробностями о своем младшеньком, о Павлике. И получилось-то все, как и многое другое в жизни Петра Иваныча, из-за ерунды, по случайности, в силу пустой чепухи. Если совсем уж точно — из-за рыбных котлет.

Рыбу все Крюковы любили по настоящему, всей семьей, с самого начала первых вкусовых пристрастий, обнаруженных друг у друга еще во времена совместных рыбалок с Серегой Хромовым и его первой женой у них же в деревне. Там же в лесу, под палаточным брезентом прошли три другие первые ночи близости, сразу после свадьбы. Все, не занятое непосредственной любовью время, молодые Петр и Зинаида провели на торфяном озере в отлове карасиков на ушицу и поджарку, и это было самым трогательным воспоминанием обоих на любой момент семейной памяти. Оттуда и пошло: правда, рыба с годами становилась другой: не живой, но зато более крупной, постепенно обращаясь в унисон со временем морожеными видами хеков, трески и по праздникам — судаком на домашнее заливное. Но слабостью Зининой в рыбном промысле остался, все же, не отдельный рыбий вид или сорт, а способ донесения до едока — котлеты из рыбы же, но уже с добавками к дважды прокрученной мякоти в виде лука, чеснока и отмоченного в молоке белого хлеба, по вкусу, чтобы было еще нежней.

Котлет Зина нажарила в тот день большую миску, а не две больших, как всегда, потому что прибаливала последние дни, грипповала и все больше не на кухне находилась, а держалась ближе к постели, чтобы ограничить распространение вредного чиха на остальную жилплощадь.

— На всех в этот раз не получилось накрутить, — пожаловалась она Петру Иванычу, когда он вернулся со смены. — Так что, Петенька, придется Вальке с Николаем недодать котлеток, а уж Павлуше-то доставь покушать, он, не знаю, и ест там чего теперь — все с работой своей второй месяц возится, выставку какую-то они там готовят с напарником, головы, говорит, мам, не поднимаем какой день подряд.

— Да ясно, мать, чего там, — съев обед, согласился Петр Иваныч. — Не дадим пропасть меньшому с голодухи, отнесем котлет червя заморить художнику нашему, пусть лопает, а то с лица окончательно ускользнет и не заметишь, как вид потеряет. Да и напарник его тоже пусть подкормится, а то выставку Пашке запорет и поминай, как звали. Да, Слав? — он обернулся к птице и по-отцовски подмигнул ей обоими глазами, чтоб было понятней доброе отношение. Почуяв персональное внимание, Слава быстро-быстро замотал головой и выкряхтел пару непевчих звуков, соглашаясь с постановкой вопроса. — Ну, вот, — удовлетворенно кивнул ему Петр Иваныч, — и ты, вижу, за Пашку переживаешь. Правильно, Славка, переживай, он тебе, как-никак, крестный, а не кто-нибудь, второй после меня спаситель жизни.

Он намеренно переставил местами значимость участия сына в судьбе канарейки и свою собственную, так как свидетелей правды рядом не стояло, куража от этого получалось больше, а допущенную вольность трактовки все же, полагал, птица осознавала не до конца.

— Ты, Петь, недолго только, а то мне пораньше сегодня лечь надо и чтоб тебя успеть перед сном покормить, ладно? — попросила мужа Зина, вручая сумку с завернутой миской с рыбными котлетами. — А если буду лежать уже, то сам погрей, хорошо?

— Само собой, — махнул головой Петр Иваныч и вышел за дверь.

Павлик освободил жилплощадь не так давно, выпорхнул в самостоятельность так, что они с Зиной не успели просечь тот момент, когда поначалу младший сын стал дипломированным специалистом по художественному творчеству, затем получил первый также творческий заказ на книжную обложку, потом — на всю книгу целиком уже, снаружи и изнутри, с изготовлением внутренних сопроводительных рисунков, ну а по истечении времени больше года стал с напарником по работе совместно готовить первую выставку по книжным делам: то ли одни обложки, то ли внутреннюю часть отдельно от них, то ли все вместе в комплекте с переплетом.

Напарник Павликов, Фима, парень тоже был неплохой и тоже, говорят, способный к рисованию, так что дело вдвоем у них пошло веселей, а заказов нарыть выгодных Фима даже больше умел, чем сын. Пополам на двоих, в складчину ребята снимали квартиру, которая и была им мастерской, где все их доски были, краски, компьютеры, музыка и гости молодого поколения. Петр Иваныч сперва ершился, не понимал: как это так, зачем Пашка уйдет жить из дому за деньги, когда комната отдельная в квартире останется после него, не занятая никем. Ни Славу же туда поселять теперь одного на скуку и одиночество? Но когда Павлик сказал, сколько получил за первый заказ, то Петр Иваныч завял — аргумент оказался убедительным, так как столько денег по нынешним временам он не то, чтобы не держал в руках разом — по сумме лет, может, и мог подержать сравнительное количество — но единовременно не видал просто одним окидом глаза, хотя и допускал про других такое, мог мысленно предположить. И кто-то «другой этот», получается, и есть его родной младший сын Пашка, Павел Петрович Крюков, честно вставший на путь больших заработков, сумев при этом не торгануть по новым временам совестью и не став бандитским прихвостнем. Так-то.

Путь до Пашки был недалеким, через три квартала на четвертый, и Петр Иваныч подумал, что пройдется пешком, помыслит о чем-нибудь хорошем, коль выход из дому так совпал с приятными рассуждениями про Павлика. Котлеты, прикинул он, не успеют хорошо остыть — в крайнем случае, холодными тоже вкусно, Анжела, вон, Колькина вкусней их даже считает такими, чем разогретыми.

Погода снова была майская, снова самый почти был его конец, как и тогда, в прошлый год, когда в командировку свою идиотскую отправлялся в город на реке Волге — сверять факт с жизненной позицией и ни того, ни другого надежно не выявил, а лишь успокоился и окончательно затаился.

А чего я про май-то прошлый подумал? — спросил он себя, перекладывая остывающий груз в другую руку. — Может, юбилей потому что накатил, годок отщелкал еще один: и мне самому, и всей природе вокруг, и всему остальному человечеству?

Строительных объектов за год накопилось два. Нынешний был по счету третьим и самым плохим из всех. Кран там смонтировали низкий, как Петр Иваныч не любил, и поэтому небо отстояло от него гораздо дальше обычной удаленности, привычная облачность тоже оставалась где-то наверху, не под ним, как хотелось, и не отличалась разнообразием, поскольку рассматривалась уже хуже: без барашков, перышек и прочих небесных причуд. Отсюда шло и следствие — к нынешнему маю прорезался новый непокой, и к концу месяца, под самую сдачу нелюбимого объекта он все еще оставался свежим, незакрытым, как будто легшая изнутри непрошенная тень не желала утекать вместе с заходом дневного светила, а оставалась темнеть на постоянной основе, хоть и слабо, а не густо и черно.

Не пойду больше на особняки, — подумал Петр Иваныч, — проситься буду на многоэтажки, где нормальные люди живут, а не эти... — Тут же он чертыхнулся и частично взял свои слова обратно, так как от «этих», исходя из грозивших Павлуше финансовых перспектив, сына его мог отделять не такой уж и далекий промежуток, а довольно короткий победный бросок от товарища до господина.

Дом, в котором квартировали Пашка с Фимой, не запирался никак, начиная с подъезда, затем — второй внутренний двери и заканчивая сетчатой, почти сквозной дверью разболтанного лифта выносной конструкции. Строение числилось за началом текущего века и должно было идти под снос в ближайшие лет сорок. Однако забота о нем и пригляд перестали волновать местную управу уже теперь, и по этой причине жильцы правдами-неправдами старались выкатиться оттуда до момента, пока рухнут истлевшие перекрытия и передавят зазевавшемуся во сне жильцу что-нибудь вроде дыхалки. Оттого аренда квадратных метров и обходилась парням не чувствительно, позволяя при этом не особенно думать о покое малочисленных оставшихся обитателей, особенно когда усиленная многократно музыкалка пробивалась от мастерской вверх и вниз, дополнительно отдирая по пути встречную дранку.

Все так и было и на этот раз. В дом к сыну Петр Иваныч зашел без всякого сопротивления, также как и дотопал до самой квартиры. Оттуда доносился звук молодого буйства.

Как это они там работают при таком громовом сопровождении? — удивился, но без злобы Крюков. — Это ж ни подумать ни над чем, ни порисовать аккуратно, ни звонок в дверь не услыхать.

Но в звонке нужды не оказалось. Дверь была просто прикрыта, поскольку замкового язычка надежно не хватало для втыкания в нужный проем, и держалась она строго на трении между торцом полотна и коробкой. Петр Иваныч толкнул дверь от себя, и она подалась, открыв картину арендуемого помещения. Других, внутриквартирных дверей, имелось три, и две из них были распахнуты настежь. Третья была немного прикрыта, но это уже было неважно и вот почему. Крюков опустил на пол сумку с котлетами и почувствовал, как кровь отливает от уставшей руки. Он тряхнул пару раз кистью и не спеша пошел на звук музыки, гадая, кто дома: обои они или же только кто-то из них.

Хорошо бы Павлуша был сам, — подумалось ему, — я б Зине сказал от него, что за котлеты, мол, спасибо, мать.

Но до разговора не дошло, так как то, что он увидел, минуя первую из распахнутых дверей, ту, что отделяла ванную от коридора, заставило его замереть и не вздрогнуть даже — просто смертельно окоченеть с приопущенной к полу нижней губой. В ванной вовсю лилась вода, она била из душевой дырки сверху и падала на два тела сразу. Одним, отвернутым от места Крюкова расположения телом, было тело сынова напарника, Фимы, и оно было отвратительно чужим и неприятным, так как выглядело совершенно голым, без чего-либо, прикрывающего срам. Другим же телом, тоже не учуявшим в получившийся момент родного отца, было тело его любимого младшего сына Павла — последнюю Петра Иваныча Крюкова в жизни надежду, нежданную и мучительно тайную его же радость под номером три — ближнюю в перечне к финалу испоганенной жизни.

Ребята лихорадочно намыливались, терли друг дружке спины в очередь мочалкой, подставлялись под льющуюся воду и ржали от удовольствия, как молодые жеребцы. Но было еще одно главное дело, кроме увиденного сходу бесстыдства. Оба были возбуждены до такой степени, до степени такого... Короче говоря, оба молодых органа торчали двумя параллельными штыками, приготовленными к совместному бою, к предстоящему позору, и так же было явственно видно, что обоим от этого совершенно не было неловко: ни самим органам, ни их обладателям. Это Петр Иваныч моментально вычислил, отпрянув от проема ужасной картины в сторону коридора. То, что должно было целенаправленно последовать дальше, после приема мыльного душа и совместной приготовительной помывки, не вызвало у крановщика ни малейших сомнений в собственной быстротечной догадке: его сын Павлик, младшенький, — пидор! И этот, другой — тоже. Оба они — пидоры! А сам он, ветеран и родитель, получался ни кем иным, как отцом пидора!

Сердце грохнулось на пол и оставалось лежать на щербатой паркетине в течение всего времени, пока волна ненависти, жалости и страха выносила Петра Иваныча вон из арендуемого помещения — оттуда, где отныне поселилось зло. Котлеты он на пути своем задел ногой, и миска внутри сумки перевернулась. Более того, Петр Иваныч успел в спазматическом приступе сообразить, что крышка от миски тоже наверняка откинулась и котлеты оказались на дне уже, а не в миске, и к ним прилипла, наверно, нечистая донная крошка. Другое дело, что ни поправлять что-либо на полу, ни задерживаться более по любой другой причине в гостях у сына сил он не имел, так как их хватило, чтобы только-только унести ноги и, тяжелым шагом пройдя с полкилометра, бессильно опуститься на край влажного газона. Зад намок почти сразу, но Петр Иваныч мокрого не ощутил. Да и почувствовал если б даже, то что оно теперь значило в его жизни, мокрое это, по сравнению с тем, откуда бежал, когда и с сухим-то жить уже не хотелось, с бывшим теплым и понятным ранее чувством температуры нормальной окружающей среды.

Страшно хотелось пить, и он машинально оглянулся в поисках крана, по возможности с холодной ржавой водой. Крана не было, как не было и нужной ему воды, но пепсикола в железе продавалась почти впритык к месту его примыкания к непрогретой майской земле. Он представил себе, как откупоривает пенистый напиток, сдергивая железную затычку, как брызжет оттуда, рвясь на волю, темное чужеземное пойло и как сминает после его жилистая кисть тонкостенную оболочку чужого ему продукта. Крюков сжал руку в кулак и произвел последнее мысленное движение. Внутри кулака хрустнуло, но это была не банка из фольги, а собственные усыхающие косточки и кости, побелевшие от того, насколько близко он сдвинул их вместе усилием раненой воли.

А рана, понял он, распустив кулак, оказалась страшной и рваной, от верха до самого нижнего края. Тем сильнее еще она казалась и неизлечимей, чем больше Петр Иваныч, продолжая оставаться на поверхности газона, поражался тому, чему в одночасье стал свидетелем. Всего мог ожидать крановщик Крюков от жизни, даже сумел пережить Зинину измену в том году и не чокнуться, хотя потом уже речь об измене и не шла, а шла лишь об ошибке молодости, да и то — чужого человека, неудачника, еврейского мужа другой жены. Одного не ждал он — того, что получится с Павликом его, с любимым младшим мальчиком, вежливым и не в меру талантливым художником, который оказался на деле извращенцем и педерастом, натуральным гомиком, каких надо убивать или расстреливать напоказ.

— Нет, — решил он, побыв еще немного в раздумье, — нет, это был не Пашка, откуда это мог быть Пашка мой, когда все мои дети как на подбор — мужики настоящие, ебкие, как орлы, своих настругали по два на брата, и что Катька, что Анжела — довольные ходят, сытые по-женски, сразу по ним видно, а Колька-то — тот вообще смолоду проходу бабью не давал пройти, и особенно Валентин, туда же целил, знаю. — Он задумался по-новой и думал до тех пор, пока толстая тетка в короткой юбке не начала запирать ларек с пепси-колой. Странное дело — вчера бы или позавчера, например, завидев эту уродину, выставившую на общий обзор свои отвратительные несовершенства, Петр Иваныч презрительно бы отвернулся и даже, возможно, сплюнул бы на соседнюю траву, чтобы доказать окружающим отношение к пошлости и ненормативному внешнему виду жирных ляжек. Но сейчас он поймал себя на мысли, вернее, не поймал, а оставил и для нее место, что, собственно говоря, почему его нелюбовь к посторонним распространяется вокруг с такой нещадящей, губительной для них силой, и чем уж таким, в конце концов, эта полная женщина, вполне миловидная работяга, как и он сам, обязана ему в его пристрастном и отрицательном к ней отношении. Ему захотелось спросить ее о чем-нибудь, чтоб отвлечься от охватившего его беспредела внутри собственной головы, и он уже открыл было рот, чтобы произнести со своего газона любое приветственное теплое слово в поисках, прежде всего, защиты для самого себя, для доказательства все еще ценности и складности окружающего мира, но обнаружил в это же самое время, что никакой тетки, в смысле, миловидной гражданки, давно рядом нет: она сделала свое дело, заперла и покинула.

Стоп! — прервал он и так нестройный ход раздумий, оставаясь пребывать на газонном грунте, и ему внезапно стало страшно, потому что вдруг нечто выстрелило внутри иным пониманием ситуации — не вещей, в целом, а конкретной ситуации, в которой оказался его сын Пашка по результату жуткой новости, и следствие от этого прояснения в тот же миг наложилось на возможную причину. — Стоп! — снова подумал он. — Пашка-то наперекосяк шел, с дополнительной болью и, возможно, травмой головы и, наверно, за другие нервы зацепило, не за то сухожилие дернуло в центральной нервной системе и поранило.

Легче от открытия не стало, но давало надежду, что не все в руках судьбы, а, возможно, какая-то часть находится и в зоне медицинского применения, хотя и припоздавшего на величину Пашкиного возраста.

Действовать надо, — попробовал окрылить себя Петр Иваныч и попытался приподнять с травы одеревеневшее от неподвижности тело. Тело слабо отозвалось на сигнал, но поддалось Петру Иванычу не полностью, так как не только голова, но и остальные члены все еще находилось в шоке от увиденного в квартире сына. Зад перевесил, и Крюков, потеряв равновесие, завалился обратно на газон.

Он бессильно развел руками, не переставая думать о помощи по линии медицины, и попытался повторить попытку, опершись на этот раз сначала на колени.

— Гражданин! — рядом возник милиционер, молодой офицерик. Он подозрительно наблюдал за неловкими попытками пожилого человека приподнять тело с земли и, казалось, внюхивался в воздух по соседству, правда, вполне пока доброжелательно. — У вас проблемы? — Явного подвоха в голосе его Петр Иваныч не услыхал, да и не до прослушки внимательной ему было сейчас, не до любого прохожего, хоть и в погонах, и свидетельства собственным мыслям про сыновью беду он также не желал ни от кого. Протест его по отношению к миру, как близлежащему, так и вообще, был могуч и возрастал с каждой наступающей минутой, но каков был характер этого быстро растущего процесса, он не понимал: то ли социальный, то ли напрямую — физиологический.

— Отвали, — хмуро бросил в сторону мента Петр Иваныч и на время замер перед очередной попыткой подняться на ноги, чтобы дождаться, пока любопытный лейтенантик удалится прочь от его беды.

— Это ты мне, что ли? — выкатил от удивления глаза вежливый страж порядка. — Ты чего, дед, с луны свалился, я ж тебя сейчас на всю канитель упакую, козел старый.

Когда-то не так давно Петр Иваныч похожие слова уже слышал, и ему вспомнилось тут же прошлая опустошенка, в нескором поезде на Саратов, когда сквозь проносившиеся в ночи путевые столбы он подсчитывал и перебирал прошлое свое горе, свежее еще на тот момент, но казавшееся уже никаким по сравнению с нынешним. И от этого ему стало еще тяжелей в середине дыры, где должно помещаться сердце и в которой сейчас зияло сквозное отверстие, потому что сердце Крюково безбиенно продолжало валяться на щербатом полу в мастерской, где сын его с другом рисовали книжные обложки и занимались ужасными между собой грехами, страшней которых ничего на свете не было и быть не могло.

— А ну, давай, давай, подымайся, — уже гораздо резче приказал офицерик и на этот раз безо всякого излишнего добродушия, — со мной пойдешь, в отделение, там на тебя поглядим, как запоешь.

— Пошел на хер, — хмуро, аполитично и без всякого выражения, не глядя на законника, ответил Петр Иваныч, продолжая думать о своем, — иди, куда шел, и не путайся тут под ногами, дай посидеть спокойно... — он откинулся обратно на траву и, тяжело вздохнув, добавил: — Устал я...

— Устал, гнида пожилая? — поразился такой наглости лейтенант. — Ну, ты у меня отдохнешь сейчас, я тебе нормальный санаторий устрою, как сам хотел.

Он вытащил рацию и начал туда что-то говорить. Что именно — в это Петр Иваныч вслушиваться не стал, про мента он уже начал забывать, вычеркнув того из жизни, как проходной эпизод основного события, который по сравнению с обвалившимся на него несчастьем не оставлял ровным счетом ничего памятного. Дежурка подъехала минут через пять и оттуда не спеша вывалилась пара грузных сержантов: младший и просто. Один подхватил Петра Иваныча под рукав, другой же просто толкнул его ногой под жопу, чтобы шустрей отрывался от земли. Удар был не сильный, но пришелся по копчику самым концом твердого милицейского ботинка и от этого получился острым, пронзительным даже, так что пробил спинной ствол по всей длине, снизу наверх, воткнувшись болью в голову со стороны шеи и кадыка. Тогда Петр Иваныч очнулся, словно от анабиоза, мутно посмотрел на мента с ботинком и сказал то, что внезапно понял про него, так же как и про всех остальных на свете предателей и негодяев:

— Пидор! — дальше он перевел глаза на остальных погонщиков и уточнил для каждого: — И ты пидор! И ты! Все вы пидоры и больше ничего, вот так!

Больше Петр Иваныч ничего говорить не стал, ни когда его принудительным порядком доставили в отделение милиции, ни когда пытались снять показания с чокнутого старика, вполне приличного на вид, с полноценным паспортом в кармане, московской пропиской и совершенно на вид трезвого. Когда истекли положенные по закону три часа, и одна дежурная ментовская смена сменилась другой, но ясности в деле задержанного это не добавило, новый дежурный открыл зарешеченную дверь обезьянника, кивнул фуражкой прижавшемуся к стене тихому старику и произнес равнодушно:

— Мотай отсюда, калека перехожий, пока утрешние не вернулись и по печени не наваляли.

Старик поднялся и, глядя в пустоту перед собой, пошел прямо. Так он и шел, пока не дошел до выхода из ментярни. Там он, не оборачиваясь, не задумываясь и не утруждая себя адресатом, вынес последний вердикт всем своим обидчикам сразу и персонально каждому из них:

— Пидор! — и вышел на воздух.

Дома он первым делом прошел на кухню, открутил кран над мойкой и, подставив под струю согнутую, мелко вздрагивающую ладонь, пил из нее, всасывая в себя кухонную воду, снова не такую чистую и домашнюю, а непривычно пресную, со вкусом ржавчины и ощущением мелкой, острой окалины на языке.

На часах было около двух ночи, и Зина давным-давно спала тихим сном хорошей жены все еще честного человека, все еще живого крановщика, ветерана труда, Петра Иваныча Крюкова. Таблеток от гриппа и для сна она наглоталась раньше, чем наступил вечерний срок, и больше нормы с тем, чтобы не спугнуть нормальный процесс выздоровления и саму болезнь не разогнать в серьезную неприятность. Этого она себе простить бы не смогла — слишком велика была Зинина ответственность перед членами многочисленной и дружной Крюковой семьи: перед всеми вместе и перед каждым в отдельности — особенно это касалось непристроенных пока и оттого самых любимых детей. Таким оставался Павлуша, младший, самый большой талант среди остальных, самый неожиданный в их роду наследник, да еще с самым веселым, вежливым, но и непредсказуемым нравом.

Петр Иваныч, стараясь не потревожить сон супруги, приоткрыл одеяло и вполз на свою половину. Зина по обыкновению ровно дышала, с едва слышным присвистом, но на этот раз Петр Иваныч умиляться не стал, было не до того.

Он лег на спину и завел руки за голову. Было темно и пусто. Он лежал и думал о том, за что Бог, если имеется, наградил их с Зиной такою на старости лет бедой и как с ней теперь ему жить. В том, чтобы не рассказывать об этом жене — о том, что ему невзначай удалось вызнать про их Павлика, сомнений не было.

Ладно я еще, — перебирал он варианты отхода. — Я — мужик пока, я слажу с этим, кого надо привлеку по-тихой, сам, если что, вмешаюсь по-отцовски, чтобы... — дальше размышления обрывались, так как что дальше делать — было неведомо и, кроме того, становилось страшно: в любом случае — выйдет чего или нет по исправлению сына — станет известно не ему одному, а и тому еще, кто начнет содействовать. А это позор на весь мир, всем Крюковым позор и вечная проказа до конца фамилии. — Нет, — снова вернулся он к плану будущей жизни, — нельзя никого вовлекать в катастрофу нашу, сам буду определяться с Пашкой, своими средствами правды добьюсь. — Перед глазами возникло вчерашнее, и он зажмурился. Накаченные молодой кровью члены, Павликов и Фимкин, продолжали рубить воздух вперемежку с водяным паром и с концов их, с самых округлых поворотов стекала мыльная пена; она шипела, падая на ванное дно, размывалась водой и утекала в дыру, где тоже, как и в сердечном отверстии главной Крюковой мышцы, было черно, пусто, больно и призывно. И так же воронка эта водосточная не имела конца, потому что видно было Петру Иванычу от места, где наблюдал, лишь втягивающее в себя грязь и воду устье...

Зина дернулась во сне и тут же снова успокоилась, и Петру Иванычу вдруг показалось, что во всем этом есть доля и ее вины, верной его подруги, ставшей матерью его сына.

— Зачем же она такого рожала? — пришла в голову странная мысль и почему-то не показалась ему идиотской. — Если тяжелые были роды и травма намечалась, так можно как-то было и поучаствовать самой: дышать, как советовали, чтобы шло не поперек, а по прямой, как у нормальных всех, без искажений здоровья на всю жизнь.

Найдись в эту минуту другие виноватые в его горе, Петр Иваныч, конечно, Зину тут же передвинул бы на крайнее место, опустил бы по вертикали списка вниз, по самому остатку, но других пока не просматривалось — других надо было еще поискать. На всякий случай, пока не разобрался, Крюков вытащил левую руку из-под головы и переместил ее вдоль корпуса, пережав общее с женой одеяло так, чтобы отделить часть пространства, где спал, от супружеской половины. Жест был осторожным, но обязательным, и ничего он поделать больше с этим не мог, не умел оказывать сопротивления давлению внутреннего резус-фактора.

Дальше — снова было больше, чем было до того, потому что Петр Иваныч обнаружил, что плачет. Он промокнул глаза углом простыни и не удивился такой своей мужской слабости. Год назад, в состоянии прошлого семейного кризиса ему удалось-таки сохранить известную мужественность и ни разу не зарыдать в связи с изменой Зининой молодости. Но это было в прошлом мае и близко не соответствовало нынешнему несчастью, не дотягивало даже до самой постановки вопроса, потому что, как ни посмотри, Зина, все-таки, ему даже не родственник кровный, хотя и родня. А Павел кровь его носит сызмальства: кровь, отчество и талант, который тоже не от святого духа возникает, а от вполне конкретного вмешательства в наследственность по отцовской линии. Стало быть, верно все получается — если отец не пидор, то это в сыне не от него, а от прочих людей или причин.

Он снова промокнул глаза и покосился на Зинину половину. Та спала, как будто ничего не случилось, как будто не она является матерью их Павлуши и не из ее чрева вышел на белый свет сын их, гомик. Крюков отжал руку назад, выскользнул из-под одеяла и побрел на кухню. Там он налил в стакан «Аиста» из буфетного запаса, поднес ко рту и, стукнув о зуб, опрокинул до самого стеклянного дна. Коньяк зашел гладко, но не ошпарил, а просто стек, куда надо. О закуске Петр Иваныч даже не вспомнил: просто обмыл стекло и побрел обратно без единой мысли, с одним только нерастворенным в спирту горем. По пути в спальню, из темноты гостиной в его сторону пару раз крякнул Слава, удивленный таким невниманием хозяина в свой адрес. Звук от бесполой птицы прозвучал приветливо и призывно, но не задержал Петра Иваныча против клетки; Крюков добрел нетрезвой уже поступью до кровати и снова лег подле Зины на свою аккуратную половину.

Снова вокруг было пусто и темно, но на этот раз ему показалось, что еще темней, чем раньше. Кроме того, темнота пошла кругами, толстыми концентрическими окружностями с размытыми черным по черному краями дуг и отсутствием малейших звуков. В центре кругов был сам он, крановщик Крюков. Он лежал теперь по-покойницки, с вытянутыми вдоль туловища руками, не чувствуя никакого соседства по постели ни от кого, четко, однако, улавливая, что будет разговор. С кем или с чем — сказать с определенностью он не мог, знал лишь — о чем. Другого разговора он не хотел, потому что и этот, так дело складывалось, мог стать последним в его жизни и судьбе.

А круги, пока он вникал в суть концентрической тьмы, тем временем набирали обороты, но при этом становились светлее: темно-серыми поначалу, затем — просто серыми, после — серое начало выцветать еще больше, превращаясь уже в грязно-белое, а то, в свою очередь, в считанные мгновенья обратилось в чисто белое, которое, резко ударив Крюкова по глазам, засияло уже в полную силу, направив на крановщика самую яркую и жгучую свою часть.

Петр Иваныч зажмурился, но тут же распахнул глаза обратно и сообразил, что свет этот уже не тревожит его, как миг назад, и вполне позволяет рассмотреть, хоть и расплывчато, картину мира, образовавшуюся в собственной спальне. Он и рассмотрел.

На подоконнике, напротив кровати, сидела, поджав под себя ногу, человеческая фигура. Вокруг нее сияло, и Петр Иваныч без особого труда догадался, что это Бог. Крюков знал, что есть Бог-отец и Бог-сын, но каким был этот, ему было неясно. Тем более, было непонятно, поскольку образ пришельца по всем делам напоминал внешность прораба Охременкова, но без привычного крикливого распиздяйства и раздражительной суетности.

— Вир-ра, Иваныч, — спокойным голосом приветствовал его Бог Охременков, — совсем ты у меня заспался.

— Вы кто? — спросил у фигуры Петр Иваныч, удивляясь тому, что не очень смущен приходом незнакомца. — Вы Бог? — Тут же он подумал, что, если это окажется не Бог, а Охременков в чистом виде, то главное — сохранить достоинство и переделать все в шутку. Правда, смеяться не хотелось совсем, улыбка не сумела бы выдавиться на лице даже, если б он сильно этого захотел. Но понимал также, что оба они это знают в случае, если Охременков — натуральный Бог.

— Да, — ответила фигура, все еще оставаясь в неясном видении, — я Бог, как ты и сам знаешь, и слава мне вечная, и радость и печаль: все, что у тебя наболело — это тоже я вместе с тобой. И с Зиной, кстати, тоже, и зря ты ее не обижай Иваныч, она у тебя хорошая.

— Да вы что! — горячо вступился за самого себя Петр Иваныч. — Кто ж ее обидит, Зину-то, Зина ж мне жена единственная и детей моих мать постоянная, до сих пор.

— Вот-вот... — согласился образ прораба. — Я-то как раз об этом толкую, что мать обижать нельзя и отца тоже.

— Кто ж обижает-то? — искренне удивился Крюков. — Я как раз, наоборот, сам обижен, вроде.

Бог словно не услышал его и продолжил:

— И детей нельзя, потому что они за отцов потом страдают и мучаются.

— Да вы постойте, — тут он запнулся, так как не мог придумать, как обратиться к визитеру правильно: то ли господин Бог, то ли товарищ прораб, то ли просто Господи мой Боже. — Постойте, Боже, я как раз и говорю, что у меня проблема неразрешимая с Павликом, что у меня самого теперь горе больше, чем у него, и печаль, как вы сказали, вечная, а радость, наоборот, закончилась, мне просто рассказать неловко, дело очень нехорошее приключилось с Пашкой, отвратное просто, если честно, грязное, не для ваших ушей даже.

Охременков снова не отреагировал, словно отчаянная эта тирада не имела к его визиту ни малейшего отношения. Он выпустил из-под себя поджатую ногу, распахнулся, чем был прикрыт — белое что-то тоже было на нем, свободного покроя — и выпучил вперед обнаженную грудь.

— Только внимательно смотри, Иваныч, — негромко и внятно произнес он и прикрыл глаза.

Яркости в свете поубавилось, главная точка светила зашла за голову Бога-Охременкова и перестала сильно бить по глазам, как била до этого. Свет теперь обтекал божественную фигуру с боковых сторон, щадя зрачки Крюкова, нацеленные на центр композиции. Петр Иваныч вгляделся и обнаружил, что грудь была мужской, вроде бы, но и не вполне, потому что значительную часть ее покрывали пушистые желтоватые волоски. Но они были больше по краям и снизу, и больше походили на перышки, птичьи перышки не первой молодости, густоты и раскраса. В середине же зияло воспаленно-розовое пространство, словно ошпаренное чем-то густым и едким по типу неразбавленной кислоты, и эта середина сочилась слабым прозрачным раствором неизвестного происхождения.

— Слава? — поразился Петр Иваныч. — Это ты, Славка, что ли?

— Мироточит, — открыв закатанные глаза, сообщил Охременков, потому что Он терпел и нам велел. — Птичий Бог запахнулся и добавил: — Видал? Это я за родителя тяготы и лишения нес, страдал, но остался самим собой, не предал. А потом меня уже спасли, сын твой, раб Божий Павел от беды упас, только не путай с апостолом, он еще не готов им становиться, хотя парень надежный вполне, и талант имеется, и совесть. Вот и делай теперь вывод.

— Это что же... — растерянно пробормотал Петр Иваныч, — это получается, теперь он тоже остаться таким должен, каким сделался, Пашка-то?

— На все воля Божья, — спокойно отреагировал прораб, — моя, то бишь, а значит, и твоя должна быть, точно по такой же схеме, если ты, конечно, в Господа нашего веруешь, в Бога, Отца, Сына и Святого духа.

В этот момент все прояснилось для Петра Иваныча с окончательной силой категорического несогласия с тем, что он услышал с собственного подоконника.

— Знаешь чего, Охременков? — напрямую спросил он у гостя. — Вали отсюда, пока я нормальной ориентации людей не позвал и хуже чего не получилось. — Он сжал сухие пальцы в замок и вновь соединил кости с косточками, до белого цвета сжал, натянув в тугую струну самое последнее сухожилие.

Бог или не Бог, а кто он был, испуганно дернулся на подоконнике, выставил вперед руку и посоветовал:

— Смотри, Иваныч, не ошибись, а то у меня ведь тоже терпение не беспредельно, как бы мороки не вышло нам с тобой дополнительной, сверх устава.

— Вали давай, — окончательно придя в себя, подтвердил намерение Петр Иваныч и указал перстом в пространство за окном, — шуруй, откуда прибыл, вир-ра! — Сам же, подведя черту под разговором, вернулся в постель, и демонстративно забрался на свою правую половину, нащупав ее руками, так как снова вокруг было выколи глаз, по другую сторону от него сопела Зина, и он не хотел невзначай ее толкнуть.

Проснулся Петр Иваныч задолго перед утром и снова не знал он, когда ему довелось провалиться в сон, успокоить бушующее от гнева нутро, усугубленное ночным бдением в паре с незваным гостем. Про гостя он не забыл, несмотря даже на всю муть и темень, сопровождавшую непростую принудительную беседу. Из гостиной снова крякнуло два раза. Крякнуло и умолкло. Слава вел себя так не всегда, а крайне редко — лишь в те моменты, когда птичьим умом своим понимал, что хозяин его жизни не спит, а думает с открытыми глазами. Но птичий это теперь был ум или же какой-то другой, Петр Иваныч решать отчетливо не брался. Одно сознавал — в доме его поселился враг, и враг должен заплатить за несчастье всей семьи Крюковых.

Он набросил пижамный пиджак и, прикрыв дверь в спальню, перебрался в гостиную. Слава бодрствовал вовсю: петь, само собой, не пел, но зато довольно ловко и больно ущипнул Петра Иваныча за палец, рассчитываясь таким путем за ночное невнимание. Хозяин приоткрыл дверку в клетку, протянул туда руку и, перехватив живность поперек всей длины туловища, вытянул его обратно. Славка испуганно моргал черными бусинками, не понимая, что задумал благодетель: раньше он себе такого не позволял, а прикосновения его, наоборот, были трепетны и осторожны. Петр Иваныч перевернул кенара к себе животом и получилось, что ноги теперь его торчали в разных направлениях пространства, как Пашкин и Фимкин голые члены, но самого детородного органа разглядеть в птичьем паху ему снова не удавалось.

— Пидор, — тихо.прошипел Петр Иваныч, — ты сам такой же пидор, как они, и есть. И натура твоя бесполая, и советы твои тут на хуй никому не нужны, понял?

Слава замер в Крюковом кулаке в ожидании участи, но на всякий пожарный издал просительный скрип. Но скрип этот уже не был никем услышан, потому что вылетел наружу позже, чем Петр Иваныч начал медленно сжимать кисть руки в смертельный замок, в кулак с белыми косточками и до отказа натянутыми сухожилиями. Потом просто что-то чуть-чуть хрустнуло и сразу же обмякло внутри сжатого кулака. Крюков разжал кисть, бросил тщедушное тельце с облезшей грудкой на дно клетки, между блюдечком с водой и последней птичьей какашкой, и закрыл вопрос:

— Богу — Богово, а пидору — пидорово, — промолвил он, глядя на птичий труп. — Вот так, вот, брат. Или сестричка.

До момента, пока утро не созрело окончательно, он просидел на кухне, на табурете, перелистывая в голове страницы жизни своей, Зининой, детей и пытаясь понять в каком проклятом параграфе была допущена непростительная оплошность. Зина из мстительного списка постепенно выдавливалась — сказалась, видно, позитивная часть ночного диалога с представителем высшей расы, когда тот защиту начал выстраивать непосредственно с нее, тем более, что к моменту убытия Крюкова на работу на подходе уже кустилась мысль о настоящем враге, а не о промежуточном типа розовогрудого Охременкова — Сына главного Отца, и такого же с воспаленной и выщипанной грудью Славы — Сына прораба Охременкова или же его Дочери, другими словами, внука от самого Главного или же внучки.

В общем, как и в любую другую тяжелую минуту, Петр Иваныч есть ничего не стал, а по обыкновению бултыхнул в голый чай ложку липового меду, размешал, выпил горячим залпом и двинул на объект.

Там, на стройке особняка невысокого типа, но с уклоном в богатство будущих обитателей и торчал гордой вертикалью подъемный кран, сильно не дотягивающий до небес в связи с производственной ненадобностью. Туда Петр Иваныч сразу и забрался в ожидании, когда подвезут раствор под монолит. Охременков, завидя Крюкова, разрешил пока переждать — первая машина опаздывала на час, не меньше, но Петр Иваныч гордо отмахнулся, сказав, что и другие дела на верхотуре найдутся, кроме как таскать рычаги на «вира»-«майна». Профилактика кое-какая, сказал, имеется и другое нужное на потом. Прораб удивленно на Иваныча посмотрел, но присутствовать на рабочем месте без нужды не запретил, не нашел просто мотива, которым можно в таком деле отказать. Так что вынужденно с предложением крановщика согласился.

— Так-то, — мстительно подумал Петр Иваныч и в первый раз, начиная со времени вчерашнего ужасного обнаружения, ему стало полегче. Однако стало не настолько, чтобы не подумать, пока перебирал ногами наверх, о том, что, может, и вправду кинуться попробовать опять вниз, как в том году в нелегкий момент жизни план имел, и убиться опять на хуй, как в том году не убился, а?

Однако, глянув вниз с половины ненабранной до отказа высоты, решил, что не стоит, так как и не убьешься до конца из-за общей невысокости крана, а только разобьешься не насмерть и горя к уже имеющемуся добавишь, а говно подтирать все равно Зине придется, как будто и впрямь только она одна виновата, а не вместе или вообще даже без нее.

Он занял свое высотное кресло и посмотрел вниз. Там, под ним, раскинулась в широте и просторе родная сторона, но обзора Петру Иванычу явно не хватало, и по этой не зависимой от основного горя причине открывшийся перед ним вид не сумел всколыхнуть нужное чувство, и тогда он обратил взор к небу, к родине прилетевшей оттуда ночной фигуры, неудачно рядящейся в прораба Охременкова и выдающей себя за Бога.

Облачность в это утро была плотной, и поэтому взор Иваныча упирался в нижний край дымной завесы и не проникал выше: к барашкам, перышкам и яркому, белому свету. Разговор не получался нигде: ни сверху, ни, тем более, снизу. Тогда он отдернул в сторону плексигласовую форточку башенного окна, плюнул, куда полетит, задвинул оконце обратно и снова сосредоточился на мести неизвестному виновнику, сделавшему младшего сына законченным пидором и гомосексуалистом.

Ко времени, когда первая машина, чадя и воняя синим, начала сваливать из бетономешалки начальную порцию в поддон на первый подъем, Петр Иваныч почти знал уже, с чего ему теперь следует начинать собственное расследование преступления против младшего сына. А в том, что это так и есть, в том, что здесь натурально преступление и ничто иное, он уже практически не сомневался: без высотного вида разобрался, как и без невысокого, без гостей ночных на этот раз обошлось и прочих отвлекающих внимание мистических процедур. Враг, выманивший Павлика из родного гнезда, сделавший его отщепенцем и тайным социальным изгоем, был почти на ладони, оставалось только вытянуть руку по направлению к нему, и, собрав ладонь в хитрый замок, давить, давить, давить, давить...

На этот раз ни отпуск брать, ни отпрашиваться раньше конца смены ему не понадобилось — дело было близким, и момент надо было, наоборот, подловить, когда он подступит.

Домой Петр Иваныч не пошел, решил сразу начать с дела, после чего начнется, подумал он, новая жизнь. Или, по крайней мере, оборвется старая — на хуй она такая ему нужна.

До арендованного сыном и его напарником жилья он добрался уже через час после того, как переоделся, спустившись со своей нижней части небес. Музыка на этот раз не гремела, но дверь, как и раньше, понадобилось всего лишь толкнуть по ходу вперед. Повезло еще больше, чем он рассчитывал: Пашки не было, а был один только Фима. Он сидел на кухне и ел руками холодные рыбные котлеты непосредственно из Зининой миски.

— Ой, Петр Иваныч! — искренне обрадовался Фима. — А мы и не ждали вас, в смысле Пашки-то нет пока, а я не знал, что придете, — при этом он продолжал откусывать от котлеты большими кусками и жевал, почти не глотая. — Котлетки ваши, дядь Петь, ну прям оторваться невозможно, сами так и проскакивают, так и тают внутри, а пахнут — вообще улет, даже хлебом портить не хочется.

Перед Петром Иванычем, в пределах абсолютной человеческой досягаемости находился теперь тот самый единственный и главный враг его семьи, затянувший их мальчика в пучину, где живут, нет, существуют ему подобные педерасты и куда по недомыслию, ошибке и таланту был затянут и его Павлик, его самая великая в жизни радость под призовым номером три в самодельном списке.

Сейчас, — злорадно подумал Петр Иваныч, — сейчас ты у меня подавишься Зинкиной котлетой, сейчас я ее тебе поперек глотки поставлю, чтобы не сразу сдох, а помучился для начала.

В костях заныло, так же заломило призывной болью и в сухих косточках кистей, и он вынул их на изготовку. Фимка дожевал очередную Зинину котлету и кстати добавил:

— Я это... Мы это самое... дядь Петь... Вы на нас только не очень сердитесь за вчера, ладно?

Ах ты гнус, — улыбнулся про себя Петр Иваныч, отметив с удовольствием, что кара его будет однозначно справедливой. — Так он и знает еще, что я видал их, засек с хуями ихними, и всего лишь, извините, да?

А Фима смущенно продолжил:

— Понимаете, дело какое... Мы потом уже, когда котлетки нашли на полу, подумали, вы их притаранили, потом нас со Светкой засекли и решили уйти по-деликатному. Пашка еще потом гордился очень, говорил, понял, батя у меня какой? Человек у меня батя, так-то.

Петр Иваныч немного присел на близлежащий воздух, приоткрыл рот и задал тихий вопрос:

— Какая Светка?

Фима покрутил курчавый волос и, помямлив, решился на правду:

— Понимаете, мы работали с Пашкой, а она свалилась уже поддатая, с новым заказом и говорит, что или заказ не дам или втроем выступим, пацаны, идет? Она такая, Светка, открытая очень, — он неуверенно глянул на Петра Иваныча в попытке определить, где пролегает уровень откровенности, затрагивающей честь сына дяди Пети. — Ну, а мы что? Мы кивнули и согласились, конечно. — Он попытался избрать оправдательную тактику, но Петру Иванычу было не до сантиментов, он тревожно ждал продолжения исповеди с тем, чтобы собрать преступную мозаику обратно в коробку, если повезет, конечно. Руки он временно завел обратно в карманы, а рот немного прикрыл в обратном направлении. Ноги ослабли и во рту стало сухо, как в неочищенном от старого раствора заскорузлом поддоне. Фима же, сам немного увлекшись изложением деталей вчерашнего происшествия, гнал историю дальше, по пути к счастливому финалу. — Она, конечно, так себе, сама-то, но, с другой стороны, у нее половина заказов издательских в руках — как тут откажешь, дядь Петь?

— И чего? — внезапно заорал Петр Иваныч, так, что Фима испуганно поперхнулся последней котлетой, — Ну, же, блядь! Ну!!!

— И все... — Фима шарахнулся в сторону от неожиданного родительского гнева и уже постарался закончить повесть побыстрей, без смакования деталей. — Она выпила, понюхала нас, потому что мы пахали, не вставая, — взмокли аж. Сказала «В ванную живо, вонючки, и быстро обратно: один член здесь — другой там». Ну, мы и понеслись, чтоб заказ получить. А потом к ней сразу, как договаривались. — Он вздохнул. — Так что виноваты, Петр Иваныч, что передачку тети Зинину принять не смогли как положено и сами глупо подставились тоже. Пашка звонить вам собирался, да, наверное, не успел еще — работы до хрена.

Петр Иваныч ничего не отвечал. Он оставался стоять там, где стоял, подпирая стенку приспущенной спиной, и дышал.

Изнутри его било уже не так, хотя и продолжало раскачивать на месте, но не мешало, тем не менее, услышать те слова, которые он сам себе шептал, улавливая их все тем же внутренним средним ухом. А шептал он и слышал такие слова:

— Господи... Господи Боже мой, Господи Всемогущий...

Фима глядел на постаревшего на его глазах человека, буквально за одну минуту перетекшего в пожилого старика, и мало чего понимал.

— Нормально все, дядь Петь? — спросил он Петра Иваныча. — А то чаю, может, согреть?

— Пойду я, Фимочка, — почти прошептал Петр Иваныч, — чего-то мне не очень сегодня...

— Плохо? — уже по серьезному забеспокоился Фима. — Сердце?

— Да, — слабо улыбнулся сынову другу Петр Иваныч. — Сердце, но хорошо.

Он глянул на щербатую паркетину, поверх которой, уходя вчера, оставил выдранную с корнем сердечную мышцу, и еще раз улыбнулся тихой улыбкой — не было там ничего, чистым был пол арендуемого жилья и даже слабого следа не осталось от высохшего кровяного подтека.

Когда Петр Иваныч вышел на воздух, то майский день пребывал еще в самом световом разгаре, в полноте удовольствий жизни для всех, кто оказался в нем в этот месяц и час. Медленно, приволакивая левую ногу, словно захмелевшую подругу, двигался он по направлению от Пашкиного квартала к своему, стараясь не расплескать ни вины своей, ни восставшего до самого горла ощущения радости от старой новой жизни. Голова была пустой и счастливой, но в то же время — тяжелой и полной.

— Господи... — продолжал он шептать, как заведенный, — Господи мое... Пронесло, кажись, Господи...

Справа объявился ларек с пепси-колой и, огибая его, Петр Иваныч заметил внутри знакомое лицо, физиономию даже. Это была та самая тетка, что носила короткую юбку поверх жирных ляжек. Ляжек на сей раз видно не было, но это ничего не значило — Петр Иваныч точно знал, что они у тетки есть и выглядят отвратительно.

— Надо же, — удивился Петр Иваныч неожиданно для самого себя и для непривычно нового состояния, когда почти вплоть до самого фундамента прощен им окружающий мир и виноватить некого больше ему и самому ни перед кем виноватиться не надо, да и незачем; а с обретенной по-новой радостью и счастьем совладать стало непросто из-за перенаполненного чувствами организма. — Надо же, какая мерзкая дура, идиотина просто — думает, ляжки ее блядские кому-то надо, кроме нее самой, уродины нетактичной.

Он смачно сплюнул на землю от счастливого негодования и опустился на газонную траву, туда, где отсиживался в коматозке вчерашнего страшного вечера.

Надо как-нибудь с Богом серьезно пообщаться, — подумалось ему в продолжении этого дивного дня, памятного, как никакой другой, если откинуть вчерашний. — Все ж не прав я, наверно, про него бываю, недоучитываю важность, надо в церкву тоже зайти, свечу какую-нибудь поставить, да конкретно пообщаться, не впопыхах:

— Слава тебе, Господи мой хороший, за все, как ты окончательно устроил, за Пашку моего, за друга его Ефима, за подругу их, рабу Божию Светлану и за все другое — за все тебе слава!

И тут его опять немного кольнуло, потому что он вспомнил вдруг, что придется что-то наврать Зине про невинно убиенного Славу, кенара из их квартиры, либо, на худой конец, — канарейки. Но теперь это его пугало уже не очень, потому что, как бы не вышло объясниться с Зиной насчет Славы, их Пашка больше не был пидор...

История третья
САМОСУД ПЕТРА ИВАНЫЧА

Если не брать во внимание каверзных происшествий, приключившихся внутри собственной семьи за последние пару лет, то больше всего на свете крановщик Петр Иваныч Крюков ненавидел всего три вещи. Причем на первостатейность отношения каждая из них все равно не претендовала, хотя и числилась в основных неприязнях жизни. Это означало одно лишь: место для главного негодования, такого, что может превзойти, погубить и выстрелить ядом, того, что нельзя превозмочь ни внутренним, ни наружным силам душевного свойства и не подчинить разуму головы, пребывало пока в резерве и продолжало оставаться пока не востребованным.

Отсюда и тянулся внутренний покой крановщика Крюкова, отсюда и был он уравновешен, мирен и тих в каждодневном житье с любимой женой Зиной, тремя сыновьями, отделившимися, но не отделенными, четверкой совершенно здоровых и бодрых внучков, включая девочку от Валентина, и высотной своей специальностью, ежедневно по рабочим дням вливающей, в зависимости от высоты крана, разновеликие адреналиновые дозы в кровь Петра Иваныча.

Из неприятностей и нетяжелых расстройств отчетного периода выделял Петр Иваныч в качестве нехорошей лишь прошлогоднюю свою ошибку: это касалось допущенного им душегубства по отношению к другу своему или подруге из числа летного состава членов семьи, вернее, из тех, кому летать и песни петь положено, а не умели или же не хотели просто хозяину угодить в таком нехитром желании. Зина тогда, помнится, основательно расстроилась обвалившейся на Славкину голову внезапной болезнью, которая не только загубила семейную канарейку Крюковых, но и измяла ей попутно все внутренности вплоть до выхода кровавого сиропа из миниатюрной птичьей аналки. Зина в тот день плакала, а Петр Иваныч — нет. Он бережно завернул Славу в тряпицу, перетянул многократно ворсистой зеленой ниткой мулине, наподобие кокона или покойницкой мумии, и снес во двор, в глубокое захоронение, поглубже от котов и прочей дворовой нечисти, охотливой до чужих могилок. Это также не означало и не указывало на бесчувственность и бессердечие Петра Иваныча в тот день и потом, поскольку причина для того, чтобы не страдать вместе с супругой, имелась гораздо весомей, нежели распустить слабые слюни и плакаться в женину жилетку из-за потери щипаного кенара, от которого ни парения свободного не дождешься ни чистого свиста вперещелк, как у других владельцев. И причиной того бодрого настроения было обретение себя сызнова в качестве незапятнанного сыном отца.

Вечером они Славу помянули все тем же «Белым аистом», покушали вчерашнего холодца со свекольным хреном и отошли ко сну, каждый на свою ровную половину кроватной перины. Тогда-то, перед тем как уже лечь, Зина и сказала Петру Иванычу:

— Петь, может, и вправду тебе глаза пойти осмотреть, а то узелок на Славе вязал когда нитяной, так два конца свести не мог, я видала ж. Чего ж тебе мучиться без глаз, может, переменишь установку-то на зрение, все-таки, не молодой уж, пора б на очки перейти пробовать, а не тыркаться с полуслепу-то, а?

В этом и состояла первая крюковая ненависть, к стекляшкам этим наглазным, которые другие мужики нацепляли, чтобы часто мудрость человеческую подтвердить просто лишний раз и вид. А на деле не мудрость выходила, а сплошная иллюзия, суррогатовый заменитель внешней оболочки с гладким отражением от стеклянной полировки. Почему-то от мужиков очкастых его не то, чтобы воротило, но не вызывало доверия к ним, не хотелось общаться больше, чем по нужде, да и без нужды лишний раз останавливало от разговора, пускай случайного даже и без последствий.

С другой стороны, Петр Иваныч частенько ловил себя на отсутствии нелюбви этой, как отдельно взятого ощущения, в отношении лишь женского пола, ну, а точно формулировать ссли: ненависть, так или иначе, присутствовала и была все такого же устойчивого сорта, но уже еле заметной, почти не чувствительной, если только какая-нибудь исключительная особа не допечет чем-либо дополнительным, кроме очков. А так, без специальной причины — вполне обстоятельство это считалось терпимым и в нормальном согласии уживалось с внутренней шкалой табели о рангах, где все обозначено: кто есть кто и почему этот, а не другой. Из недосягаемых для практической стороны жизни вариантов столкновений исключение составляли преимущественно теледикторши и другие ведущие телевизора из всех цветных программ: их всех Петр Иваныч, приравнивая по ненависти к мужским очкарикам, поголовно считал проститутками, маскирующими собственную нечестность модным прикидом на холеной морде. Одну особенно ненавидел, которая про политику постоянно выступала, а была — ему это всегда про нее казалось — никому неподотчетна в независимости от излагаемого диалога. Сама на татарку то ли похожа, то ли на казашку недокормленную с чудной фамилией, неприличной по звучанию типа Манда или как-то близко. Она чаще других перемену на морде устраивала: то узкие подцепит, как щели с дымкой, то другими стекляшками полфотокарточки перекроет, чтобы с трудом признавали выставленное на обозрение страхолюдство, а то и вовсе в самых обычных очках ни с того, ни с сего заявится вдруг, по типу, мол, я, как и вы, уважаемые избиратели, я такая же самая, нормальная, моральная и обещаю все проблемы уладить, если голос свой, куда следует, опустите. Петр Иваныч потом еще сокрушался, что не в том округе проживает, где она выставляется по выборам, а то непременно черканул бы синим шариком по портрету с фамилией, ровно поперек блядских очков и фальшивых обещаний.

Из близлежащих четырехглазых мужиков Крюков выделял конкретно двоих: Павлушкиного напарника по труду и творчеству, Ефимку, с одной стороны, и строительного прораба Охременкова — с другой, ежедневной и ненавистной. Выделял, потому что оба представляли полярные концы принципа и по этой причине являлись четкой борьбой

307

противоположностей при отсутствии единства. Фимка, не говоря, что Пашкин кореш, был натурально слепой, щурился по-честному и всем видом своим подтверждал несостоятельность зрительного органа. Кроме того, как не забудется теперь Петру Иванычу до самой смерти, история была в том году, в какой Фима роль сыграл, можно сказать, главную, разъяснил отцу суть не случившегося с сыном позора и невольно тем самым разложил несчастье по ячейкам совести и глупости. И потом — как художнику без острого глаза? А никак. И был он положительный полюс для сравнения среди тех, кто очки таскает.

Охременков же права такого явно не имел — с наглазниками своими явно дурковал не по чину и не соответствуя профессии. Глядел через них пасмурно, с вечной отрыжкой недоверия к подчиненному персоналу и другим строителям, орал «вир-ра!» уже, когда бетономешалка отъехать еще надежно не успевала — все ускорить желал и так напряженный процесс сдачи каждого этапа работ для быстрейшего закрытия процентовки.

Формалист, — глядя как выслуживается немолодой, но энергичный прораб, думал про него Петр Иваныч. — В тридцать седьмом бы у него это не прошло, при Сталине-то, там бы быстро разобрались, кто он по характеру и на самом деле. Берию, вон, говорят, из-за пенсне расстреляли и за баб, что переёб бесчисленно, а не за политику и должность. Политика для видимости была только, для отвода глаз.

Мысль о том, что Охременков лицом похож на злодея Берию, стала приходить Петру Иванычу не так давно — сразу по окончании истории с сыном, с Пашкой. Роль, в которой так необдуманно не повезло присниться Охременкову в ходе сна крановщика Крюкова, никак не желала соединяться с образом малого строительного начальника, каковым Охременков на деле являлся. Причем, был бы если другим финал тогдашней разборки в спальне Петра Иваныча, куда Охременков с поджатой ногой, в окружении белого сияния нагло заявился никем другим, как Богом-Отцом с распахнутой настежь протухшей птичьей грудкой, то, может, и не стал бы Петр Иваныч подмечать за ним неприятных особенностей, включая очки и схожесть с прошлым палачом времен еще одного Отца родного. Если б, например, насоветовал в том сне Бог-прораб меры принять безотлагательные к наследнику прямой фамилии, к совести призвать или же молитвой нужной поучаствовать, скажем, то куда б ни шло еще, пронесло бы стороной, наверное, резко выросшую неприязнь к нему крановщика. Но он, хоть и во сне, но наглости набрался и приказал так, как есть, все оставлять, без отцовского вмешательства, а только силой прощения и терпежа присутствовать в несчастье. И ждать, когда утрясется все само, без ничего.

Год прошел с тех пор, ровно год почти с конца прошлого мая по конец нынешнего, и сила отторжения от этого человека в Крюкове не утихала. Даже находясь на верхотуре рабочего места, выискивал всякий раз Петр Иваныч со своего высшего ракурса неприязненный профиль и целил в него сверху недобрым взглядом, ловя фигуру целиком на перекрестье носа и горизонтально поставленного заскорузлого пальца.

Это и было второй по очереди ненавистью — недавней, но ничуть от этого не пострадавшей по силе проявленного внимания. Вернее,— сам он и был ей, прораб Охременков, следующим списочным пунктом и являлся, образина, в перечне моральных ценностей, тщательно составленном Петром Иванычем Крюковым — безупречно честным человеком, порядочным семьянином, ветераном многолетнего высотного труда в тех местах, где сила небесного притяжения примагничивает к себе земную поверхность, протыкаясь вертикалью башенного крана грузоподъемностью в зависимости от типоразмера и назначения будущей конструкции.

Была, однако, и третья суровая составляющая, не уступающая первой и второй, даже если их сложить воедино, и тянула по этой причине не меньше, чем на целый ненавистный параграф. А была это болезнь Петра Иваныча — его же вечная мука, отпускающая негибкие органы спины в расслабление и бесчувственность лишь в лучшие моменты жизни и труда, когда проходили они лежа, в основном, и без любой вертикальной перегрузки. Недомогание это, тупо называемое остеохондрозом, Петр Иваныч любил часто сравнивать с собственным башенным краном, потому что для такого сравнения внутри болезни имелись все необходимые параметры: сам непосредственно ствол позвоночника с бесчисленными позвонками-ступеньками, венчающая конструкцию башня, откуда берутся и куда потом возвращаются управляющие болезнью сигналы с болью или без, а также дополнительно встроенная в механизм пилорама, разрушающая стройную картину представлений о законченности сравнительных форм радикулита и подъемного механизма. Зато, если пилорама эта включалась на полный оборот, дергая за выступ каждого нерва на всем пути вращения сверху и вниз и безжалостно посылая выработанный сигнал строго в наивысший чувствительный отдел, то тогда именно она, а не кран, становилась определяющим заболевание и муку механизмом подчинения Крюкова здоровья.

Порой, в последний уже период, с мая по май, Петр Иваныч обсуждал сам с собой теорию терпения и уступки.

Допустим, — думал он, — что б я в жизни своей предпочел: что б Пашка пидором оставался, но радикулит исчез на вечность, канул, как не было бы его совсем? Или наоборот: Пашка больше не пидор, а мука продолжает длиться на весь остаток? Собственно, так и есть теперь, — догадывался он, но по факту, а не по предположительному обмысливанию, — такую наличность и имеем, этим и располагаем, так к чему это я? А к тому, — тут же додумывалось ему вслед за Пашкиной версией, — что, пожалуй, теперь он бы пошел на такое, но лишь в варианте прощения мучительной болезни за счет Зинкиной отдачи Славику на условиях и ее тоже самодурства, а не только как результат Славикова насилия.

Такой вывод ужасал Петра Иваныча жестокостью и практичностью подхода, и это снова надежно означало одно: боли были честными, порой непереносимыми, и в силу сидячей жизни на кране радикулит отступать не собирался. Менять болезнь было не на что, кроме заслуженной пенсии, куда Петр Иваныч переход не планировал, а другие варианты прервать страдания упирались, так или иначе, в беспомощную медицинскую науку о нездоровье спинного ствола.

Одним словом, дни тянулись и годы, ровно как и приступы, образовывались и рассасывались с переменным результатом, синхронизируясь с возрастными изменениями. И было так до тех пор, пока ужасное происшествие не прервало нормальный ход болезни, развернув ее в совершенно другую неопределенность: нежданную и подлую.

Тогда-то и подловил его прораб Охременков-Берия возле основания крана, как только он поставил ногу на твердую земную поверхность, и предложил:

— Слышь, Иваныч, тут две путевки мосстроевские с управления прибыли на санаторное лечение. Обе по линии органов нервных путей, обе ветеранские и с хорошей скидкой. Берешь одну?

«Да» или «нет» — реагировать сразу было не в характере ветерана. Крюков молча окинул нелюбимого прораба с головы до пят, мысленно прикидывая на него последний приступ собственного остеохондроза, полюбовался своим отражением в охременковских очках и с нужной хмуростью ответил:

— Завтра скажу, держи покамест.

— Ну, ну... — промолвил Бог-начальник. — Смотри, чтоб кто другой больней тебя не оказался, пока я добрый, — он махнул рукой и добавил: — До завтра до обеда держу, дальше — в кадры передам, там к другому ветерану пусть пристраивают, — и побежал дальше по краю свежего котлована.

— И то правда, Петенька, — призывно обратилась к супругу Зина, — поехай, подлечи спину-то, там, говорят, вытяжение имеется, и сухое и под водой: все, глядишь, полегчает, а то сил нет глядеть, как ты маешься: меня самой, бывает, спазмом сводит от твоих страданий. И потом... — она хитро замялась, — все нервы между собой в единый ком увязаны, так что настроение и прочая сила, — она опустила глаза на штаны мужа и довела фразу до ума, — тоже от спины зависят, от главного нервного пути...

Это была уловка, и оба они об этом знали, но оба не стали комментировать Зинин шутливый намек, так как физическое здоровье супруга для Зины давным-давно уже стало первейшим и гораздо более значимым, нежели мужское его наполнение, а Петру Иванычу, в свою очередь, не хотелось обмусоливать даже по шутке гипотетическую возможность увязки болезненной части нервов со всем остальным комом в целом, тем более, что комок этот влияет, говорят, на сферу межполовых отношений мужчины и женщины. Поэтому спорить он не стал, а согласился. На другой день Крюков выкупил путевку и оформил отпуск на излечение от спины.

Санаторий оказался по нервным заболеваниям и средним, а не шикарным. На последнее Петр Иваныч тайно рассчитывал, но не вышло. Зато, кроме приспособления для подводного вытяжения страдающих органов тела, имелись дополнительно грязь и воды. Сама вытягивающая спину установка была простой, как бетономешалка, но действие оказывала сильное. Дело обстояло так: к укрепленному на поясе ремню через веревку привешивали груз, пропускали его через блок, и он свободно болтался в воздухе, направляя собственный вес в сторону земли. Другой ремень закреплялся под мышками и фиксировал место расположения самого больного, тормозя его от сползания вслед действию груза. Всякий раз при наступлении очередной растягивающей процедуры груз увеличивали еще на один пятикилограммовый железный блин, и земная тяга, смягченная сопротивлением архимедова закона, все дальше и дальше отделяла больной позвонок от здорового, высвобождая зажатый сидячим трудом пострадавший нерв — типа того. А сам Петр Иваныч в момент оздоровительного вмешательства в радикулит пребывал в голом почти состоянии в ванне с водой, куда медицинская сестричка растворяла родон для болеутоления и снятия воспалительного напряжения. Одним словом, механизм действия лекарства был предельно ясен, ничего хитрого и потаенного в нем не обнаружилось и, шутя про себя, Петр Иваныч пожалел как-то во время второго захода на тянучку, что не имеет под рукой башенного командоконтроллера, чтобы поуправлять процессом, «майнуя» себя самого согласно свободному волеизъявлению.

В общем, процедура Петру Иванычу понравилась, она бодрила ему тонус и частично будила воображение. Сестра на вытяжении была теткой бойкой и чем-то напоминала его Зину: статью, основательностью, неохватностью бедерного измерения и добродушной улыбкой. Короче говоря — была своей в доску и именно так, как к этому привык Крюков, как понимал людское единство на протяжении всей жизни. Наверно, по этой причине за те процедуры, пока он втягивался в процесс обновления позвоночника и разъединения отдельных грыж друг от друга, он ни разу серьезно и не подумал о сестричке, как о женщине — дома ждала точно такая же, но еще лучше знакомая и гораздо более близкая. И когда вынутый после сеанса Петр Иваныч, чтобы не растерять межпозвонковый результат, перекатывался из родонового ванного корыта на скамью в одном лишь широченном ремне, охватывающем пояс выше бедер, то в этот момент его обнаженное мужество находилось в абсолютном доступе для свободного осмотра персоналом. Но и в эту рисковую минуту не подкатывала к нему изнутри порочная мысль по отношению к процедурной сестре, и мужество не вздрагивало слабо даже с тем, чтобы разогнать себя в реактивный эффект и нанести моральный урон посторонней милой женщине. Так что, крюково воображение упиралось каждый раз в теоретическую невозможность быть реализованным на деле, но все равно, тонуса оно от этого не лишалось и продолжало бодрить хозяина почти до самого обеда.

Первый обед не стал лучшим, так как повязан был с короткой острой болью в крестцовом отсеке спины. Вообще, вся спина, целиком, эту часть жизни пребывала в стадии ремиссии, то есть, не в худшей форме по болям и нытью, и излечение носило — так получалось — профилактический больше характер, с целью подправить будущие искажения. Но после того, как убрали борщевые тарелки и унесли блюдца из-под винегрета и селедки, то на замену начали развозить рыбные котлеты типа хек-треска в сухарной обвалке. Тогда-то Петр Иваныч и вздрогнул неудачно, слишком для своего возраста резко, не сумев четко преодолеть реакцию на котлеты, засевшую в нем с прошлого мая. Сами котлеты были, само собой, ни при чем. При чем — был Пашка, его младший талантливый сын, которому еда эта и предназначалась. Дело было непростым, но никто, слава Богу, так про историю ту ничего не прочуял, да и кончилась она тогда по счастливому финалу, как результат самодельно допущенной оплошности и дурацкой отцовской вины за подозрительность и недоверие к своему же дитю. Но от котлет с той поры, выполненных из рыбного мякиша, Петр Иваныч отказывался — не мог преодолеть отвращения к белковому продукту, несмотря на сильный фосфор и кальций в хековых костях. Зина удивлялась, но всегда находила, чем второе блюдо заменить на другое. Аллергия возраста — объяснил Петр Иваныч про котлеты, и вскоре легковерная Зина перешла с прокрученной рыбы на целиковую: жареную с луком, тушеную и запеченную в фольговой бумаге, и тягостное воспоминание обретало совсем иной уклон — в таком виде Петр Иваныч употреблял ее с удовольствием, и желудочной коликой его не пробивало.

Рыбные котлеты он есть не стал, тем более, что за его стол к моменту второго блюда подвели даму и сообщили, что отныне это будет ее место на время всей санаторной путевки. Дама вежливо поблагодарила, приветливо кивнула головой Петру Иванычу и сказала:

— Здрасьте!

— Будьте любезны, — так же достойно отреагировал Петр Иваныч и слегка пошевелил стулом — просто так, из вежливости.

Знакомство состоялось, и женщина присела на выделенный стул. Тут-то и пришла Петру Иванычу спасительная идея — с помощью чего можно выгодно усилить произведенный на даму первый эффект доброго соседства. Он кашлянул в сторону, снова просто для приличия, и предложил:

— Тут такое дело... — он слегка помялся, но решил, все же, идти напролом. — Есть лишняя порция, — Крюков загадочно кивнул к потолку и тут же указал женщине глазами на свое невостребованное второе блюдо: — У меня рыбный запрет — такое дело: аллергия на все виды, — он немного переборщил, тут же успев о сказанном пожалеть, потому что могли быть и другие потом рыбные вторые, не котлетные, а гораздо более съедобные варианты. Однако, было поздно — слово он выпустил и надо было дальше подтверждать вежливость королей. — Так что... — он плавным движением подвинул тарелку к соседке и выполнил красивый жест кистью руки: мол, нате, пожалуйста, кушайте, уважаемая, а словами добавил: — От всей души, гражданочка, по-соседски, не обижайте.

Женщина обижаться и не подумала. Она тоже улыбнулась в ответ, принимая соседское знакомство, и дала знать:

— А знаете? Я съем вашу порцию, пожалуй, у меня к рыбе отношение своеобразное — чем вкусней окажется, тем полезней, все-таки это не мясо, а натуральный продукт, в том смысле, что из живой природы, а не выращенный в неволе с биодобавками. — Она весело подцепила одним вилочным уколом обе котлетки и, перебросив их в свою тарелку, дополнительно пояснила: — И к вегетарианству, как никак, поближе, к здоровой жизни без холестерина.

Что последнее слово означало в каждодневной жизни, Петр Иваныч не знал, хотя и слышал, но на всякий случай компот из сухофруктов решил не предлагать, чтобы избежать согласия симпатичной соседки и на эту часть обольщения. Он подумал об этом как-то сразу — об обольщении, без подготовки, но с приятным чувством мужского достоинства и маленькой одержанной им победы на ниве культуры и четкого обращения с незнакомым женским полом.

И то правда — из женщин он за период всего длительного брака общался только с Зинаидой, как с женой, с невестками, Анжелой и Катериной, но те были родня и моложе на поколение. А так... — ну, к примеру, кассир в строительном управлении, Клавдия Федоровна — вполне миловидная особа, ниже Зины ростом, чуть старше и немного толще телом, без очков ходила, с открытым лицом и всегда через кассовое окошко выдавала Петру Иванычу хорошую улыбку вместе с зарплатной ведомостью на роспись. У нее лично Петр Иваныч расписывался лет тринадцать подряд, и ему почудилось к концу последнего тринадцатого года, что между ними установилась некая промежуточная связь: теплая и однозначная, и что промежуток этот в действительности гораздо короче, чем ему казалось, и вполне досягаем для преодоления зарешеченного проема кассовой выдачи. И как только толкнулась у него впервые такая мысль, Клавдия Федоровна ушла на больничный, и долго-долго ее замещала другая кассирша, равнодушная и не всегда отдающая мелочь до конца, в отличие от Клавдии Федоровны. А когда истек почти год со времени этой кассовой замены, то Петр Иваныч понял вдруг, что старая кассирша никак не утекает из памяти, и что его не отпускает теплое мужское воспоминание о ней, и что жизнь без нее не кажется такой наполненной ожиданием очередной зарплаты или премиальных, так как не сопровождается больше улыбкой через окно и мыслями о намеке, который такая улыбка может у мужчины вызвать. Ни разу, однако, не сделал попытки Петр Иваныч приблизиться к Клавдии Федоровне на расстояние близкого знакомства и разговор затеять не про выдачу и ведомость, а любой другой, хотя и уверен был и внутренне убежден — контакт такой мог быть продуктивным и внести в жизнь его не только разнообразие, но и лишнее чувство. А через еще один квартал на другой, когда сдали очередной объект и получали премиальные, то случайно Петр Иваныч от очереди-то и вызнал, что померла давно уже Клавдия Федоровна от рака, так и не вернувшись обратно с больничного, на котором и скончалась. Кроме этой печальной новости, он понял вдруг, что не знал даже, есть ли у его избранницы муж, дети и, вообще, семья, и смогла бы кассирша ответить Петру Иванычу взаимностью независимо от его тайного устремления к ней, — сама по себе, без его многолетнего немого памска.

В тот же день после обеда он вернулся к себе на кран и задумался. Странно, но лез он наверх, к себе в башню, как всегда, тяжело, но не настолько, как должно было бы ему забираться с учетом полученного из премиальной очереди известия. Это была не вполне понятная самому ему смесь, и состояла она из противоречивых кирпичиков: был там и страх за себя и за свой немолодой уже возраст, и сожаление по покойной пополам с горестью о так и не состоявшемся хорошо знакомстве с ней, и искреннее удивление, что такое вообще могло произойти с живым и здоровым человеком, к которому привык за многие годы, как почти к родному, хоть и через решетку денежного окна. Но с обратной стороны кирпичной кладки имелось и другое вещество, хотя и более шаткое, на другом растворе замешанное, но было, все ж, было и тоже состояло из едва намеченного душевного облегчения; поскольку нет человека — нет проблемы и нет, таким макаром, будущего тяжелого выхода из ситуации изменчивого характера, которая всегда может случиться, почему нет-то? Да и Зине спокойней от его покоя, а его покою — от отсутствия другой причины волноваться и волновать.

Небо в тот печальный день тоже было грустным: без баранов, перьев и остатков порушенных ветром одуванчиков, выполненных из пористых облаков, а не плотных туч. Кран на том объекте был таким, как он любил, — высоким и подпирал небо под самый край нижней дымки, так что изучать и рассматривать то, что происходило на самом верху в пределах человеческого взора, крановщику было удобней, чем другим соискателям. Но часам к пяти, к началу явления захода солнца, оно прожгло-таки себе внушительную дыру в поднебесье, и остатки оранжевого вечернего света упали на крюкову башню, придясь вровень с красной аварийной кнопкой «Стоп».

Петр Иваныч посидел еще немного, до момента, когда снизу заорали уже, что работы на сегодня ему нет, а машина, что вываливала — последняя; поперебирал в памяти все лучшее, что связывало его с мертвой кассиршей все тринадцать лет единства посредством общения через проем, и отметил, будучи уже на полпути к земле, что не только не знал ее семейного положения, но и низ тела никогда не видал у Клавдии Федоровны, то есть, всего того, что располагалось у нее ниже пояса, ниже уровня решетки окна. «Толще Зины», как он решил — могло касаться лишь верха корпуса, а остальная часть запросто могла оказаться изящной и более вытянутой, чем у супруги, и вполне допустимо, что не менее волнительной. Зине он про быстротечную смерть кассирши из стройуправления рассказал в тот вечер, и они оба пригубили «Белого аиста» за упокой ее души...

На Клавдии Федоровне список несовершенных Петром Иванычем подвигов заканчивался, но факт этот все равно не являлся разрушительным и позорным. В другие годы, после ее смертельного ухода он иногда задумывался над причиной своей нестыковки с другим полом, но всякий раз, вспоминая зачаточность любой встречи с посторонней женщиной, Крюков кишками понимал, что ничего с этим не получится и даже знал, почему — потому что все почти они были такими именно, как его Зина: и по телу, и по обращению, и по понятливости.

Эта, которую подсадили к обеду, была совсем другой, и Петр Иваныч уже понял это, как только ее подвели, и его подмыло предложить ей свои рыбные котлеты. Прежде всего — она была абсолютно худой, даже, можно сказать, тощей. Но, чудное дело, тощесть ее не показалась Петру Иванычу убийственной, а наоборот, — то, как она тыкнула вилкой по обеим котлетам тонкой ручкой и перенесла их к себе, чтобы сбросить на свою тарелку при помощи такого же тонюсенького наманикюренного пальца, как повела по сторонам длинной шеей, как у лошадки, с двумя боковыми подкожными жилами по всей ее протяженности, удивило Петра Иваныча необычностью манер и даже заинтересовало.

Даме лет было пятьдесят, но также понятно было, что и больше еще. Очки тоже были, но не выглядели неоправданно. А звали незнакомку просто отличным именем — Тамарой. Отчества она, в разрез Петру Иванычу, не предъявила, и ему стало стыдно. Крюков тут же поправился и, поражаясь собственной наглости, перепредставил себя:

— Петр, Петя просто, без никаких.

Петей он до сих пор был только у Зины и ни у кого больше. Даже Серега Хромов, лучший друг, обычно называл его уважительно и компромиссно — Петро.

— Отлично, Петя, — улыбнулась Тамара и принялась за компот.

— У вас какие процедуры? — решил от растерянности нового контакта поинтересоваться Петр Иваныч и сам ответил про себя: — У меня вытяжка спины, в основном, далее — по желанию.

— А у меня только общеукрепляющее, — не стала скрывать характер болезни Тамара. — Грязь и воды для желудка, лечебно-столовый вариант без газа.

А как же я, мудак? — подумал про себя Крюков. — Что мне, водички попить не дадут, что ли, заодно с радикулитом? Или грязи на меня не хватит намазать?

— Спасибо вам, Тамара, — чувственно поблагодарил он соседку, радуясь, что есть действительно за что выразить отношение, по конкретному факту, а не приходится изобретать с этой целью искусственную тему для поддержания собственной индивидуальности. Но в отсутствии личного плана на воду и грязь не признался, а бодро объяснил: — Ну, там тогда и встретимся другой раз, ладно?

Тамара кивнула согласием, утерлась салфеткой и медленно пошла вдоль столиков на выход. В конце пути обернулась, построила снова улыбку приветствия и ушла совсем.

Вечером по плану культурной работы были танцы, и Крюков пошел. Рубашку с пиджаком он брал всенепременно, куда бы не направлялся, — считал, главное в мужчине строгий вид, даже пусть без галстука. Галстука и не было б, если бы Зина в последний момент не упаковала принадлежащий ему серый в ромбик и синюю точку мужской атрибут, несший редкую вахту, но зато на все случаи жизни: от дня рождения до дня Победы и от свадьбы до траура и, если надо, самих похорон.

Тамара тоже пришла, словно сговорилась с Петром Иванычем загодя, хотя разговора об этом на момент первой встречи не велось. То, что у его соседки могут быть и другие, кроме него, варианты совместного танца, не приходило в голову, не укладывалось в нее по причине существования приличий между людьми, объединенными общим столом, соседними стульями и единым листиком столовского меню.

Так и получилось. Тамара явилась, платье на ней тоже было, как и сама, худым и облегало ее тело, шелковясь в свете клубных фонарей. Петра Иваныча обуял страх, потому что он сразу понял, что все остальное, чего ему удалось нафантазировать, когда выяснил про вечерние танцы, на деле оказалось гораздо страшнее для исполнения, чем казалось в безрассудных мечтах. Дело еще усугублялось тем, что Крюков и сам не знал с точностью, чего конкретно он хочет от внезапно усложнившего жизнь обстоятельства.

Левая нога, когда пошла первая музыка, вздрогнула и присела на месте, временно потеряв устойчивость. Так случалось порой и на кране, когда в ходе длинного подъема в небо он задумывался и забывался, особенно, если погода соответствовала состоянию внутреннего мира на тот момент, и тогда вместо очередного левого шага у него выходило два раза шагнуть правой ногой, не притянув левую до нужного уровня, и каждый раз он почти срывался в пропасть лестничной ограды и ушибался, тормозя в последний момент любым выступом тела за любой выступ лестницы или оградительных перил.

Тамара стояла одна, но Крюкову казалось, что она выглядит так необычно и так прекрасна в своем балетном сухожильном одиночестве, что никому и в голову не придет просто так подойти и пригласить королеву на танец. За время с обеда до танцев он о многом подумал. До конца изменить мировоззрение не получалось, но многое все же передвинуть в себе удалось.

Беда, — подумал он, жалея самого себя, — что нет у меня нужного опыта на человеческое общение и контакт. То работа на высоте, откуда и бабу-то нормальную не разглядишь, сидишь там, как сыч при любой погоде в воздушной одиночке, ничего от жизни не берешь и не видишь ни хера, кроме неба, крюка да поддона с говном. Или дом сплошной с заботой вечной про что-нибудь, а после — время подошло ложиться спать, с Зинкой слева по перине, со свистом ее по тому же краю и заведенным до отказа свадебным будильником, чтоб снова на кран успеть раствор принять с первой машины. А жизнь идет... а жизнь прошла... и нет в ней остановки...

Последняя мысль получилась стихами, и Крюкову хватило знаний момент этот просечь. Кроме того, по счастли-

вому совпадению спина тоже все еще терпела и не беспоко-
ила, оставаясь в полном вертикальном подчинении. Это
и явилось начальной точкой отсчета, после которой Петр
Иваныч безжалостно стянул вокруг шеи галстук, позеленил
его шипром через флаконную форсунку и практически был
готов к новой жизни.

Эх, носик бы ей подкоротить, — думал он, в полной растерянности чеканя шаг в сторону надвигающегося приключения, — и форсу от платья поубавить, чтоб в глаза не так
людям бросалось. — Худоба ее почему-то совершенно его не
смущала — тщедушность эта была не такой некрасивой, как
должна была быть. — Добрый вечер, Тамара, — отрапортовал Петр Иваныч, достигнув объекта танца и пытаясь не
растерять от страха настрой на галантность, — могу пригласить на тур?

— Здравствуйте, Петя, — ничуть, казалось, не удивилась
соседка такому неожиданному заходу соседа по диетпита-
нию, стол №2, — с удовольствием.

Он подал руку, и они прошли к центру зала, откуда надо
было начинать. И тут к ужасу своему Петр Иваныч вспомнил, что последний раз в жизни он, хотя и по медленной моде, но танцевал с собственной Зиной в гостях у Хромовых
через год после свадьбы, на первый совместный юбилей.
К той дате он пока не окончательно еще втянулся в нор-
мальность обыденного брака и не держал танцы за необяза-
тельную, несерьезную и нетрезвую прихоть. Все же остальные годы пришлись именно на такое отношение крановщика к взаимным перемещениям под музыку, и никакой
возможности освоить и создать нужный образ в требуемом
порядке больше у него не имелось.

Как это я забыл, мудила, что не могу женщину вести, как
надо? — еще раз ужаснулся он, но было поздно. Тамара уже
облокотилась рукой на его плечо и начала передвигать ногами, уперши взгляд в лицо Петра Иваныча. Крюков резко
покраснел в силу этой еще дополнительной причины, так
как представил себе, что весь санаторий только и ждет, чтобы посмеяться над его неловким шагом, а потом подробно
доложить Зине о том, что он замыслил совершить. Но за-

мысел, как и прочее дурное, отсутствовал напрочь, компенсируясь страхом, неумелостью и отсутствием наработанного мужского опыта ведения подобных сомнительных дел.

— Вы водичку на вечер попили уже? — спросил он Тамару, пытаясь отвлечь женщину от наблюдения за ногами. — А то, говорят, если перед сном принять, то кишечник отлично разглаживается, — той, что без газа.

Тамара реагировала спокойно и улыбчиво:

— Вместе потом попьем, после танцев, ладно?

Почему-то вспомнилось нелетающее и непоющее существо Слава. Оно желтело в глубине столовой в квартире Крюкова, покряхтывало и протягивало голову навстречу хозяйской доброте, и после этого размякший от ее ласки Петр Иваныч всегда менял ему воду в стеклянной жамочке, наполняя свежей из-под крана. Желудок у Славы работал за Боже мой: регулярно и с положенной плотностью раствора, без всякого санатория и особой скважинной воды, так что, если б не трагическая в прошлом мае случайность, то жить бы еще Славе да жить бесконечно за решетчатой дверкой, демонстрируя домочадцам свое ошпаренное розовое пузо.

Тем временем Петра Иваныча начало основательно лихорадить, и он сообразил, что глупости про Славу и лечебную воду лезут в голову неспроста, а как прикрытие от Тамариной покорности и быстрого согласия на дружбу. Что-то подсказывало ему, и снова из области кишок, что эта видная женщина расположена к нему не по формальным признакам в ответ на обходительность и уместный диалог, а по вполне чувственным показателям, задевающим ее женское начало в результате прямой мужской наводки.

Следующий танец был белым, но по музыке совершенно не соответствовал представлениям Петра Иваныча о назначении такого танца. Больной народ двинул вперед идиотски встряхивать руками и тупо подпрыгивать на месте, включая людей пожилых и приличных на вид женщин. Тамару назначенное шумовое сопровождение совершенно не смутило, она отделилась от Крюкова на расстояние трясучки, подняла обе руки над головой и пропустила вдоль линии тела призывную волну на изгиб, пригласив глазами Петра Иваныча повторить движение в качестве белого танцора. Крюков растерялся. С одной стороны, ни прожитые годы, ни профессия, ни потрясения последних лет не предполагали такого беспардонного его участия в празднике чужой жизни, унавоженного к тому же порцией сдерживающего и трезвого стыда. Но, если посмотреть на ситуацию с противоположного края, от того места, где роились, начиная с обеденного времени, другие доводы и мысли, то и им находилось оправдание на теперешней санаторной танцплощадке, даже, несмотря на чужую музыку, от которой раньше оторопь взяла бы, а не то, что собственное в ней участие.

Тамара тем временем сделала подле Петра Иваныча пару ласковых кругов, продолжая по змеиному изгибаться во весь рост, и он сдался. Крюков тоже поднял руки, чтобы получилось похоже на Тамарины усилия, и пристукнул ногой об пол. Тамара зааплодировала, но и сам он уже почувствовал, что получилось. Тогда он сделал пару небыстрых оборотов вокруг собственной оси, не прерывая биения ногой об пол. Крутясь, он с опаской повертел глазами туда-сюда, но к счастью своему обнаружил, что никому, включая поддержанную отдыхающую часть и молодежь, до него нет никакого дела: каждый занимался воплощением собственных ритмических конструкций, и на Петра Иваныча и его партнершу им было наплевать. Тогда его отпустило окончательно, он подхватил Тамару под обе руки и закрутил вентилятором вокруг себя, нагнетая свежий ветер на отдыхающих.

Музыка сменилась с белой на другую, и теперь уже, само собой, имелось в виду, что они — пара. Это было понятно ему, и он был также убежден, что уверенность его передалась и Тамаре.

— Можно, я стану называть вас Томой? — спросил он ее на ухо, когда вновь запустили медленный танец и они приобнялися, чтобы походить.

— Какой разговор, Петенька? — доверчиво и тоже на ухо шепнула ему Тамара, — И даже лучше на «ты», без церемоний, хорошо?

Потрясением это не было, конечно, но мир вокруг так стремительно менялся, завихряясь вокруг Петра Иваныча со скоростью света, переходящего во мглу и тут же проявляясь обратно, что Крюкова немного повело в сторону от основного танца. Он сделал глубокий вдох и предложил:

— Отдохнем маленько, Тома?

Пробыли они до самого конца, но танцевали уже через раз, потому что стали говорить. Тома оказалась образованным и интересным человеком, по специальности заместителем главного бухгалтера, но при этом весь бухучет и годовой баланс держался исключительно на ней. Оба они посожалели о таком нечестном разделении сил, и оба вздохнули, припоминая разные примеры и типы человеческой несправедливости. Петр Иваныч притворничать не решился: ни когда разговор зашел о болезнях, ни — когда о семьях. Сказал, что дома Зина, но навел, все же, легкого попутного туману, что вся она по жизни нацелена на внуков и детей, так что забот у нее и без мужа хватает. Напрямую пожаловаться о недостатке супружеского внимания он не посмел — думал, хватит и внуков, чтоб запутать ситуацию, а там — будь что будет, ветеран высотного труда. Да и порядочность пока не позволяла балабонить впустую, без конкретного повода.

Тома про семью распространяться не стала. Сказала лишь, что ничем особенно никому в этой жизни не обязана, и потому идет по ней в основном самостоятельно, с гордо поднятой головой и не озираясь на трудности. Честно говоря, мало чего из этого объяснения понял Петр Иваныч, но уточнить постеснялся, чтобы не выглядеть полным занудой или подозрительным дураком.

Вечер прошел прекрасно, пахло сиренью, а на подходе, знал Крюков, был жасмин. Он всегда обрывал у Хромовых почти целый куст, и они с Зиной привозили его домой и ставили в вазу с кипятком, чтобы дольше держался. Но сейчас почему-то воспоминание это лишь мазнуло по памяти, прошло скользяком, не оставило аромата любимого растения, а лишь обозначило короткий факт начала лета. И, вообще, любой другой запах теперь перебивался новым, свежим и лучистым, и это было вроде «Ландыша серебристого», которым пахло от Томиной шеи, серег и ушей.

В корпус возвращались вместе и не спешили. Оба жили на втором этаже и на одну сторону. И путь-то был соседний — всего через две двери друг от друга или через один балкон по верху.

— До завтра? — спросила Тома и вопросительно посмотрела на нового знакомого.

— Я тоже завтра на грязь запишусь, — сообщил свое решение Крюков, — хуже не будет, зато там и пересекемся.

На том и порешили. Не прописанную ему санаторным рецептом воду от язвы и гастрита Петр Иваныч пошел пить еще до завтрака, натощак, за полчаса до еды, потому что было настроение. Водичка оказалась тухловатой по сравнению с привычным вкусом воды из водопроводного крана и ожидаемого эффекта не произвела.

Пусть, все равно, будет, — подумал он, давясь от неприятного ощущения внутри желудка, — Может, остановит гастрит на потом, если он готовится. Или целиком язву.

Теперь не таким все это ему казалось значимым, поскольку перебивалось вчерашним событием и продолжающим набирать обороты удивлением от познания самого себя, начиная с момента белого танца. Ночь он почти не спал. Сердце неугомонно работало, распыляя в кровь неуместный перед сном дополнительный адреналин, выработанный в результате нежданного знакомства. Было жарко и томно. Потом он кое-как забылся и провалился в другое неведомое. Там почему-то оказалась Фенечка Комарова: она держала в руках посылку, и он с гордостью заметил, что выведенные на картоне буквы вольского адреса принадлежат его руке. — Давай, дочк, — помог он ей неслышным советом, — откупоривай. — Фекла надорвала верхний картон и запустила внутрь руку. Оттуда запахло «Ландышем серебристым», и Петр Иваныч явственно почуял, как танцевальная музыка возникает из ничего, просачиваясь изо всех щелей и беспрепятственно разливаясь по барачному жилью, сама становится белого цвета, как и танец, потому что вокруг побелел сам воздух, но не перекрыл при этом Фенин контур.

Она снова сунулась в коробку рукой, и на этот раз оттуда появился длинный батон твердой сырокопченой колбасы. Крен запаха слегка сместился и по сумме ароматов стал напоминать собственный — «Шипр».

— От смежников! — радостно приветствовала подарок Фенечка и понюхала батон. — Спасибочки им, не забывают нас.

— От каких таких смежников, твою мать! — в раздражении заорал Петр Иваныч. — От меня это, от меня, дочка! Для отца передачку собирал и для тебя вместе с ним, при чем смежники?

Но Фекла Комарова продолжала благодетеля не слышать и запустила руку по новой. Там она ухватилась за что-то важное, но обратно кулак не пролезал. Тогда она надорвала картон дополнительно к имеющемуся уже отверстию и резким движением выдернула длань назад. Вслед за рукой из темной глубины выпорхнула птица, и она была прекрасна. Размером она напоминала не то крупного голубя, не то небольшую сойку, но при этом цвета, в отличие от обоих, была чистого и желтого. Особенно вид ее выделялся на фоне белесой воздушной среды, заполнившей все жилье семьи капитана Комарова. И тут до Петра Иваныча дошло, что это вовсе не просто желтый цвет, а чисто канареечный — его цвет.

— Слава? — неуверенно спросил он птицу и услышал, как голос его дрогнул, дав петуха. — Это ты, Слава?

Голубиный кенар бывшего владельца словно не замечал и не слышал. Он пристроился на краю бельевой веревки с веселым ситцем, отделявшей капитана Комарова от посылки, и распахнул клюв. Оттуда в белый воздух полилось чистое и ясное пение, с необходимым прищелкиванием между трелями и горделивым внешним видом исполнителя. Петр Иваныч в последней надежде перевел глаза на птичью грудь, обнаружив, что и там имеется также полный порядок: кислотно-розовым и не пахло, голой кожи не просматривалось даже при внимательном и заинтересованном взгляде, перышки и перья были отлично пригнаны друг к другу и никаких следов насилия на теле больше не имелось. И тут до Петра Иваныча дошло, что дело не в ошибке его и не в Славиной к нему посмертной мстительной ненависти, а в гормоне всего лишь. Причиной тому, каким стал теперь его Слава, был натуральный мужской гормон, выправивший бесполого летуна-неудачника в прекрасного лебедя-птицу, полноценного канарея с устойчивым тенором и полетом во весь размах оперившегося крыла. Другими словами, отныне, несмотря на погибель, Слава стал мужиком, и от этого открытия Петру Иванычу стало несравненно легче. Страх исчез вместе со Славой, семьей афганского ветерана, батоном твердой колбасы и цветочным запахом из ушей худощавой подруги...

После завтрака они с Томой разошлись каждый по своим процедурам. Но, не дожидаясь начала душа Шарко, Петр Иваныч забежал к лечащему врачу и потребовал записи в грязевой кабинет: на суставы пальцев, локтей, коленей и на всю область таза.

— Не надо вам, Крюков, — попыталась убедить его санаторная врачиха. — Наши грязи от других проблем полагаются, не от ваших. Вода тоже не показана, кстати, при вашей кислотности.

— Ничего, — проявил настойчивость Петр Иваныч, — от грязи хуже не будет, — и соврал: — По себе знаю. — Про воду вообще смысла толковать не было: пустое — оно пустое и есть, не еда ж.

Время ему выделили на стыке конца женщин и начала мужчин. Ждать пришлось недолго — последнюю женскую грязь смывали прямо перед его заходом. Он приоткрыл дверь в грязевой лепрозорий, чтобы понять, когда заходить, и обалдел. Там, в незадернутом пластиковой шторкой углу помещения, под струями душевой воды стояла Тома с закрытыми глазами, совершенно без ничего, в одних лишь грязных подтеках. Руки она подняла вверх, как вчера в белом танце, открыв бритые подмышки и натянув кожу под грудями так, будто производила своим телом показ белокаменной статуи. Пупок ее был слегка напряжен и выпучился вперед, как никогда не было у Зины — там, наоборот, сколько Петр Иваныч себя помнил, зияла глубокая скважина с покатым краем, как завальцованная поверхность мусоропроводной трубы; попа Тамарина тоже не перевешивала тело вниз, а находилась на уровне пояса и бедер, а сам живот был естественным образом втянут внутрь корпуса, образуя необычный статный контур незнакомой конструкции.

Боже мое... — единственно, о чем сумел подумать Крюков, — вот это да-а-а... Это вещь... — В голове поплыло и закачалось, последний лед был растоплен увиденной грязевой процедурой, в центре которой находилась зам. главного бухгалтера Тамара, его соседка по столу. Когда она вышла, ему уже было все равно, нутро было зрелым и готовым. — Или сегодня или пропал, — подумал Крюков. — Конкретно попробую предложить связь и будь что будет.

Тамара приветливо кивнула ему и пошла дальше. Он зашел в грязевую и осмотрелся. В душе еще, казалось, пахло Томой, ее «Ландышем», и Петр Иваныч зажмурился.

— Раздевайтесь, мужчина! — голос принадлежал не сестре, а медбрату, мужику лет сорока в клеенчатом переднике и с равнодушным взглядом. Крюков открыл глаза, и волнение немного отпустило. Грязь оказалась горячей, она въедалась в локти и обжигала пах. Один пожар снова наложился на другой, удваивая общую картину будущего преступления, и к обеду Петр Иваныч, с отдельно отпаренной промежностью и остальными частями тела, размякшими от Шарко, уже планировал вместе с Томой, как само собой разумеющееся, план вечерних мероприятий. Танцев сегодня не было, и они решили просто гулять и разговаривать...

В корпус к себе они вернулись, когда коридорный свет работал меньше, чем в полнакала и основной отдыхающий контингент уже залег. До этого они говорили долго, и Петр Иваныч, переполненный новыми ощущениями, чувствовал, как его несло. Однако на этот раз, в отличие от того, когда он узнал, что Зина в прошлой жизни не целка, его несло одними лишь словами, нескладными и непрерывными, как будто прорвалась в нем тонкая перемычка, разделяющая годы молчаливой подозрительности, неозвученных мыслей от удивления и восторга окружающей действительностью, которой после откровенно совершенного им танца можно было уже не стесняться.

— Чайку, может, Тома? — спросил он Тамару, предполагая безнадегу вопроса и ответа. — А то у меня кипятильничек имеется — Зина подложила, и посуда своя.

На кой черт он упомнил про супругу, сам не понимал — от судороги, наверное. Они немного перешли за его номер, но не дошли еще до Томиного.

— С удовольствием, — не удивилась Тома и подкрепила ответ, — сейчас зайду и вскипятим.

— Ага, — только и нашел чем отреагировать Петр Иваныч и лихорадочно начал засовывать ключ в замок. Руки слушались плохо, потому что уже чувствовали, скорей всего, что им предстоит предпринять. Тамара пришла без задержки, но со свежим запахом из-под ушей, и Петр Иваныч, моментально уловив его, немного приободрился. — Зачем, — подумал он, — станет она мазаться перед чаем и сном, если не имеет планов на дальше?

— Ну, что? — Тома улыбнулась и вынула из пластмассового пакета бутылку, — вскипятим?

Это был «Белый аист», и он был неспроста — Петр Иваныч сразу понял про это, но сумел сдержать вновь охватившей его дрожи от такого символизма. Что делать дальше, он не знал — как правильно перейти к просьбе, признанию или наступлению. Они выпили первую, причем Петр Иваныч сразу налил по три четверти стакана каждому. Тамару это не смутило. Она закинула одну худую ногу на другую и приняла от Крюкова посуду. Теперь Петру Иванычу казалось, что ноги эти не худые, а очень стройные, как на обложке ларька. Также он знал, что первую пьют обычно на брудершафт и переходят после на «ты».

Мудак, что не дождался, пока «вы» тянулось, — пронеслось в голове, — а то как теперь причину обозначить, когда «ты» уже и без бутылки имеем?

Но брудершафт предложила сама Тома, освободив Петра Иваныча от мучительных сомнений. Они перекрестили руки со второй порцией белоклювого напитка, оба влили в себя содержимое до самого дна, и Тома приблизила губы ко рту Петра Иваныча. Во все, происходящее сейчас в его комнате, он не верил: в сидевшую рядом роскошную даму, хотя и не в платье уже, а в свободной мохеровой кофте, какая была и у Зины, но больше по размеру. Также он не мог до конца поверить в этот первый в жизни брудершафт и в то, что его не послали с самого начала куда следует и не назначили по привычке старым козлом, а вместо этого деликатничали и признавали за интересного собеседника. И, наконец, — в то, что именно он сам, Крюков Петр Иванович, крановщик и ветеран, дедушка, муж и отец, больше всего на свете мечтал сейчас завалить эту чужую ему женщину на кровать, нежно подмять под себя, пропустить под нее кряжистые руки, ощутив на этот раз не уютную Зинину мякоть, а аккуратненькие, как шарики, ягодички, и прикипеть к этой Тамаре всей плотью, всеми остатками мужского здоровья, вжавшись как можно сильнее в этот запах и в эту новоявленную стать...

Ушла Тамара, когда рассвет еще хорошо не разогнался, а ночь за окном уже начала быстро утекать. Измученный новым счастьем Петр Иваныч оставался лежать на спине с широко распахнутыми глазами и переполненным до верхнего края внутренним миром. Чувств было много, и все они были разные. Имелись среди них и противоречивые, и неудобные, и просто гадкие, но те, которых было больше, вытесняли первые, вторые и третьи, не оставляя им шанса на успех. Жизнь с этой ночи стала другой, как бы не старался Петр Иваныч себя разубедить, особенно с минуты, сразу после брудершафта, когда Томка плавно сползла по Петру Иванычу, потянула за ремень штанов и... И, в общем, укрепила брудершафт нетрадиционным способом, про который Крюков знал, конечно, но на деле про который даже думать опасался — не то что с Зиной применять.

К завтраку он не вышел: не хватило сил проснуться и подняться. На вытяжение попал ко времени, но не евши. Блин ему добавили на один больше против прежнего веса, напузырили свежего родона и оставили тянуть спину через блок самостоятельно. Петр Иваныч лежал в спасительном растворе, то ли, словно в обмороке, то ли, как в святой воде, и чувствовал, что с каждым оттянутым друг от друга позвонком выходит из него и тонет в неизвестности тяга к родному дому, к верной супруге, Зинаиде Крюковой, ко всему тому привычному и надоевшему до кислой оскомины житью, которым жил все эти годы, так и не поняв настоящего чувства, так и не отведав настоящей мужской радости от женского удовольствия.

Путевки были полными и у Томы и у него самого — трехнедельными. Первый день теперь, считай, пропал безвозвратно, потому что был без Томы почти целиком. Второй — стал переходящим и решающим. Но, начиная с третьего, Петр Иваныч и Тамара по тайному уговору между собой решили сблизиться настолько, насколько позволяли внешние приличия. Свои неспешные прогулки вдоль оздоровительных маршрутов, совместное трехразовое питье противоязвенных вод, взаимные уважительные приветствия в ходе лечебных процедур, посещения культурного отдыха — все это, конечно, особой маскировки не требовало и до определенной степени допускалось в открытую. Закрытое для чужих глаз начиналось потом, после отбоя, когда неслышной мышью Тома выныривала в неприкрытую до конца крюкову дверь, чтобы остаться за ней и слиться с Петром Иванычем в ласковой любви и пороке. А после снова было утро, и вновь почти всегда без завтрака, но с вытяжкой и взаимным обедом по истечении процедур, и снова ночь...

Так тянулось две полных недели из трех, и к концу третьего вторника Петр Иваныч обнаружил, что начинает выдыхаться. Не как человек, а чисто, как мужчина. Это, естественно, никак не отразилось на его к Томе отношении и любви, потому что к этому же моменту первое напряжение и неопределенность спали, чувство укрепилось и обозначилось уже конкретно, практически невозвратно и Крюков стал ловить себя на мысли, что думает, между делом, о том, что ему делать с Зиной и как остаться порядочным человеком в непростой ситуации, куда загнала его жизнь на отдыхе.

Допустим, — размышлял он, подобравшись к двадцать пятому килограмму суммарного веса железных блинов, — я оставляю Зину и про все ей объясняю. Что, тоже, допустим, делает она? — На этом фантазия обрывалась, потому что представить себе такого в реальном исполнении он не мог, хотя и был теперь вынужден представлять. — Зина не убьется, знаю, но может покалечить себя ненароком, не впрямую: сердце прихватит или через резкую отдышку сможет себя не уберечь, свалиться в падучую через нервный удар. — От одной этой мысли батька в штанах сжимался в ужасе и его не хотело отпускать назад. — А, по другому если взглянуть, — перестраивал ход мыслей крановщик в то время, как хрящевые промежутки напрочь выходили из зацепления, высвобождая зажатый башенным сиденьем нерв, — она меня сама подвела, когда замуж шла, всей правды не донесла, а я верил, как дурак. Вот и доверился... — Стройно, все одно, не получалось: вина собственная покамест превышала необходимое чувство обороны и ровно так на так не выходило. — А, может, я и не любил ее никогда, Зину-то? — вдруг соскочило с накатанной трассы отдельно взятое рассуждение. — Жили себе да жили, пломбир лопали сливочный, детей подымали совместно: беды не было никакой, но это не значит еще, что было счастье. Поэтому получилось без испытания на прочность, без проверки на стороне и без сравнения про то, как еще бывает. А тут подобралось сравнение, и многое стало понятней. — Такая манера мысли была гораздо ближе к намеченной цели и уже больше соответствовала моральному подходу и нравственному истоку. — Ладно... — подумал Петр Иваныч, перекатываясь на твердую скамью, — завтра еще пару блинов попрошу кинуть, потяну спину, как положено, может, еще чего вытяну насчет того, как быть...

Спина, он чувствовал, шла на поправку категорически с каждым новым весом. Днем он пробовал приседать и резко отрываться от земли обратно и замечал, что ни быстрой отдачи в крестец, как раньше, ни заунывного результата, сплетающего к концу дня спинные жилы в жидкий узел, больше организм его не фиксировал, а реагировал на принудительные усилия аккуратно и впопад. Другое дело — то, чем он так неосмотрительно увлекся после каждого отбоя ко сну, требовало теперь сильного передыха, потому что мужское начало иссякло до отказа, оставив лишь желание нежности, доброго слова, открытого сердца и светлого совместного с Томой будущего...

В этот вечер Тома ушла от него раньше времени, так как хотела спать. Приласкать ее на постели он даже не пробовал — просто нежничал, так как неоспоримо знал, что, все равно, ничего сейчас не выйдет — нужно время на восстановление физической страсти плюс крепкий отдых. Она оказалась понятливой: ничего не сказала, просто попрощалась и ушла.

А на другой день Петр Иваныч Тому потерял, и это было в высшей степени странно. На обед она опоздала, а на ужин не явилась. Свет в комнате у нее не горел, про планы же свои она ничего Петру Иванычу не сообщила. Другой день стал похож на этот — такой же удивительный. Мельком он пересекся с ней на водах, но она только махнула Крюкову неопределенно и снова не попала к ужину. И снова свет у нее не горел.

А потом осталось два дня до возврата домой, и Петр Иваныч решил действовать. На грязь он явился раньше мужских часов — в женские, и стал ждать подругу. Она пришла с небольшим опозданием против стыковочного времени, с полотенчиком в пакете и веселая. Только Петр Иваныч собрался приподняться со стула и вопросительно открыть рот, как кабинетная дверь распахнулась и оттуда раздался зычный голос медбрата:

— Охременкова, на грязь!

Тома развела руками — мол, не везет остановиться, Петя, и юркнула в грязевую процедурную.

Однако Петр Иваныч рук ее не заметил, так как в этот момент и стукнуло внутри молотком — кто она была и кем являлась — Тамара-то. Женой она была натуральной проклятого Берии, ненавистного очкарика, прораба Охременкова, бога с маленькой буквы, недостойного сына своего отца, прихвостня Отца всех народов и времен, лысогрудого кенара из сонной сказки про терпенье и человеческую мораль. А вторую путевку ветеранскую, выходит, он себе хапнул, наплевав на положенную не ему скидку, и жене передал, Тамаре. И она поехала, значит.

Петр Иваныч тяжело приподнялся и пошел в чистом направлении от грязи — в столовую. Перед едой зашел на воды, принял внутрь стакан тухлого питья и почуял, как заныло в кишках. Нет, теперь это была не спинная боль, не стволовая и не нервная — это было совсем другое направление: новое и не менее отвратительное.

До вечера он пролежал на спине, пытаясь унять неподвижностью образовавшуюся в нем проказу. Помогало это плохо, тем более, что жена Охременкова, Тамара, тоже не подавала никаких признаков жизни: ни извинительных, ни обвинительных. К ужину попытку приподнять себя он сделал, но передумал, когда представил, что снова придется проглотить воду из минерального источника, и она с такой же силой окатит его нутро. Когда внутри немного утихомирилось, было часов около десяти, и коридорный свет вновь работал вполсилы. Он вышел из номера и, пытаясь не создавать лишнего шума, дошел до Томиной двери. Свет через нижнюю щель оттуда не проникал. Но, напрягши слух, Петр Иваныч засек нечто, что заставило его замереть на месте для того, чтобы совершенно исключить случайные звуковые помехи, сбивающие картину возникшего подозрения. Он вжался в дверь, но все, вроде, было тихо. Тогда он вернулся к себе, не переставая думать о нехорошем, и вышел на балкон. Ничего не изменилось и там, кроме одного: Петр Иваныч Крюков, как пожилой неопытный скалолаз, уже перебирался на соседний балкон, открывавший ему прямой путь к искомой точке. Первый перескок удался, но безопасен не был. Это Петр Иваныч понял, когда оторвался от своего балконного кафеля, но еще не приземлился на другой. Следующий был третий по ходу туда и последний. И он его тоже совершил.

Лучше бы Петр Иваныч этого не делал. Штора в Томину комнату была слегка отдернута вбок и не перекрывала часть окна. Как раз туда, в этот промежуток и падал луч ночного санаторного фонаря, высвечивая внутреннее непотребство. А было там вот что. Поперек кровати, задрав худые ноги в потолок, лежала на спине обнаженная Тамара Охременкова во всей своей балетной неприглядности, а поверх нее трудился, не покладая сил, грязевой медицинский брат, тот самый мужик с равнодушными глазами и под сорок. Тома тихо подстанывала в такт братовым качкам, а он, в свою очередь, покряхтывал, как когда-то делал верный кенар Слава от неумения доставить другую радость хозяину своим голосом.

Петра Иваныча качнуло в направлении фонаря, но он сумел удержаться на ногах. Жизнь рушилась не меньше, чем тогда, с Павликом и Зиной. Обдумывать это времени не было: хотелось испариться, убежать, улететь в темноту и никогда не вернуться назад. А еще хотелось другого, более справедливого: протянуть руку в световой проем, дотянуться до кровати, собрать кисть в сухой замок, так, чтоб забелели в темноте косточки и кости, и давить, давить. давить, давить...

Высоты Крюков не боялся в силу профессии — не испугался ее и теперь. Он перенес тяжесть тела через балконную ограду и забросил ногу на другую сторону, подальше от двойного преступления. Темно было уже окончательно — под ним расстилалась полная тьма, пробить которую сил фонарю не хватало, и поэтому второй отрыв от Томиного кафеля в сторону промежуточного балкона был сделан им почти на ощупь, интуитивно, по зову убегающего вон сердца. Как раз он-то и пришелся на тьму, на пустоту, на твердое покрытие и погибель.

Приземление получилось обеими ногами, самыми нижними сухими косточками, как тогда — на платформе города Вольска. Но сами ноги не пострадали: жилы, где надо, напряглись и смягчили падение и удар. Другое было плохим — Петр Иваныч в момент соединения с землей осознал спинным мозгом, что все достигнутые промежутки от больных позвонков к здоровым в долю секунды встали на прежние места, с которых и начался оздоровительный марафон с железным грузом. А даже, может быть, еще приблизились один по отношению к другому. Сверху, со второго этажа, ничего не заметили: там продолжалась измена, все еще двойная, но уже без него, как бывшего посвященного и непосредственного участника. На ноги удалось встать не быстро, но удалось. Зато каждый сделанный шаг мучения доставлял неслыханные и пронизывал всего Петра Иваныча не только вдоль теперь, как до санатория, но и поперек.

Заключительный день вышел самым несчастливым из-за того, что собрал в себе все следствия и причины происшествий последних дней. Был там и собственный позор и посторонний, имела место также подлая измена и не одна — сам он сказать не сумел бы теперь — которой из них было больше. Особняком высвечивалось предательство, и думать об этом не хотелось особенно. Присутствовал, кроме всего, и новый совершенно аспект — открывшийся внезапно сильнейший гастрит, о котором Петр Иваныч никогда не подозревал и не лечил. Врачиха покачала головой и напомнила, что предупреждала о несоответствии вонючей воды потребности крюкова организма.

Спорить Петр Иваныч с ней не стал: во первых, потому что не знала она всей другой нервной правды, из-за которой сама водичка становилась вторичной, а не главной, а во вторых, сил не было терпеть боль в позвоночнике, несмотря на сделанную утром новокаиновую блокаду.

Были и другие неприятности по здоровью, вернее, ожидались наверняка, в чем раненый Петр Иваныч почему-то не сомневался. Знал — следующий удар будет обратный, не снаружи, а изнутри, из самой чувствительной середины, лишь до этого казавшейся бесчувственной к настоящей боли, а на деле принявшей основную нагрузку на себя.

Забирать его после излечения приехал на машине Николай, потому что самому сил добраться до Москвы у Петра Иваныча не осталось. С ним увязалась и Зина: все триста обратных километров она охала, переживала за такое странное развитие старой болезни и появление совершенно новой, но тут же начала процесс восстановления домашним способом: натерла мужа нутряным салом — от радикулита, дала внутрь чай с ромашкой и мед — от гастрита, и поцеловала в лоб — от себя. Так, на заднем сиденье, Петр Иваныч и уснул.

А когда проснулся, то снова была Москва, снова спальня с Зининой периной, снова пустая клетка, оставленная в память любимого Славы, а также все трое детей его и все внуки: два и два...

А еще через неделю Петр Иваныч практически оправился от отдыха в санатории, гастрит засыпал питьевой содой, радикулит незаметно вернулся туда, где был распределен до новых промежутков, а внутреннюю боль удалось загасить в первый день выхода на объект. Там он увидал круглоглазого Берию-Охременкова, но почему-то не испытал ненависти ни к нему самому, ни к его дурацким окулярам, ни даже к его изменнице жене, Тамаре, — и так пострадал человек, что женился когда-то на проститутке, чего ж еще-то?

Это снова был понедельник, и машина с раствором, как обычно, запаздывала на час. Но Петр Иваныч опять не послушался прораба и полез к себе в кран, просто так, без особой цели, чтобы в поднебесном покое и удалении от земной поверхности перебрать всех в памяти по-новой и каждого отметить за свое хорошее и свое плохое: Бога-сына и Отца, непевчего летуна Славу, пострадавшего по недомыслию из-за невольно выпущенного из него Святого Духа, сына младшего, Павлушу и остальных настоящих мужиков заодно, а также капитана Комарова и дочь его Фенечку с Волги-реки. И только потом уже, пропустив под собой пару рыхлых облачков и одну плотную тучку, не спеша, он отдельно решил подумать о самой верной, самой преданной и красивой, самой на этом свете любимой подруге всей своей крюковой жизни — о жене Зинаиде. И пусть хранят ее ангелы...

История четвертая
АБРАМ МОИСЕЕВИЧ ПЕТРА ИВАНЫЧА

Больше всего на свете крановщик Петр Иваныч Крюков удивлялся трем вещам. Двум из них он не переставал поражаться на протяжении всей жизни своей длительностью в шестьдесят три года, включая законные шестьдесят предпенсионных лет и три — после закона. Однако думать о самой пенсии не хотелось, да и времени не было особенно. Кроме того, никто, кроме него самого да жены его Зины, про это и не вспоминал в получившейся жизни. Платить — платили исправно за крановщицкую работу, хоть и мало, и нерегулярно, и только когда деньги были у заказчика, а так — больше орали снизу вверх на башню, что, мол, давай, Иваныч, «вируй» уже или «майнуй», наконец, чего встало-то: бетон стынет, выработать не успеем, кто после размолачивать станет — Пушкин, мать твою? Иль Охременков, падла, снова начет на бригаду сделает, а сам ни при чем, вроде, иуда?

Почему Охременков был иуда, Петр Иваныч не ведал и сам так его не называл, но по какой-то необъяснимой внутренней причине поддерживал такое обвинительное прозвище с удовольствием, хотя прораб и никого, вроде, не предавал по большому счету, а был сознательно предан сам собственной супругой. Что касалось Крюкова, то начальника своего он не предавал, так как не знал о родственной его связи с санаторным романом. Он полагал, что всего лишь неудачно обманул неизвестного мужчину, будучи и сам в той дурной ситуации заложником, почти полностью введенным в заблуждение чужой неверной половинкой.

И вообще, дело было не в том — не в прошлогодней истории с радикулитом и посторонней предательницей-женой, Тамарой Охременковой, через которую нехорошая болезнь обострилась и появилась в дополнение к ней еще одна новая. Из-за той грязной истории в ходе санаторной

338

путевки Петр Иваныч как раз готов был самому Охременкову сочувствовать в его семейных делах, проявить человеческую и профессиональную жалость к нему же и, если б было возможно, то повернуть все происшествие вспять, к истокам, к самому началу подводного вытяжения, когда радоновое ванное воздействие на организм уже успело прийтись по душе, а худощавая соседка по столу, Тома, наоборот, только возникла к первому обеду, едва-едва наколола на вилку его котлеты и лишь кокетливо представилась, но окончательно понравиться еще не смогла.

А было другое в ее муже нелицеприятное — от Берии все же больше шло, от натуры чужеватой, от всего облика его целиком и от неродного его какого-то лица особенно исходившее; и это плохо преодолевалось, как ни старался Крюков размыть в себе неласковое отношение к пострадавшему прорабу, как ни пытался сгладить изнутри причину неясной к нему подозрительности, хотя и знал, что достаточного повода для внутриутробных сомнений у него нет. Ну да ладно, Бог с ним, с Охременковым Александр Михалычем...

Так вот, об удивлениях. На первом месте самодельного списка были и продолжали стоять, не считая планеров, аппараты всех летающих систем, куда входили все абсолютно самолеты, различаемые по назначению, дальности, скорости полета и типу силовой установки. Чего там не было только в этих воздушных категориях: и военные, и транспортные, и сверхзвуковые, и поршневые и турбореактивные, и для борьбы с пожарами отдельно. И если с планерами Петру Иванычу все более-менее было ясно — там принцип крыла работал таким путем: встал на ветер, подладил угол и держись, чтоб не тянуло вниз по закону Исаака Ньютона, и только вперед-назад подправляй — то с прочими конструкциями было гораздо непонятней: во-первых, железные, хоть и алюминиевые, во-вторых, тяжелее воздуха, несмотря на ветер и мотор, и в-третьих — откуда столько силы, чтоб преодолеть закон земного притяжения при таком кошмарном весе, и при чем здесь сила принципа тяги, когда такой вес?

В этом самом непонятном деле Петр Иваныч разбирался, как никто. Потому что, никто и не располагался к этой проблеме так близко, как он, никто и рядом с этим нё стоял, как Крюков, вернее сказать, — в полумягком башенном кресле не сидел на высоте птичьего полета, хотя и не дотягивал до самолетного верха, и кресло было вытерто крюковой жопой до белесых прогалин. И облака мешали ему не всегда, а только когда реактивные небесные точки возникали в самых краях выси и Петру Иванычу не хватало пронзительности орлиного взгляда, чтобы уловить скорость и силу передвижки наблюдаемого предмета тяги поперек высоты. В этих случаях приходилось угадывать по воздушному следу, что протягивался от объекта до самого почти горизонта, превращая вдоль всего пути плотный и густой выхлопной самолетный столб в одноцветный воздушный хвост, истаивающий в ничто по мере удаления от него реактивной точки. И особенно везло, когда раствор не начинался еще, а небесное тело уже красовалось при ясной погоде.

Надо же, — думалось ему в такие минуты, — летит... — и он вычислял скорость лета, сравнивая ее со скоростью свободного падения, и прикидывал, сколько ж времени ему надо на самый короткий спуск с крана, если забыть про радикулитную опасность, волнение от гастрита и не глядеть в небо на падающий в зону строительства летательный аппарат. — И кто доберется до цели быстрее: сам он — до спасительной земли или же потерявший управление самолет — до его жизни... — И по всем прикидочным расчетам выходило, так, примерно, на так — аппарат успевал достигнуть твердой земной коры и отобрать у Петра Иваныча жизнь одновременно с тем, когда сухая правая крюкова конечность упиралась почти в ту же самую твердую точку у основания башенного крана, и оба вычисленных момента образовывали единый смертельный альянс.

Почему-то всякий раз по завершении очередной прикидки Петр Иваныч думал не о Зине и детях, а об Охременкове: успеет ли тот унести ноги раньше неплановой посадки аппарата или же заглядится наверх, потеряет от волнения. разум и так и останется на краю котлована в размазанном виде вместе с подчиненным его должности крановщиком. Уверенности, однако, в справедливом исходе катастрофы не было, и это обстоятельство поддавало отрицательного мысленного пару в высотных переживаниях Петра Иваныча, особенно, когда мимо обнаруживалось следующее по счету воздушное судно, а раствор все еще не подвезли. Так и шло...

Вторым сильным удивлением, имеющим самое прямое отношение к списку, являлась вещь вообще мало понятная. А были это, если коротко, евреи всех мастей. Смутно Петр Иваныч подозревал, что еврей — последний человек в непонятном перечне инородцев, которых он на протяжении долгих лет жизни наблюдал вокруг своей оси. Последний — не по значимости проблемы, а по выделенной особенности всего ихнего рода, потому что, если, к примеру, раздражение у Крюкова получалось сильным по любой жизненной причине, то виновные были очевидны в восьми случаях из десяти — инородцы. Однако в момент высокого волнения никто из них, кроме евреев, на ум не приходил, не вспоминался просто: ни по слову, ни по внешнему облику, ни по допущенным историческим и бытовым преступлениям, ни по достижениям в музыке и науке. Про евреев память работала четче, вид определялся быстрее, и воображение рисовало картинку совершенно ясную и объемистую, похожую на толстый реактивный хвост на нейтральном, безоблачном небе. Порой портреты перемешивались, накладываясь один на другой и, наоборот, разъезжаясь в неблизких направлениях, и тогда стройная картина путалась, характерные внешние черты смещались по отношению друг к другу: носы, животы, пальцы рук, картавость рта, кудрявость голов и волосатость покрытия ладошек переставали быть однозначными, теряли на какое-то время уверенную выразительность образа, и это сбивало Крюкову весь ход его исследовательских усилий по поиску друга или врага в этой непростой жизни. Это как, если сравнивать нормальную карту на стене с контурной, где только одни лишь краевые границы тонким указаны, а что внутри них делается — поди догадайся.

Особенно часто случалось с ним подобное сомнение, когда настроение было приподнято: из-за премии, например, или по причине ясной погоды, или — куда ни шло — потому что внучка младшая, та, что Валентинова, снова по письму на отлично шла и всех головой своей удивляла.

Объединительным в этом деле, несмотря ни какие временные поблажки, оставалось одно — общая чернявость носителей инородных подозрений. А кто там из них кто, уже точно не определялось. Поэтому и числились все они — евреи, чтобы было понятней. Не турки же?

Некоторую смуту вносило, правда, еще одно обстоятельство, не очень для непосвященных заметное, но довольно для посвященных существенное. Дело в том заключалось, что среди всего отряда крюковой классификации обнаруживались не только евреи, но присутствовал также и другой подотряд, и он был — жиды. Вот те уж последними не были никогда, потому что, как никому, Петру Иванычу все с ними было понятно, и по этой причине они были САМЫМИ последними, САМОЙ крайней плотью к финалу человеческого разума и мирового порядка. Один только тот чего стоил, в Афганском комитете засел который, зам какой-то зама какого-то и по фамилии Шейнкер, хоть и с русским именем Володя — вот как ведь все бывает перепутано, хрен разберешься: удивляйся — не хочу. Сам черный, непробритый, но в пятнистой кацавейке и тельняшке под ней — Петр Иваныч, помнится, когда пришел к ним в контору первый раз за капитана Комарова хлопотать и Фенечку его, так подумал, что этот жгучий тоже, наверно, афганец, но не из тех, с кем бились, а из других, которые на нашу сторону переехали жить и всемерную помощь освободительному движению оказывать. А оказалось, никакой он не инородец, а обычная наглая еврейская морда, в смысле, жидярская, потому что, говорит, надо вам, гражданин, в местном отделении разбираться с вашим протеже, в том городе, где проживает ветеран, а не у нас: здесь, говорит, головная организация, и мы по этой причине регионами не занимаемся. А глазами масляными зыркает, типа на дверь указывает, чтоб ушел Крюков поскорей. Ну, подумал крановщик, гадость комитетская, я и до тебя доберусь, чтоб ты не штаны тут протирал американские на важном стульчике, а трудился как все остальные нормальные: не за чужой бюджетный счет и не за страдания региональных героев. Как, спросил, твоя фамилия, гражданин чиновник? Тогда он и отвечает с ухмылкой, что Шейнкер, мол, будьте любезны. Ну, а тут и вариантов нет — все на места сразу стало и подтвердилось, кто есть крайний по вине, как греки толковали, что в вине, мол, вся истина содержится. Кстати, на грека тот Шейнкер тоже мог бы походить, если б не был натуральным жидярой.

— Что б вы сдохли тут все от страшных болезней! — крикнул тогда Петр Иваныч ему в физиономию, — и двинул к дверям. А тот нерусский Володя лицом побелел насквозь через черную непробритость, затрясся, как матрос при качке, и на ноги вскочил. Да тут же и рухнул на пол, оскользнувшись, потому что вместо ноги протез у него оказался выше колена. Петр Иваныч искусственную конечность сразу заметил и осекся, так как внутренне определил, что не по травме ноги этой нет, а тоже по войне, скорей всего. Иначе, еврейскую фамилию навряд ли посадили бы на распределительную должность функционировать, не допустил бы народ.

А после вышел оттуда, но уже без дверного хлопка, как собирался. Вот вам и истории страсти афганской продолжение: и так, вроде, нечестно, но и не так, как бы, вполне сходится. Удивительно, одним словом, удивительно и малопонятно бывает со всеми с ними, с этими...

Так вот, дальше смотрим — кто у них кто, если точно в адрес. А то у них — то: жидов, все-таки, гораздо меньше получалось.

— Бог упасал, — думал Петр Иваныч, — не сталкивал меня по жизни с ними, да и где столкнуть-то? На стройке? Не по краю же котлована им бегать, как Охременкову какому-нибудь, и не в кассовом окошке ведомость подавать, как Клавдии Федоровне покойной, пусть земля ей просеянным дважды мягким песочком будет...

Что касалось самолетов, то там доподлинно неизвестно было кто заправляет — слишком далеко отстояли. Про самих летчиков, про первых пилотов, про штурманов, не говоря уже о дальней истребительной авиации и сверхзвуковой особенно, Петр Иваныч мог только фантазировать и догадываться. Скорей всего, они там имелись и даже не один и два. Так подсказывало подкожное чувство, так морщинились отдельные мысли, и так представлялось ему в своей поднебесной башенной уединенке, ближайшей от всей остальной стройки к хвостатым воздушным трассам.

Так, скорей всего, и было по факту. Но в том-то и дело, что те, кто над ним, в небесной дали, переставали быть жидами, если даже и имелись среди них, а плавно перетекали в нормальную еврейскую малочисленность, не опасную и не окончательно отвратную.

— Ах, как интересно, все ж... — размышлял Петр Иваныч, — как непредсказуемо мир сколочен, из каких разных нестыковок собирается и существует, как целое предприятие, где все подогнано по мелочам и на каждый болт имеется собственная контргайка, а на каждое доброе слово есть другое, каким всегда ответить можно, если что.

И снова ждал он очередного пролета мимо крана алюминиевой птицы и постепенно возвращал себя во вполне конкретное тематическое русло:

Вот, если, к примеру, летчик — черный, но не еврей, а кавказец или азербот? Или, вообще, просто русский человек, как я с Зиной? Где б лететь спокойней нам было — с кем?

И тут же стыдливо отвечал себе сам, но не мысленными словами, а мысленными тайными догадками — что с еврейским летчиком летел бы на первом месте, по уверенности лета, имеется в виду. С русским, со своим таким же, как сам, — во вторую очередь отважился бы, в силу не то, что бы хитрости и русского ума, но из-за бесстрашия, сильной душевной щедрости и отсутствия всякого расчета. А на третьем самолете, — подумал, — вообще не полечу, нечего мне там делать и Зине, где кавказская нация командует: и так — не проехать от них не пройти стало в столице, арбуз ни хера не купишь за нормальную цену, а прошлый — так весь изнутри мокрый оказался, а не сахаристый, как черножопый красиво про товар свой расписывал, зря я от на вырез отказался... Как-то, лежа под общим одеялом, Петр Иваныч поделился с Зиной про свои сомнения о национальной почве и вторичных признаках отношения к расовой политике. Зина долго не размышляла, а просто чуть-чуть подумала и ответила:

— Знаешь, Петенька, мне представляется, что самый плохой еврейский человек все-таки хуже самого плохого русского человека. А почему — не знаю: по чутью, по сердцу, так видится...

Ничего негативного в этом, конечно, не содержалось, в словах этих Зининых. Да и знать надо было добрейшую начинку крюковой супруги, когда накормить — любого, даже с уклоном в подозрительную национальность и вид была готова, и приветствовать добрым словом без ложного подвоха. Другое дело — не попадались они никогда на жизненном отрезке, а кто пересекался, был свой почти в доску: понятный до трусов, предсказуемый до головы и несодержательный до отличительного богатства. А про самых плохих представителей любой нации, от вражеской до своей, право толковать есть — согласитесь — у любого индивида, хотя у русского — больше остальных. В то же время точно знал Петр Иваныч, что дойдет если дело до спасать-топить человека, какого не признаешь, то по-любому Зина спасать пойдет, а не обратно. Сам же он — думал Крюков — не готов ответить так же, как мысленно отвечал за Зину, не был в себе окончательно убежден, что справится с любым человеческим препятствием, сумеет преодолеть заложенный под грудной жабой фугас и не выдернуть в последний момент спасительную соломинку из-под неприятного ему человека, не беря, правда, в этот расчет самого плохого русского.

Никогда до этих слов Петр Иваныч не догадывался, что в бесхитростной жене его содержится такой кладезь человеческой мудрости, где все единовременно сошлось: и быт, и опыт, и наука.

И после нее я с этой... — вспомнил он Тому Охременкову, — с оглоблей сушеной, с бухгалтершей, где ни слова умного, ни верности постоянной, а только похоть одна и неуемная страсть с минетом пополам. Одно слово — хуесоска...

Он придвинулся ближе к Зининой половине перины, обнял супругу, запустил под нее левую ладонь, но приставать не решил, просто ощутил всей кистью ее уютное тепло — не тот был запал у него, не на страсть, а просто был настрой на душевный разговор про еврейскую особенность и про другие народности, которые только выглядели угнетенными, а на деле главенствовали где могли. И ничего с этим поделать Петр Иваныч не умел, да и не просил его никто об этом, но переживания не отпускали и были нередкими...

Таким образом, формула кто кому еврей, а для кого — жид, до конца не складывалась, хотя и нащупывалась. Одно твердо засело в голове и сидело, сколько себя помнил Петр Иваныч — все люди на этом свете неравны, что бы про это не говорили вокруг, не дудели по телевизору и не печатали в газете.

Было и еще недоразумение небольшое в жизни его, а заключалось в следующем: обиды Петр Иваныч любил не забывать, но для достижения сладкого чувства отмщения их явно у него недобиралось — мешала миролюбивость, то есть, отсутствие конкретного повода, чтоб надуться и выплеснуться ответной обидой на объект. Иногда он даже жалел, что с Охременковым так получилось и с Тамарой его: что по результату всей истории отпускной он вынужден стал обороты нелюбви своей к прорабу поубавить из чисто жалости к мужику, поскольку тому и так с женой явно не повезло в жизни, не задалось, как у самого у него, и поэтому немного лишь перепадало на деле прорабу от ненависти крановщика Крюкова, о которой, кстати, сам Александр Михалыч и понятия не имел.

Но с другой стороны, готовность такую Петр Иваныч ощущал всегда, тоже, сколько себя помнил — вылить изнутри лишнюю желчь, пооткрывать все вьюшки и заслонки, чтобы чад выходил бодрее, не скапливался сажей на чувствительных стенках кишок, не засорял внутренность каверзной отравой и не отлагался лишним весом в отсутствие реального врага.

Но годы шли, врага все не было, а кто был — не соответствовал задаче, и потому клапан так и каменел перекрытым, вьюшки поржавели, а пламя никак не прорывалось в тягу — дымило лишь да гадило вонюче по случайным щелям. Но и не злоба это тоже была, если подумать хорошенько, — об этом Петр Иваныч знал бы наверняка, сразу бы ухватил нужным органом. Это — вроде сожаления было нечто, по типу неполученной вовремя подсказки, недосданного в срок экзамена, хоть и не повлиявшего на дальнейший профиль жизни и труда. Ну, а доброго было все равно несравнимо больше.

Кроме того, в семье его любили по-настоящему: дедушкой Крюков был самым отменным, и с детками и с остальными, а что до Павлика, младшенького, и до его таланта, то ему Петр Иваныч просто гимн сверхлюбви человеческой был против нормального отцовского долга взрослому сыну. Слава Богу, кстати говоря, что в позапрошлом году у врагов его вовремя обломилось все, куда втянуть Петра Иваныча хотели, чтоб он про Пашку такое надумал. Славу только вот жалко непевчего, умершего раньше возраста...

Такие и были Петра Иваныча первые два удивления: самолеты небесные тяжелей воздуха да разновсякие евреи легче сырой земли. Третьего удивления поначалу в списке основном не содержалось: оно объявилось уже потом, когда все закончилось и счастливо улеглось, — то самое, что началось в конце ласкового, как в песне, мая, ровнехонько через один год после неудачного подводного вытяжения крюкова позвоночника и нечаянно нажитой болезни гастрита от не в меру выпитой санаторно-скважинной воды. А случилось-то и на самом деле страшное: не в прикидочном или сравнительном смысле слова, затрагивающего одни переживания, а в непосредственном, прямом — повреждение организма Петра Иваныча и здоровья.

А пока... А пока снова теплый не в меру май переходил в жаркий почти июнь, то есть, окончательно заворачивал в натуральную летнюю пору, когда вокруг все уже расцвело, кроме жасмина и орехов, и запахло, кроме, как яблочными плодами и хлоркой, которая и так была круглый год, и запело всеми средствами и голосами, кроме Славиного.

И так стояло и радовалось вплоть до самого случая, до погибельного природного катаклизма, до вывернувшегося откуда-то из-под небес антициклона западного полушария, разогнавшегося с бешеной противоправной скоростью света в сторону чужой родины, в направлении против часовой магнитной стрелки. Зина прочитала об этом в женской газете «Моя семья», между разделом про нежелательный аборт у девочек до четырнадцати и угрозой простаты аденомы у сидячих тружеников после пятидесяти.

— Нам не страшно, — порадовалась она за Петра Иваныча, — мы уже проскочили эту засечку, нам теперь пусть болезнь под семьдесят подбирают, да, Петь? А с этим молодые пусть бьются, кто лет еще не добрал до порога чувствительности.

А по циклону тому глазом слегка только скользнула, зевнула и пояснила, что до нас не добьет, мощи ему не хватит ползземли пересечь и дел тут натворить негодяйских. Рассосется где-нибудь над тундрой и в землю уйдет, по оврагам разойдется и утихомирится само по себе. А Петр Иваныч, если честно, даже не услышал тот прогноз: спину повело немного влево, и он припомнил, что когда с балкона в том году сиганул вниз от шока и расстройства, промахнувшись мимо соседнего кафеля, то пришлось приземлиться как раз на левую больше ногу, а не наоборот. Оттуда, видно, и повело спину, узелок там слева какой-нибудь вдоль основного хряща, скорей всего, тоже зацепило и напоминает теперь. Он с опаской бросил незаметный взгляд на Зину, но та продолжала хранить семейный очаг в полном спокойствии — вахта ее была безупречна, и Петр Иваныч успокоился.

А через два дня на третий был понедельник, и Петр Иваныч Крюков, словно огурец, вышел на смену как обычно по этим дням — в срок, но все равно получилось на час раньше первой растворной машины. Или бетономешалки — зависело от потребности объекта. Объект на этот раз Петру Иванычу пришелся по душе, потому что нес функцию бесплатного дома для бедных, но при этом был крепким и шел без задержки с первого дня, несмотря на неторопливый настрой начальства. Охременков на этой стройке не особенно старался отличиться — Петр Иваныч просекал такие дела на раз — прораб и не скрывал, что дом предназначается для очередников муниципального округа, и заказчик его — власть, а не чьи-то деньги. Отсюда, премии — нуль почти, сроки — как получится, но говна, все одно, не оберешься, потому что взятки получить, кому надо, успели уже, а ответить чем-то потребуется. Вот и давай, Иваныч, наяривай с «вира» по «майна», но особенно не усердствуй — больше, чем зарплата, не выйдет, как не тяни рычаг. Это же напомнил ему Михалыч и в тот роковой понедельник.

Такой подход Петра Иваныча не устраивал совершенно — совесть не позволяла недотягивать до высоких оборотов подъемного механизма так же, как и сопротивляемость организма не соглашалась следовать любому совету Берии, и в знак особого протеста против прорабских слов он быстро переоделся и решил дожидаться начала труда у себя наверху, ближе к небесной глазури и подальше от опостылевших и расчетливых начальников. Так и поступил. Охременков спорить не стал, махнул рукой в сторону башенного упрямца и двинул в контору, сводить воедино лживый процент с недовыполненным объемом.

Первое небесное тело прорезалось минут через сорок после того, как Петр Иваныч преодолел вертикальный подъем из двухсот сварных перемычек и занял свое полумягкое сиденье из вытертого заменителя. Тело было продолговатым, как самолет с задними моторами, и напоминало французскую «Каравеллу», но Крюков точно знал, что модель эта снята с производства лет двадцать назад и никак не может бороздить воздух над Москвой в данный исторический отрезок. Он вгляделся внимательней и даже прищурился. Прошлогодних очков, на каких настояла Зина, он по-прежнему стеснялся на людях и подцеплял лишь в случае крайней нужды — для читки и переборки гречневой крупы, когда просила супруга. Что касалось дальнего обзора, то недостатка его для глаз не обнаруживалось, и поэтому прищур крюков в сторону опознания небесного тела выстроен был больше для подтверждения правильности версии, а не для улучшения зоны всматривания вдаль. Сбитое подъемом дыхание окончательно еще не улеглось, и поэтому Петру Иванычу любая зрительная ошибка так же, как и сбой в собственных знаниях, вполне могли примерещиться. Он немного подышал, приводя себя в порядок. Достигнув нужного соответствия дрожи и покоя, он снова попытался выловить искомую точку, пока она не успела безвозвратно раствориться в небесах. Однако точка не исчезла, но и не улучшилась в изображении. На этот раз тело явно вздрагивало и колебалось, и Петр Иваныч с изумлением обнаружил, что и его собственное тело колышется вместе с телом наблюдаемого объекта и не дает сосредоточить на нем внимание. А потом...

А потом мимо Петра Иваныча пролетел другой неопознанный летающий объект, но в отличие от того, верхнего, этот был гораздо крупнее и неуклюжее и отдаленно напоминал согнутый пополам кусок алюминиевого шифера. Он пропарил совсем рядом и едва не зацепил блестящим краем башню крюкова крана. Петр Иваныч удивился, но ужас еще не подступил — просто было все настолько неправдоподобно, что казалось чистой правдой. На всякий случай он перекрестился, но так, чтобы никто не заметил снизу, и по этой причине движенья его перекрестья были скоротечны, обрывчаты и мимолетны, как окружавшие его высоту случайные объекты. Следом за легким куском пролетел объемный, и теперь уже Петр Иваныч обознаться не мог — это летела, крутясь вокруг самой себя, полноценная крыша небольшого строения вместе с неотделенными от нее деревянными стропилами.

Нечто явно происходило, и это нечто не было похоже ни на что, виденное раньше. Внезапно в так и невооруженных глазах потемнело, но он не успел понять еще, что произошло это по двум причинам сразу, и поэтому испугался не так, как было надо. А потемнело, во-первых, везде вокруг и разом, так как исчез куда-то полный дневной свет и затмилось кем-то небо — то самое его небушко, вдоль глади которого минуту назад мирно проплывала неопределенная точка по типу снятой с полетов «Каравеллы». А во-вторых, из-за того, что башню его со всех сторон то ли облепило каким-то тряпьем, то ли облапило вырванными из почвы кустами или даже целыми деревьями, застрявшими между стрелой и кабиной. Дальше было больше: полетели стекла его кабины, точнее говоря, не стекла, а плексигласы, и не полетели, а выдавились страшным порывом злобного ветра, который бешеной собакой ворвался в кабину и с гортанным ревом заметался внутри нее в поисках выхода и попутного убийства всего в ней живого, а именно — Петра Иваныча, крановщика. Пол под кабиной заходил, а стало быть — пронеслось в запутанной голове Крюкова — и сам кран, весь целиком — это ж одно железо, неразъемное. Грузоподъемная вертикаль качнулась и накренилась. Внизу забегали люди, жмясь к земле. Кто-то голосил, тыкая рукой в небо, так громко и страшно, что он услышал это через завывание природных сил. Но голос этот не касался Петра Иваныча, потому что кожей всей своею и поверхностью гастритной кишки понял он, что произошла немереная беда, катаклизм, страшная и беспощадная природная стихия, прибывшая в одночасье с чужеземной широты, про которую не поверила Зина и не стала мужа своего серьезно об этом заморачивать. И в этот момент ему вдруг стало немного спокойней, так как уже имелась неприятнейшая а, может быть, даже, предсмертная причина возмущения окружающей среды, но она была понятной, она не являлась неопознанным чудом, а просто пришла большой бедой. И тогда, разобравшись в первопричинах, он сделал две взаимоисключающие вещи, не задумываясь о борьбе противоположностей: губами пробормотал «Господи Боже мое» — в настоящем, а не поддельном смысле фразы, а головой пожалел в этот же самый проклятый миг о том, что пару минут назад зазря перекрестился, подставляя незапятнанную репутацию бывшего рабочего-партийца под обозрение снизу. После этого все было куда проще. Петр Иваныч, лихорадочно перебирая ногами обратные перемычки, ведущие к спасительному низу, думал об одном и том же, но тремя разными способами: куда делся неопознанный самолет неизвестной конструкции и к какому все-таки виду он принадлежал, где, интересно, теперь прораб Охременков и что он предпринимает, чтобы уберечь строительство бесплатного дома от воздействия разбушевавшейся стихии, и, наконец, — хорошо, что на этом объекте не платят премию, потому что, если выйдет подохнуть, то ничего в кассе не зависнет после смерти на фамилию Крюков.

Тем временем до земли по отметкам оставалось восемь метров. На отметки Петр Иваныч мог и не смотреть — знал отстояние от нуля в любой точке с закрытыми глазами. Он и спускался так, чтобы не видеть того, что делалось вокруг. А вокруг был центр ужаса, и в самой середине центра находился шатко воткнутый в тяжелое основание башенный кран. Раздался очередной ветровой рев, хлестануло воздушной спиралью, кран накренился в сторону, многотонная платформа оторвалась от рельсов, и всю стальную вертикаль повело в сторону начавшегося крена: вместе с башней, вытертым в нем сиденьем, красной кнопкой «Стоп», стрелой, крюком, барабаном, тросами и машинистом всей конструкции Петром Иванычем Крюковым, зависшем между небом и землей внутри лестничного сварного ограждения на отметке «+8».

Самого удара о твердую поверхность стройплощадки Петр Иваныч не ощутил, потому что еще до того момента, когда произошло ужасное обрушение, его выкинуло из недр сооружения и со всего размаха саданyло об угол трансформаторной будки. При этом сознание ему посчастливилось потерять, пока он еще летел опознанным человеческим объектом, не зная, что через долю мига правый бок его и левое предплечье будут изорваны острым металлическим краем неаккуратной подстанции, и густая кровь его брызнет из-под робы, оросив собой крановщицкую хэбэ и все остальное пространство вокруг приземления крюкова тела, и утянется в строительный песок, и обмарает красным разметанные смерчем легкие пеноблоки...

Тех самых двадцати пяти минут, которые Петр Иваныч отвалялся в беспамятстве, теряя с каждой лишней смерчевой секундой драгоценное кровяное наполнение, почти хватило до натуральной смерти. И она, собственно говоря, уже наклонилась над Петром Иванычем, присматриваясь и принюхиваясь к запаху и виду поверженной крюковой плоти. Не вышло у нее, однако, в тот момент полакомиться — Охременков помешал, будь он неладен. Александр Михалыч первым почуял ненастье и первым спрятался в строительный вагончик, укрыв голову толстым сводным томом «Строительных норм и правил». Но надо отдать должное прорабу. Как только последняя атака природы улеглась и летающие в воздухе предметы окончательно приземлились в зону строительства, он первым оторвал голову от тома «СНиП» и выглянул в расстекленное окно для обследования последствий урагана. Смотрел невнимательно — не давала сосредоточиться отличная идея о том, какой объем недоделок для закрытия промежуточной процентовки теперь получится списать на форс-мажор. Наверно, поэтому настроение от увиденного не особенно пострадало, включая завалившийся башенный кран.

Стоп! — внезапно вспомнил он. — А где Иваныч-то?

И тут ему почудилось через неоправданные окуляры, что рядом с краем подстанции, из-под кучи образованного ураганом хлама торчит знакомая конечность: не длинная и не короткая, а ровно такая, какую носил крановщик Крюков, ветеран труда и просто хороший человек. Охременков с подозрением осмотрел небесное пространство, но, похоже, оно улеглось и не собиралось больше наводить ужас на представителей местного отделения Мосстроя. Тогда он выбрался наружу и рысью двинул в сторону конечности. Все было правильно, и он успокоился — это был Петр Иваныч, и он был живой. Кровищи рядом с ним был — кошмар, но сердце старика продолжало слабо постукивать, и Охременков сумел засечь этот сигнал даже через окровавленную робу. И потом — Крюков не был холодным, хотя вид имел — врагу не позавидуешь.

В общем, телефон не работал из-за порыва проводов, и Александр Михалыч решил действовать самостоятельно. Он окончательно вытянул Петра Иваныча из-под кучи, кое-как втянул сухое тело в кабину панелевоза, сел рядом сам, завелся и тронул в спасительном направлении ближайшего медицинского органа, давя и преодолевая колесами все, что преграждало трассу выезда с площадки.

Через сорок минут скорой езды без светофоров и правил они добрались до Склифа, а еще через двадцать почти бездыханный и белесый от сильнейшей кровопотери Петр Иваныч Крюков лежал на операционном столе, где ему чистили и штопали правый бок, предварительно подшив подбрюшье. Вторая бригада хирургов по другую сторону стола латала левое крюково предплечье, сшивая вены и мышцы, оборванные осверлованным железным краем крыши трансформаторной будки.

Рядом, на лежачей каталке, со слабо прикрытыми от ужаса и страха глазами помещался Александр Михалыч Охременков, от которого, медленно заводя сначала в капельницу, а далее перемешивая внутри нее с чем-то прозрачным, по трубочке забирали кровь для того, чтобы, продолжая продвигать полученную смесь со скоростью отсасывания, ввести ее непосредственно в тело Петра Иваныча Крюкова и спасти тем самым его единственную жизнь. Охременков об этом знал, мучился, но крови, тем не менее, не пожалел, так как любая неактивная, на его взгляд, принципиальная жизненная позиция не имела права на существование, когда речь всерьез об этой самой жизни и шла. А Петр Иваныч — не знал, не мучился и неизвестно еще, как бы отреагировал, получив до начала беспамятства, в котором оказался в силу катастрофы форс-мажора, правдивую информацию о необходимости своего спасения путем прямого вливания крови, взятой от очкастого Берии по фамилии Охременков.

После того как первая, пошивочная, бригада закончила делать бок, для второй еще оставался объем позаниматься с венами пострадавшего, но Охременкова от аппарата переливания отключили, так как спасительную жидкость к тому времени уже успели добыть из других кровяных источников, и ослабшего прораба откантовали в палату на восстановление от кровосдачи. Давление после спуска крови тоже серьезно сникло и ему сказали, что полежите, мол, до завтра. Он и лег послушно...

Очнулся Петр Иваныч, когда самое страшное осталось далеко позади. Память после ураганного шока и общей заморозки восстановилась довольно быстро, поскольку вспоминать было почти нечего. Запомнился лишь кусок разлапистого дерева, перекрывшего вид потемневших небес, и так никуда и не исчезла навязчивая мысль о прорабе Охременкове, не предпринявшем ничего решительного для предотвращения чего-то важного в момент повышенного волнения. Все!

— Падла... — прошептал слабыми губами Крюков, но без особой злобы — скорей, по укоренившейся привычке, — и снова ненадолго провалился в оздоровительное забытье.

Ко времени второго послеоперационного прихода в полный разум Охременков уже не вспоминался, потому что все получилось гораздо короче — вся ассоциативная цепочка и нужда в памятном воображении. Глаза он распахнул уже не в реанимации, а во вполне усредненной палате, где были не только тяжелые, но и такие же надежные, каким он теперь мог считаться по праву начинающего безопасно выздоравливать человека.

Дверь распахнулась и в палату к Петру Иванычу вкатили сидячую каталку со свежим больным. Петр Иваныч взглянул и обалдел. В ней катился, толкаемый медицинской сестричкой, Александр Михалыч Охременков, прораб, собственной нездоровой персоной, в больничном халатике и с веселыми глазами. Поначалу, Петр Иваныч подумал, что обознался, потому что знал — все дурные люди средних лет во многом напоминают друг друга, если всмотреться внимательно, особенно во встречный взгляд. Но каталка проехала еще метра полтора, достигнув края крюковой кровати, и фокус его зрения расплылся уже в окончательный «плюс». И тогда Петр Иваныч услыхал знакомое:

— Здорово, Иваныч! Как сам-то?

Это был прораб, и никто другой. Сестра тормознула каталку рядом с уровнем головы Петра Иваныча, ноздря в ноздрю, и сообщила, обращаясь к обоим:

— Ну вы полялякайте с часок, а я потом приду и укачу, — это уже отдельно к Охременкову. — Да! — вспомнила она что-то важное и полезла в карман белого халата, откуда выудила паспорт, раскрыла и зачитала, попеременно глядя то в книжицу, то на Охременкова: — Абрам Моисеевич, — она снова закрыла паспортину и протянула ее навстречу Охременкову, — просили вам вернуть, а штамп с группой крови туда пропечатали, сами посмотрите потом — четвертая, резус отрицательный.

— Благодарствуйте, — Охременков протянул руку, забрал документ и прибрал его в карман дармовой одежки. — Такие, брат Иваныч, дела, — улыбнулся он хорошо в сторону Петра Иваныча, — такие происшествия...

Крюков продолжал приходить в себя, но уже по другой, не по больничной вовсе причине, а в силу того, чему только что стал свидетелем, спасибо — не участником, разве что.

— Александр Михалыч, — невнятно пробормотал он, не отрывая глаз от видения, — это ты?

— Ну, а кто ж еще, Иваныч? Не узнал, что ли? Мне сказали, на полную поправку идешь, свидеться вот дали с героем высотного полета.

— Как я здесь? — ничего не понимая, путаясь в предположениях, озадаченно спросил Петр Иваныч. — Зачем?

— А, как и я, — улыбнулся снова Охременков, — после урагана попали: ты — болеть, а я — тебя спасать.

И тут что-то начало проявляться. Высотная морская качка... истаивающий в мутной выси удлиненный самолетный овал со слабым хвостом... летчик — еврей первого класса... нет, постой — пилот первого класса с невидным лицом... нет, это было до того, задолго до того — всегда это было за много лет до того, постоянно до того... Потом... невертикальная лестница, уходящая из-под ног... звуки собачьего воя... толчок в живот снизу... отрыв в погоне за исчезающим реактивным летуном, непохожим на бесполетного Славу... много воздуха... потом совсем не больно, но темно...

— Ты чего, Иваныч? — Охременков заботливо толкнул его в здоровую руку. — Подзабыл маленько? — и ответил сам уже. — Ну это ничего, это понятно, удар все же чувствительный был у тебя об будку, да с открытой травмой еще.

Всё, наконец, пришло в соответствие с пройденным испытанием, и, окончательно восстановившись в мыслях, Петр Иваныч почувствовал вдруг, что ему нравится занимать это палатное место в городской больнице, потому что он вновь устоял против злого заговора, ничьего на этот раз, но с серьезными для здоровья последствиями, и снова он оказался сильнее внешних обстоятельств, и опять он готов трудиться и жить, так как уцелел, а не погиб. Неопределенность отпустила, и он обратился к начальнику:

— У самого-то чего, Михалыч?

— Да-а-а... — не показав вида, что обрадовался вопросу, неопределенно отмахнулся Охременков, — кровь отобрали для тебя и все дела. Прямое переливание.

— В смысле? — насторожился Петр Иваныч. — Почему у тебя?

Далее Охременков не мог более сдерживать искусственности собственного равнодушия и с воодушевлением пошел на честный пересказ. А закончил так:

— Доктора эти бегают, за голову хватаются, где, говорят, такую группу брать, четвертую с резусом минус, пациента теряем, мол, уходит, уходит... Пересменок там был у них какой-то по кровезапасу.

— Так, я ходячий был, что ли? — удивился Петр Иваныч, — а думал, лежачий.

Охременков не ответил, предчувствуя, что обречен не на полное понимание крановщика, и не стал пояснять про мелочи, а продолжил:

— А у меня как раз твоя, то есть, именно такая самая группа, редкая очень, но есть, оказалось, совпало так. — Он победно уже близился к завершению рассказа. — Ну, я им и говорю, что имею такую и что согласен дать.

— А они? — в необъяснимом изумлении почти выкрикнул Крюков.

— Они — что? Взяли с удовольствием и спасибо сказали. А анализ мой удостоверили уже, когда ты почти помер. Но успели, все же. Так-то.

Ужас! — Петр Иваныч бессильно откинулся на подушку, так как последние минуты рассказа прослушал с оттянутой вперед по направлению к рассказчику шеей, и от этого в про-оперированном боку стало дергать нестерпимо, поскольку свежезатянутый шов даже не начал прихватываться еще, а все сочил. И столько для самого себя было в этом «ужасе» неясного, столько разного намешано было и всякого: от восхищения собственной второй жизнью до участия в ней неприятного ему человека, от запущенной в него с целью выживания огромной порции прорабской крови до сомнительного ощущения благодарственной неприязни, от несомненного героизма Александра Михалыча Охременкова, не забоявшегося спустить столько редкой животворной жидкости для того, чтобы спасти крановщика от погибели до еще большей ненависти к его неверной супруге Тамаре, посмевшей оскорбить их обоих своей распущенностью и неприкрытым блядством.

— Уф-ф-ф-ф! — выдохнул Петр Иваныч и по результату смешанных чувств постарался взглянуть на ситуацию по-новому. — Ну, а если б со мной, к примеру, такое приключилось? — подумал он, но не про само смертельное происшествие, а про имеющуюся возможность расплатиться собственной кровью за просто так, за человечность, без всякой последующей отдачи. И ответил, не вдумываясь в глубину собственного заковыристого вопроса: — Точно бы дал, не устоял бы против совести.

И тогда отпустило совсем. Оба они теперь улыбались навстречу друг другу, продолжая каждый по-своему переваривать новость: один — от услышанного, другой — от рассказанного, и нервы Петра Иваныча уже окончательно перестали вздрагивать, как колебались при первом восприятии удивительного сюжета. Вот тут-то и случилось все, когда, казалось, самое страшное и плохое позади и невозвратно для крюковой жизни и покоя. А подвела его к этому восстановившаяся почти нормально память. Она и прорисовала внезапно изобразительную картинку, как Охременков закладывает в дармовой халатный карман свой собственный проштампованный паспорт. А в паспорте том ведь написано то, что сестричка озвучила: Абрам Моисеевич, а не Александр Михалыч, как числился раньше всегда — иль ошибка какая?

Конечно, ошибка, — внутренне успокоил себя Петр Иваныч, но на всякий случай на душе сделалось неспокойно. И он спросил — так, между прочим:

— Слышь, Михалыч, а чего там сестра про тебя «Абрам Моисеич», сказала, когда в паспорт смотрела?

Михалыч совершенно не удивился, как будто так и надо, и бровью даже не повел:

— Ну да, — ответил он и пожал плечами, — я всю жизнь Абрам Моисеич по паспорту, а по жизни Александр Михалыч, — мне так ловчей, чтоб не путаться и людей не путать. А чего?

— А по фамилии? — с трясущейся надеждой переспросил Крюков. — Тоже Абрам Моисеич?

Само собой, Петр Иваныч имел в виду совсем другой вопрос, чтобы стратегически уточнить первый, несмотря на начинающуюся нервную лихорадку, но получился этот — тот, который выдавился.

— Да ты чего, Иваныч? — удивился спаситель. — Я ж Охременков, ты чего? — он шутливо пощелкал пальцами перед носом Петра Иваныча, смещая щелчки туда-сюда поперек носа, как это делают нервные врачи перед психами. — Не узнаешь? — он снова шутейно залез обратно в карман, вытянул паспорт, распахнул на фамилии и протянул клиническому другу — на, мол, сам полюбопытствуй.

Петр Иваныч совершенно шутке не удивился, паспорт, взял и, отведя от себя на расстояние плюсовой видимости, прочел «Охременков Абрам Моисеевич, год рождения 1944-й».

Не воевал, гад, — подумал Крюков, — успел ребенком отсидеться... — Он перевернул страницу, и еще... и еще... пока не долистал до брачного штампа, где обозначено было фиолетовым по белому «Зарегистрирован брак в 1973 году с гр-кой Охременковой Тамарой Юрьевной, 1948-го г.р.»

В голове полыхнуло, словно вновь налетел шквальный ураган и швырнул прямо в лицо самую тяжелую строительную принадлежность. Последние сомнения отвалились, и все прояснилось теперь окончательно. Но уже с другой, с крайней от надежды стороны. Слабым движением он протянул Моисеичев паспорт обратно и выговорил, едва шевеля губами:

— Неважно мне, Абрам Моисеич, устал я... Ты бы шел, а то я спать, наверно, буду, а?

— Давай, давай, родимый, — засуетился еврейский прораб и поднялся с каталки, — спи себе, спи, отдыхай, выздоравливай, Иваныч. И, правда твоя, — продолжал сокрушаться он, разворачивая каталку передком к выходу из палаты, — я ж тебя утомил, наверно, а ты-то, после такого пролета и операций таких — смотри каким молодцом пыхаешь. — Он протянул Петру Иванычу руку для пожатия и заключительно попрощался: — Держись, Иваныч, мы с тобой!

Чтобы не давать в ответ ладони, Крюков успел прикрыть глаза раньше, чем Моисеич протянул свою, и тот понимающе убрал ее обратно. А, убрав, укатил к себе добаливать и выписываться. А Петр Иваныч, так и не распахнув от стыда глаз, лежал и думал, что только что начавшаяся вторая его счастливая жизнь заканчивается, и с этой минуты начинается другая, третья: несчастная, неудавшаяся и, скорей всего, самая последняя...

Эту ночь он не спал и от ужина, хотя уже было можно кефир и мясное паровое суфле, тоже отказался.

— Иуда... — вышептал он снова. — Вот почему иуда-то... А я-то и знать ничего не знал...

Русская фамилия, как он разведал в паспорте, принадлежала, оказывается, не Абрам Моисеечу, а жене его, проститутке Тамаре. Ее-то вместе с этим отличительным русским знаком Абрам и отхватил при заключении бесчестного брака в 1973 году — жопу прикрыть и в начальники через это выбиться.

Не вышло в большие-то, — злорадно подумал Петр Иваныч, — в маленьких застрял — не все коту масленица... Натурально, жид, — продолжал размышлять он о феномене Охременкова, — просто еврей так хитро себя не запрячет — подлости не хватит и духу на подобный дурман...

Реабилитационный покой не наступал. Наоборот, здоровье, отступив назад, перекинуло эстафетную палочку центральной нервной системе, которая, отсчитывая от момента страшной правды, непрерывно сигналила по всем краям организма о получившемся фиаско, беспрепятственно достигая самого наималого чувственного рецептора.

Что же это? — с животным страхом переживал случившееся горе Петр Иваныч. — Что же во мне теперь содержится? Чье кровавое наполнение — жидярское? Или смесь, все-таки, нейтральная больше, чем ихняя?

Боль в боку не утихала, а, казалось, только горячела и горячела, будируя неприятные разрозненные соображения. Сшитое предплечье также гудело паровозом, который в отдельные промежутки сипло выпускал котловой пар и ошпаривал зону хирургического вмешательства выше левого локтя. В последний раз Петра Иваныча обожгло особенно болезненно, и в момент этой конкретной боли до него дошла причина того, почему Охременков похож на Берию: не по очкам ни по каким и не по строительным процентовочным уловкам, а просто потому, что уже тогда он был глубоко законспирированной жидовской мордой, но только Крюков об этом ничего не знал, не задумывался, доверял другой своей интуиции, оказавшейся на деле обманной и наивной, хотя и более добродушной. Но тогда, получалось, зачем Абрам этот Моисеич путевку ему поднес ветеранскую, а не утаил и своим не перебросил по тихой. Среди ихних, между прочим, тоже ветеранов до хуя: и по войне и по труду...

Что-то не сходилось, не склеивалось в законченный конверт, кроме одного: многие — Петр Иваныч доподлинно знал из первых уст — недолюбливали прораба за принципиальность и четкость в работе, что и не особенно скрывали, хотя сам Крюков, если хранить справедливость, не состоял даже в главной десятке критиков, хотя и разделял. Но сейчас, слава Богу, справедливость восстановилась, хотя и спасителем стал невольным Абрам Моисеич его здоровья. Расчет очередной? — А на хера? И тут понял Петр Иваныч — зачем: а затем, чтоб через спасение ветерана труда нажить свой карьерный дивиденд, укрепить статус не тайного изгоя общества, доказать преданность рабочей профессии и подтвердить целевой человеческий вклад в конкретного крановщика Петра Иваныча Крюкова. Вот как!

Кстати, а настоящая, интересно, фамилия у него имеется — не женина, если? — продолжал не спать Петр Иваныч, — Какой-нибудь футты-нутты-Шмуль, наверно, или еще страшней и отвратительней. Каким же словом нерусским он меня изнутри испоганил? Каким-таким инородским прозвищем — если от родителей его идти, от самых вековых предков всей расы ихней?

Раненый крановщик извертелся, находя удобоваримое место между двумя противоположно-нездоровыми органами тела, но все равно ни утешить самого себя, ни боль утихомирить до конца не получалось. Про то, что чудом жив остался, забылось как-то само собой, стерлось на фоне открывшейся третьей раны, самой нестерпимой и неожиданной — куда там пришлому смерчу с его деревянными стропилами и разовым беспорядком. Пошумел, помудил голову, попачкал кой-чего и убрался восвояси — по оврагам разметался, по тундре далекой. А тут — живи вечно после содеянного, изводи себя снаружи и изнутри, думай, как вырваться из черножопых оков непрошенного вмешательства в личную жизнь.

Стоп! — черножопые были другие, и Абрам Моисеич — хоть Охременков будь, хоть еще какой — никак не походил ни на кого из них, он тоже был другой. Неприятный, но другой. И тут Петр Иваныч увидал его всего целиком, но уже новым глазом, просветленным посредством вынужденного совпадения по крови. Лучше от такого обзора Охременков не сделался, но увиделся и в другом свете тоже. А заочно выявилось после ухода прораба, что глазки у него маленькие и заплывшие вечным нечестным прищуром, волосики кудрявятся все-таки, чего раньше вообще в глаза не бросалось, а теперь увиделось, пальчики на руках толстенькие такие и повышенно аккуратные, с черными торчащими волосками в жестком исполнении и не охваченная грубостью кожа на них, как тоже не бывает на стройке у нормальных прорабов. Много, много чего еще можно было теперь отметить про этого человека, чья кровь спасительной протокой омывала внутренность Петра Иваныча, просясь обратно при всей очевидной невозможности сотворенного. В одном не сомневался Петр Иваныч только: что не подстроен весь этот ураган и крановое падение вместе с ним специально Абрам Моисеичем, чтобы запустить в крановщика дозу отравленной крови — навряд ли с такой задачей справился бы он, несмотря на всю умелость и строительный опыт. Просто сошлось случайно, а он и воспользовался, быстро сориентировавшись в катаклизме.

За окном палаты уже давно стояла тьма, соседи мирно сопели по лежакам, но Петру Иванычу никак не засыпалось — давила, тянула вглубь грудная жаба, словно кишечный гастрит приподнялся над местом постоянного обитания, перетек выше против Ньютонова закона и плотно распределился на новом месте — там, где сердце, дыхание и пищевод сходились в суровый треугольник, который твердой фиолетовой печатью вдавливался в самый центр нового гастрита....

...Дверь в палату скрипнула, и под ней образовалась тонкая световая щель. Крюков повел головой в сторону дверного проема, и свет там немного, вроде, добавился. Потом опять, кажется, спал маленько, но сразу за этим хорошо вдруг усилился и перешел в бело-синий, как будто коридорная сестричка по ошибке воткнула не обычный источник, а кварцевую лампадку, но с мощным синим наполнителем. И свет этот стал растекаться по напольному линолеуму не простой освещенностью, а водой, мерцающей как бы сине-белым колером, и водичка эта световая вширь пошла и в глубь палаты и быстро крюковой кровати достигла, где и замерла, продолжая испускать тусклое сияние. Вслед за странным коматозным светом приоткрылась немного и сама дверь, и оттуда на цыпочках внырнула в палату мужская фигура. Фигура неслышно засеменила к кровати Петра Иваныча, но видно ее раненому Крюкову было неважно: глазам мешала непромытость и — подумал он — наркотик от заморозки не разошелся до конца. Но, когда фигура присела на край постели и произнесла «Здоров, Иваныч», он понял, что визитер ночной — снова Охременков.

— Чего тебе, Михалыч? — недовольно спросил он полушепотом, машинально используя старое прорабское отчество. — А то я уж спал, считай...

Охременков вздохнул:

— А мне, Иваныч, не спится чего-то. Дай, думаю, тебя навещу, да, как ты там — проверю. — Лица его Петр Иваныч все еще не видел из-за недостаточности идущего снизу синего с белым, но в недавнем представлении физиономия прораба была все еще отвратительной. Охременков сдвинул полу халата в сторону и почесал толстыми пальцами грудь, однако звук почеса был не по густой грудной растительности, как следовало ожидать, а по голой чистой коже. — Зудит постоянно... — пожаловался Моисеич, — как будто чесотка, а ничего нет. И волосы повылазили, как после кислотного дождя, можно подумать...

Тоже мне, — усмехнулся про себя Петр Иваныч, вспомнив прошлое явление Бога-Охременкова в собственную спальню и распахнутый на груди его белый халат, — больше ты мне голову не заморочишь, как со Славой тогда заморочил и птицу погубил, еврейская морда.

Однако мысль осталась неуслышанной, и, наверно, поэтому Абрам Моисеич пригнулся слегка, подав голову вперед, к месту, где покоились поверх одеяла руки Петра Иваныча, и встряхнув ею пару раз, попросил:

— Не погладишь, Иваныч?

Что ж за дурко такое в ночную пору? — перестал что либо понимать Крюков. — Он чего, сбрендил после урагана, что ли?

Но злобы не было, потому что внезапно во дворе запалили фонарь, и странный свет из-под щели сложился с лучиком из незадернутого окна, и Петр Иваныч сумел рассмотреть на голове позднего гостя желтоватый пух, примятый и гладкий, какой был на покойном Славе, но только в объеме человеческого черепа Охременкова. Раньше голова прораба казалась ему строго черной и немного завитой, но этот странный свет так искажал предметы... Или, так чудилось после операционной наркоты? Голову он его гладить не стал — сослался на слабость и отрицательно кивнул несогласием. Моисеич не обиделся и попытался развить тему человечности и добра.

— Я вот думаю... — продолжал неспешный визит Абрам Моисеич, — если бы в тебя кровь мою закачать успели, а ты б все равно помер — жалко было бы, да?

— Крови, что ли? — с легким, нехорошо прикрытым презрением уточнил Петр Иваныч.

— Да какой там крови, — не согласился Охременков, — у меня ее и так до хрена и больше — тебя, говорю, жалел бы страшно, что хорошего, отважного человека на свете меньше на одного станет. Вот дело в чем, а не в жиже этой.

Чего это он? — подумал Петр Иваныч. — Подлизывается? Узнал, что не люблю его, что ли?

Охременков замолчал и продолжал сидеть тихо, покачивая ногой. В палате запахло сырым рыбным мякишем вперемешку с духами типа «Ландыш серебристый», но почему-то такой странный, хотя и чувственный в ностальгическом аспекте набор, уже не был теперь непонятен Петру Иванычу и неприятен. Свет продолжал мерцать, и тоже уже не казался случайностью доброй воли воображения.

— Завтра утром выпишут, — обреченно проинформировал Абрам Моисеич, глядя перед собой, — если давление в норму ляжет, — а жаль... Я уже привык здесь: там-то суета постоянная, хлопоты, работа, будь она неладна, дом и снова работа бесконечная... — он улыбнулся; и Крюков улыбку эту рассмотрел, потому что суммарного света теперь ему вполне хватало и появившиеся запахи, казалось, тоже чувствительно обострили зрение, и он не совсем уже понимал, как сам относится к непрошеному визитеру: как просто к фигуре из сине-белого коридорного освещения или как к полноценному человеку из однозначно понятной жизни. — Томка, правда, моя выручает хорошо, жена, — добавил зачем-то прораб, но, внезапно чего-то вспомнив, хлопнул себя гладкой ладошкой по лбу: — Ты ж ее знаешь, наверно, на отдыхе видал в том году, на путевке санаторной. Она такая... — он подумал и по неприятному лицу его пробежала волна легкой нежности, — стройная очень и тихая... незаметная почти: ты и не приметил, скорей всего — она у меня дикая, людей шарахается, одну только бухгалтерию свою признает и мужа....

Крюков вздрогнул. Похоже, прораб ничего все-таки не ведал про путевку, про то, каковой она оказалась на деле, и Петру Иванычу стало стыдно. Он слегка удвинулся туда, где тень, как ему почудилось, была сильнее, чтобы Охременков не просек резко выступившей на щеках слабой красноты. В то же время ничто не подсказывало ему, что это просто гнилой заход со стороны обиженного мужа — слишком сложным был замах на справедливость, слишком издалека и с большой по сроку передержкой.

Снова версия разваливалась на куски. Никак не укладывался этот Абрам Моисеич в того Александр Михалыча, а фигура не вписывалась в человека. Или наоборот: те не совпадали с этими. Что-то опять мешало испытать внятную неприязнь, согласно тому, как все было разложено до этого, или же хотя бы, ощутить равнодушное восприятие, каким оно было до паспорта, смерча и кровообмена. По любому гадкое настроение против врага не подтверждалось. И тогда Петр Иваныч решился, коль само шло в руки, разобраться в этом деле в принципе, кардинально подойдя к главному параграфу собственных сомнений.

— Слушай, Михалыч, — спросил он, адресовав вопрос в пустоту, мимо образа прораба и отвел лицо к другой стороне подушки, — а чего ты Моисеич-то стал?

— Моисеич? — оживился новой теме Охременков, радуясь причине немного заполнить бессонницу. — Так это отчим мой, Моисей Абрамович меня так назвал, когда я не родился еще. Он сам еврей был, как понятно, а на маме женился, когда она уже меня донашивала, чуть-чуть оставалось. Сами-то мы исконно русские, но отец до рождения моего к другой бабе отвалил, а потом помер, царство ему небесное. Охременков глянул в больничный потолок и перекрестился совершенно по православному. Грудная жаба у Петра Иваныча сдвинулась с места и приготовилась к прыжку в любом благоприятном направлении, а прораб толковал дальше: — Ну, а Моисей Абрамовичу мама приглянулась, и он, не долго думая, предложение ей сделал на брак, и она пошла. Только условие поставил, что ребеночка будущего усыновит, меня, в смысле, а отчество присвоит —

его и назвать надо в память его же отца Абрашей. И мама согласилась, и они поладили на этом. И все!

Вниз от жабы потекло густым и жидким, но не горючим, а как желе — обволакивающим и несоленым. Дергать перестало, и мозг Петра Иваныча теперь работал как часы на жидких кристаллах: четко, точно и бесшумно. О том, что бок сочит, он позабыл и поэтому развернулся к Охременкову так, что основная тяжесть тела пришлась на хирургический послеоперационный шов. Но теперь это было неважно — слишком волнительной оказалась ночная повесть о настоящем человеке, слишком важной по сравнению с прошлыми болячками и ранами.

— И чего? — почти выкрикнул он, жаждя счастливого завершения повествования, но не будучи уверен еще, какой именно из финалов будет наиболее успокоительным для его расстроенных нервов.

— Ну и вот, — Охременков, казалось, удивился такой бурной реакции сотоварища по излечению на свой незначительный рассказ про дела давно минувших дней, — числюсь теперь Абрам Моисеичем, а звучу как Александр Михайлович — так мы с мамой решили, что лучше будет для будущей жизни, после шестнадцати годков, чтоб понятней было окружающим и больше природе вещей соответствовало. Евреи — евреями, а русские — русскими, все же, да? Шило на мыло не меняется, так? — Несколько раз подряд он встряхнул головкой, ну точно, как это делал Слава, и пару раз вдогонку таким же похожим образом крякнул, как и мертвый любимец. — Петь так и не научился, — огорченно, но не настолько сообщил он между делом, — больше хрип идет, как у кряквы. — Он привел себя в порядок, пригладил желтый пух рукой и поинтересовался. — Кстати, Иваныч, как там младший-то, Павлик? Как у него вообще?

Тема была невыигрышной и уж точно — не для посторонних. Удивившись такой неслучайной осведомленности про прошлую проблему, Петр Иваныч сделал вид, что вопроса не услышал и перевел разговор в иное русло, вернувшись к родословной новоиспеченного недоеврея:

— Обманул папашку-то? Отчима, в смысле?

— Нет, — не согласился Охременков. — Я к нему со всем уважением, он хороший человек был, его не любить не за что. У него и друзья все приличные были, и воевали многие из них, и научных работников тоже хватало; я ведь в строительный институт через отцова друга попал: так бы ни за что не сдал вступительные, мозгов не хватило после школы. — Он приподнялся с крюковой постели. — А самого его, как еврея, совершенно я не стеснялся, и паспорт свой тоже спокойно терплю. Главное — внутри тебя что знать, а не снаружи иметь, да, Иваныч?

Как же просто все оказалось и славно! Господи ты, православный мой! — неумело воздал мысленную хвалу потолку Петр Иваныч. — Нет во мне, значит, никакой проказы, и в Охременкове не содержится, и ни в ком ее нет, кого знаю, — не прилипает ко мне дурное все же, и к Зине, и к Павлику, и ко всему нашему роду...

Уходя, Абрам Моисеич протянул руку по-новой, и на этот раз Петр Иваныч перехватил ее еще до того, как Охременков разогнул локоть ему навстречу, и с энтузиазмом пожал обеими своими руками, позабыв про сшитые мышцы и вены левого предплечья. Ничего не болело и там, и вообще — нигде. Чудноватый свет после того, как гость удалился, погорел еще немного, посветился, померцал и сам, медленно втягиваясь под дверную щель, окончательно утек туда, откуда появился...

Утром, сразу после завтрака пришла Зина и принесла горячих блинов со сметаной и клюквенного морсу, так что второй завтрак получился сразу вслед за первым. Но Петр Иваныч съел и его: во-первых, чтоб не обижать супругу, а во-вторых, потому что натурально не наелся первым. Организм его, отлежавшийся за ночь в счастливом размышлении о правде жизни, требовал новых крепких вливаний и дополнительной подпитки, а сам он доказательно чувствовал, что размещенные друг напротив друга раны его затягиваются под бинтами прямо на глазах. И от этого ему становилось куда как легче и веселее.

— Давно я тебя таким не видала, — удивилась Зина, предполагая получить от мужа нестрогий выговор в качестве частичного последствия смертельной бури, о которой плохо предупредила.

— Блины удались, — заталкивая в рот очередную трубочку, с которой капала сметана, ответил Петр Иваныч, думая, что никому не сумеет объяснить своей радости. Даже Зине.

Дверь распахнулась, и в палату зашел Охременков. Он был одет уже по-городскому, но с учетом уличной жары, и поэтому рубаха на нем разошлась и открыла к обозрению курчавые волосы, заполнившие все пространство груди от пояса до горла. Вид у него был прощальный.

— Вот, Иваныч, — бодро отрапортовал он, — выпустили, ухожу я, так что до скорой встречи на объекте после восстановительных мероприятий.

— Давай, Михалыч, — так же на подъеме и с надеждой пожелал ему добра Петр Иваныч, — подымайте там мою башню, чтоб стояла, как у молодого, лады?

— Сделаем, не сомневайся, — засмеялся прораб и вежливо сказал, глядя на Зину: — Всего наилучшего, берегите мужа.

Он круто развернулся и пружинисто пошел к дверям, словно в обход котлована.

— Кто это, Петенька? — недоверчиво поинтересовалась Зина, проводив Михалыча глазами.

— Это хороший человек, — ответил Крюков, — прораб наш, Михалыч, Охременков по фамилии.

— Да? — удивилась Зина. — А по виду не скажешь.

— Чего? — не понял супруг. — Что хороший?

— Да нет, про это ничего не знаю, а не скажешь, что — Охременков: больно по виду на какого-нибудь Рабиновича смахивает, вон живчик какой, словно только из Мертвого моря на сушу выбрался. Я таким не доверяю обычно, от них всегда обман исходит и фальшивая вежливость.

— Не-е-е-т, Зинуль, не правда твоя, — мягко возразил Петр Иваныч. — Это спаситель мой теперь навеки, удивительный человек, — он закатил глаза к потолку, дожевал блин окончательно и отчетливо повторил: — У-ди-ви-тель-ный!

И это была абсолютная и бесповоротная правда Петра Иваныча Крюкова, и числиться стала она под номером три в самодельном, но несколько припозднившемся списке удивительных в его жизни вещей, идущих сразу после самолетов и еврейского вопроса. И не было в тот день прекрасней для Петра Иваныча и красивей человека на свете, чем собственный прораб: этот добрый, ладно скроенный, типично русский мужик с хорошим человеческим лицом, с большими широко открытыми глазами, с крепкими дублеными руками и распахнутой навстречу любому урагану щедрой душой. И какой терпимый ко всем другим народностям! Как про отца неродного своего говорил славно, как о памяти его заботился...

Наверно, — подумал Петр Иваныч, когда Зина уже собрала домашнюю посуду и ушла, — был бы сейчас Абрам Моисеич не прорабом, а настоящим большим начальником, если б натурально евреем оказался, а не по семейной случайности.

И стало Крюкову даже немного обидно за нового друга, что не дотянулся тот до управленческой должности, не хватило керосину из-за простецкого русского характера, из-за бесхитростной натуры и героической готовности принимать постоянно основной огонь на себя...

А через три с половиной недели после выписки и домашнего восстановления, Петр Иваныч снова восседал в полностью восстановленной кабине поднебесной подъемной конструкции и тянул на себя рычаги, «вируя» груз, когда было надо, и «майнуя» опустошенный поддон в обратном направлении по завершении нужды. В промежутках он поглядывал в небо, чтобы не упустить очередное летающее тело, которое могло запросто оставить после себя в пространстве животворящий расползающийся хвост. И теперь ему было не так уже важно, кто управляет алюминиевым воздушным зверем: надежный еврейский летчик или обычный пилот первого класса пассажирской авиации; и тот и другой высотный образ подпитывал отныне Петра Иваныча независимой умелостью и конкретной наружной красотой, обеспечивая стойкий прием встречного восхищения крановщика Крюкова посредством единой воздухоносной пуповины. Главное, думал Крюков, чтобы штурвал летающего аппарата не достался лицу кавказской национальности или какому-нибудь азерботу...

Временами Петру Иванычу казалось, что все понятно ему в жизни теперь и что все удивительное сумел он собственным умом преодолеть. И не было в сердце его никакого ни к кому больше зла, но порой, наблюдая протекание этой жизни не со своей верхотурной точки, а со вполне низменной, на уровне строительного «нуля», он забывал порой про достигнутое им преодоление и удивлялся все ж тому, какие разные они — эти не русские и не жидовские евреи: то он такой — навроде Александр Михалыча и по поступку, и по разговору и по телу, а то — совсем противоположный, где не хватает чести, увиливает совесть и не достает правильного благообразия в наружности — по типу Абрам Моисеича. Но конкретно если, то никогда больше не целил Петр Иваныч со своей законной верхотуры и не ловил ожесточенно в перекрестье носа и большого пальца профиль хорошего человека, Абрам Моисеича Охременкова, он же просто Михалыч, у которого то виднелись волосы на груди, а то и исчезали куда-то, предъявляя голую кислотную грудь. Впрочем, теперь это тоже было неважно, это было пустое все и незначительное по сравнению с неисчезающей радостью от новой, третьей по счету, достойной и окончательно понятной жизни. Кроме чисто еврейского вопроса...

История пятая
КОНЕЦ И НАЧАЛО ПЕТРА ИВАНЫЧА

Больше всего на свете крановщик Петр Иваныч Крюков боялся трех вещей. Причем, то, как проистекала жизнь его до начала нынешней поры, снова майской и снова нежной, имея наполнение из безоблачных в основе своей и за малым исключением понятных в самых корневых отростках отдельных ее мигов, и то, как сложилась она по действительному факту к моменту последнего измерения, не слишком его заботило. А если быть предельно аккуратным в высказываниях, то не больно-то и волновало. Но этот же самый май отколол и разом откинул в не важное для Петра Иваныча прошлое предыдущие шестьдесят три года, вобравшие в себя многочисленные радости его, ненависти, удивления и любови. Хотя, если о настоящей любви говорить, но за вычетом детей, летающих животных, собственной гордости и сливочного пломбира, то она у Крюкова оставалась единственной после прожитого этапа, не замаранной никаким посторонним оттенком, даже самым малым, какой смог бы перебить главные и наисильнейшие чувства: разум, сердце и привычку. И было это любовью по самому большому счету и максимально крепкому отношению к ее основному объекту, потому что все-таки как не крути, а получалась на этом месте Зина. Единственная Зина, законная его жена, и никто кроме нее другой.

Но лишь с нынешнего раза месяц-май, шестьдесят четвертый по счету, стал же и последним среди прочих на него похожих, а до тех пор Петр Иваныч продолжал все еще огненно бояться отсортированных естественным самоотбором трех пунктов очередного списка. Хотя, если блюсти нормальную точность, то — первого, в основном — других он только побаивался. А бумага эта мысленная содержала в себе вот что.

Во-первых, и самых главных, Петр Иваныч боялся умереть. Сама мысль такая прицельно в голову не приходила почти никогда, но когда изредка залетала в неустойчивые минуты особенно судьбоносного форс-мажора, протискиваясь между другими важными думами, то надолго все равно не задерживалась, потому что тут же распылялась в силу полной безопасности самой темы для обмозговывания. А чаще всего отступала она — реальная, а не нарисованная воображением опасность — и вокруг оставалось столько всего еще хорошего, понятного, родного или недоделанного. Да к тому же накопленные болезни не сильно давали суетиться про никому неизвестную кончину и не обещали известный лишь ей одной срок прихода, а лишь продолжали беспокоить по пустякам, когда присядешь, к примеру, неловко чуть-чуть не на то место куда надо или же оторвешься от этого места чуть более резко, или же, начиная с недавних гастритных пор, просто поешь больше кислого, чем полезного; и тогда фактор надежной смерти отступал круто вбок и не домогался организма, чтобы нарушить внутренний баланс между укоренившимся в семье покоем, возможностью милого безответственного бездумия и легкой озабоченностью про безжизненную среду обитания.

На деле же Петр Иваныч ужасался не безобидному фактору неопределенного и безадресного отрыва от земной поверхности, а вполне конкретным последствиям такого собственного уединения, могущим всем негативом лечь на Крюкову семью, и первей прочего — на Зину.

Ну, дети, ладно еще, — раздумывал он про старших, Валентина и Николая, — те по жизни крепко стоят, на твердой почве и по указателю у каждого, куда двигать. Жены ихние — тоже, обе при профессии, слава Богу, и при деле.

Переживательным особняком выдвигался Павлуша, младшенький и тайно любимый больше прочих, несмотря на случавшиеся у него раз от раза шальные денежные знаки. Философию про то, что деньги, конечно, неплохо, Петр Иваныч продолжал с удовольствием, но и понимал в то же время, что нет в Пашкиных суммах надежности: слишком велики они и непредсказуемо случайны. А талант? Талант — дело такое: теперь — есть, как случилось быть, а завтра настоящий труд может полезней стать, чем фу-фу с карандашиком, и книг, скорей всего, народ тоже читать не станет из-за компьютеров многомощных, к тому все идет. Да и потом, с одной стороны дороговизна бумаги стала огромной, а с другой — постоянно новой мировой войной грозят, что вот-вот грянет над планетой.

Хотя, с третьей стороны, — размышлял главный Крюков, — если разгорится над миром такая напасть, то, верняк, война атомной будет, быстротечной, без начала и конца — разом упадет на всех с обеих сторон атаки и загасит жизнь во всех точках планеты единым раскаленным атомным окурком. А кто уцелеет, то ненадолго: водородной крошки все одно наглотается и сдохнет собакой в раковых мученьях от радиационных лучей.

Таким образом, последнее размышление, затрагивающее нестабильность Павликовых заработков, вполне органично перемешивалось с отсутствием конкретного страха за исход собственной жизни, коль скоро все из одной лодки так и так наклоняются в сторону бездонной глубины, но зато не все из наклоненных успели вдоволь налюбоваться небесной красотой с точки ближайшего к ней примыкания, как он — ветеран подъемно-кранового труда. Это радовало...

Совсем Петру Иванычу было б спокойней, если бы Пашку по женской линии пристроить к хорошему человеку — по типу Фенечки, например, Комаровой, родом из города Вольска, с Зининой родины, с места ее девичьей непокорности. В том году, кстати, несчастье в семье Комаровых все ж имело место: скончался отец Феклин, Вячеслав Комаров, капитан-афганец, несмотря на участие Крюкова в судьбе героя и зафиксированное регулярными письмами дочки улучшение органов его головного мозга. Об этом горьком событии Феня поведала в недавнем письме, после того, как все уже окончилось, чтоб не беспокоить Петра Иваныча чужим горем и не вводить в лишний расход по отдаче последнего долга отцу. Оценил тогда Крюков такой поступок ее и поблагодарил с облегчением: все равно поехать не смог бы на похороны — Охременков бы вряд ли пустил, Моисеич, прораб, в связи со сдачей объекта, когда для замены Петру

Иванычу не было никого, а кран на том прошлогоднем строительстве имелся один всего — его, Крюков.

Надо бы, — подумал Петр Иваныч, — в гости девчонку позвать приехать, с Пашкой чтоб познакомить, на дальнейшие виды судьбы. А то и вправду, глядишь, занесет парня в неведомые дебри какие с его особенным чувствительным талантом, не дай Господи... — Но это он так просто подумал, через усмешку отцовскую, что, мол, и подобное гадство у кого-то бывает, да не у нас только, не у Крюковых. Но письмо, однако, пригласительное написал...

Ну, а главный непокой из-за возможного расставания с жизнью происходил из-за Зины. Не мог себе представить Петр Иваныч, как укладывается без него супруга в их семейную постель, как продавливается одиноко перина с левой половины, оставаясь топорщиться холодным бугром справа от пустого Крюкова места, и как никто уже не подведет под мягкий Зинин вес и надежное тепло добрую мужскую руку, чтобы с другой стороны корпуса накрыть тело супруги такой же рукой, как можно шире разведя пальцы для пущего перекрытия любой по выбору груди или всей середины покатистого неохватного живота.

Пенсии, — думал он, — ей и без моей хватит, не помрет от недостатка средств, потребность у нее небольшая при том, что все сама может, без чужого вмешательства в хозяйство. Разве что сердце не выдержит разлуки от моего ухода и надломится раньше времени, не вынеся потери меня. Или, — возвращался Петр Иваныч к старым мыслям, — через падучую может пострадать, через нервное потрясение от горя...

Но думы эти были нечастыми, носили чисто размышлительный характер и относились больше к заботе о самом себе, ровно как и к жалости про самого себя. Однако Петр Иваныч вряд ли успевал это осознавать, поскольку последнее чувство, складываясь с предпоследним, как раз и достигало эффекта того самого ужаса первой списочной позиции, после чего оставалась в теле лишь боязнь смерти, а причина, способ и срок ее наступления отъезжали в сторону, не имея значительной важности. Но зато потом и отлегало разом, как и возникало, как только появлялась на семейном горизонте здоровая и живая супруга и мимоходом чмокала Петра Иваныча в Ульяновский или же Пуговкин лоб, в зависимости от пасмурности или бодрости мужа на ту минуту. И все забывалось до следующей поры...

Со вторым страхом дело обстояло не так прямолинейно, хотя и обстояло все ж. И пункт этот был — власть. Здесь все делилось не по-простому, потому что подпункта имелось два: власть законная и самостоятельно определенная жизнью. Первая состояла из государства и подлежала подчинению ему, начиная с милиции и до любой бюджетной сферы обособления от простого народа, к которому Крюков причислял заодно и собственную фамилию. Облом в его жизни по части почитания ее был, считай, единственным и произошел по страшной случайной ошибке, когда он, ведомый диким расстройством внутренних сил, посмел ослушаться милицейского лейтенанта, ответил на его интерес грубостью и справедливо попал в каталажку, где пробыл почти до утра. Это тогда, с Пашкой-то...

Других нарушений морального порядка по отношению к власти не имелось. Гражданская составляющая в Петре Иваныче сидела глубоко и по пустякам рот не открывала. Вякнуть он любил не дальше очереди за дефицитом, которого со временем становилось все меньше и меньше, пока он и вовсе не испарился, чего Крюкову было, в общем, жаль. Крик его в афганокомитете по помощи героям также вызван был наличием оправдательного мотива, потому что совпал по настроению именно когда накипело, и мотив этот очень некстати пришелся на нерусского комитетчика с русским именем Володя. Но история эта произошла уже давно, задолго до кардинального пересмотра отношения к главному национальному меньшинству и до спасительного обмена крови. Тем более, что нога у Шейнкера, в конце концов, тоже оказалась протезной, а, значит, геройской, а кровь у Моисеича — совершенно своей и, выходит, не обманной.

Собственно говоря, это было все. Правда, тогда еще, при коммунистах, году так в восемьдесят третьем, случился грешок один в биографии Крюкова, но тому тоже оправдание нашлось. Это когда Брежнев умер, а Андропов, сев на власть, приказал спиртовую продажу ограничивать, невзирая ни на какие заслуги отдельных граждан перед лицом всего остального трудового народа. А у маленького Павлика как раз под введение нового порядка юбилей случился — восемь лет от роду, и Петру Иванычу вышла трудность нормально сделать стол. Он тогда обиделся и подметное письмо в ЦК накатал, чтоб самого Юрия Владимировича к порядку призвали. Правда, не подписал и адрес обратный тоже хватило ума не указать. Смертью же самого Брежнева был расстроен не понарошку — думал, война с Америкой начнется сразу той же осенью, не позднее зимы. Но война не началась — пронесло; Андропов же после временной ошибки хорошее дело затеял — перестал позволять на работу опаздывать и велел праздных людишек на улицах отлавливать, чтобы к ответу строго призывать. А это очень настроению Петра Иваныча отвечало, и он все ему простил. Так что все закончилось нормально, и про письмо Петр Иваныч позже пожалел, что отправил. Павликов день тогда коньячком «Белый аист» отметили и очень неплохо вышло, кстати заметить, хотя и дороже немного. Зато с тех пор «Аист» в доме закрепился окончательно и, хотя темного крепкого других типов Петру Иванычу пригублять больше не приходилось, он окончательно уверился в наилучшести именно «Белого аиста», а не какого другого. Ну, а, отсчитывая от времени, когда понятно стало Крюкову, что стаж его непрерывный рабочий на кране наберется целиком и даже больше, то успокоился он уже окончательно, прибавив раньше положенного срока десять будущих пенсионных процентов к полной пенсии по возрасту и труду. С тех пор ни власть его самого, ни он ее не огорчали и друг на друга не обижались.

Вторая властная составляющая возникла в окружающей Петра Иваныча действительности не так давно — после закона о кооперации, ближе к концу восьмидесятых, когда махрово расцвели жулики всех мастей и богатеи всех оттенков радужной дуги. Лично самого Петра Иваныча сами они не касались: кран его никто не отбирал, раствор подвозили исправно, зарплата чувствительно подросла, самолеты продолжали бороздить бескрайнюю высотную синь, но обида все равно росла, невзирая на то, что реально хуже не делалось. Иногда он сидел, подолгу задумавшись над окаянной несправедливостью по отношению к тем, кого она могла, по его коротким прикидкам, затронуть, и по результату обрушивал негодование на Зину — больше было не на кого, так как лучший друг Серега Хромов под это дело скоренько развелся и сам в кооператоры подался — снимать легкую наживу на чужом горе. Они тогда крепко впервые в жизни схватились, но взаимную формулу правды так не вывели — установки разошлись в корневом аспекте. Зина отчего-то тогда больше Серегину сторону заняла, хоть и в мягком варианте, принимая мужнину версию и тоже сокрушаясь по поводу неоспоримых Крюковых доводов «против». Но говорила, что историю, Петенька, вспять не повернуть, а народ и так за нее настрадался, что хуже, все одно, не будет, чем было, а дальше что — поглядим. Тут-то и повылазило разновсякое жулье из новых, забогатевшее и обнаглевшее. И многое, очень многое стало теперь от их настроения зависеть — это значит, тихо стал истекать и от них страх, как от любого проклятого начальства, которому и милиция не указ, не говоря уже о простом народе. От них — сочиться, а в Петра Иваныча — вползать, как в законопослушную, народную, безвластную единицу.

Сколько же, интересно, — думал Петр Иваныч, сидя в башенном поднебесье и уперши глаза в воздушную среду, — среди небесных объектов наших самолетов осталось, во владении народного Аэрофлота, и сколько перекупленных, с нанятыми летчиками, а не властью назначенными, как раньше?

Вопросом национально-расовой принадлежности пилотов Петр Иваныч, начиная со времен после катаклизма, больше не задавался, но образование и таянье дымных следов от летательных аппаратов все еще не отпускали его интерес, несмотря на подачу и прием раствора в тот же самый рабочий промежуток. Чаще теперь вспоминалось ему то, как он во власть сыграл, не по своей, правда, воле, а будучи при-

нят за нее такой же, как и сам, угнетенной девушкой Фенечкой Комаровой, проживающей и поныне на волжском берегу. И еще приятно выделялось в голове, как тогда щека наду-
валась от несуществующей важности визита в капитанский
барак, года как четыре тому, и как с барским отливом полно-
мочно блескануло пустым и гордым в собственных зрачках,
отразившись в Фекле знакомым ему страхом, и как пошло
вдруг резко в гору уважение к собственной персоне, каковой
прежде бывать не доводилось, и как не хотелось покидать
это благодарное жилье Комаровых из-за того, чтоб еще немного протянуть ощущение нежданно получившегося неза-
конного «я».

Вот он, наркотик подлый, — думал Петр Иваныч в тот
день, когда уже успел попить ржавой воды из водопроводного вольского крана, но еще не сел на обратный поезд домой. — Вот где затаенная опасность располагается, а если
еще любое, самое слабое полномочие к деньгам пристыко-
вать, то это и будет сутью беспредела двух властей, когда
обе они, стянувшись в кулак, заставляют тебя униженно ее
бояться и переживать, но при этом происходит такое чего-
то еще какое-то, из-за которого ты лыбишься ей навстречу
подобострастно, даже если и ничего тебе от нее не надо.

Что касалось третьего страха, крайнего из перечня,
то был он наиболее неуязвим, потому что существовал
лишь в представлениях Петра Иваныча Крюкова о том, каким он может быть, если прижмет. Павлик, младшенький,
шутейно издеваясь над отцом, называл такую фобию виртy-
альной, так как до настоящего момента попробовать ее,
ощутить на вкус или зуб, не было у Петра Иваныча ни повода ни причины. Хотя, зубы, с другой стороны, имелись
и были все. Немного свободно, правда, оставалось совсем
сзади, ближе к горловым дырам ротовой полости, где нарос-
ли с годами выпуклые гладкие десны, которые, подступая
вплотную к последним кусательным зубам, замыкали оба
безукоризненных ряда, накрепко вмонтированные крюковым организмом в челюстной жевательный механизм. Сами
зубы сильным белым колером не отличались, были со слабой желтинкой, но по крепкости, сбитости между собой

и силе сквозного прокуса любого материала практически не уступали по эксплуатационным характеристикам зубьям небольшого карьерного экскаватора, производящего полноценную отработку железорудного месторождения. Мало чего для зубов Петра Иваныча было невозможным, потому что все основное твердое, включая грецкие орехи и фундук, а также прочее, но нестандартное, начиная от пивных крышек и заканчивая сургучной печатью, никоим образом не влияло на зубное здоровье крановщика, оставляя десны беспародонтозными, эмаль — бескариесной, а межзубный зазор — навечно нулевым: таким, что насквозь не пролазила ни одна зубная палочка. Красоты при этом зубы не имели: ровность, крупность величины, гладкий фронт — все это перечисленному здоровью явно не соответствовало, но эстетика ротовой внутренности обоими супругами в расчет не бралась, так как без особого сожаления числилась на периферии общей красоты Петра Иваныча.

— Главное, Петенька, — душа, сила и лицо, — без тени юмора полагала Зина, — а зубы должны именно такие, как у тебя быть: надежные, без болезней и все кряду.

Петру Иванычу такое сравнение нравилось, как и прочая Зинина классификация отдельных его мыслей и частей тела, не беря, само собой, в рассмотрение скрытые недостатки, и в такие минуты он был особенно ей благодарен. Но зато всякий раз после похвалы в зубной адрес наступал тот самый неведомый доселе страх за их сохранность, за возможное открытие в себе неизведанной боли, от которой, говорят, не то что на стену лезут, а натурально сердце останавливается, не выдерживая нервного сигнала, идущего от самого человеческого корня.

Но время шло, складываясь в годы — от одного май-месяца к другому, орехи кололись исправно, включая пересушенные косточки съеденных Крюковыми абрикосов. Пивные крышки, сорванные передним коренником, лишь побякивали, стукаясь об стол, а боль все не наступала. И страх от этого рос вместе с Петром Иванычем, заставляя увероваться в том, что проскочить его все равно не удастся — выдавится когда-нибудь страданием в задней части, чтоб трудней было доктору ухватиться и задавить гадину на корню. Это и было третьей боязнью, неиспытанной и дурковатой, про которую, к чести своей, Петр Иваныч именно так и рассуждал, но от этого не становилась она, однако, менее болезненной, не переставала быть ожидаемой и не считалась не такой уж страшной. И прорастала тогда поверхность Петра Иваныча мелким противным пупырышком, который поначалу был, а вскоре после быстрого проявления так же незаметно растворялся и исчезал до другого редкого раза.

Так и жил себе счастливо вполне Петр Иваныч, так и перетекал незаметно для себя из одной фобии в другую, подпитываясь и заряжаясь помаленьку от первого источника, беря полезную часть и рассудочное настроение от другого, и опасливо подхихикивая порой над дурацким третьим. Так и шло. Но ни один из источников Крюкова страха не приготовил Петра Иваныча к тому, что, случившись, разом отбросило все источники на марафонную дистанцию дальнего, кривого и неизвестного направления.

А случилось все на кухне у Анжелы, Николаевой жены, старшего сына которая. В тот день Зина у них холодец затеяла под Анжелкин с Колькой свадебный юбилей. С утра сходила, все, что надо, для студня запасла, хрен в корнях прихватила — на терку пускать, чтоб не был готовый покупной, потому что не моют его как положено, а грязным натирают — думают, раз хрен, то сам своей силой любую заразу победит. Дома у сына не было никого: дети в школе, Анжела на фабрике, сам Колька в пусковой командировке в Йошкар-Оле — назавтра ждали его обратно, непосредственно к юбилею. Голяшки попались наваристые и поэтому Зине хотелось вынуть из них как можно больше внутреннего содержания для холодцовой крепости, чтоб желатина почти не пришлось добавлять. Варила часа три и, пока они вываривались, здесь же попутно хозяйничала по другим юбилейным нуждам: судака под заливное чехвостила и на дольки разделывала, морковь распустила — в оставшемся после голяшек бульоне проварить и на кружки подготовить и звездочки — под украшение заливного и холодца, ну и прочее всякое, пока уже не затуманилось в затылке и не поплыли радужные округлости перед самым носом. В кастрюлю глянула — батюшки светы! — вода-то ушла вся почти, испарилась. Быстро вынимать! Первую голяшку подхватила рукой, выдернула, да так обожглась об нее раскаленную, что пальцы разжались и вылетела она из прихвата, да в угол кухни забилась, пуская из сруба на кафель распаренный жидкий мозг. Ах, ты! — быстро нагнулась, резко так, чтоб не все мозги отпустить из кости, главное успеть перехватить, и...

И увидала Зина, как надвинулась на нее рубленная кость еще быстрее, чем сама она к ней приблизиться решила, как ударила ее голяшка почему-то по носу, но уже не горячим и твердым, какой должна быть, а просто ткнулась мягким, как надутая автомобильная камера, как радужное колесо, наподобие тех, что плавали перед носом и раньше, но не были такими приятными на ощупь глаз и лица, зато сильно напоминали ту самую камеру, на которой они с Серегой Хромовым, радуясь и хохоча, уплывали вниз по течению речки Маглуши, чтобы ниже на километр к ним присоединился ее муж, Петя, с которым расписались они в позапрошлом году и который в эти же минуты для победы в их с Серегой мужицком споре летел вдоль края прибрежного леса, в одних плавках, обдираясь телом о стволы ольхи и ветви ивняка, чтобы обогнать быстрину воды скоростью суши, добраться до дальнего поворота и стать первым, так же точно, как, думает, стал он в Зинкиной жизни самым первым мужчиной.

— Сильней! — кричала Зиночка Сереге, когда он, опустив в быструю воду руки, регулировал ладонями повороты дутого колеса, стараясь избежать высоких камней. — Подгребай, Сережка, — проиграем! — И Серега Хромов, такой же молодой, как и они с Петей, мускулисто работал кистями, как совковыми лопатами, чтобы добавить как можно больше скорости их колесному воздушному пароходику. А Зина, переживая за обоих, старалась, как умела, подбодрить Петькиного друга, чтобы не так он мучился от недавнего своего разрыва с Галиной, первой своей женой. И получалось, в общем, у нее слово доброе вовремя вспомнить и Сережку от грусти по возможности оберечь...

Дверь ломали соседи с помощью слесаря из РЭУ в присутствии участкового милиционера, когда кислый дым от обуглившихся голяшек начал просачиваться сквозь дверную щель и легкое облачко сизым призраком медленно стало заполнять пространство лестничной клетки. Пожарных успели не вызвать, потому что тут же картина стала ясной и предельно простой, и понадобилась в результате не огневая команда, а лечебная. На полу, уткнувшись головой в вареную кость, лежала Анжелкина свекровь, тетя Зина, и не подавала жизненных признаков. Кастрюля продолжала обгорать вместе с пропащим планом на крепкий холодец, и чего делать дальше, до приезда «скорой», кроме как распахнуть во всю ширь окно, никто из соседей не знал. Сначала подумали, тетка задохнулась от дыма, но сердце ее билось, и она оказалась живой. Основной дым, делясь сквозняком, приходился больше на форточку и прихожую и поэтому уходил с кухни, протягиваясь выше Зининой головы.

Судя по горелым остаткам утвари, в беспамятстве Зина пробыла часа два, не меньше, и в реанимации, куда ее сразу поместили под капельницу, врач покачал головой, что, мол, в этом деле каждый миг роль играет существенную и чем раньше, сказал, с препаратом больного совместить, тем больше надежда на успех. Немного погодя, он же добавил, когда принесшийся в больницу Петр Иваныч очумело выслушал первый диагноз и предварительный прогноз, что бывают разные варианты, от неважных до самых плохих, и выразительно посмотрел в потолок, отделявший взгляд наверх от неба. А потом успокоительно пообещал, что и иначе случается, типа: так себе, более-менее, включая и без потери памяти, и с частичным сохранением двигательной функции и без обязательной скорой смерти.

Из слов этих Петр Иваныч мало чего понял, но взгляд врачебный в потолок засек и оценил. Почему-то взор этот к верхотуре его не удивил, хотя предназначение его Крюков вполне мог бы и не понять в силу общей атеистической направленности. Кроме того, то, что с супругой — серьезно, никак не укладывалось в голове, поскольку вся предыдущая жизнь с Зиной говорила об обратном: о том, что не Зина, а он должен стать первым в праве на болезнь и отрыв друг от друга в их совместном плавании, и фобия его под номером первым таким путем располагалась и с такой значимой к нему важностью, что варианты иных путепроводов просто не имели в ней места, как не должен был стать событием и факт случившегося на Анжелкиной кухне. И поэтому верить в плохое Петр Иваныч до конца себе не разрешал.

У Зины установили тромб, который в момент резкого наклона тела оторвался от стенки кровеносной артерии и закупорил важный сосуд в головном мозгу.

— Какой-такой тромб? — убивался Крюков, плохо соображая, о чем вообще идет речь, но все равно продолжая не верить. — Ничего у ней не было никогда, никаких закупорок нигде, я бы знал наверняка, если б было.

Во внеочередной отпуск по уходу за больной женой Петр Иваныч ушел сразу, начиная с утра другого дня, несмотря на горячую строительную пору. Моисеич и бровью не повел, а сказал только:

— Без вопросов, Иваныч, замену сам подыщу на время, так что лечи Зинаиду как положено, выздоравливайте давайте, кран твой никуда без тебя не денется, я сам прослежу, — и добавил успокоительно: — У Томки моей мать похоже страдала, а потом умерла, но зато в полное сознание так и не приходила, так что не испытала мук особенно. Но лет-то ей было не как Зине твоей, — пытался он, как умел, отвести беду от крановщика, — она ж у тебя красавица, моложавая еще, выдюжит, вот увидишь.

Слова его были немного несерьезными, хотя и с роковым финалом но, несмотря на это, Петр Иваныч чуял, что по-честному дружескими были они, теплыми, сказанными, чтобы истинно поддержать товарища и друга по труду. И был он Абрам Моисеичу благодарен за них, хотя главная его забота оставалась другой. Не понравилось, единственно, что умершая мать была не вообще чья-то, а конкретно Тамарина, что приводило ситуацию к нежелательной похожести с ближайшим родственником неприятной ему женщины, хотя и жены хорошего человека.

Зина пробыла в больнице полный срок, пока ее не выписали оттуда без зримого улучшения инсульта мозга головы. Все это время Петр Иваныч держал подле жены круглосуточный пост, созданный главным образом из себя же самого. В ночь, правда, приходил Пашка, как человек свободной профессии.

— Ничего, пап, — успокаивал он отца, — я днем могу поспать, главное нам маму как следует выходить.

Он же покупал продукты специального питания: с витаминами, соками, мягкими для переваривания и усвоения маминым пищеварением. Один раз пришел Николай, очень огорченный, и принес бананы. Палата была преимущественно для инсультников и пахло в ней не очень. Колька покосился на отца и незаметно поморщился. Валентин сидел в Китае по закупкам и ничего не знал, потому что еще ни разу не звонил с самого отъезда. По разу пришли невестки: Катерина, Валькина, принесла яблок, а Анжела, на чьей кухне и случилось все, — снова бананы, из тех, что не донес муж. Плакать — не плакали обе, но расстройства не скрывали. Причина была не одна: и дети без дневного пригляда теперь, и качественная бесплатная помощь по линии ведения обоих домов, и повышенная раздражительность мужей независимо друг от друга: у одного — получившаяся уже, у другого — предстоящая, в силу неплановой заботы.

От сиделки, на подмену, пока вахту нес сам, Петр Иваныч категорически отказался: не желал никого приближать к Зине, грязное же из-под нее вынимал самостоятельно и так же менял постель, перекатывая тяжелую жену на поочередные бока. Ночью ту же операцию с матерью приходилось производить Пашке, и подобная гигиена у него, как ни странно, получалось довольно ловко. И вообще, Павел оказался в этом деле небрезгливым, так как мать любил больше, чем отца — того же существенней ценил за непредсказуемость поступков, находя в этом отцовском качестве исток собственного творческого начала.

Маму они с отцом доставили домой через четыре недели от несчастья. Постель загодя подготовили по-новому, обернув перину купленной Павликом клеенкой, которую пристегнули по краям четырьмя английскими булавками, что выискали в Зинином запасе. Внешне Зина выглядела, если не знать о беспорядке в голове, вполне нормально, на еду тоже реагировала с пониманием и принимала ее, вовремя открывая рот. Движения были ограниченны: левая сторона более-менее сохранила подвижность, правая же — та самая, под которую Петр Иваныч так любил подводить конечность ноги и руки, извлекая оттуда мягкое тепло, — больше отлеживалась в покое. Улыбка на лице присутствовала, но имела постоянное выражение и по этой причине — какой-то неродной и застывший вид. Слова — не все и не целиком — тоже имелись, но связной и осмысленной речи не получалась: отдельные слоги, начиная проговариваться последовательно, заканчивались прерывисто, соскакивая на середине пути, словно граммофонная игла, наткнувшись на глубокую царапину, съезжала с накатанной пластиночной борозды на столько, насколько хватало у царапины сил подбросить ее и откинуть вбок от основной песни. И так было все время, пока у граммофона не кончался завод, после чего неровная музыка обрывалась, и Зина проваливалась в неопределенной длительности сон в любой произвольно выбранный болезнью момент.

С узнаванием родных дело также обстояло неважно. Петра Иваныча жена почти не признавала, но зато всякий раз радовалась появлению его перед глазами.

— Гре-би! — улыбчато и бойко каждый раз приветствовала она мужа, пытаясь работающей рукой продемонстрировать в воздухе лопатное движение несуществующего весла. — Силь-ней под-гр-р-бай, Сер-жка! Силь-ней! Оп-п-оздаем!

Сначала Петр Иваныч сильного внимания на случайность такой чепухи не обращал, полагая, что состояние Зинино находится в такую минуту посредине между незавершившимся сном и зародившейся, но не полностью явью. Между тем приветствия Зинины по такому образцу не переставали носить неслучайный характер, и волей-неволей он стал натыкаться на обломки своей же памяти, отнесшие его как-то раз к вынужденным воспоминаниям о временах и местах, где имя «Серега» соединялось с мысленным воздушным веслом. Впрочем, скоро обстановка менялась к худшему: к отсутствию у жены всякого аппетита, например, или же к состоянию полного двигательного провала, и тогда Петру Иванычу было не до воспоминаний о несуразной ерунде, и он удваивал заботу и обиход, надеясь компенсировать тем самым Зинину немощь. В такие дни ему, как ни странно, было не так тяжело, поскольку некогда было расслабляться и обдумывать ужасное положение семейных дел. А дела были такими: с работы Крюков уволился насовсем, перейдя на полную пенсию, но оставил за собой под устное обещание руководства право вернуться к законному труду после того, как полностью восстановит Зинино здоровье. Что это именно так и будет, Петр Иваныч не сомневался ни на одну секунду, так как знал, что подобная болезнь не бывает ни за что — обязательно должна быть за что-то. Но Зина такой причины не имела, потому что не заслужила ее всей своей преданной жизнью, а, стало быть, и недомогание ее — дело временное, хотя и малоприятное.

Что касается других членов дружного Крюкова семейства, то теперь, по прошествии полутора месяцев, начиная с падучего удара, картина не оставалась такой же единой и понятной в мелких деталях, какой казалась Петру Иванычу всю предыдущую женатую жизнь. Кто из детей — кто, и кого из них он тайно иль явно почитает больше — теперь об этом задумываться и разбираться было недосуг, потому что мысли те уже были прошлыми и в прежней его жизни существовали от безделья, скорей всего, и излишней, пожалуй, мечтательности. Но, с другой стороны, в отсутствии разумной Зины скрывать подобные раздумья тоже теперь было не от кого, кроме как от самого себя, и по этой причине они сами иногда в промежутке между кормлением, лекарством и гигиеной возникали из ниоткуда, невзирая на факт, что всегда были не ко времени.

Младшенький, Павлик, как и раньше, нес вместе с отцом бесперебойную заботливую вахту, и в семье — так уж получилось — это воспринималось остальными, как само собой разумеющееся дело, когда малой живет к матери ближе других, и не женатый, как все, и не от звонка трудится до звонка, как прочие, и без командировочных нужд, как некоторые, и сам труд его — не пойми чего: дома постоянно — ковыряется в рисунках своих без всякой суровой производственной ответственности. Другими словами, очень кстати подпало, что Пашка — может. Так рассуждалось всеми, но не объявлялось никем, и единственный, кого сомнения и расчеты не одолевали ни снаружи ни изнутри, был сам Павлуша. Валентин и Николай забегали иногда, но больше для проформы и старались быстрее уйти, ссылаясь на дела: то ли, потому что им было неприятно смотреть на такую непривычную мать, то ли, чтобы обозначить и закрепить таким образом первенство младшего брата в уходе за ней, то ли не хотелось им осуждающего взгляда отца. Но последнее обстоятельство, как выяснилось, никого особенно не смущало: и в силу привычки относиться к главному Крюкову, как к мягкому и безвольному бате, несмотря на укрепленный обманчивой строгостью внешний вид, и в результате могущих навалиться многочисленных неудобств от непланового перекроя семейных связей. Все это перетягивало решимость старших братьев бросить другие свои дела и окунуться в тяжелую заботу с попеременными ночами, кормлением с ложки и последующим отмывом подкладного судна от материнских нечистот. Бабы их, что Анжела, что Катерина, тоже в свекровин дом не частили: каждая кивала мужу на другую, припоминая отдельные случаи персональной переработки на родню, и по этой объяснительной причине с готовностью уступала место противной стороне.

Если Зина с упорной настырностью больного человека продолжала обращаться к мужу со словами «Греби, Серега!», то, завидя Павла, она, впрочем, тоже не называла его по имени, обращалась к нему исключительно «сы́ночка». Какого из своих сыновей Зина имела в виду, было доподлинно неизвестно, но Пашка сразу догадался, что это точно он, хотя отцу и не сказал, а Петр Иваныч еще какое-то время гадал, но потом и он определился, полагая, что, наверно, все же, Валентин — из-за девочки его, из-за единственной у Крюковых внучки. Так, думал он, память ее настроилась, на детский лад, потому что запомнила про нежность большую Вальки к дочке против сына.

Самих же Валентина с Николаем мать не называла никак, потому что, когда они появлялись, она или засыпала, или мало уже было натурального света в комнате ближе к вечеру, а свет от лампы Крюков отделял ширмой, чтобы он не проникал к Зине и не беспокоил дополнительно расстройство разума супруги.

Раз в неделю или два звонил Абрам Моисеич, единокровный родственник, и интересовался ходом здоровья и болезни. Про лекарства спрашивал, если надо — у жены Тамары в аптеках связь имеется. К концу недели прислал учетчицу Клаву с передачкой от ребят: фрукты там, соки, шоколадный торт. Девка Клава была некрасивой, но доброй, и у Петра Иваныча екнуло под лопаткой оттого, что нет вокруг него таких вот помощниц на месте бедного Павлика, отказавшегося из-за матери от всех выгодных заказов на книжные труды. И снова не пришло ему в голову подумать о старших детях и их женах, потому что, если не получалось у тех дежурить в очередь с ним и Пашкой, то, значит, не пускали важные причинные обстоятельства жизни. А такие причины Петр Иваныч уважал, да и сам был, как-никак, в силах еще бороться с Зининым недугом, противостоя ему полным утробным несогласием и не веря до конца в незыблемость мозгового инсульта.

В этот момент и позвонил телефон — это к концу уже второго месяца несчастья, когда запас Крюковых сил начал истаивать много быстрее, чем поспевало восстановление, и Павел, видя, как мучается отец и как переживает затянувшийся невозврат матери в человеческое существование, решил поговорить с ним о сиделке. Петр Иваныч даже слушать не стал.

— Нет, — отрубил он с короткой мукой в глазах, — не будет при ней чужих никого, сами справляться будем, как раньше, — а потом еще пояснил, дополнительно прикинув, — и сама мать расход лишний не одобрила бы, не говоря уж о посторонних людях...

На том конце звонка была радостная Фекла Комарова.

— Письмо ваше получила, дядя Петя! — кричала она в трубку. — Вот, позвонить решила, «спасибо» сказать, что зовете. Я, если честно, в столице не была еще, не приходилось. А вы, правда, зовете? Не помешаю?

— Правда, — ответил Петр Иваныч, — только, знаешь, Фенюшка — не теперь, ладно? Горе у нас с Зиной моей, навроде вашего, какое с папкой твоим было — инсульт головного мозга у Зины случился, тромб отошел и закупорку образовал. — Он помолчал в трубку и вздохнул, — так-то, дочка...

Там тоже постояла ответная тишина, потом ясный и твердый девичий голос сообщил, как уже про решенное дело:

— Я поеду сегодня уже, если билет будет, дядя Петь. Как добраться не говорите — по адресу найду, — и положила трубку.

На другой день была пятница, а в субботу утром в седьмом утреннем часу Фекла Комарова уже слезала с поезда, уткнувшегося точно по расписанию в московский вокзал. Для порядка она походила вдоль платформы в течение часа, чтобы не прибывать к Крюковым слишком рано, и только потом пошла узнавать, как добраться до непосредственного адреса Петра Иваныча и его приболевшей супруги. В общем, к восьми часам того же утра она уже звонила в квартиру благодетеля в ожидании волнительной встречи.

Петр Иваныч еще не встал, а только проснулся, потому что вахту ночную нес Павлик, и помснять его отец еще не успел, так что младший сын дверь и открыл.

— Вы к кому? — удивился он, обнаружив девушку с чемоданом.

Феня растерялась, потому что про Павлика вообще ничего не знала, как и ни про кого больше из семьи Петра Иваныча с супругой. В первый момент она подумала, что обозналась адресом, перепутав высокие дома в большой столице, но в этот же самый момент молодой человек чуть-чуть приподнял бровь, слегка пригнул голову влево, не отводя от гостьи ясного взгляда, и отступил на шаг назад. И тогда Фенечка сразу узнала в нем знакомые черты родного человека, что явился четыре года назад в вольский барак спасать отца от затянувшегося невнимания власти.

— Я к Крюковым, — ответила она и поставила чемодан на пол, — к Петру Иванычу, из Вольска, Феня Комарова.

— Тогда все верно, — ответил Павлик, — это сюда, заходите и раздевайтесь, папа сейчас встанет.

Петр Иваныч вышел в прихожую в трусах и присел от изумления:

— Доченька! — он подошел к Фене и обнял ее, как был. — Зачем же ты? Я ж говорил — не ко времени теперь, у нас тут беда тянется который месяц, я б потом сам позвонил, когда можно.

— Я не в гости, Петр Иваныч, — серьезно ответила Феня, с трудом пытаясь скрыть радость от встречи с добрым человеком из Москвы, — я в помощь приехала, чтобы тетю Зину вместе выхаживать.

Петр Иваныч недоуменно отстранился, но тут же подумал накоротке про что-то свое и по результату не возразил, а кивнул на Пашку:

— Сын это мой младший, Павлик, будьте знакомы.

— Я поняла уже, — улыбнулась Феня. — Очень вы похожи между собой, хоть и разные совсем...

Феню поместили в бывшей Пашкиной комнате, потому что теперь он все равно там не бывал: ночью больше сидел возле матери, а на остальное время суток уходил жить и спать в их с Фимкой съемную мастерскую. Зина на нового постояльца в девичьем образе не прореагировала никак: мутно посмотрела насквозь и ничего обрывисто не пробормотала.

— Добрая она у вас, дядя Петь, — сказала Фенечка про Зину, — добрая и хорошая, как мама моя была.

Почему именно так поняла Феня про его жену, а не иначе, Петр Иваныч обмысливать не стал — он и сам про этот факт доподлинно знал, а значит, это было достоянием и любого человека кроме него. Фекла же тем временем взялась за капитальную уборку жилья, начала с кухни, запущенной и подзабытой мужиками в суете других забот, и закончила ее только к шести вечера, отмыв с порошком и надраив до отдельного сияния каждую кастрюльную поверхность. Сходила в аптеку за содой и перетерла ею все чашки с блюдцами, успевшими дать заметную чайную желтизну со времен ухода хозяйки в постельную неподвижность. Параллельным курсом, вместо перекуров, начистила картошки и разморозила лежалый филейный оковалок какой-то рыбины, так что к семи того же дня они сели с Петром Иванычем за стол, предварительно накормив Зину мягким пюре Феклиной отварки. Все время, пока шла отдирка кухни, Крюков неспокойно ходил по квартире, привыкая к новому своему месту внутри надломанного семейного гнезда, но и чувствуя при этом, что впорхнувшая в гнездо ласточка принесла в клювике своем свежего липкого цемента и что клейкость такая надлом получившийся, Бог, даст, тормознет, притянув друг к дружке отдельные веточки от боковин к самому основанию гнездовья.

В ночь снова пришел Павлик, потому что кто теперь, как и когда будет с мамой управляться, было еще не слишком ясно. Фенечка хотела, чтобы ночь отныне тоже числилась за ней — зачем она тогда, если не в помощь по женскому уходу? Петр Иваныч не разрешил — не потому, что в умелости ее сомневался, а просто боялся, что свалится девчонка от такой нагрузки, несмотря на прошлую привычность с собственным отцом. Однако Феня проявила упорство, и тогда Петр Иваныч почуял, что силы в ней намного больше, чем видится снаружи, и еще обнаружил, что сила эта не просто физическая, от молодого здоровья, а другая вовсе, от иного идущая стержня, и что ласковость внешняя Фенина — не то чтобы прикрытие внутренней твердой основы, а просто и то и другое имеется одновременно и в цельный характер сращивается — стойкий и добрый.

Решили так: на эту ночь Павлик, раз здесь, останется с матерью, а Фенечка на первый раз при нем, рядом, чтобы все понять как делать, все Зинины особенности изучить:

и по уходу ночному и по препаратам, если будет нужда. Утром Пашка уйдет к себе, а Феня поспит. Дальше как — видно будет...

Узнав о появлении в родительском доме добровольной помощницы, Николай с Валентином не то чтобы расстроились, но немного, разве что, понервничали, так как не могли никак уразуметь расчета незнакомой девушки, явившейся неизвестно откуда неизвестно зачем. При этом оба видели, появляясь и удаляясь от гнезда равномерно-быстрыми банановыми набегами, что трудится девчонка на совесть, спит явно меньше, чем требует молодой организм, и, забравшись в самую глубину семейства, ведет себя так, будто ей и на самом деле ни от кого ничего не нужно. Анжела сперва заподозрила, что Пашку охмуряет таким путем, чтобы заехать в столицу через младшего наследника, тестя — взять на трудолюбие и жалость, а больную свекровь прицепить под себя паровозом на пожизненный уход. Катерина, однако, с ней не соглашалась, усматривая гораздо более веские основания к такой девчонкиной самоотверженности. Доводы тоже слабыми не были: брак — браком, пояснила она, а квартира — жильем. Девка эта пришлая рвется так, сказала, изо всех жил, чтоб доказать свою нужность самому ему — Петру Иванычу, в смысле, и не Пашка ей нужен, а сам он после того, как болезнь истечет до конца. Понимаете, о чем я? И тогда она, Фекла эта, уже по полной программе все склеит, как новая жена старикова, так-то!

Что-то надо было делать, но что — родня не понимала, потому что от девчонки этой пока лишь помощь исходила конкретная и никаким расчетом реальным еще не пахло, а труд ее денный и нощный многократно перевешивал возможную будущую внутрисемейную неприятность от вмешательства в личную жизнь Крюковых, если брать всех их целиком. С другой стороны — не самим же идти говно вывозить из-под матери и свекрови, если есть бесплатная оказия доброй приезжей души с Волги-матушки-речки? Так и тянулось...

К концу второй недели гостевого совместного проживания Петр Иваныч обнаружил, что совершенно не может сообразить, каким макаром ему с Пашкой удавалось раньше, до Фениного еще приезда, успевать вести хозяйство, отдельно обеспечивать кухонную нужду и управляться с немощной супругой. Потому что и теперь, казалось, все оставалось тем же самым, с таким же самоотверженным результатом, но было уже совсем другого сорта, а питание — вкусней не надо и, хотя Петр Иваныч по-прежнему ел немного, но зато перестал закусывать хлебом, чтобы не портить новый вкус еды Фениного приготовления. Чистота была повсюду, куда ни кинь глаз: от пропылесошенных занавесок до оттертой до блеска латунной птичьей клетки, помещенной на шкафу в память о любимом животном — кенаре Славе. Сама Зина тоже была прибрана постоянно: рядом с кроватью всегда возвышалась стопка чистейших наутюженных подстилок, на табурете — поильник со свежей кипяченой водичкой и раз в день — сок от двух продавленных апельсинов. На этом Феня настояла, поскольку запомнила совет вольского врача про пользу всего живого против любого искусственного.

С Павликом они сидели через день, точнее, через ночь. Но, порой, укладываясь спать, Петр Иваныч подмечал, что благодетельница его к себе не торопится, а чаще засиживается с Пашкой то на кухне, то в гостиной перед началом вахты.

Может, Бог даст, — думал в такие моменты Петр Иваныч, — и сладится чего у молодых. Не знаю, сам Пашка как, а я б мечтал только о такой невестке — по мне лучшего быть не может и не бывает вовек. Вот где счастье могло б образоваться истинное, далеко ходить не надо...

Было еще одно удивление, из тех, что проросло в нем не так давно и совершенно для себя незаметно: куда-то улетучилось изначальное смущение от того, что чужая по сути девушка, сама — ребенок вчерашний, рабствует в его доме на постороннюю беду да еще поддерживает всех кого можно веселостью своей, верой и легким нравом. Подумаешь — посылку он в Вольск пару раз собрал, да в комитет афганский сходил насчет хлопот про отца-ветерана. Так это любой бы смог, а не только сам такой герой оказался, она же помнит про эту малость неотрывно, сколько лет прошло уже и все не отпускает от себя благодарность в его адрес. Но и понимал в то же время, что нет никакого в Фенечке притворства — не из-за чего ей притворничать, просто такая она есть, такой уродилась — чистой по жизни, не порченной.

И никакая грязь к ней не пристанет, — думал про девушку Петр Иваныч, засыпая в столовой перед будущей ее вахтенной ночью, — как к синему небу не пристает ничего, сколько его самолетным дымом не обрабатывай и выхлопа в него не пускай — все одно рассосется тут же и без следа останется любого, самого малого.

Оттого и не было смущения больше, по этой причине и не кололо теперь в совесть острой иглой, а лишь нечасто подстукивало тупым и нетвердым, и на душе становилось все родней от Фенечки рядом с ними и теплее. Тогда же, к концу третьей недели он впервые подумал о детях, о старших своих, само собой, — не о Павлике же, который рядом, считай, был и до и после того, как вышел в самостоятельность. О них же всерьез вспомнил — что и Валька и Николай также имеются на общем небосклоне большой семьи при обстоятельствах тяжелой Зининой болезни и женаты при этом обои нормально, счастливо даже. И тут понял вдруг Петр Иваныч, что не очень-то и знает он детей своих: что одного, что другого, потому что никогда ни сам он, ни Зина не просили от них ничего особенного вплоть до самого трагического дня. Все было наоборот — сами давали им чего могли, да радовались за такую семейную возможность, а ответа и не ждали — не нужно было, не случалось ничего такого, чтоб понадобилось вдумчиво умом раскинуть. Так и катилась по накатанному все годы деревянная Крюкова повозка, пока первый неуступчивый булыжник не случился под колесом и не надломил несущую ось, на которую главный вес всей тяжестью лег и повозку ту опрокинул. Пацаны, выходит, с повозки спрыгнули, отряхнулись и дальше своим ходом двинулись, не шибко кручинясь. А они с Павлушкой возле рытвины остались, чтобы груз спасать да повозку починять, так или ж не так? То одолевали теперь такие сомнения Петра Иваныча, а то отпускали, особенно когда Зине больно худо становилось по беспамятству и непокою, и они с Феней усилиями рук и мягким уговором пытались не дать ей больно дернуться в постели в попытке поднять живую свою половину за тем, чтобы то ли ехать куда-то, вроде, то ли плыть, плыть, плыть...

— Греби, Сер-ень-ка, дав-в-вай, да-ай! — пыталась вырвать Зина живую руку из рук Петра Иваныча и Феклы, чтобы грести ею как можно сильней против сопротивления невидимой волны. — Оп-п... даем!

Лучше получалось успокаивать мать у Павла. Он просто мягко прижимал ее руки к перине, топя кисти в глубокий пух, сам же прижимался к материнской щеке и говорил тихо и отчетливо, что не надо, мамуль, не надо, успокойся, мамочка, все будет нормально, успеешь... успеешь... не опоздаешь никуда...

И Зину обычно отпускало, после чего она, утомленная приступом сопротивления, умолкала, потом лежала неподвижно с открытыми глазами, перебирая одно лишь ей ведомое мысленное, и затем быстро и спокойно засыпала. И снова это было, и снова, и опять... Минутная стрелка бежала по своему бесконечному кругу, часовая же продолжала оставаться на месте, застыв окаменело в той самой мертвой точке, откуда все началось — и хуже не было и лучше не становилось. Вопрос был один — на сколько хватит запасу у часового завода.

То, что Павел вел себя сдержанно по отношению к Фене, хотя и с видимой благодарностью за приезд и помощь, не удивляло ее только поначалу, пока она не вжилась еще в родительский дом семьи Крюковых так основательно, как это было теперь, когда истекал второй месяц пребывания ее в столице. Пашка был с ней безукоризненно вежлив и даже сначала пытался говорить на «вы». Она тогда покраснела и попросила не называть ее так, потому что никто с ней никогда так не разговаривал. Он улыбнулся и пообещал, но сдержанности это в нем не убавило, как и не добавило мужского интереса к гостье. Феня почувствовала это, хотя и не сразу, а лишь когда вынужденные обстоятельства по ночной опеке сводили молодых людей в единой заботе у кровати Павликовой матери. Бывали моменты, когда напряжение спадало, приступы не повторялись, Зина засыпала, и они получали довольно продолжительную свободу от вахтенных обязанностей. Более того, могли позволить себе на время оставить больную в провальном сне и провести часть ночного дежурства вне постельного изголовья, освободив себя от неотрывного наблюдения за матерью. В столовой спал Петр Иваныч, и они пересиживали в Фениной комнате, бывшей Пашкиной. Поспать, само собой, не получалось, не ясно было — как, и тогда Феня, преодолевая застенчивую неловкость от того, что они одни и что за окном ночь, вполголоса рассказывала Павлику, как прошел день, как поела Зина, какой хороший у него отец, как он за все переживает и как здорово со всем справляется. А сама думала в это время, что, хоть движенье бы Павел какое сделал ей навстречу, пускай бы руку ее взял в свою или же присел просто ближе, чтоб ненароком ее коснуться. А он слушал и согласно кивал или, напротив, слегка не соглашался, но сама она все равно оставалась ни при чем, и это еще сильней сжимало в ней пружину неистового желания быть отдельно замеченной сыном Петра Иваныча — и не как девчонка по уходу, несмотря, что почти родная, а как настоящая женщина, полностью созревшая и готовая для нежности и чувства.

В общем, знала Феня через два месяца жизни у Крюковых одно лишь — прикажи ей Пашка сделать все, чего пожелает, — она сделает без запинки, сделает раньше, чем успеет задуматься над тем, чего можно, а чему время не пришло. И все из-за того, что любит она его не просто так, в силу случайной встречи, а сильно любит, по-честному: так уж угораздило ее, так уж само получилось и нет виновных в том, что, сызмальства находясь в городе своего постоянного проживания, не встречала она там нигде таких вежливых, заботливых и талантливых молодых людей, как художник по книжному искусству Павел Крюков.

Сам Петр Иваныч подметил девичий интерес к сыну, можно сказать, случайно.

— Как там сегодня прошло, ночью? — поинтересовался он как-то после Пашкиной вахты, обнаружив под утро, что и Феня не спала. Интересовался-то он Зиной, состоянием ее ночным. Феня суть вопроса не вполне поняла, поэтому покраснела и тихо пролепетала:

— Нормально, дядя Петь, все как всегда.

Вот тогда-то понял и сам Крюков, что налицо маята у девки, что колбасит ее изнутри, а виной, скорей всего, Пашка его, младшенький. Тогда он взял Феню за плечи, развернул к себе и прямо спросил:

— Глянется тебе Пашка или нет?

— Глянется, — тихим голосом согласилась Фенечка, опустила голову и навернула на глаза мокрое. — Очень глянется, дядя Петь, только я для него никто — неодушевленный предмет для вежливого разговора и больше ничего.

Петр Иваныч строго посмотрел сверху вниз и сообщил отцовское решение:

— Не дрейфь, дочка, я с ним сам поговорю, узнаю, что он про будущее мыслит, — а сам подумал, что какая-никакая, наконец, светлая полоса начинает проявляться и что, Бог даст, заладится у молодежи: сам же он постарается посильно помочь, объяснить Павлуше, какая радость вместе с Феней в жизнь стучится и что доброе такое везенье не бывает случайным, а специально судьбой подгадано, начиная с самого случая отцовой командировки на берег Волги-реки.

— Она очень славная девушка, пап, — охотно согласился Пашка в ответ на дальний отцов заход про Фенину преданность, бескорыстие и красоту невинной души, — но я про это думать еще не хочу: не про нее — вообще, ни про кого пока другого, у меня масса важных дел, связанных с карьерой и творческим ростом, — он с сочувствием поглядел на Петра Иваныча и, чтобы не обижать старика, деликатно добавил: — Давай перенесем всякие такие разговоры на потом, когда маму поднимем, ладно?

— Добро, сынок, — не стал настаивать Петр Иваныч, но в память разговор тот заложил, как важный для обоих Крюковых, если не считать Зины, не оправившейся пока от мозгового инсульта.

Тем временем в здоровье ее стали происходить едва заметные, но вполне позитивные изменения. Речь день ото дня все меньше и меньше стала напоминать рваные обрывки случайных и бессмысленных фраз, во взгляде возник предметный интерес к происходящему вокруг, похожий на живой, а движения и жесты, хотя все еще по одну сторону тела, стали вполне увязываться с их предназначением и всякий раз преследовали конкретную задачу. Дело, таким образом, пошло веселей. И, что интересно, Зина потихоньку начала признавать Феню, как понятную ей человеческую особь, которую раньше она же не воспринимала совершенно, слепо и механистически подчиняясь лишь рефлексам в ответ на предложенные кормление и уход. Павлик по-прежнему был «сыночка», хотя и не до конца было ясно — осознано или же нет, Петр Иваныч оставался все еще Серегой, но дело шло к тому, что вот-вот, худо-бедно, главный Крюков должен вернуть законное супружеское место в заковыристых хитросплетениях мозгового Зининого аппарата, вставшего на путь окончательного исправления. Но все-таки это были пока еще ближайшие радужные надежды в большинстве своем, зато из реальных достижений победного оздоровительного процесса четко имелась в наличии конкретная улыбка Зины в адрес Фенечки при любом ее появлении за ширмой. Впрочем, ширму девушка тоже вскоре убрала, и заоконный дневной августовский свет, что так беспокоил раньше жену Петра Иваныча, заставляя ее жмурить и отводить от него глаза, теперь получил до Зины свободный доступ в течение всего светового дня, и всем своим плавно выздоравливающим видом она давала знать теперь, что так ей особенно нравится, когда можно рассмотреть жизнь в деталях и сосредоточить вновь зародившееся внимание на отфильтрованной свежим сознанием новой любимице — Фенечке.

Вовсе простое имя «Феня» почему-то выговаривалось у Зины неважно, терялась то буква «н», оставляя после себя «фею», то неизвестно откуда выскочившее «я» подменяло собой «фе», и в результате получалась «Яня». И тогда Феня в целях педагогического упражнения решила заменить свое первое имя на свое же второе, соседнее и не такое частое — «Фекла» и предложила тете Зине выбор: Феня — Фекла. Вот тут тетя Зина все ухватила надежно: разом и безошибочно. Фекла прозвучало ровно, одним плотно сбитым звуковым ударом из ее уже обретших бо́льшую подвижность губ, и закрепившееся в обновленной Зининой голове имя обернулось в твердокаменную память про новое слово и про приятное для нее лицо.

Отныне частью процесса восстановления утраченного тромбом запаса разума и сил стало активное общение Феклы с тетей Зиной, которая не желала знать ни про какие другие девушкины нужды, а всякий раз, если не спала и была почти в полном в рассудке, уже не переломанными посреди смысла словами требовала Феклу к себе для общения и обзора. Петр Иваныч и радовался таким изменениям и в то же время сокрушался из-за того, что нагрузка на дочку — так он ее все чаще и чаще теперь называл, но уже не по формальным, а по вполне истинным и чувственным признакам — увеличилась дополнительно, несмотря на общие добрые знаки от супруги.

— Видишь? — закидывал он очередной осторожный вопрос Пашке, кивая на спальню, откуда доносились звуки разумного разговора и даже порой негромкий материнский смех. — Вот кто нам мать на деле спасет, а не врачи эти бессильные, понял, сынок? — и вопросительно смотрел на младшего.

Взгляд отцов был Павлу понятен, так же, как и собственный ответ на этот взгляд, как бы ни упрашивал его отец, бессловесно и чуть сердито. А от Фени действительно остались одни глаза лишь да худоба, все еще напоминающая модную стройность, она и впрямь была Павлу симпатична и даже дорога, но не так, как хотел того отец, и не так, как мог он сам и умел, и поэтому опасался Пашка оказывать Фене излишние знаки мужского внимания, чтобы не нарушить шаткий, не в ее пользу баланс и не огорчать наивного и незрячего отца. Ну, а Феня, понимая, что Павлику не пришлась, продолжала, сжав от безысходности зубы, спасение тети Зины, пытаясь найти забвение в отчаянной ежедневной усталости и ежечасной о ней заботе.

Мир же вокруг Петра Иваныча тем временем, пока новая дочка, путая болезни следы, вела Зину в сторону победного финала, похорошел и одновременно посерьезнел. Похорошел не в том смысле, что значительно улучшился против прежнего и приобрел новые мужские оттенки, а просто сделался немного другим, не таким хорошо знакомым и понятным, как раньше, упорядочился в отдельных измерениях и иным каким-то порядком сочленился с помощью отдельно взятых своих же частей. Смысл такой переделки Петр Иваныч улавливал пока плохо, но зато усек, что всерьез задумался над этим, в то время как раньше никогда о подобном не размышлял, даже сидя в поднебесной верхотуре и даже в те моменты, когда мысль его не отвлекали хаотически возникающие над башней небесные тела всех летающих фасонов.

А, может, — думал он, — теперь он такой, мир этот, потому что стал от меня выше после, как сошел я с крана, и вырос в размере, а я, наоборот, уменьшился против него, чтоб разглядеть с близким прицелом, а не в дальний фокус? Опять ни Колька вчера не позвонил, ни Валька не заехал...

К вечеру зато отзвонился Абрам Моисеич, бывший прораб. Он был слегка навеселе и бодро поинтересовался, позабыв про очередность опросника:

— Сам-то как, Иваныч?

— Сам-то в норме, — отрапортовал Петр Иваныч, радуясь звонку товарища по прошлому труду, — а у Зиночки моей улучшение пошло, тьфу-тьфу, вашими молитвами, Михалыч, спасибо, помните.

— А как не помнить, Иваныч? — искренне удивился Моисеич. — Кто ж, если не мы с тобой, рабочая косточка, друг дружку поминать станет при таких делах-то? У меня, вон, тоже намедни псориаз на правой лодыжке разыгрался, сил нет терпеть больше было, а потом — бац! — и само в момент улеглось — тоже не просто так, скорей всего, а по чьей-то доброй воле, во как!

Сам не зная почему, Петр Иваныч внезапно ощутил где-то внутри, там, где дыхание, причастность к резкому выздоровлению прораба от неизвестного недомогания со сложным названием, и ему стал приятен такой разговор. Он участливо поинтересовался:

— А это что ж такое за болячка-то, как ты назвал ее... на ноге.

— Псориаз? — нетрезвый Абрам Моисеич сел, видать, на любимого конька и погнал: — Это, Иваныч, такое говно, хуже нет: собирается в бляшки, поверх — чешуя и зудит, бывает, — нет мочи. — Он огорченно перевел дух и в дополнение пояснил, чтобы не осталось сомнений в мученическом происхождении собственного страдания: — Это наша национальная специфика такая, почти у каждого еврея через одного случается на третий, ничего тут не поделать: ни излечить хорошо, ни муку унять от расчеса, ничего!

— А при чем, евреи-то? — удивился Петр Иваныч, заподозрив недоброе. — Ты-то при чем здесь?

— Как при чем? — тоже не понял Охременков. — Я ж Абрам Моисеич натуральный, я ж тебе еще в больничке докладывал, забыл, что ли?

— А-а-а-а... — понятливо протянул Крюков, не понимая радоваться или огорчаться такому открытию, но надежно осознал одно — ни хуже, ни лучше прораб от этого не сделался, потому что за последний жизненный отчет повязавшая их дружбу крепость стала такой ясной и хорошей, что нужды в кровавом разбирательстве больше не было вовсе. А если учесть, что Зина все еще висела между болезнью и здоровьем, хотя помаленьку и начала возврат в трезвую жизнь, то расовые мелочи чужих меньшинств уже казались Петру Иванычу делом столь малым и так удаленно отстоящим от истинно человеческих нужд, что реакцию вызывали никакую, ранее вовсе для него невозможную — да Бог с ними со всеми...

Днем Петр Иваныч старался, как умел, помогая Фене в домашних делах. Но оба уже понимали, что с каждым днем хозяйство все плотнее ложится лишь на ее плечи. Там, где раньше помещалась банка с мукой, теперь располагался целлофан с лавровым листом, а место бывшего веника отныне заняла хитрая складная палка со сменными тряпочками для протирки пола. И так дальше, по всем углам и полкам. Клетку из под Славы Феня, спросив разрешения, перенесла на балкон и сунула там под вытертую клеенку, а кожаные башмаки Петра Иваныча, те, что он последние лет пятнадцать надевал на стройку, окончательно переехали на антресоли над сортиром. Павлик по-прежнему появлялся через день, занимая место подле матери с позднего вечера до утренних часов. С Фенечкой он, как и прежде, был ровен, дружелюбен и благодарен, но не более того, и Петр Иваныч, подмечая к неудовольствию своему отсутствие обещанного продвижения от сыновой стороны к «дочке», переживал за такую оттяжку счастливого исхода судьбы молодых. Фенечка продолжала мучительно искать Павликова внимания к себе, но не получая его в ответ, все равно надежды тайно не теряла. Иногда она плакала, оставшись одна у себя в комнате, когда Павел с книжкой под мышкой, вежливо поздоровавшись с ней, проходил к маме в спальню и не выходил оттуда до самого утреннего ухода домой.

А в конце августа она решилась на поступок, потому что нервы были уже настолько перетянуты усталостью и безответной маятой, что хотелось порушить затянувшуюся муку и прибиться, наконец, к любому ясному берегу. То, что с девчонкой происходит нечто на пределе женской возможности, Павел сообразил задолго до того дня, когда Феня решилась ему открыться. Как догадался — сам не очень понял, но однозначно решил, что виновник этому — он сам. Объяснение его было коротким и страшным. Ночью, когда Петр Иваныч давно уже спал и провалилась, наконец, в недолгое забытье мама, он пришел к Фенину комнату, зная, что она не спит, и подсел к ней на кровать.

— Я знаю, что ты страдаешь, — сказал он, взяв девушку за руку, — но я ничего не могу поделать и хочу, чтобы ты это поняла, — Пашка помолчал и продолжил: — Ты славная, Фенечка, и у тебя все будет очень хорошо, я уверен, но дело в том, что... — он попробовал найти слова поточнее, но махнул рукой и сказал напрямик, — дело в том, что мне не нужна женщина, вообще не нужна, понимаешь? У меня другие интересы в жизни... — он внимательно поглядел на Феню, пытаясь угадать ее реакцию на свои слова, но обнаружил лишь широко распахнутые от ужаса глаза. Тогда он окончательно уверился, что именно сейчас тот самый момент, когда тему необходимо закрыть так, чтобы не возвращаться к ней больше никогда, и он финально уточнил: — Женщины меня не ин-те-ре-су-ют.

Ни насмешки не было в глазах его, ни бравады, ни игривого мужского притворства, ни желания отделаться от ненужной ему бездумной девчонки, но сказано было так, что Феня сразу поверила, во все поверила и замерла, уронив голову на подушку. Пашка поцеловал ее в лоб, поднялся и пошел к матери. В дверях задержался:

— Об одном только прошу тебя — не надо отца просвещать, ладно? — и вышел.

Ночь Феня не спала — думала про такую несправедливую и незадавшуюся жизнь. А наутро, еще до того, как Петр Иваныч проснулся, сама она поднялась, а Павел отправился восвояси, Зина громогласно потребовала Феклу к себе. Девушка, предполагая самое плохое, принеслась на крик как была, в одной рубашке, но то, что она увидала в спальне, заставило на какой-то миг забыть о ночном стрессе, о Павлике и его ужасной правде. Тетя Зина устойчиво сидела в постели, облокотившись на подушку, и тянула руки в сторону любимицы — обе руки, *ОБЕ*, включая ранее неподвижную правую, и на обеих бодро шевелились пальцы. При этом Зина игриво и осознанно улыбалась то, глядя на них, словно соскучившись по такой воздушной гимнастике, то в сторону застывшей от увиденного счастья Феклы. Казалось, она вполне серьезно, через получившуюся улыбку, интересовалась оценкой, которую могла вынести ей присутствующая при счастливом эксперименте родня, ставшая очевидцем обновленной жестикуляции и прочей свободы здорового волеизъявления.

Петр Иваныч, которого разбудили и привели к Зине, сначала немного отупел, а потом заплакал. К нему присоединилась Феня, а к ним, через небольшую паузу и младший сын. Не прослезилась одна лишь Зина, которую такая общая мокрота позабавила и почти привела в восторг.

— Сереженька, — внятно и без срыва на полпути сказала Зина, ткнув ожившим пальцем в мужа, — подгребай скорей, а то не поспеем раньше...

С этого окончательно переломного утра спасительная семейная машина перешла в режим стабильных планомерных оборотов с медленным, шаг за шагом, переходом из зоны ручного управления в автоматический контроль. Один или же два раза в день Зину поднимали и помогали добраться до туалета, и уже к середине октября удалось полностью отказаться от подкладного судна для серьезного дела, сохранив его для порядка только при нужде пустяковой малости. Речевые затыки практически полностью сошли на нет и, постепенно налаживаясь, стал нормализовываться режим сна и бодрствования, переключившись с космонавтского на человеческий. Аппетит был на прежнем уровне, но сам процесс приема пищи стал гораздо более упрощенным: без слюнявчика и дозировки съеденного количества твердого и жидкого. Петр Иваныч летал по квартире в поисках дела, но лишних забот для него не находилось, так как теперь куда ни сунься — все было разложено Феней по новому, удобному для общей жизни образцу: что — предметы, что — сами дела. Колька с Валентином возникали время от времени, участливо интересуясь процессом оживления матери, но демонстрация такой вовлеченности особой радости Петру Иванычу уже не доставляла: что-то отгорело внутри него и отвалилось, какой-то важный боковой отросток, а, может, как-то подумал он неожиданно для себя, и центральный.

Иногда, в те дни, когда случалось, что на сердце и прочую внутренность давило не так из-за другой теперь обстановки в доме, изменившейся в сторону твердой надежды, Петр Иваныч подходил к окну, оттягивал штору и ждал. Первый самолет, бесследный, он обычно пропускал, поджидая другого, того, что протянет за собой дымный конус, и, дождавшись такого небесного тела, еще долго не отходил от окна, пытаясь осмыслить разницу в ощущениях, когда смотришь наверх от третьего этажа или — туда же, но уже с высоты крановой башни. Открытие стало немалым: и то и другое перестало его больше волновать. Не то, чтобы он не испытывал все еще легкого восторга от рукотворных алюминиевых и титановых чудес, но как-то стали они теперь сами по себе, а Петр Иваныч — сам по себе. Что касается тех отважных пилотов, что управляли самолетами, то о них Петр Иваныч и вовсе думать перестал, понимая, что, раз держит штурвал, — значит, доверяют ему люди, а кто он таков: русский, чучмек иль татарин — не столь для полета и важно, как и для всего другого тоже. Все люди равны, все живут, болеют и умирают на этой земле, и только одна она остается вечной, если будет мир на планете и доброе начало. Очков своих Крюков тоже стесняться перестал окончательно, подцепляя их не только для читки газет, но и для постоянной носки, что несравненно усилило правдивость окружающего мира против прежних видов. И все, в общем, другое тоже было неплохим, уверенно выруливающим на возврат к тому, с чего началось, если с Зиной так и дальше пойдет, как пошло. Одно царапало, однако, не давая полностью угомониться от потрясений прошлой жизни — то, что любимая Зина, жена его, не хотела никак признать его мужем своим, Петром, а упорно продолжала обозначать Серегой Хромовым — лучшим другом. Сначала такая Зинина настырность была ему не важна — не до того было, не до случайных помех в мозгу, когда болезнь навалилась всей силой на супругу. Потом, когда отступила немного, — слегка удивляла, но не озадачивала. Теперь же, в период хорошего, крепкого восстановления сил — стала озадачивать, вызывая не всегда приятную реакцию на имя друга. Сам Серега звонил и заезжал, и Людка его тоже про Зину беспокоилась, но почему до сих пор дутой камерой управлял Хромов и отчего он же греб руками и по настоящий день, преодолевая речные пороги, оставалось для Петра Иваныча загадкой. Порой он со всей возможной тщательностью перебирал в памяти дни их давней молодости, но ничего плохого или странного он там не находил: напротив, — оттуда, из тех мест и лет доносился запах доброй, веселой взаимности и надежной, преданной любви...

Первый раз боль возникла в том пространстве, где кончались зубы, последние с обеих сторон нижней челюсти, и это не было прямой зубной болью. Петр Иваныч не знал про это, не имел нужного опыта, но догадался — болела вся задняя часть рта, включая десну, небо и корень языка. Боль эта не была сильной — просто, казалось, сперва во рту возникло неудобство, не слишком мешающее жевать и глотать, но по неизвестной причине оно не прекращалось даже после довольно продолжительного ожидания избавления от нее. Тогда Петр Иваныч завел палец туда, где по его расчету помещался центр неприятности, предполагая выщупать нарыв или инфекцию от царапины на внутренней мякоти, однако, ничего не обнаруживалось, хотя и легче тоже не становилось. Хитрая причина не успела еще вызвать по-настоящему крепкий и мучительный сигнал, но то, что не все у него в хозяйстве в порядке, знать дала, похоже, основательно. На другой день, после суточной маеты картина не изменилась, а к вечеру неудобство проросло дополнительным нытьем внутри всей на этот раз ротовой полости. Именно в этот день Петр Иваныч Крюков решил сменить на посту Фенечку, которая шла дежурить в ночь, хотя со дня на день такие дежурства проходили по облегченной уже программе, и ночь получалась вахтенной не вся целиком, а только лишь контролировалась отдельными вставаниями для частой Зининой нужды и текущих проверок на общее состояние после выхода из основного паралича. Фенечка не соглашалась, не желая Петру Иванычу ночного беспокойства, но он настоял — так и так не спать из-за невидимого флюса, так пусть лучше Феклуша его отоспится хотя бы разок по-человечески, без привычной дерганой мороки.

— Сереженька.. — встретила его улыбкой жена. — Золотой мой, ты когда вернулся?

Петр Иваныч тяжело опустился в кресло рядом с кроватью, вахтенное, в котором и сын и Фенечка караулили болезнь все ее месяцы и дни, и неожиданно для себя спросил Зину:

— А где Петя теперь твой, не знаешь? Сам-то, Петр...

— Пе-е-е-тя, — протянула жена, — Пети ж нет, забыл? — она оглянулась, ища кого-то вокруг себя, и пояснила, — Петя на кране нынче, до выходных, а когда вернется ты тогда в город ехай, ладно? Уплывай сам тогда, без меня...

Над кроватью прошмыгнуло темное и быстрое, оставив шелестящий звук, но не обозначив никакого дымного следа. Петр Иваныч резко пригнул голову, но Зина успокоила:

— Не бойся, Сереженька, это Славик наш полетел, ему летать теперь чаще надо, а то ему болезнь крылья совсем одеревянит, правое особенно, Петя ругаться будет, что не уберегли.

— А ты любила его, Зин, Славу-то? — спросил Петр Иваныч, опасливо понимая, что построил вопрос с дальним прицелом, но Зина на подвох не повелась и переспросила:

— Ты о каком говоришь, Сережка, — о вольском Славке или о том, какого Петенька удавил?

— О том, — быстро отреагировал Петр Иваныч и с волнением стал ждать ответа на старый, так никогда и не заданный им вопрос, который продолжал мучить его все последние годы, — с Волги который был, насиловал который.

— Конечно, любила, как не любить? — не удивилась вопросу Зина, — другое дело, он сам не захотел любить меня дальше, я-то сама ох как желала его любови.

Что ж такое? — подумал Петр Иваныч, но без всякой истерики, чему поразился сам. — Выходит, не насиловал, а просто до себя допустил? — И тут он вдруг понял, что Зина знает про Славу, про то, как Петя птицу ее семьи убивал, как сжимал кенарика поперек, ломая косточки и выдавливая чахлую, но радостную жизнь через две маленькие дырочки сверху и снизу от лысой грудки. — Значит, и это не секрет? Что ж тогда секрет-то?

— Ты Петеньке скажи, пусть простит меня такую, — не унималась Зина, продолжая лежать на кровати так же неподвижно, словно не было в эту минуту вокруг никакого леса, ни бурлящей речки Маглуши со всеми ее изгибами, перепадами и поворотами, ни бегущего вдоль края берега его самого, молодого и сильного крановщика Петра Крюкова, ни несущегося параллельным водяным курсом круглого воздушного колеса, которым сам же он и управлял, но уже будучи не Петром, а Серегой Хромовым, лучшим своим другом и самым гадким предателем его молодости и жизни, как он теперь про него понимал.

— Зря я место его занял, — успел подумать Петр Иваныч, преодолевая рукой-веслом очередной мокрый порог, — не залез бы в колесо, а бежал бы себе вдоль бережка, и не знал бы, чего знать не надо.

— Еще! Еще! — кричала молодая Зина, но уже из круга, из надутой резиновой мякоти, — Скорей! Сереженька, скорей! — И Петр Иваныч греб уже двумя руками, греб изо всех сил, греб, что было последней мочи, чтобы успеть, чтобы перегнать того самого себя, и в то же время не дать этому себе приплыть за поворот первым. И пусть Зина сама решит, кто из них получится первей, пусть скажет свое последнее женское слово, и пусть река сама определит, кому из них двоих добираться до победного поворота вплавь, а кому бежать к нему посуху. Но тогда получалось, что тому Петру, прибрежному, никто не помогал бодрым Зининым криком, как этому, и никто словом добрым погоне его не помог, и в ту же долю мига, когда до поворота осталась самая последняя малость, Петр Иваныч твердо решил, что поможет тому Петьке сам, раз нет у него другого крепкого защитника. И он заорал, не прерывая могучих гребков:

— Давай-а-а-а-й, Пе-е-е-тька-а-а! Дава-а-а-й, жми-и-и-и, Петро-о-о-о-о!!!

И звук его собственного крика достиг в этот предутренний час такой оглушающей силы, что заставил Петра Иваныча распахнуть глаза и на полную катушку ощутить, как рот его и все, что там было внутри и около него — зубы, десны, горло и гортань, приняли на себя получившийся удар, слившийся с последним спасительным криком. И на этот раз боль эта была настоящей — новой, незнакомой, пугающей и не приснившейся.

Петр Иваныч осмотрелся, но вокруг было сухо и темно. Вода не журчала и не билась больше о каменистые речные заторы, берега расступились и пропали, лес отсутствовал, Слава не летал, надувного круга тоже не было видно нигде — вместо него в полумраке душного сна лишь остывала под рукой съежившаяся резиновая шкурка. Вернее, все это и было, вроде, но уже по сухому остатку, став неживым, как будто из всего разом выпустили дух, как из отслужившей срок латаной автомобильной камеры, и воздух этот утекал вместе с картинкой молодых крюковых лет, оставляя за собой слабую завесу прошлой туманной жизни...

Он нащупал рукой место, где был ночник, и щелкнул выключателем. Зинина подушка была пуста, потому что сама она, точнее, верхняя часть тела супруги свешивалась с кровати в направлении пола с протянутой и застывшей в воздухе правой рукой, чуть не дотянувшейся до заготовленного Фенечкой на ночь судна. При этом вся картина была неподвижна, словно случайно мертва.

— Зи-и-и-н, — тихо позвал он жену, тяжело приподнимаясь из дежурного кресла и протягивая руку в сторону супруги, — ты чего, Зинуль?

Зина оставалась в том же странном неудобном положении и не отвечала. Петр Иваныч дотронулся до жениной ноги и легонько ее пошевелил. Толчок передался дальше по спящему телу, и висячая рука так же чуть-чуть дрогнула и покачнулась. Зина при этом признаков бодрствования снова не подала и не отреагировала на зов. Тогда Петр Иваныч, не веря еще в то, во что верить никогда нельзя, потянул жену на себя, перехватив ее под руку и подведя свою правую верхнюю конечность под Зинины плечи. Голова ее опрокинулась обратно на подушку, и Петр Иваныч увидал закатившиеся к потолку глаза своей жены — недвижимой и невозвратно мертвой Зинаиды Крюковой.

— Нет, Зинуля... — не поверил он увиденному, но не бросился делать искусственное дыхание и трясти тело супруги, как трясут уходящего навсегда в другое измерение человека. Он продолжал негромко разговаривать с Зиной, догадываясь каким-то чужим, не принадлежащим ему умом, что говорит уже не с ней, а с самим собой: — Не надо так со мной, Зиночка... Зачем нам так с тобой, а? — Зина продолжала тихо не отвечать, точно так же тихо, как и он обращался к ней, и все еще заинтересованно глядела вверх, туда, где был потолок, а за ним — крыша, а еще выше, выше самой крыши родного дома отстоял от земли оставленный им башенный кран, за которым уже были облака. Над ними летали самолеты всяких систем — от винтовых до реактивных — и если небо было ясным, то их отлично было видно, как на ладони, если откинуть на мозоли. В самолетах сидели летчики и управляли полетом, но лиц их Петр Иваныч рассмотреть никогда не умел — не хватало зоркости и высоты надзора, а после уже — охоты и нужды...

Это был второй по счету, но на этот раз смертоносный тромб, сорвавшийся с места, куда болезнь прикрепила его в ожидании последнего короткого пути. Скорей всего, объясняли врачи, что отрыв имел место в момент наклона за подкладным судном, к которому потянулась больная, чтобы не побеспокоить прикорнувшего на ночном кресле вахтенного дежурного, Серегу Хромова. Но, если про тромб и про отрыв от стенки аорты лучше знали доктора, то про единственного друга больше понимал лишь сам он — вдовец Петр Иваныч Крюков, бывший муж и смелый крановщик-высотник в не таком уж и далеком прошлом...

Кроме родных и Фени, на поминках были Абрам Моисеич Охременков, прораб бывшего труда, в память о кране, Серега Хромов с женой Людмилой, в память об их с ним счастливой жизни во все те годы, что раньше были, а теперь прошли, и Павликов друг Фима. Абрам Моисеич пришел, как звали, прокрепился первые полчаса, а потом дал слезу и уже не прекращал ее до самого конца поминочного стола, памятуя о том, как похоже провожали Томкину мать, его покойную тещу, которую он тоже помнил с жалостью и любовью. Серега Хромов сидел насупленный, но не плакал, потому что до самого конца похорон не верил, что Зиночки больше нет с его другом и с ним, и не мог преодолеть растерянность, как не получалось и превозмочь страшную беду от потери близкой и родной души. Павла било то снаружи то изнутри, и он больше молчал, сидя по правую руку от отца. Фима беспокойно глядел по сторонам и пытался незаметно успокоить друга. Валентин с Николаем сидели понурыми зрелыми бычками, не приготовившимися как надо к материной смерти на фоне начавшегося было возврата в разумную жизнь, и потому они напряженно думали про мать, подолгу молчали и много выпивали. Обе их жены, Катерина и Анжела, запрятав по возможности раздражительную нелюбовь к чужой в доме девчонке, Фекле этой самой, командовали по кухне, доказывая окружающей родне хозяйскую родственную умелость. С остальными родственниками было, как по-писаному: горе было горьким, а потеря — невосполнимой.

Петр Иваныч был торжественно красив и благороден, и никто не знал, почему. Лицо его было светлым, выражение — Ульяновским, как любила Зина, костюм — тоже с любимым ею единственным галстуком в синий ромбик, а несчастье, в отличие от опыта всех прожитых лет, — настоящим. И сам Петр Иваныч был настоящим, таким же подлинным и натуральным, каким было и горе его, вывернувшее вспять, опустившее с верхнего предела на нижний многомерную чепуху и мелочевку, но закинувшее на самые высокие горизонты, выше самых крайних небесных глазурей все нужное и дорогое, что осталось в разом опустевшей жизни — память о верной, ненаглядной подруге и веру на скорую с ней встречу там, куда не дотягиваются самые быстрые и легкие самолеты и где не промелькнут и в помине любые прочие небесные объекты и тела. И неведомо было Петру Иванычу, как назывались те далекие места и подле какого светила располагались они: не успел он еще этого хорошо и спокойно обмозговать, был там свой Бог или не был или же какое-то другое всевидящее око подменяло самого главного, а, может, и вовсе незнакомая ему правда неизвестных миров поселилась на тех высотах, что скрывались за самыми крайними из последних облаков. Поэтому, сидя за родственным столом, Петр Иваныч больше думал, чем плакал...

Невестки собрали со стола, подтерли и ушли, зыркнув на прощанье в сторону Фени.

— Уеду я завтра, дядя Петь, — сказала она Петру Иванычу, когда они остались одни, — время мое пришло, наверно.

— Нет, — твердо ответил Петр Иваныч, — оставайся тут, у меня будешь жить, как родная.

— А как же Паша? — спросила Феня и кивнула в окно, в неведомом направлении. — Ведь, я ему не надо, вы не знаете разве?

— Ты всем нам надо, — не согласился Петр Иваныч и притянул Феклушу к себе, — а с Пашкой я договорюсь, не сомневайся, со временем все наладится, и любовь придет и счастье и деток заведете малых, — он призадумался, не выпуская девушку из стариковского объятья, и мечтательно добавил: — Хорошо бы девочку, а назвать Зиной, как мать была, да?

— Да, — согласилась Феклуша, — хорошо бы... — и зарыдала Петру Иванычу в грудь...

На другой день Крюков вытащил из-под балконной клеенки на белый свет поржавевшую местами латунную Славину клетку, отнес ее на кухню, сел на табурет, на тот самый, сидя на котором впервые узнал о невольной Зининой измене, закурил папиросу и приступил к чистке клетки, пытаясь оттереть прутья от грязно-бурой зелени атмосферных воздействий. То, что Птичий рынок, откуда он доставлял прежде корм для Славы, съехал теперь на новый адрес, Петр Иваныч знал, начиная с той поры, как эта неожиданность случилась. Знал и на всякий случай не забывал. Теперь, подумал он, знание это ему пригодится, так как назавтра ехать ему предстоит туда, птицу покупать в семью. Кенар будет это или не кенар — значимости не имеет, лишь бы животное не отличалось крепким здоровьем, ну а уж Петр Иваныч постарается все накопленное умение к нему приложить, на ноги поставить и достойно выходить из птичьей болезни.

К полудню пришел Павел и присел рядом.

— Я Феню навсегда оставляю, — сообщил сыну Петр Иваныч и вопросительно глянул на Пашку, — как смотришь на это?

— Хорошо смотрю, — честно ответил сын и пояснил: — Девка-то золотая, пусть навсегда поселяется и живет себе.

— С нами? — в надежде спросил Петр Иваныч и поставил клетку на пол.

— Да, — коротко ответил Павел, — с вами: с тобой и новой птичкой, — он кивнул на клетку. — А я с Фимкой поживу, ладно? Мне там сподручней работать, пап, ну и вообще...

Что сын его Павел имел в виду, Петр Иваныч окончательно осознал к восьмому дню от Зининой кончины. Понимание свалилось разом, из ниоткуда, просто стянулось малыми крупинками и получился внушительный ком, которого хватило, чтоб обвалиться, но уже не убийственно ранить, не окончательно перекрыть дыхалку и не полностью пережать кровоток. С этим он заснул, с этим на девятое утро и проснулся.

А к девятому вечеру боль во рту у Крюкова зародилась с новой зверской силой, совладать с которой стало совсем невозможно. Он решился и отправился к зубному доктору в районную поликлинику. Тот сунул ему в пасть маленький железный отражатель, покачал головой и сообщил:

— Хочешь — верь, дедунь, не хочешь — не верь: сразу пара зубов мудрости лезет, аж десну рвет, — он почесал в затылке и засомневался собственным словам. — Не помню такого, сколько работаю. Ну, чего, рвем, дедушка, или как?

— Не, сынок, — без раздумий выдал в ответ бывший крановщик, — пусть растут, мне теперь с ними спокойней будет. А что больно мне — так поболит-поболит, да остановится, так ведь?

— Сам смотри, дед, — равнодушно согласился зубной рвач, — тебе жить...

— Точно! — В первый раз после смерти жены Петр Иваныч улыбнулся и через новую, двойную на этот раз боль ощутил разом накативший на горло прилив неведомых сил. — Мне!

Москва, ноябрь, 2002 года

СОДЕРЖАНИЕ

Литературно-художественное издание

Григорий РЯЖСКИЙ

Точка

Ответственный за выпуск *Е. Дмитриева*
Художественный редактор *А. Гладышев*
Технический редактор *О. Лёвкин*
Компьютерная верстка *К. Федоров*
Корректор *Н. Махалина*

Подписано в печать 26.06.06.
Формат 60×90 $^1/_{32}$. Бумага газетная.
Гарнитура «Петербург». Печать офсетная.
Усл. печ. л. 21,84. Тираж 5000 экз.
Изд. № 06-8294. Заказ № 4982.

ЗАО «ОЛМА Медиа Групп»
129075, Москва, Звездный бульвар, 23
Издательство «ОЛМА-ПРЕСС»
входит в группу компаний ЗАО «ОЛМА Медиа Групп»

Полиграфическая фирма «КРАСНЫЙ ПРОЛЕТАРИЙ»
127473, Москва, Краснопролетарская, 16